Encore Tricolore

Sylvia Honnor
Heather Mascie-Taylor

Consultant: Alan Wesson

Nelson

Thomas Nelson and Sons Ltd
Nelson House Mayfield Road
Walton-on-Thames Surrey
KT12 5PL   UK

Thomas Nelson Australia
102 Dodds Street
South Melbourne
Victoria 3205 Australia

Nelson Canada
1120 Birchmount Road
Scarborough Ontario
MIK 5G4 Canada

© Sylvia Honnor, Heather Mascie-Taylor 1996

First published by Thomas Nelson and Sons Ltd 1996

I(T)P Thomas Nelson is an International Thomson
Publishing Company

I(T)P is used under licence.

ISBN 0-17-439926-X
NPN 9 8 7 6 5 4 3

Commissioning and development – Clive Bell
Marketing – Jennifer Clark
Editorial – Michael Spencer
Production – Mark Ealden
Administration – Clare Trevean

Printed in Hong Kong

Acknowledgements
Bayard Presse for Okapi extracts © Bayard Presse
(Text p.15 - Oliver Rey; Text pp. 54 and 77 - Bernadette Costa)
Canal +
Centre de Commerces et de Loisirs Les Quatre Temps
Comité Français d'Education pour la Santé
Croix Rouge Française
Laure Delaunay
Michel, Brigitte, Cécile and Sophie Denise
Editions Larousse for extracts from
Francoscopie by Gérard Mermet
Excelsior Publications for extracts from Science et Vie Junior
Vivienne, Marie, Pierre Fardeau et famille
FUAJ
Anne Hunter
Institut du monde arabe
Lutte contre le sida
Médecins sans frontières
Northern Examinations and Assessment Board
Nouvel observateur
Office du Tourisme de la Martinique
Claude, Wendy and Charlotte Ribeyrol
Southern Examining Group
Téléloisirs
Travels magazine

Illustrations
Judy Byford
Sarah Colgate
Angie Deering
Karen Donnelly
Julia King
David Lock
Mike Whelan
John Wood

Photographs
Keith Gibson
Diwali photograph courtesy of Gujarat Samachar
Daniel Hobson
Philip Honnor
Sylvia Honnor
M. Jamet/SYGMA
Alastair Jones
W. Karel/SYGMA
Makor Jewish Resource Centre, Leeds
Heather Mascie-Taylor
R. Melloul/SYGMA
Mathieu Polak/SYGMA
Québec Government Office
Gilles Rigoulet
David Simson
Michael Spencer

Every effort has been made to trace the copyright holders of
material used in this book. The publishers apologise for any
inadvertent omission, which they will be pleased to rectify at the
earliest opportunity.

Watch out for these signs and symbols to help you work through each *unité*:

Listening activity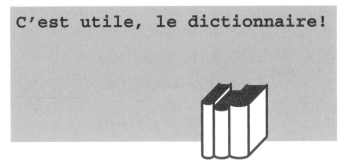

Work in pairs or groups

Using a dictionary to find out meanings of new words and phrases

C'est utile, le dictionnaire!

Help with extending your French vocabulary

✍ Lexique ✍ ✍ ✍ ✍

Notes to help you understand and use the patterns and rules of French

Dossier-langue

A summary of the main points you have learnt in each *unité*

Sommaire

Table des matières

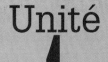
Nouveaux horizons

1.1 A PROPOS DES VACANCES

Pourquoi partir en vacances?

Soleil, repos, découverte – quel est pour vous le principal but des vacances? Voilà la question qu'on a posée aux Français dans la rue.

Ecoutez la cassette et notez les réponses. Quelle est la condition la plus importante pour des vacances réussies?

a avoir du beau temps
b se reposer
c passer du temps avec la famille/des amis
d se dépayser
e se faire bronzer
f rencontrer de nouvelles personnes
g lire
h faire du sport
i bien manger, bien boire
j visiter des monuments, des musées, des expositions
k autre chose

Des vacances réussies

Et vous, qu'en pensez-vous? Notez les trois conditions les plus importantes pour vous.

Exemple

Pour moi, ce qui est important pour des vacances réussies, c'est de me dépayser, de rencontrer de nouvelles personnes et de bien manger.

Vacances jeunes

Voici des lettres envoyées à un magazine de tourisme pour la jeunesse. Lisez les lettres, puis trouvez un titre pour chaque lettre.

> *Des tarifs jeunes*
> *Paris au mois d'août*
> *Un nouveau sport*
> *Paris, pas cher*
> *Où aller quand on n'a pas d'argent?*
> *Un stage multi-activités*

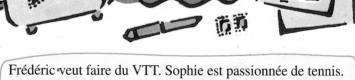

Et si vous *Chantier* **cet été**

Des projets,
Des actions,
Des rencontres
internationales.

1 Frédéric veut faire du VTT. Sophie est passionnée de tennis. Moi, j'adore la mer. Y a-t-il un stage pour nous tous? **Isabelle**, *Strasbourg*

2 Je voudrais passer quelques jours à Paris. Comment trouve-t-on un logement pour les jeunes qui ne soit pas cher? **Daniel**, *Bordeaux*

3 Comme ma mère est malade, nous ne partons pas en vacances cet été. Organise-t-on des activités pour des jeunes à Paris au mois d'août? **Luc**, *Paris*

4 J'ai entendu parler du 'canyoning' en Espagne. Qu'est-ce que c'est exactement et est-ce qu'il faut être très sportif pour le faire? **Hélène**, *Toulouse*

5 Nous espérons voyager un peu partout en Europe. Où pouvons-nous nous renseigner sur les voyages, les vols charters et les tarifs spéciaux pour les jeunes? **Stéphane**, *Nantes*

6 J'aimerais bien partir quelque part et rencontrer de nouvelles personnes, mais je n'ai pas beaucoup d'argent. Un ami m'a parlé d'un chantier de travail. J'aimerais bien en savoir plus. **Claire**, *Lyon*

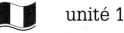

Des réponses

Maintenant trouvez une réponse à chaque lettre.

A La descente des canyons consiste à suivre le lit des torrents: à pied, à la nage, en glissant dans les chutes et en descendant les cascades. Ce sport à sensation se pratique au cœur de la nature. Il est accessible à tous ceux qui sont en bonne santé physique et qui savent nager, bien sûr!

B Plusieurs organismes offrent des stages multi-activités, où on peut pratiquer des activités diverses, par exemple, à Saint-Brieuc en Bretagne, vous avez un stage 'Terre et Mer' qui comprend des balades en VTT, le kayak de mer, les randonnées, le tennis et les loisirs culturels.

C Dans toutes les grandes villes de France, il y a un Bureau d'Information Jeunesse où on trouve une documentation très complète sur les loisirs, les voyages, les transports, le sport et la musique.

D L'AJF (Accueil des Jeunes en France) peut vous aider à trouver un hébergement à Paris dans des hôtels de jeunes, des auberges de jeunesse ou des centres pour étudiants. Alors, adressez-vous à un des quatre bureaux qui se trouvent à Paris.

E Plusieurs Centres d'Animation organisent des activités artistiques, techniques ou sportives pour ceux qui restent dans la capitale en été. Pour tout renseignement adressez-vous à la Mairie de Paris.

F Un chantier, c'est un séjour d'une à trois semaines, pendant lequel un groupe de jeunes (à partir de 16 ou 18 ans) travaillent ensemble à la réalisation d'un projet local. Ça peut être la restauration d'un petit monument, l'aménagement d'un bâtiment, ou des travaux d'environnement (le débroussaillement, la plantation de plantes, l'aménagement d'un sentier etc.). En principe, c'est un travail bénévole. On est nourri et logé gratuitement et on a l'occasion de rencontrer des jeunes de tous les pays.

Sondage vacances

Travaillez à deux. Interviewez votre partenaire à tour de rôle et notez les réponses.

1 Où préférez-vous passer des vacances?
Je préfère passer mes vacances …
a au bord de la mer.
b à la campagne.
c à la montagne.
d à l'étranger.
e dans les grandes villes.

2 Quel genre de vacances préférez-vous?
Je préfère …
a des circuits touristiques.
b des vacances à la plage.
c des vacances sportives.
d des vacances culturelles.

3 Quel genre de logement préférez-vous?
Je préfère …
a aller à l'hôtel.
b aller à l'auberge de jeunesse.
c faire du camping.
d loger dans un gîte rural.
e louer un appartement ou une villa.
f faire un séjour en famille.
g aller chez la famille ou chez des amis.

4 Quelle est pour vous la meilleure saison pour les vacances?
A mon avis, la meilleure saison pour les vacances est …
a le printemps.
b l'été.
c l'automne.
d l'hiver.

5 Quel genre de voyages préférez-vous?
Je préfère …
a des voyages organisés.
b des voyages indépendants.

6 Comment préférez-vous vous déplacer?
Je préfère me déplacer …
a en avion.
b en train.
c en bateau.
d en voiture.
e en autocar.
f en vélo.

✍ Lexique ✍✍✍

aménagé	equipped
animé	lively
une balade	walk, outing
se faire bronzer	to get a suntan
un chantier	workcamp, building site
une chute	fall
un circuit	tour
se dépayser	to get away from it all
les frais (m pl)	expenses
un hébergement	lodgings, accommodation
le logement	accommodation
la mer	sea
nager	to swim
la plage	beach
une randonnée	ramble, walk in countryside
le sable	sand
un stage	course
le VTT (vélo tout terrain)	mountain bike

Des vacances – nos préférences

Ecrivez quelques phrases ou préparez une petite présentation à propos des vacances:

A Mes vacances préférées

Ecrivez vos propres réponses aux questions du sondage dans votre cahier.

Exemple

Je préfère passer mes vacances au bord de la mer …

B Notre classe

Ecrivez les résultats du sondage fait en classe ou en groupe.

Exemple

Dans notre classe/groupe … personnes préfèrent passer des vacances au bord de la mer, … à la campagne etc.

> **NOW YOU CAN …**
>
> … discuss different types of holiday, express preferences and say what makes a successful holiday for you.

5

Vous partez en vacances?

Ecoutez la cassette. On demande aux gens s'ils partiront en vacances cette année. A chaque fois, notez dans votre cahier si la réponse est 'oui' (✓) ou 'non' (✗). Si oui, indiquez lequel de ces pays on va visiter.

Exemple: 1 ✓ B

IDÉES VACANCES

A

Expédition au Sénégal

Un circuit de 17 jours dans un pays musulman de l'Afrique Noire.

En utilisant la formule 4×4 et bivouac, ce circuit offre la possibilité de découvrir la vraie brousse du Sénégal. Le groupe de 5 à 14 personnes sera accompagné d'un guide sénégalais parlant les différents dialectes des régions traversées. Pour la réserve du Niokolo Koba (singes, buffles, antilopes, hippopotames) un guide spécialisé sera pris sur place.

Transport par avion: Paris – Dakar

Transport en 4 x 4 durant tout le circuit

Hébergement en bivouac ou campement + deux nuits d'hôtel

B

MAROC – LES VILLES IMPÉRIALES

Le Maroc, pays de contrastes. Nous sommes en Afrique, en terre d'Islam et on y parle français – ce qui crée un univers à la fois familier et dépaysant.

Suivez la route des villes impériales du sud au nord: Marrakech, Casablanca, Rabat, Meknès, Fès – vous découvrirez tous les aspects fascinants du Maroc.

Un circuit de 8 jours en car avec demi-pension et logement en hôtels simples 3 étoiles.

C

Croisière aux Antilles

15 jours

Visitez la Guadeloupe, la Dominique, la Martinique: trois îles au cœur des Caraïbes. Une aventure inoubliable en passant des sentiers de forêts tropicales aux criques désertes. Vous utiliserez les moyens les plus variés: à pied, en bateau, minibus ou voiture. L'hébergement est prévu en gîtes en Guadeloupe et en Martinique et à bord d'un voilier.

D

La Guadeloupe – *le bien être aux Antilles*

Hôtel La Belle Créole

Situation: A 2 minutes de la plage et de l'aéroport.

Un hôtel 3 étoiles avec piscine, bibliothèque, boutique. Toutes les chambres sont climatisées, disposent d'une salle de bains, du téléphone, de télévision, d'un mini-bar.

Vous aurez la possibilité de pratiquer de nombreux sports gratuitement: piscine, tennis, volley-ball, ping-pong, pétanque, 1 heure par jour de planche à voile, du golf, initiation à la plongée sous-marine (en piscine).

E

LA RÉUNION – *circuit aventure*

une semaine
Organisée en collaboration avec la 'Maison de la Montagne de la Réunion', une randonnée qui s'adresse à de bons marcheurs en bonne forme physique; formule idéale pour bien connaître l'île de la Réunion et ses paysages fantastiques (forêts, montagnes, cirques et volcans). Hors des routes et des sentiers battus vous découvrirez les sites les plus impressionnants.

Trouvez les mots

Lisez les détails des vacances pour trouver …

5 cinq sports

4 quatre moyens de transports

3 trois animaux; trois mots pour décrire le paysage

2 deux pays francophones; deux îles

1 une langue; une ville en Afrique; une nationalité

Quel voyage?

Proposez un voyage à ces personnes.

Exemple: 1D

Pourquoi ne pas partir …
Faites un voyage …   … aux Antilles.
Avez-vous pensé à aller …

1 La plage, le soleil, la mer – des vacances sur une île tropicale ou une croisière, c'est ça mon voyage de rêve.

2 Mon mari adore les bons hôtels. Ma fille est passionnée de plongée sous marine. Mon fils ne pense qu'à manger. Moi j'ai toujours voulu voir les Antilles.

3 Les grands hôtels de luxe, ça ne m'intéresse pas. Pour moi, les vacances, c'est pour me dépayser. Découvrir un autre pays, un autre continent et voir comment vivent les habitants du pays, c'est ça qui compte.

4 Je cherche un circuit bien organisé dans un pays chaud, où on voit beaucoup mais sans devoir trop marcher.

5 J'aime surtout des vacances actives – la randonnée à la montagne, être près de la nature, voir des paysages exceptionnels.

6 J'ai toujours voulu voir des animaux sauvages en liberté.

7 Et vous, lequel de ces voyages vous intéresse le plus? Pourquoi?

Exemple

Parce que j'adore …
… les bons hôtels.
… visiter les villes anciennes.
… la nature et la vie en plein air.
Parce que j'ai toujours voulu …
… faire une croisière.
… visiter l'Afrique.
… vivre sur une île tropicale.

Un voyage à conséquences

Ecrivez sur une feuille:
1 la destination
2 le mois
3 la durée
4 l'hébergement

Puis faites des conversations

Martinique
avril
3 semaines
gîtes

Exemple

– Où iras-tu en vacances cette année?
– A la Martinique.
– Quand partiras-tu?
– En avril.
– Pour combien de temps?
– Trois semaines.
– Et où est-ce que tu logeras?
– Dans des gîtes.

Savoir voyager

Avant de voyager dans un pays étranger, c'est une bonne idée de se renseigner sur les traditions du pays.

Voilà une liste de conseils aux touristes qui vont visiter un pays étranger. Pouvez-vous deviner lequel? (C'est un des pays de la page 6.)

1 Pour ne pas se confronter aux traditions du pays, il faut s'habiller correctement en ville. Les hommes doivent porter un pantalon et une chemise à manches courtes, les femmes une jupe assez longue et un chemisier. N'oubliez pas un chapeau de soleil et des lunettes de soleil.

2 Avant d'entrer dans une maison particulière, on doit se déchausser.

3 Vous serez sans doute invité à boire du thé à la menthe. Ne refusez pas les trois premiers verres de thé, même si vous n'avez pas soif. Si le thé est bouillant, ne soufflez pas dessus.

4 A table il est d'usage de se laver les mains avec une aiguière et de dire 'Bismilah' (au nom de Dieu) avant de manger. D'habitude les hommes et les femmes mangent séparément.

une aiguière

5 La première fois que vous allez à la médina, prenez un guide officiel pour ne pas vous perdre!

Dossier personnel

Vacances de rêve

Si quelqu'un vous offrait un voyage, où voudriez-vous aller et pourquoi?

Exemple

Je voudrais aller au Québec pour découvrir la nature, les forêts, les lacs et parce que je n'aime pas les grandes villes.

Pour vous aider:

Destination	Pourquoi
L'Egypte	pour voir les Pyramides, pour faire une croisière sur le Nil, pour visiter les monuments historiques
New York (aux Etats-Unis)	pour voir la Statue de la Liberté et les gratte-ciel, pour faire des achats, pour visiter les musées
Le Vietnam	pour découvrir un pays de tradition bouddhiste, riche en histoire, pour voir des pagodes, pour apprécier le paysage
Le Kenya 	pour faire un safari, pour voir des animaux sauvages, pour faire des photos

---

NOW YOU CAN . . .

… talk about holiday plans for the future. You have also learnt about some other French-speaking areas of the world.

A l'office du tourisme

OFFICE DU TOURISME

Ecoutez la cassette. Des touristes demandent des renseignements à l'office du tourisme.

Trouvez la bonne image à chaque fois.

Exemple: 1C

A CAEN NORMANDIE — MUSÉES

B HÔTELS NORMANDIE

C FRANÇAIS — NIMES PLAN de VILLE — OFFICE DU TOURISME

LA MAISON DU TOURISME

D Guide Horaire — TICKET 1 JOUR — bus LA VILLE FACILE

E AQUARIVE QUIMPER — *"Le plaisir de l'eau vive"* — Piscine à vagues, toboggan, saunas, cafétéria — aquarive — 98 52 00 15

F VISITER DIEPPE — NORMANDIE SEINE-MARITIME — FRANCE

G CYCL'O MAR LOCATION — LOCATION DE BICYCLETTES — LIVRAISON — CYCL'OMAR LOCATION VOUS PROPOSE — V.T.T. • V.T.C. • BICYCLETTE • SCOOTER • ROSALIE — TANDEM • TRIPLETTE • QUADRUPLETTE • QUINTUPLETTE — CYCLOMOTEUR • TONDEUSE A GAZON etc... — REPARATION - VENTE NEUF ET OCCASION — QUIBERON PLACE HOCHE TÉL. 97.50.26.00 — PENTHIÈVRE AVENUE DE St-MALO — (OUVERT TOUTE L'ANNÉE)

H 22370 VAL ANDRE (LE) PLENEUF — FINISTERE — 29770 AUDIERNE — 29300 BAYE — 29950 BENODET — ★★★ LE POULQUER Tél. 98 57 04 19 — ★★★ CAMPING DE LA MER BLANCHE Tél. 98 57 00 75 - Fax 98 57 25 04 — 29790 BEUZEC CAP SIZUN

C'est à vous

Posez une question pour chaque image.

Exemple

A Avez-vous une liste des musées?

Lexique

Les documentations touristiques	Tourist information leaflets
une brochure sur la région	a brochure about the region
un dépliant sur la ville	a leaflet about the town
un horaire des autobus/des trains	a bus/train timetable
une liste des excursions en car	a list of coach excursions
une liste des hôtels	a list of hotels
une liste des monuments principaux	a list of main sights
une liste des musées	a list of museums
une liste des restaurants	a list of restaurants
une liste des terrains de camping	a list of campsites
un plan des autobus	a bus map
un plan du métro	a 'métro' map
un plan de la ville	a street plan

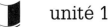

📼 Qu'est-ce qu'on a dit?

Ecoutez les conversations sur la cassette et trouvez les phrases qui manquent.

Exemple: 1B

1
– …
– Là, vous avez un plan de la ville et un dépliant avec tous les renseignements nécessaires.

2
– …
– Oui, mais pas en cette période. Cependant on peut vous louer une visite audio-guidée du centre-ville si ça vous intéresse.
– …
– C'est 50 francs plus 200 francs remboursables contre l'appareil.

3
– …
– Oui, il y a un grand hypermarché Continent au Centre Commercial la Madeleine.
– …
– Oui, prenez l'autobus numéro 5 en face de la gare.

4
– …
– Chaque samedi il y a un spectacle 'son et lumière' dans la cour du château Saint Malo. Sinon, la vieille ville est très animée le soir. Il y a des acteurs, des jongleurs etc.

5
– …
– Oui, voilà une liste des excursions avec tous les détails.
– …
– Ah oui, c'est très impressionnant.

A Peut-on faire des excursions en car?
B Pouvez-vous me donner une petite documentation sur la ville, s'il vous plaît?
C Que peut-on faire le soir à Saint-Malo?
D Et le Mont Saint Michel, ça vaut la peine d'y aller?
E Faites-vous des visites guidées de la ville?
F Est-ce qu'il y a un hypermarché ici?
G Est-ce qu'on peut y aller en bus?
H Oui, ça m'intéresse. Ça coûte combien?

Puis, écrivez au moins six questions utiles dans votre cahier.

👀 C'est pour un renseignement

Travaillez à deux. Vous voulez beaucoup de renseignements et de dépliants. A tour de rôle, vous devez demander quelque chose de différent. Qui peut continuer le plus longtemps?

Une lettre à l'office du tourisme

Vous organisez des vacances en France cette année et vous avez besoin d'une documentation touristique.
Ecrivez une de ces lettres.

1 Vous allez à Saint-Malo.
(Office du tourisme, Port des Yachts, 35400 Saint-Malo)
Vous voulez …

En plus vous voulez savoir si …
… excursions  ?
… activités sportives ?

2 Vous allez à Montpellier.
(Office du tourisme, Allée du Tourisme, Triangle-Comédie, 34000 Montpellier)
Vous voulez …
… des renseignements touristiques

En plus vous voulez savoir si …
… fêtes en août ?

 ?

Pour vous aider:

(destinataire)
(L'adresse)

(ton adresse)
(lieu) (la date)

Monsieur/Madame,

Je voudrais passer des vacances (dans le Val de Loire) cet été.
Voulez-vous être assez aimable pour m'envoyer les renseignements suivants:
(une liste des hôtels et des restaurants
une liste des principaux musées
des brochures sur la région)

Je voudrais savoir en plus …
(si on organise des excursions en car.
si on peut faire des activités sportives dans la ville.
si on peut louer des vélos.
s'il y a des fêtes régionales au mois d'août.)

Je vous prie d'agréer, Monsieur/Madame, l'expression de mes sentiments distingués,

(S. Hughes)

Le Minitel – pour tout savoir

Vous cherchez un numéro de téléphone?
Consultez le minitel.

Un ménage sur trois a le minitel à la maison. Il est offert gratuitement par France Télécom parce qu'il donne accès à l'annuaire téléphonique électronique. Les appels à l'annuaire téléphonique et les autres appels qui commencent par 3605 sont gratuits. Mais pour des renseignements de nature générale, avec des codes qui commencent par 3615, on paie le prix de la communication.

Souvent à la fin de la publicité pour un service ou pour un nouveau produit on donne un code minitel. Alors, si vous cherchez un renseignement sur un sport, sur un voyage, sur les plages, consultez le minitel.

Des services Minitel

Lisez la publicité et répondez aux questions.

1 La FUAJ, qu'est-ce que c'est?
  a C'est une fédération de clubs de tennis.
  b C'est une fédération d'auberges de jeunesse.
2 Novotel, c'est quoi exactement?
  a C'est une chaîne d'hôtels.
  b C'est une chaîne de restaurants.
3 Qu'est-ce qu'il faut taper pour avoir des renseignements touristiques sur Calais et sa région?
4 A qui sont principalement destinés ces services?
  a des touristes à l'étranger
  b des touristes en France
5 Ces services, fonctionnent-ils jour et nuit?
6 Cherchez le mot.
  a C'est une partie du corps.
  b Ça veut dire 'promenade'.
  c C'est le contraire de 'premier'.
  d Ça veut dire 'n'importe quand'. *(2 possibilités)*
  e C'est le contraire de 'pire'.
  f Ça veut dire 'n'importe où'.

VOS WEEK-ENDS AU BOUT DES DOIGTS

Toutes les bonnes étapes du Nord – Pas de Calais (hôtels, gîtes, campings …) des idées loisirs, des balades, des suggestions pour le week-end sont disponibles 24 heures sur 24 sur 3614 ETOILE …

… Parce que les meilleurs week-ends se décident parfois au dernier moment!

36 14 ETOILE

C'EST SI SIMPLE DE RÉUSSIR VOS WEEK-ENDS SUR MINITEL

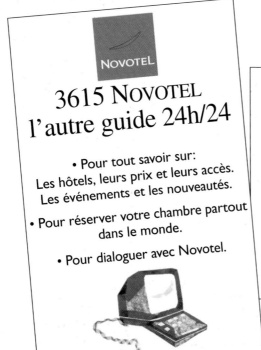

NOVOTEL

3615 NOVOTEL
l'autre guide 24h/24

• Pour tout savoir sur:
Les hôtels, leurs prix et leurs accès.
Les événements et les nouveautés.

• Pour réserver votre chambre partout dans le monde.

• Pour dialoguer avec Novotel.

POUR TOUT SAVOIR

3615-FUAJ

Vous hésitez encore, pour cet été, à partir au Mexique, en Thaïlande ou en Australie, suivre un stage photo, pratiquer le surf ou, pour cet hiver, vous prévoyez de vous éclater en monoski, en ski alpin, en ski de fond?...

...Sur le 3615, le code FUAJ vous donne, à tout moment, des idées et des réponses. Vous pourrez aussi comparer les prix, choisir vos dates ou obtenir nos catalogues des voyages en auberges de jeunesse.

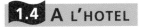
1.4 A L'HOTEL

Hôtels au choix

On trouve des hôtels de toutes sortes et à tous les prix, alors pour trouver un hôtel qui vous convient, consultez les listes d'hôtels de l'office du tourisme ou les guides de voyage.

Avec plus de 2000 hôtels à Paris et en Ile de France, vous avez vraiment le choix. Voici les détails de quatre hôtels dans la région parisienne.

A

Hotel Sofitel **
(RER) Roissy Aéroport Charles de Gaulle
352 chambres toutes avec salle de bains, douche et WC, téléphone, télévision avec CANAL+, minibar dans la chambre, air conditionné, piscine, bar, restaurant, ascenseur, parking, garage, salle de réunion, animaux admis, facilités pour handicapés.
Principales cartes de crédit acceptées
Tarif: 650–1250F
Petit déjeuner: 80F

B

Hôtel des Arènes *
5e arrondissement
(M) Place Monge
49 chambres toutes avec douche ou salle de bains, téléphone, télévision, minibar dans la chambre, parking, bar, ascenseur, facilités pour handicapés.
Principales cartes de crédit acceptées
Tarif: 495 – 850F
Petit déjeuner: 45F

C

Hotel Arcade **
(RER) Pont de Rungis – Aéroport d'Orly
299 chambres toutes avec salle de bains, douche et WC, téléphone, télévision, bar, ascenseur, parking, garage, salle de réunion, animaux admis, facilités pour handicapés.
Restaurant: pension, demi-pension
Principales cartes de crédit acceptées
Tarif: 375F
Petit déjeuner: 37F

D

Grand Hôtel Jeanne d'Arc **
4e arrondissement
(M) St Paul
36 chambres toutes avec douche ou salle de bains, téléphone, télévision, ascenseur, animaux acceptés
Tarif: 295 – 500F
Petit déjeuner: 35F

Quel hôtel?

Choisissez un hôtel qui convient à ces clients.

1 Mme Maurice voyage de Montréal à Paris. Elle va arriver à l'aéroport Charles de Gaulle tard dans la journée, donc elle veut un hôtel tout près.

2 Kevin Dubois n'aime pas dépenser trop d'argent. Il cherche un hôtel à prix modeste au centre de Paris. Il veut emmener son chien avec lui.

3 Suzanne et Paul Johnson vont à Paris pour le week-end. Ils veulent être au centre de Paris dans un hôtel qui a un bar ou un restaurant.

4 Juan Gonzalez et ses collègues voyagent à Paris pour une réunion franco-espagnole. Il cherche un hôtel près de l'aéroport d'Orly. L'hôtel doit avoir au moins 40 chambres, une salle de réunion et des facilités pour handicapés.

5 Sigrid Schaudi cherche un hôtel avec au moins 100 chambres pour une délégation allemande. L'hôtel doit avoir des facilités pour handicapés, une salle de réunion et, si possible, une piscine ou une salle de remise en forme.

✎ Un lexique à faire ✎✎✎✎

*Pouvez-vous compléter cette liste et écrire le lexique dans votre cahier. Pour vous aider, consultez les détails sur cette page et aussi le **Vocabulaire par thèmes**.*

A l'hôtel		At the hotel
	… acceptés	animals accepted
	un …	lift
	un …	bar
	… acceptées	credit cards accepted
	chambre avec …	room with washing facilities
	chambre avec …	room with a shower
	chambre avec …	room with a bath
DP	la demi-…	half-board
	facilités pour …	facilities for physically handicapped
	un …	garage
	un …	golf course
	un …	garden
	un …	minibar
P	un …	car park
PENSION	la … complète	full board
	le …	breakfast
	une …	swimming pool
	un …	restaurant
	la … en chambre	television in room
	le … direct	direct-line telephone
	le …	tennis court
	une … de réunion	conference room
	une … sur mer	sea view

🏴 On téléphone à l'hôtel

Ecoutez la cassette. On veut faire des réservations. Pour chaque client(e), notez les détails suivants dans votre cahier.

1-3 a C'est pour quand?

    b C'est pour combien de nuits?

    c C'est pour combien de personnes?

Au dernier client(e), on ne fait pas de réservation. Pourquoi?

4 a Les chambres sont trop chères.

    b Il n'y a personne au bureau.

    c L'hôtel est complet.

🏴 A l'hôtel

Travaillez à deux. Une personne regarde cette page, l'autre regarde la page 131.

Vous arrivez à un hôtel en France et vous voulez des chambres pour votre famille/vos amis. Votre partenaire va commencer. Puis changez de rôle.

Exemple

– Je peux vous aider?

– Oui, je voudrais réserver …

– Oui, c'est pour combien de personnes?

– C'est pour …

– Vous voulez des chambres avec salle de bains ou douche?

– Avec … .

– C'est pour combien de nuits?

– C'est pour …

– C'est …F la chambre.

1 🛏🛏   **2** 🛏🛏🛏

👪👤   👪👪

🚿   🛁

🌙 × 3   🌙 × 4

💴 ?   💴 ?

🏴 On fait des réservations

Lisez cette conversation avec un(e) partenaire, puis inventez d'autres conversations en changeant les mots en couleurs.

– Je voudrais réserver (une chambre pour une personne) pour (le 5 avril).

– Oui, c'est pour combien de nuits?

– (Deux nuits).

– Oui, nous avons une chambre (avec douche).

– C'est à quel prix?

– C'est (à 450 francs), taxes et service compris.

– Avez-vous quelque chose de moins cher?

– Oui, nous avons (une autre chambre avec cabinet de toilette à 260F).

– Bon, je prendrai celle-là. Merci.

– C'est à quel nom?

– (Dublanc.)

– Pouvez-vous me confirmer la réservation par lettre ou par fax, s'il vous plaît?

– Oui, bien sûr.

une
une chambre pour deux personne(s)
trois

le 15 avril
le 8 mars
le 28 juin
etc.

une
deux nuit(s)
trois
une semaine

une chambre
double
à un grand lit
à deux lits
à trois lits

à
700F
650F
540F
etc.

salle de bains
avec douche
cabinet de toilette

une autre chambre avec cabinet de toilette à …
une chambre plus petite à …
une autre chambre au troisième étage

Une lettre à l'hôtel

Pouvez-vous écrire une lettre à l'hôtel pour une de ces personnes.

1 James Norris – il a déjà réservé par téléphone

🛏 📞

Dates: 30/1 – 3/2

2 Helen Black – elle veut faire une réservation par lettre/fax

🛏 🛁 + 🛏 🛁

Dates: 29 /4 – 3/5.

3 Alex Smith – il veut savoir les prix

🛏 🛏 🛁 + 🛏 🚿

Dates: 27/6 – 5/7

4 Pour vous-même. Chambres et dates au choix!

Exemple

(L'adresse)
(la date)

Monsieur/Madame,

Suite à notre conversation téléphonique, je voudrais confirmer ma réservation de ….
Je voudrais réserver …
Pourriez-vous m'indiquer le prix pour …
deux chambres pour cinq nuits du 29 juillet au 2 août
– une chambre double avec salle de bains et WC
– une chambre à deux lits avec douche et WC

Je vous prie d'agréer, Monsieur/Madame, l'expression de mes sentiments distingués.

M. Parry

A la réception d'un hôtel

Des questions

Ecoutez la cassette. Il y a du monde à la réception.
Quelle image va avec chaque question?

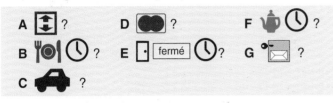

Qu'a-t-on dit?

Maintenant trouvez la phrase qui va avec chaque image.

Puis écrivez les phrases en deux listes: des questions – des problèmes.

1 Y a-t-il un ascenseur?
2 La douche ne marche pas.
3 Mais nous avons réservé une chambre avec deux lits et salle de bains.
4 C'est à quelle heure, le dîner, s'il vous plaît?
5 Est-ce qu'il y a un parking à l'hôtel, Madame?
6 Il n'y a pas de serviettes dans notre chambre.
7 Il y a une erreur – nous sommes restés deux nuits, pas trois.
8 Il n'y a pas de cintres dans la chambre.
9 La télévision dans la chambre ne marche pas.
10 Il y avait beaucoup de bruit hier soir et on ne pouvait pas dormir.
11 Le chauffage ne marche pas.
12 L'hôtel ferme à quelle heure la nuit?
13 Est-ce que vous acceptez les cartes de crédit?
14 Pouvons-nous mettre ce paquet au coffre?

Imaginez, inventez!

Faites une de ces activités individuellement ou en groupe.

1 Décrivez votre hôtel idéal.

Exemple

Dans mon hôtel idéal il y a un centre sportif, avec une grande piscine, des courts de tennis, un golf etc.

2 Faites de la publicité pour un week-end à thème qui aura lieu dans un hôtel.

Exemple

Un meurtre a été commis, mais qui est l'assassin?
Pour découvrir le mystère venez à l'HÔTEL TREIZE le week-end du 1er avril.

3 Faites un sketch qui se passe dans un hôtel.

Exemple

– Le chauffage ne marche pas.
– Mais vous avez de la chance – les radiateurs font tellement de bruit.
– Et le téléphone ne marche pas.
– Quelques jours sans téléphone – quel paradis!

Des problèmes

Cette fois on se plaint de quelque chose. Trouvez d'abord l'image qui correspond à chaque conversation, puis décidez si la personne est calme (C) ou fâchée (F).

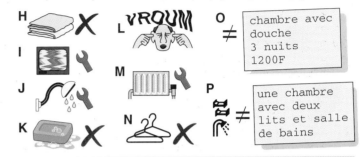

Lexique

A l'hôtel	At the hotel
à partir de	from
s'adresser à	to refer to, to report to
annuler	to cancel
les arrhes (f pl)	deposit
un balcon	balcony
un bidet	bidet
un cabinet de toilette	washing facilities
casser	to break
une chambre	room
le chauffage central	central heating
un cintre	coat hanger
une clé (clef)	key
complet	full
une couverture	blanket
une douche	shower
l'eau chaude (f)	hot water
l'eau froide (f)	cold water
une erreur	mistake
un escalier	staircase
un étage	storey
un lavabo	washbasin
un lit	bed
marcher	to work (of a machine)
la note	bill
la nuit	night
un oreiller	pillow
un passeport	passport
un reçu	receipt
le rez-de-chaussée	ground floor
le robinet	tap
le savon	soap
un séjour	stay
une serviette	towel
le tarif	price
les toilettes (f pl)	W.C.
les W.C. (m pl)	

NOW YOU CAN . . .

... book accommodation at a hotel, sort out the arrangements and deal with any problems which might arise.

La météo

Avoir du beau temps – c'est ça qui compte pour beaucoup de vacanciers. On consulte souvent la météo à la télévision et dans le journal pour savoir le temps prévu. Les prévisions météorologiques sont souvent représentées par des symboles comme ça.

A ☀ soleil/ensoleillé

B 🌤 éclaircie

C ☁ nuageux

D ⛈ orage

E 🌧 pluie

F ☁ couvert

G 🌦 averses

H ❄ neige

I ▒ brouillard

J ➚ vent

Proverbes et expressions

Pouvez-vous compléter ces proverbes et expressions? Puis trouvez la bonne définition.

1 Après la … 🌧 … , le beau temps.
2 Autant en emporte le … ➚ … . (C'est aussi le titre d'un roman et d'un film américain très connu.)
3 Il est toujours dans les … ☁ … .
4 Quand je l'ai vu, c'était le coup de … ⚡ … .

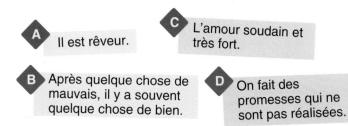

A Il est rêveur.

B Après quelque chose de mauvais, il y a souvent quelque chose de bien.

C L'amour soudain et très fort.

D On fait des promesses qui ne sont pas réalisées.

Pour décrire le temps

	le passé	le présent	le futur
il faisait beau	il a fait beau	il fait beau	il fera beau
il y avait du soleil	il y a eu du soleil	il y a du soleil	il y aura du soleil
il faisait chaud	il a fait chaud	il fait chaud	il fera chaud
le temps était nuageux	le temps a été nuageux	le temps est nuageux	le temps sera nuageux
il pleuvait	il a plu	il pleut	il pleuvra
le ciel était couvert	le ciel a été couvert	le ciel est couvert	le ciel sera couvert
il neigeait	il a neigé	il neige	il neigera
il y avait du brouillard	il y a eu du brouillard	il y a du brouillard	il y aura du brouillard
il y avait du vent	il y a eu du vent	il y a du vent	il y aura du vent
il faisait froid	il a fait froid	il fait froid	il fera froid

🏴 On parle du temps

Ecoutez les personnes qui parlent sur la cassette. D'abord, notez le temps qu'on décrit.
Exemple: 1 froid

Puis, écoutez encore une fois et décidez si l'on parle du présent, du passé ou du futur.
Exemple: 1 présent

🏴 On consulte la météo

Travaillez à deux. Une personne regarde cette page, l'autre regarde la page 131. Vous travaillez à la météo. Répondez aux questions de votre partenaire.

HIER

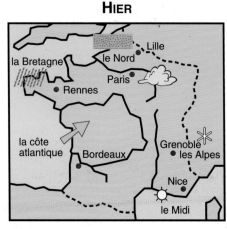

AUJOURD'HUI

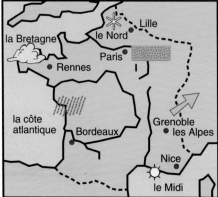

DEMAIN

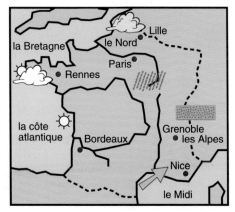

Alerte au cyclone

Afrique

Océan Indien

Ile Maurice

Ile de la Réunion

On leur donne des noms de filles ou de garçons, comme Hugo ou Colina. Pourtant ils développent une énergie phénoménale et provoquent d'effroyables dégâts.

A la Réunion, quand un cyclone risque de se former, on donne 'l'alerte 1' trente-six heures avant. Si la menace se précise, on donne 'l'alerte 2' environ 24 heures avant l'arrivée de la tempête. Douze heures plus tard, quand on est certain que le cyclone va passer sur l'île, on sonne 'l'alerte 3'.

Les bateaux rentrent aussitôt au port et s'attachent très solidement aux pontons. Les gens qui vivent dans des maisons peu solides, trop vieilles, ou dans des zones inondables, se réfugient dans des centres d'accueil.

Ceux qui peuvent rester chez eux doivent fermer leurs volets, faire des réserves d'eau, rentrer les meubles de jardin etc.

Tout le monde doit se munir de bougies et d'une radio à piles pour pouvoir se tenir informé de la situation. Les gens ne sont autorisés à sortir de chez eux que lorsque tout danger est écarté.

Alors, si vous vous trouvez dans une île tropicale et que la météo annonce un cyclone, ne vous penchez pas à la fenêtre pour profiter du spectacle. Tous aux abris!

(Okapi hors-série 1995)

Vrai ou faux?

1 Il y a des cyclones sur l'île de la Réunion.
2 Pendant un cyclone il y a des vents très violents
3 Après un cyclone il y a souvent beaucoup de dommages.
4 S'il y a un risque de cyclone, on donne l'alerte trois jours avant.
5 Quand on est certain que le cyclone va passer sur l'île on sonne 'l'alerte 3'.
6 A ce moment-là, les bateaux doivent partir en mer.
7 Les gens doivent rester à la maison, mais ils peuvent ouvrir les fenêtres pour regarder la tempête.
8 On n'a pas le droit de sortir pendant le cyclone.

Attention! Cyclone

L'alerte 1 (36 heures avant)
L'alerte 2 (… heures avant)
L'alerte 3 (… heures avant)

Rentrez à la maison.

Si vous habitez une maison peu solide, allez au centre d'accueil.

Ecrivez des instructions ou dessinez une affiche pour expliquer aux touristes ce qu'il faut faire en cas d'alerte.

Exemple

Quel temps fera-t-il?

Autrefois on faisait référence aux dictons pour prévoir le temps. Aujourd'hui, des ordinateurs très puissants de la Météo 'calculent' le temps qu'il va faire. Lisez cet extrait des prévisions météorologiques puis faites l'activité en dessous.

METEO

Demain

Bassin parisien
Le temps sera dans l'ensemble ensoleillé bien que brumeux. Le vent sera faible à modéré de nord-est et les températures resteront voisines des normales saisonnières, de l'ordre de 24 degrés.

Nord
Brumeux et nuageux le matin. Belles éclaircies l'après-midi.

Nord-Est
Assez beau en Champagne, très nuageux sur l'est de la région. Averses sur les Vosges.

Bourgogne, Franche-Comté
Temps variable, généralement bien nuageux.

Alpes, Corse
Nuageux à couvert. Averses prenant localement un caractère orageux.

Sud-ouest, Charente
Brumeux le matin. Belles éclaircies dès la mi-journée.

Bretagne-Nord, Normandie
Brumeux, assez ensoleillé. Plus nuageux près des côtes.

Centre, Massif Central
Brumeux et nuageux le matin. Assez bien ensoleillé en fin de matinée.

Expliquez à ces touristes le temps qu'on prévoit pour demain.

Exemple

1 Il y aura du soleil mais il y aura peut-être un peu de vent.

1 Martine Legros à Paris
2 James White à La Rochelle (en Charente-Maritime)
3 Hilde Schmidt dans les Vosges (dans le nord-est de la France)
4 Johann Skopje à Saint-Malo (en Bretagne)
5 Angela Stephens au Puy (dans le Massif Central)
6 Frédéric Dugrand à Dijon (en Bourgogne)

NOW YOU CAN . . .
....
… discuss the weather and understand information about the weather and a simple weather forecast.

Une lettre pour rassurer les parents

Lisez la lettre et regardez les images pour voir la réalité.
Puis faites l'activité en dessous.

Chers parents,

Nous sommes bien arrivées. L'hôtel est confortable. Il fait un temps splendide. Tout va bien. Hier, nous avons passé la journée sur la plage – mais rassurez-vous, j'ai mis beaucoup de protection solaire. Hier soir, comme nous étions un peu fatiguées après le voyage, nous sommes restées à l'hôtel pour nous reposer. Ce matin, Cécile et moi, nous nous sommes levées de bonne heure pour jouer au tennis. Cet après-midi, on va manger en plein air – très bon pour la santé, non? Demain on fera une excursion à la montagne. Et mercredi prochain, pour faire quelque chose de culturel, nous irons à un concert de musique.

Vous voyez que vous avez eu raison de me laisser partir sans vous.

A bientôt,

Sophie

Pas tout à fait!

La lettre de Sophie donne une bonne impression, mais une impression qui n'est pas tout à fait juste! Complétez ces phrases pour décrire la situation plus précisément.

1 L'hôtel est …
2 Le temps est …
3 Hier nous avons pris …
4 Hier soir, nous sommes restées à l'hôtel pour …
5 Ce matin, nous avons …
6 Cet après-midi, on a mangé …
7 Mercredi prochain, nous irons …

A trop de soleil.
B eu l'intention de jouer au tennis.
C à un festival de rock.
D des glaces délicieuses.
E un peu variable.
F aller dans une discothèque.
G très simple.

Dossier-langue

Talking about the future, the present and the past

The future

Look for two different ways Sophie uses in the letter to talk about the future.

The present

Find two examples of verbs in the present tense.

The past

Find two different ways to say what happened (the perfect tense). Find one example of description in the past (using the imperfect tense).

Time clues

Find one expression which refers to the past and one which refers to the future.

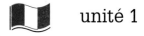

Des bandes dessinées

Ecrivez le bon texte pour chaque dessin:
Je (visiter) le Maroc.

Puis essayez d'inventer vous-même une série de dessins.

A (futur)

B (présent)

C (passé)

De quand parle-t-on?

Ecoutez les conversations sur la cassette.

1 A chaque fois notez dans votre cahier si on parle du futur, du présent ou du passé.

Exemple: 1 futur

2 Puis, notez lesquelles de ces expressions on entend sur la cassette.

Exemple: 1a

3 Classez les expressions en trois colonnes pour désigner le futur, le présent et le passé. (Les expressions 'ce soir' et 'aujourd'hui' peuvent désigner les temps variables.)

a demain	**h** hier soir	**n** l'année
b en ce moment	**i** l'année dernière	prochaine
c hier	**j** après-demain	**o** la semaine
d dans cinq jours	**k** la semaine	dernière
e samedi dernier	prochaine	**p** d'ici trois mois
f ce soir	**l** aujourd'hui	**q** le mois
g à présent	**m** avant-hier	prochain

Cartes postales au choix

Ecrivez une carte postale à partir de ces détails.

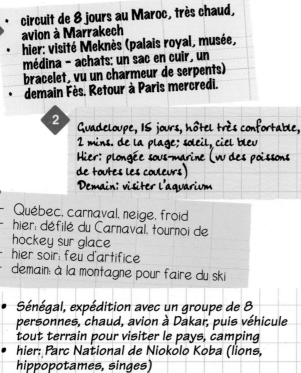

1
- circuit de 8 jours au Maroc, très chaud, avion à Marrakech
- hier: visité Meknès (palais royal, musée, médina – achats: un sac en cuir, un bracelet, vu un charmeur de serpents)
- demain Fès. Retour à Paris mercredi.

2
Guadeloupe, 15 jours, hôtel très confortable, 2 mins. de la plage; soleil, ciel bleu
Hier: plongée sous-marine (vu des poissons de toutes les couleurs)
Demain: visiter l'aquarium

3
- Québec, carnaval, neige, froid
- hier: défilé du Carnaval, tournoi de hockey sur glace
- hier soir: feu d'artifice
- demain: à la montagne pour faire du ski

4
- Sénégal, expédition avec un groupe de 8 personnes, chaud, avion à Dakar, puis véhicule tout terrain pour visiter le pays, camping
- hier: Parc National de Niokolo Koba (lions, hippopotames, singes)
- demain: excursion en bateau.

Une semaine de vacances

Travaillez à deux. Une personne regarde cette page. L'autre regarde la page 131 et pose des questions. Aujourd'hui, c'est mercredi après-midi.

Exemple
– Qu'est-ce que tu as fait avant-hier?
– Je suis allé(e) à la plage.

lundi	PLAGE – TOUTE LA JOURNÉE
mardi	EXCURSION À L'ÎLE DE RÉ
mercredi	10h00 Piscine, 20h30 Cinéma
jeudi	Exposition de photos au musée
vendredi	Promenade en bateau

Dossier personnel

Une semaine/Un mois de ma vie

Ecrivez quelques phrases pour décrire ce que vous avez fait et ce que vous ferez.

Exemple

Au début du mois, nous étions en vacances. C'était bien. Moi, je suis sorti(e) avec mes copains. On a vu un bon film au cinéma. Le 4 septembre, c'était la rentrée. Alors, aujourd'hui je suis en classe. J'ai cours toute la journée. Samedi soir j'irai chez un copain pour fêter son anniversaire. Dimanche matin, je ferai sans doute la grasse matinée. Mais l'après-midi je devrai faire mes devoirs.

NOW YOU CAN ...

... use different tenses and expressions of time to refer to the past, the present and the future.

Aimez-vous faire du camping?

En France on trouve un grand nombre de terrains de camping et beaucoup de vacanciers aiment passer leurs vacances sous la tente. Mais le camping ne plaît pas à tout le monde. Ecoutez la cassette. Cinq personnes parlent du camping. Lisez ces phrases et trouvez un résumé qui correspond à chaque personne. Attention – il y a cinq personnes et sept résumés!

Paul Martin

A Le camping, ça ne m'intéresse pas – il y a trop de petites bêtes.

B Le camping me plaît bien. On est libre, on est près de la nature et on se fait facilement des amis.

Carole Duverger

C On est mieux à l'hôtel – c'est plus confortable et on dort beaucoup mieux.

Madeleine Morand

D Le camping, c'est une bonne formule pour des vacances économiques.

G Ce que j'aime le plus, c'est faire du camping à la ferme. C'est plus tranquille et on peut voir les animaux de la ferme.

Marie Ferry

E L'inconvénient du camping c'est qu'il faut apporter beaucoup de choses avec soi – une tente, des sacs de couchage, un camping gaz etc.

F Faire du camping quand on risque d'avoir du mauvais temps – non, merci.

Yves Lambert

Pour choisir un terrain de camping

Les terrains de camping sont classés de 1 à 4 étoiles selon l'équipement et les services offerts. Lisez ces détails et décidez quel camping conviendra le mieux à chaque groupe de touristes.

1 Nous voulons être près de la mer.

2 Grand-père préfère être au bord d'une rivière.

3 Les enfants veulent faire du cheval.

4 Il doit y avoir une piscine chauffée.

5 Faire de la pêche en rivière, ce serait bien.

6 Un restaurant ou une crêperie – ça c'est très important.

7 C'est ouvert en mars?

8 Je voudrais aller dans un grand camping où il y a beaucoup d'animation.

9 Louer des vélos, ce serait bien.

A

VOS VACANCES en Bretagne, à 35 km de la mer, dans 10 ha de verdure et de calme, au centre d'une région touristique.

CAMPING CARAVANING
"LES PEUPLIERS" ★★★
35190 TINTENIAC

Location de caravanes et de mobil-homes. Accès aux handicapés. Ombragé, bord de rivière, sanitaires tout confort, machines à laver, alimentation, bar, animaux acceptés, piscine, tennis, plats cuisinés, jeux pour enfants, salle de jeux.
A proximité: équitation, pêche, rivière à truites et canal de navigation. Ouvert début avril à fin octobre.

B

Dans les rochers de Ploumanac'h
LE RANOLIEN
camp de tourisme ☆☆☆☆
22700 PERROS-GUIREC

540 EMPLACEMENTS ✓ 15 ha de landes boisées près de la mer
✓ Camping et équipement de haute qualité
✓ 2 piscines chauffées ✓ restaurant ✓ crêperie ✓ bar ✓ snack
✓ plats à emporter ✓ supérettes ✓ tabac journaux ✓ tennis
✓ minigolf ✓ location de vélos ✓ salle de jeux ✓ laverie automatique ✓ emplacements pour camping-car ✓ discothèque
✓ animation ✓ aire de jeux.
Location de mobil-homes – A Ploumanac'h, à 4 km de la commune et 500 m de la plage – Ouverture du 1/2 au 15/11

18

✍ Un lexique à faire 🏕🏕🏕

*Pouvez-vous compléter cette liste et écrire le lexique dans votre cahier. Pour vous aider, consultez les détails sur ces pages et aussi le **Vocabulaire par thèmes**.*

	Au terrain de camping	**At the campsite**
	accès aux handicapés	easy access for physically handicapped
	une ...	general food shop
	animaux acceptés	pets accepted
	un ...	bar
	au	on the coast
	au	by a river or lake
Accueil	*le ... d'accueil*	reception office
	le ... sanitaire	the washing facilities
	le	electricity connection
	une ...	caravan
	l'	drinking water
EMPL.	*un ...*	pitch
	l' ...	horseriding
	le	miniature golf
	les ...	children's play area
	une ...	launderette

	location de bungalows et de mobilhomes	bungalows and residential caravans to let
	location de tentes et de caravanes	tents and caravans for hire
	location de ...	bikes for hire
	...	shaded
Ouv.	*...*	open
	la ...	fishing
P	*...*	open all the year round
	une ...	swimming pool
	des	takeaway meals
	les ...	dustbins
R	*réservations (f pl)*	bookings
	un ...	restaurant
L	*une salle de loisirs*	indoor leisure activities
	les	water sports
	le ...	tennis
	un	quiet site

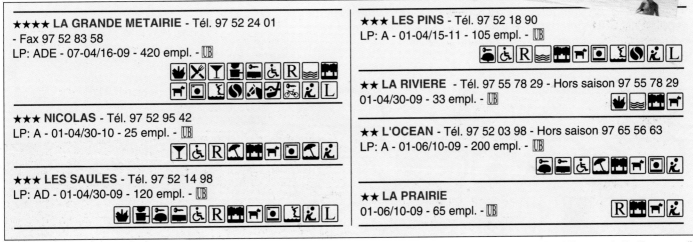

📖 Quel camping?

Voici un extrait d'un guide de campings en Bretagne. Ecrivez une petite description d'un camping au choix, mais n'écrivez pas le nom. Puis donnez votre description à quelqu'un d'autre. Il/Elle doit l'identifier.

★★★★ **LA GRANDE METAIRIE** - Tél. 97 52 24 01
- Fax 97 52 83 58
LP: ADE - 07-04/16-09 - 420 empl. - ⓊⒷ

★★★ **NICOLAS** - Tél. 97 52 95 42
LP: A - 01-04/30-10 - 25 empl. - ⓊⒷ

★★★ **LES SAULES** - Tél. 97 52 14 98
LP: AD - 01-04/30-09 - 120 empl. - ⓊⒷ

★★★ **LES PINS** - Tél. 97 52 18 90
LP: A - 01-04/15-11 - 105 empl. - ⓊⒷ

★★ **LA RIVIERE** - Tél. 97 55 78 29 - Hors saison 97 55 78 29
01-04/30-09 - 33 empl. - ⓊⒷ

★★ **L'OCEAN** - Tél. 97 52 03 98 - Hors saison 97 65 56 63
LP: A - 01-06/10-09 - 200 empl. - ⓊⒷ

★★ **LA PRAIRIE**
01-06/10-09 - 65 empl. - ⓊⒷ

LP – Langues parlées (A: Anglais; D: Allemand; E: Espagnol)

Exemple
– C'est un camping trois étoiles avec plus de 100 emplacements.
Les chiens sont acceptés. Il y a une piscine et des courts de tennis.
C'est ombragé. C'est au bord d'une rivière. Peux-tu l'identifier?
– C'est le camping ...

Une lettre de réservation

Aux mois de juillet et d'août, il est fortement conseillé de réserver un emplacement à l'avance si possible, surtout pour les campings qui se trouvent au bord de la mer dans les régions touristiques les plus fréquentées.

Ecrivez une lettre de réservation pour une de ces personnes et pour vous-même.

1 Thomas Mitchell

Dates: 29/07 – 05/08

2 Sarah Brown

Dates: 28/07 – 30/07

3 Dominic Woods

Dates: 28/08 – 02/09

Exemple

14 John Wilson Street,
Birmingham,
B2 1LP

le 12 mars

Camping Les Pins
56340 Carnac
France

Monsieur/Madame,

Je voudrais passer (une semaine) au camping Les Pins cet été.

Pouvez-vous me réserver (un emplacement) pour (une tente et une voiture) pour (deux adultes et un enfant) pour les nuits (du 29 juillet au 5 août).

Pouvez-vous m'indiquer le tarif? Nous arriverons (le 29 juillet), en fin d'après-midi — vers (17 heures).

Je vous prie d'agréer, Monsieur/Madame, l'expression de mes sentiments distingués.

Thomas Mitchell

✍ Lexique ✍✍✍✍

Le matériel de camping	Camping equipment
des allumettes (f pl)	matches
un bidon	water container
un camping-gaz	calor gas stove
une lampe de poche	torch
un matelas pneumatique	air bed, lilo
des piles (f pl)	batteries
une prise de courant	electric point
un ouvre-boîtes	tin opener
un sac à dos	rucksack
un sac de couchage	sleeping bag
une tente	tent

👀 Qu'a-t-on oublié?

Travaillez à deux. Une personne regarde cette page, l'autre regarde la page 131. Avant de partir en vacances vous vérifiez ce que vous avez mis dans la voiture. Qu'est-ce qu'on a oublié?

Exemple

– Est-ce qu'on a des allumettes?
– Oui. On a des allumettes.

On arrive au camping

Ecoutez les conversations et notez les détails dans votre cahier. Le dernier groupe ne reste pas au camping. Pourquoi?

Exemple

	Nuits	Personnes	Caravane/tente
1	4	3	C

Débrouillez la conversation

Pouvez-vous écrire cette conversation correctement? Ça commence comme ça:

– On peut vous aider?

A – Trois nuits.

B – Une caravane.

C – Oui, Monsieur, c'est près du bois.

D – C'est pour une caravane ou une tente?

E – Et c'est pour combien de nuits?

F – Deux adultes et deux enfants.

G – Est-ce qu'il y a une piscine au camping?

H – Oui, avez-vous de la place, s'il vous plaît?

I – Oui, il y a de la place. C'est pour combien de personnes?

J – Alors, une caravane, quatre personnes pour trois nuits.

Au bureau d'accueil

Travaillez à deux. Une personne regarde cette page, l'autre regarde la page 132.

Vous arrivez au bureau d'accueil d'un camping. Votre partenaire va commencer, mais vous posez la dernière question. Puis changez de rôle.

Vacances sous la tente

Vous avez fait du camping pendant les vacances.

1 Ecrivez des notes, puis racontez vos expériences à vos camarades.

Voilà des idées:

Détails généraux

Où êtes-vous allés? Avec qui? Pendant combien de temps? Comment avez-vous voyagé?

Le terrain de camping

C'était comment? Est-ce qu'il y avait une piscine/un terrain de jeux? Est-ce que c'était près d'un lac/d'une rivière/de la plage?

Les repas

Est-ce que vous avez fait la cuisine vous-même? Avec succès?
Avez-vous acheté des plats cuisinés?
Avez-vous mangé au restaurant?

Le temps

Est-ce qu'il a fait beau? Qu'est-ce que vous avez fait quand il faisait mauvais?

2 Ecrivez une lettre à un(e) ami(e) français(e) en lui racontant vos vacances.

Le séjour

Ça s'est passé comment? (passer toute la journée sur la plage, visiter la région, rencontrer de nouvelles personnes)

Est-ce qu'il y avait des activités organisées au camping? (un tournoi de tennis, une chasse au trésor, des soirées, des barbecues)

Est-ce qu'il y a eu des incidents? (la tente est tombée, le vent a emporté vos vêtements, le chien a mangé vos provisions, il y avait une souris dans la tente, on a perdu votre réservation et le camping était complet)

Vos impressions

Le camping, ça vous a plu?

NOW YOU CAN . . .

. . . discuss the advantages and disadvantages of camping and organise and describe a camping holiday.

Les jours fériés en France

*La France est un des pays qui a le plus grand nombre de jours fériés.
Alors, faites attention si vous êtes en vacances. Souvent les magasins sont fermés et il y a beaucoup de circulation sur les routes.*

Lisez la liste des jours fériés et trouvez la date (ou le mois) de chaque fête.

Exemples

– Le Jour de l'An, c'est quand?
– C'est le 1er janvier.

– Le lundi de Pâques, c'est quand?
– C'est en mars ou en avril.

Calendrier des fêtes

1 le Jour de l'An
2 le lundi de Pâques
3 la Fête du Travail
4 l'Armistice 1945
5 l'Ascension
6 le lundi de Pentecôte
7 la Fête Nationale
8 l'Assomption
9 la Toussaint
10 l'Armistice 1918
11 Noël
(12) le vendredi saint (jour férié en Alsace seulement)

A **1er** novembre
B **14** juillet
C **8** mai
D **1er** janvier
E *ou* mai juin
F **25** décembre
G jeudi **?** mai
H **15** août
I *ou* mars avril
J **1er** mai
K **11** novembre

Jours de fête

A Noël

C'est une des principales fêtes chrétiennes. Dans les rues et dans les magasins il y a beaucoup de décorations. A la maison aussi, il y a souvent un sapin décoré de guirlandes. On échange des cartes et des cadeaux. Pendant la fête, beaucoup de familles vont à l'église, puis ils mangent le déjeuner traditionnel composé de dinde et de la bûche de Noël.

B Le Carnaval de Québec

Cette fête a lieu au mois de février, quand il fait froid et il y a beaucoup de neige. Pendant les dix jours du festival, il y a un grand programme d'activités – des défilés, des compétitions sportives, des sculptures sur glace, des feux d'artifice etc.

C Diwali

C'est une fête hindoue et c'est la fête des lumières. Cette fête a lieu d'habitude en novembre ou en décembre. A la maison on allume des lampes qui s'appellent des 'divas'. On se rend visite et on mange un repas spécial.

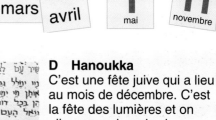

D Hanoukka

C'est une fête juive qui a lieu au mois de décembre. C'est la fête des lumières et on allume une bougie chaque soir pendant une semaine.

E Aïd-al-Fitr

C'est une fête religieuse musulmane qui est célébrée à la fin du Ramadan. Pour la fête, on prépare des cartes avec des décorations islamiques. La fête commence avec des prières à la mosquée. Puis, on rend visite à la famille et on mange un bon repas, avec du curry, du riz et des légumes.

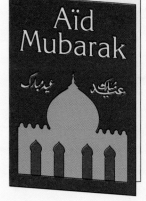

Aïd Mubarak

F Le Carnaval de Mardi Gras en Martinique

C'est une grande fête populaire qui dure quatre ou cinq jours. Il y a des défilés avec des chars, des gens déguisés et de la musique. On danse dans les rues et on s'amuse jusqu'à minuit le mercredi des cendres.

🎦 C'est la fête autour du monde

*Ecoutez la cassette. On parle des fêtes dans des pays différents.
A chaque fois, trouvez la bonne image.*

Exemple: 1B

✐ Lexique ✐✐✐✐

Les fêtes et festivals	Holidays and festivals
l'ambiance (f)	atmosphere
assister à	to attend
avoir lieu	to take place
une bougie	candle
un char	float
un défilé	procession
se déguiser	to dress up, to wear fancy dress
un feu d'artifice	firework display
une guirlande	garland, festoon
un jour férié	public holiday
un sapin de Noël	Christmas tree
son et lumière	with sound and light
un spectacle	show, display
bouddhiste	Buddhist
chrétien(ne)	Christian
hindou(e)	Hindu
juif (juive)	Jewish
musulman(e)	Moslem

Pour décrire une fête ou un festival

C'est quand?
    C'est le …
    C'est d'habitude au mois de …
    Ça dure …

C'est quoi, comme fête/festival?
    C'est une fête religieuse/populaire/nationale/…
    C'est un festival de musique/de cinéma/d'art/de la ville/de la cuisine/…

Qu'est-ce qui s'y passe?
    Avant la fête, on …
    Pendant la fête, …
    Le jour de la fête, …
    La fête dure …
    Il y a des spectacles/des concerts/des expositions/…
    On passe des films.

Faites de la publicité

Pouvez-vous dessiner une affiche ou préparer une annonce à la radio pour un festival vrai ou imaginaire.

👀 Devinez la fête

Travaillez à deux. Une personne pense à une fête. L'autre doit la deviner en posant des questions.

👀 Les festivals dans la région

En France il y a de nombreux festivals régionaux au cours de l'année. On dit que c'est le pays où il y a le plus de festivals au monde. Il y a des festivals de musique, de jazz, de cinéma, de bande dessinée, et plein d'autres.

Pour vous aider à parler des festivals, faites cette activité à deux. Une personne pose ces questions. L'autre trouve la bonne réponse à la page 132. Puis changez de rôle et essayez de parler d'autres festivals.

1 Est-ce qu'il y a un festival important dans votre région?
2 C'est quand?
3 Ça dure combien de temps?
4 Qu'est-ce qui s'y passe?
5 Est-ce que ça attire beaucoup de visiteurs?
6 Est-ce que vous avez assisté au festival?
7 Comment l'avez-vous trouvé?

Décrivez une fête ou un festival

1 Pouvez-vous écrire quelques phrases à propos d'une fête que vous célébrez ou d'un festival.

2 Travaillez individuellement ou en groupes pour préparer une petite présentation sur un festival régional.

NOW YOU CAN . . .
……………………………………………………
… understand and give information about important festivals.

Que savez-vous des auberges de jeunesse?

Trouvez les paires.

Exemple: 1C

1 Une auberge de jeunesse, qu'est-ce que c'est?
2 Qui peut aller dans une auberge de jeunesse?
3 Où trouve-t-on des auberges de jeunesse?
4 Est-ce qu'on peut y prendre des repas?
5 Faut-il apporter un sac de couchage?
6 Peut-on avoir une chambre individuelle?

les Auberges de Jeunesse n'ont pas attendu les années 90 pour pratiquer l'écologie, la solidarité & l'Europe sans frontière.

les Auberges, c'est tout un monde !

(indispensables depuis 1907)

FUAJ : 27 rue Pajol 75018 Paris - Tél : 44 89 87 27 - 3615 FUAJ

A On sert toujours le petit-déjeuner et quelquefois on sert le dîner et le déjeuner.
B Le linge n'est pas fourni, alors il faut apporter des draps ou un drap-sac, ou on peut louer des draps sur place. Un sac de couchage n'est pas nécessaire.
C C'est un centre de logement à prix modéré.
D On les trouve dans plus de 60 pays du monde.
E Normalement il y a des chambres ou des dortoirs de deux à six lits. Il y a très peu de chambres individuelles.
F C'est ouvert à toutes les personnes qui ont la carte d'adhérent.

A l'auberge de jeunesse

Des personnes arrivent à une auberge de jeunesse.
Ecoutez leurs conversations puis répondez aux questions.

1 Ça coûte combien pour louer des draps?
2 Peut-on prendre les repas à l'auberge?
3 Les dortoirs sont à quel étage?
4 L'auberge ferme à quelle heure, le soir?
5 Le petit déjeuner est à quelle heure?
6 Où se trouve le téléphone?

✍ Lexique ✐✐✐✐

A l'auberge de jeunesse	At the youth hostel
une auberge de jeunesse	youth hostel
le bureau d'accueil	office, reception
la carte d'adhérent	membership card
un drap-sac	sheet sleeping bag
un drap	sheet
un dortoir	dormitory
location de ...	... for hire
louer	to hire
la salle de jeux	games room
le séjour	stay

Débrouillez la conversation

Pouvez-vous écrire cette conversation correctement?
Ça commence comme ça:
– Bonjour. Avez-vous de la place, s'il vous plaît?

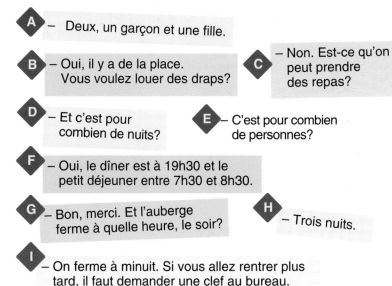

A – Deux, un garçon et une fille.

B – Oui, il y a de la place. Vous voulez louer des draps?

C – Non. Est-ce qu'on peut prendre des repas?

D – Et c'est pour combien de nuits?

E – C'est pour combien de personnes?

F – Oui, le dîner est à 19h30 et le petit déjeuner entre 7h30 et 8h30.

G – Bon, merci. Et l'auberge ferme à quelle heure, le soir?

H – Trois nuits.

I – On ferme à minuit. Si vous allez rentrer plus tard, il faut demander une clef au bureau.

On arrive à l'auberge de jeunesse

Travaillez à deux. Une personne regarde cette page, l'autre regarde la page 132.
Vous arrivez à l'auberge de jeunesse Jacques Brel en Belgique. Vous allez commencer. Faites une conversation, puis changez de rôle.
– Bonjour. Avez-vous de la place, s'il vous plaît?
– ...

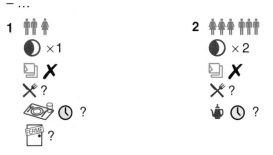

Faites de la publicité

Préparez un dépliant ou une affiche pour encourager des personnes à passer leurs vacances dans des auberges de jeunesse.
Voilà des idées:

Près de 6000 auberges dans 60 pays du monde

Ambiance accueillante et internationale

Activités diverses, comme ...

La Maison Majorique

Voici les détails d'une auberge de jeunesse qui se trouve à Tadoussac au Québec.

La Maison Majorique

Activités
– Traineau à chiens, motoneige
– Patinoire extérieure – ski sur sable
– Observation de baleines en pneumatique
– Canot sur le lac
– Observation de castors et randonnées
– Raquettes et ski de fond
– Repas typiques de la région

Ouvert toute l'année

Accès
Par autobus: le terminus est à 900 mètres.
Par la route 138, en sortant de la traverse, la maison est à côté du commissariat de police.

Trouvez le mot correct
1 La motoneige est
  a un moyen de transport
  b un animal
  c un instrument de musique.
2 Une patinoire est
  a un sport
  b un bâtiment
  c un fruit
3 Le canot est
  a un sport
  b un animal
  c une plante
4 Un pneumatique est
  a un moyen de transport
  b un arbre
  c un bâtiment.

Cherchez dans le dictionnaire
Trouvez le sens de ces mots:
a un traineau
b une baleine
c un castor
d le ski de fond

Vrai ou faux?
a L'auberge est située au centre-ville.
b L'autobus s'arrête devant l'auberge.
c L'auberge est ouverte en hiver.
d En hiver on peut faire du ski et du patinage.

NOW YOU CAN ...
... stay in a youth hostel and find out about facilities available.

1.10 SOUVENIRS DE VACANCES

De bons souvenirs?

Les vacances, c'est vite passé, mais il en reste des souvenirs. Lisez ces bulles et décidez s'il s'agit d'un bon ou d'un mauvais souvenir.

Puis écrivez vous-même un bon et un mauvais souvenir de vos vacances.

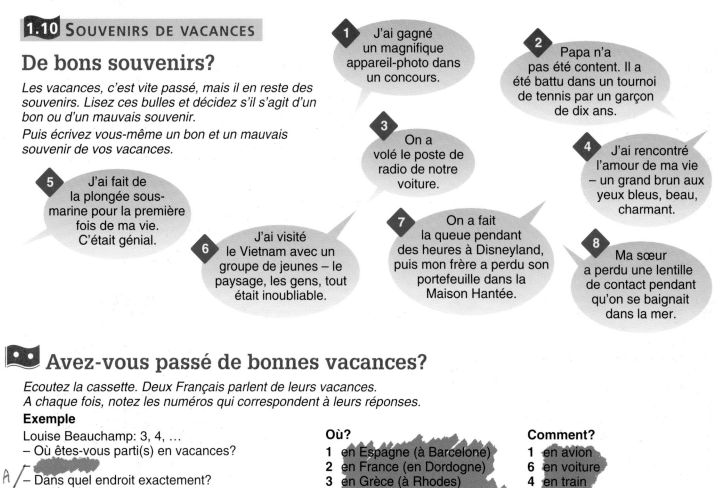

1 J'ai gagné un magnifique appareil-photo dans un concours.

2 Papa n'a pas été content. Il a été battu dans un tournoi de tennis par un garçon de dix ans.

3 On a volé le poste de radio de notre voiture.

4 J'ai rencontré l'amour de ma vie – un grand brun aux yeux bleus, beau, charmant.

5 J'ai fait de la plongée sous-marine pour la première fois de ma vie. C'était génial.

6 J'ai visité le Vietnam avec un groupe de jeunes – le paysage, les gens, tout était inoubliable.

7 On a fait la queue pendant des heures à Disneyland, puis mon frère a perdu son portefeuille dans la Maison Hantée.

8 Ma sœur a perdu une lentille de contact pendant qu'on se baignait dans la mer.

Avez-vous passé de bonnes vacances?

Ecoutez la cassette. Deux Français parlent de leurs vacances.
A chaque fois, notez les numéros qui correspondent à leurs réponses.

Exemple

Louise Beauchamp: 3, 4, …
– Où êtes-vous parti(s) en vacances?
–
A/ – Dans quel endroit exactement?
–
– Vous y êtes allé(s) quand?
–
– Comment avez-vous voyagé?
–
– Et vous avez eu du beau temps?
–
– Et vous êtes allé(s) à l'hôtel?
–
– Et vous y avez passé combien de temps?
–
– Et qu'est-ce que vous avez fait?
–

Faites des conversations

Travaillez à deux. Une personne pose des questions, l'autre répond selon une de ces formules. Faites deux conversations, puis changez de rôle.

a *Vous répondez comme sur la cassette.*
b *Vous choisissez vos propres réponses.*

Maintenant, faites des conversations en disant 'tu' à chaque fois.

Exemple

– Où es-tu parti(e) en vacances?
– …

Où?
1 en Espagne (à Barcelone)
2 en France (en Dordogne)
3 en Grèce (à Rhodes)
4 au Portugal (dans l'Algarve)
5 au Québec (à Montréal)
6 au Sénégal (à Dakar)

Quand?
1 au printemps
2 en juin
3 en juillet
4 en août
5 en septembre
6 en automne

Météo
1 beau, soleil
2 chaud
3 couvert, nuageux
4 pluie
5 froid
6 neige

Comment?
1 en avion
6 en voiture
4 en train
3 en ferry
2 en car
5 en vélo

Logement
1 à l'hôtel
2 à l'auberge de jeunesse
3 dans un camping
4 dans un gîte
5 chez des amis
6 chez la famille

Combien de temps?
1 un week-end
2 quelques jours
3 une semaine
4 dix jours
5 quinze jours
6 un mois

Activités
1 aller à la plage
2 se baigner dans la mer
3 faire de la planche à voile/ des sports nautiques
4 visiter la ville/la région
5 jouer au tennis/au volley
6 aller dans des discothèques

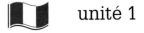

C'était comment, les vacances?

Ecoutez la conversation. Lesquelles de ces expressions est-ce qu'on entend?

1 L'hôtel était assez loin du centre-ville.
2 On mangeait bien à l'hôtel.
3 Tout était très cher.
4 Les plages n'étaient pas très propres.
5 Il y avait trop de monde.
6 La ville était très animée le soir.
7 On avait besoin d'une voiture pour visiter la région
8 A part la plage, il n'y avait pas beaucoup à faire.
9 La mer était bonne.

Trouvez les contraires

Relisez les phrases dans **C'était comment, les vacances?**, puis trouvez une phrase dans cette liste qui veut dire le contraire.

Exemple: 1G

A Il y avait beaucoup à faire – du tennis, du golf etc.
B Il n'y avait pas beaucoup de touristes.
C On organisait beaucoup d'excursions en car pour visiter la région.
D La mer était froide.
E On ne mangeait pas bien.
F Les prix étaient raisonnables.
G L'hôtel était bien situé en pleine ville.
H Les plages étaient magnifiques.
I Il n'y avait pas beaucoup de vie nocturne.

Vos vacances – succès ou désastre?

Travaillez à deux. Une personne pose des questions, l'autre répond. Faites deux conversations. La première fois vous avez passé des vacances fantastiques; la deuxième fois, c'était un désastre! Puis changez de rôle.

1 Vous avez eu du beau temps?
2 Est-ce que les plages étaient belles?
3 Et la mer, elle était bonne?
4 L'hôtel, c'était bien?
5 Est-ce qu'il y avait beaucoup à faire?
6 Et le soir? Est-ce qu'il y avait des discothèques et des bars?

Dossier personnel

Ecrivez une petite description de vacances récentes, vraies ou imaginaires.
Où? Avec qui? Pour combien de temps? Où avez-vous logé? Le temps? Les activités? Des excursions? Vos impressions?

NOW YOU CAN . . .

… talk about a recent holiday saying what you did and saying something about the resort.

Sommaire

Now you can …

1 discuss different types of holiday, express preferences and say what makes a successful holiday for you
2 talk about holiday plans for the future and understand holiday information about other French-speaking areas of the world
3 ask for and understand information from a tourist office
4 book accommodation at a hotel, sort out the arrangements and deal with any problems which might arise
5 discuss the weather and understand information about the weather and a simple weather forecast
6 use different tenses and expressions of time to refer to the past, the present and the future
7 discuss the advantages and disadvantages of camping and organise and describe a camping holiday
8 understand and give information about important festivals
9 stay in a youth hostel and find out about facilities available
10 talk about a recent holiday saying what you did and saying something about the resort

For your reference
Grammar

Vocabulary and useful phrases

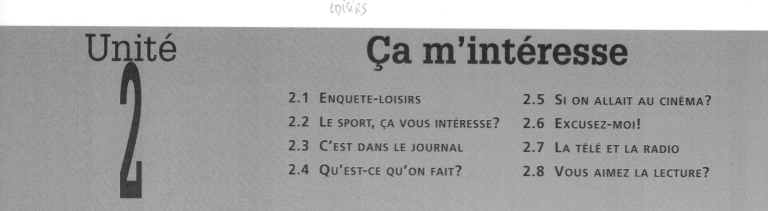

Loisirs

Unité 2

Ça m'intéresse

2.1 ENQUÊTE-LOISIRS

La Maison des Jeunes à Maule, à 30 kilomètres de Paris, fait partie d'une enquête régionale sur les loisirs des 15 à 25 ans. Pour leur présentation ce groupe de jeunes a préparé un montage de photos avec une sélection de leurs loisirs et un reportage enregistré.

C'est qui?

Regardez les photos et écoutez la cassette pour identifier ces jeunes personnes. Elles s'appellent Jean, Pauline, Nicolas, Manon, Laure, Anaïs, Pierre et Jean-Luc.

Exemple: 1 Qui aime se promener avec ses amies?
C'est Anaïs. *Ou:* Anaïs aime se promener avec ses amies.

1 Qui aime se promener avec ses amies?
2 Qui n'a pas de temps libre?
3 Qui se promène en mobylette?
4 Un de ses passe-temps préférés c'est de faire des photos. C'est qui?
5 Il consacre beaucoup de temps à jouer de la guitare. C'est qui?
6 Qui joue de la flûte devant le Musée d'Orsay, à Paris?
7 Qui aime faire du patin à roulettes?
8 Qui s'intéresse à la sculpture?

Voici d'autres phrases pour décrire ces jeunes. Trouvez deux phrases pour chaque personne.

A Il est membre d'un club de photographie.
B Il joue au tennis.
C Il fait des randonnées en mobylette avec ses copains.
D Son sport favori est le ski nautique.
E Elle trouve que la vie est dure pour les jeunes.
F Quelquefois il fait des photos amusantes.
G Elle adore les gaufres.
H Il joue au hockey à Paris.
I Elle est étudiante aux Beaux Arts à Paris.
J Elle sort très peu en ce moment.
K Il fait partie d'un groupe de jazz.
L Elle manque d'argent.
M Le shopping l'intéresse beaucoup.
N Il vient de recevoir un cadeau superbe pour son anniversaire.
O Quand elle a du temps libre, elle va souvent dans les musées.
P Il adore l'ambiance de Paris.

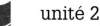

Une enquête-loisirs chez vous

Imaginez que vous aussi, vous avez une enquête-loisirs dans votre région. Avec un groupe d'amis, préparez une présentation, comme celle de Maule.

Si possible faites un montage avec des photos ou des dessins de quelques-uns de vos passe-temps et de vos loisirs.

En tout cas chaque personne doit écrire quelques phrases au sujet de ses loisirs, comme les descriptions des jeunes à Maule.

Vous pourriez les enregistrer ou en faire une affiche ou un dépliant avec votre 'montage-photos'.

Pour vous aider:

Des phrases utiles

Je m'intéresse à	la lecture.
Mon passe-temps favori est	le dessin.
J'aime/Je n'aime pas	la natation.
J'adore/Je déteste	les randonnées (en vélo).

Je fais partie	d'un groupe.
Je suis membre	d'une équipe.

Je sors	très peu	le soir.
	de temps en temps	le samedi.
	assez souvent	le week-end.
	beaucoup	

J'aime aller	en discothèque.
	au club des jeunes.
	chez des ami(e)s.

La musique	(ça) m'intéresse	un peu.
L'informatique		beaucoup.
La lecture		énormément.

L'équitation	ça me passionne.
La cuisine	(ça) ne m'intéresse pas.

Je voudrais apprendre à	jouer	d'un instrument de musique.
		de la guitare/du piano/
		du clavier électronique/etc.
	jongler/faire de la jonglerie.	
	jouer aux échecs.	

Je suis mordu (de football).	*I'm a (football) fan.*

*Consultez aussi le **Lexique** et les phrases à la page 28.*

Les Français sont des collectionneurs

Plus de 20% des Français de plus de 15 ans font une collection de quelque chose – les timbres, les cartes postales etc.

Il y en a qui collectionnent des choses assez extraordinaires. Voici des mots pour décrire des collectionneurs un peu exceptionnels.

Pouvez-vous identifier ces collectionneurs. Essayez de deviner, puis suivez les lignes pour trouver les réponses correctes.

1 Un philatéliste — boîtes d'allumettes.
2 Un glacophile — bouchons de champagne.
3 Un placomusophile — boutons.
4 Un vexillophile — drapeaux.
5 Un fibulanomiste — timbres-poste.
6 Un philaméniste — pots de yaourt.

fait une collection de

✎ Lexique ✎✎✎✎

Les loisirs	Leisure activities
l'ambiance (f)	(good) atmosphere
amusant	enjoyable, funny
s'amuser	to enjoy yourself
le bricolage	DIY
consacrer	to devote (time)
la couture	needlework
la cuisine	cooking
le dessin	drawing
une distraction	amusement, leisure activity
une équipe	team
l'équitation (f)	horse riding
les exercices d'orientation	orienteering
faire partie d'un club	to belong to a club
faire une partie de (boules)	to play a game of (bowls)
l'informatique (f)	IT
un jeu	game
jouer à (+ jeu/sport)	to play (a game/sport)
jouer de (+ instrument)	to play (a musical instrument)
la lecture	reading
un passe-temps	hobby, pastime
le patin à roulettes	roller-skating
la pêche	fishing
la peinture	painting
se promener	to go for a walk/ride
pratique	practical, useful
pratiquer	to play (sport)
une randonnée	outing, ride
la voile	sailing

Dossier-langue

Rappel: talking about yourself and other people

If you change from talking about other people to talking about yourself (or vice-versa), remember to change the pronouns and also the verb to match, e.g.

Il est membre d'un club.
   changes to
      Je suis membre d'un club.

Elle sort *très peu.*
   changes to
      Je sors *très peu.*

Remember also to change words like 'his' and 'their' to 'my' or 'our', e.g.

Son *sport favori.* changes to **Mon** *sport favori.*

Change the following from page 28, to describe yourself: answers to questions 1, 4 and 8; sentences A, B, D, E, G, K, L and M.

If these things are not true about you, make the verb negative too, or change *adore* to *déteste* etc., e.g.

M *Le shopping **ne** m'intéresse **pas**.*

Des questions à poser

Pour découvrir les intérêts d'une jeune personne que vous ne connaissez pas très bien voici des questions que vous pourriez lui poser.

1 Les passe-temps, les loisirs.

Que fais-tu	quand tu es libre?
	comme loisirs?

Quels sont tes passe-temps préférés?
Quels sont tes intérêts?
La photographie, ça t'intéresse?
Aimes-tu … ?

2 Tu participes?

Fais-tu partie	d'un club?
	d'une chorale?
	d'une équipe?
	d'un orchestre?

3 Tu aimes sortir?

Est-ce que tu sors souvent?
Où vas-tu?

4 Tu sais faire ça?

Sais-tu faire du ski/nager/jouer aux échecs/jouer d'un instrument de musique?
(Can you ski, swim, play chess, play a musical instrument? Use savoir *(to know) for 'Can you … ?' when this really means 'Do you know how to … ?')*

Des interviews à faire

Travaillez à deux. Chaque personne doit poser des questions à l'autre, tour à tour, pour découvrir …

1 ses passe-temps, ses intérêts ou ses loisirs préférés.
2 s'il (si elle) fait partie d'un club ou d'une équipe.
3 une ou plusieurs choses qu'il (elle) aime ou qu'il (elle) n'aime pas faire comme loisirs.
4 s'il (si elle) sort souvent et où il (elle) va.
5 une chose qu'il (elle) sait faire, par exemple: nager, jouer au basket, jouer de la guitare.

Un profil-loisirs

Notez chacun les réponses de l'autre, puis écrivez un profil-loisirs de votre ami.
*N'oubliez pas de changer les verbes etc. Si c'est nécessaire, voir le **Dossier-langue** à la page 29. Par exemple, s'il a dit 'J'aime le rugby', vous écrivez 'Il aime le rugby'.*

Exemple
Richard Clark
Ses loisirs préférés sont …
Il est membre de …
Il aime/n'aime pas … …
Il sort assez souvent et il va …
Il sait/Il ne sait pas …

Complétez les conversations

Voici les réponses, mais quelles sont les questions?

1 – ……………………… ?
– Je vais au cinéma, j'écoute des disques, je me promène avec des copains.
2 – ……………………… ?
– Non, je n'aime pas le bricolage.
3 – ……………………… ?
– Non, l'informatique ne m'intéresse pas.
4 – ……………………… ?
– Oui, j'aime beaucoup la musique.
5 – ……………………… ?
– Oui, je sais jouer du piano et du saxophone.
6 – ……………………… ?
– Je ne sors pas souvent en semaine.
7 – ……………………… ?
– Je vais au cinéma ou dans une boîte de nuit.
8 – ……………………… ?
– Mes passe-temps préférés sont le judo et écouter des CD.

Dossier-langue

jouer à ou jouer de?
Look at the examples of *jouer* (to play) in use in this unit. What is the difference in the way it is used with games and with instruments?

Mon frère joue du tuba et il joue au rugby aussi.

When talking about playing games, use *jouer à*, e.g.
*Je joue **au** tennis pendant la journée, mais le soir, je joue **aux** échecs.*
When talking about playing instruments, use *jouer de*, e.g.
*Ma sœur joue **de** la guitare et mon frère joue **du** saxophone – impossible de faire mes devoirs!*

Deux minutes dans la rue

On a posé des questions aux passants pour découvrir s'il y a plus de gens qui jouent d'un instrument ou plus qui pratiquent un sport.
Ecoutez les conversations et notez les résultats.

Jouent d'un instrument   Pratiquent un sport
Total:
Conclusion:
Plus de gens …………………

Et vous, jouez-vous d'un instrument de musique? Pratiquez-vous un sport? Faites un sondage comme ça avec vos amis.

La musique, ça me passionne!

Voici la lettre d'un jeune Français à son (sa) correspondant(e).

Lisez la lettre, puis imaginez que vous êtes Louis(e) et écrivez votre réponse.
Pour vous aider, regardez les cases qui sont autour de la lettre et trouvez d'autres expressions utiles dans la lettre de Florent.

Notez une sélection de ces expressions et en apprenez par cœur au moins **cinq** *que vous ne connaissiez pas avant.*

1 Beginning

Begin the letter with suitable introductory phrases, e.g.
I got your letter.
Thank you for your letter.
I'm writing to tell you …

2 Saying what you did

Use the perfect tense for this, e.g.
When I went … *Quand je suis allé(e) …*
We attended (a concert etc.) *Nous avons assisté à (un concert etc.)*
(*assister à* = to attend, to be present at)
- Find out how Florent told his friend …
  … that he went by train.
  … that nobody slept.
  … that they all had a nice time.

3 Describing your impressions

You can often use the imperfect tense for this, e.g.

C'était vraiment extra/ super/génial/hypercool!	It was really great!
J'étais un peu déçu(e).	I was a bit disappointed.
A mon avis, c'était moche!	In my opinion it was rubbish!

- Find out how Florent said …
  … that there was a very good atmosphere.

Cher Louis/Chère Louise,   Evreux, le 27 juin

J'ai bien reçu ta lettre, la semaine dernière – merci beaucoup! Maintenant je t'écris pour te raconter ce que j'ai fait le weekend dernier. Ici, en France, la nuit du 21 au 22 juin, c'est la Fête de la Musique (ou 'Faites de la Musique' comme ça s'écrit dans la publicité).

Est-ce que tu as la même chose chez toi? Cette nuit-là tous les musiciens amateurs ont le droit de jouer dans la rue, et je t'assure qu'on en profite!

Avec une bande de copains, je suis allé à Paris. On a pris le train, et lorsque nous sommes arrivés à Montparnasse, il y avait déjà pas mal de groupes en train de jouer.

Moi, je joue de la trompette et mes copains de la guitare et de la clarinette. Nous avons joué ensemble et avec d'autres jeunes musiciens et plus tard nous sommes allés au 'Quartier Latin' – c'est le quartier des étudiants. C'était vraiment extra et partout il y avait une très bonne ambiance!

Nous avons joué dans les cafés, nous avons rencontré d'autres musiciens et nous avons assisté à des concerts en plein air. Naturellement, personne n'a dormi cette nuit-là. Moi, la musique me passionne et on s'est vraiment bien amusés!

Et toi, tu aimes la musique? Quel genre de musique préfères-tu? Est-ce que tu joues d'un instrument de musique? Quel est ton groupe favori? Es-tu déjà allé(e) à un festival de musique ou à un grand concert pop, dans un stade, par exemple?

Réponds-moi vite et raconte-moi tout ça!

A bientôt!

Florent

4 Replying to the writer's questions

Make sure you answer all the questions in the letter. A lot of the words you need will be in the question itself. Remember to change and check pronouns, verbs etc.

Questions	Answers
Et toi, tu aimes … ?	*J'aime/Je n'aime pas …*
Quel genre de … préfères-tu?	*Je préfère …*
Tu joues d'un instrument?	*Je joue de (+ instrument)* (See **Dossier-langue** p. 30)
Quel est ton groupe favori?	*Mon groupe favori est …*
Es-tu déjà allé(e) …	*Je suis allé(e) …* *Je ne suis pas allé(e) …*

5 Ask some questions yourself

Link them in with the subject of the letter, e.g. (music)
Tu as un lecteur de CD?
Quel CD/Quelle cassette as-tu acheté(e) récemment?
Ecoutes-tu des émissions de musique à la radio?

NOW YOU CAN . . .

… discuss leisure interests, say what does and does not interest you and talk about an event you have attended.

Jeu-test: êtes-vous fana de sport?

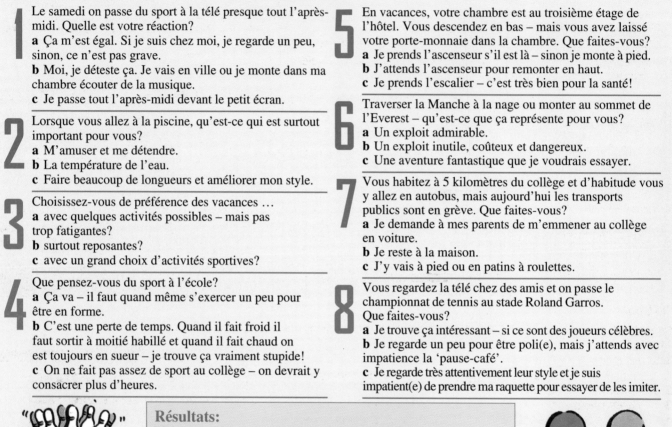

Pour chaque question, notez la lettre qui correspond à votre réponse.

1 Le samedi on passe du sport à la télé presque tout l'après-midi. Quelle est votre réaction?
a Ça m'est égal. Si je suis chez moi, je regarde un peu, sinon, ce n'est pas grave.
b Moi, je déteste ça. Je vais en ville ou je monte dans ma chambre écouter de la musique.
c Je passe tout l'après-midi devant le petit écran.

2 Lorsque vous allez à la piscine, qu'est-ce qui est surtout important pour vous?
a M'amuser et me détendre.
b La température de l'eau.
c Faire beaucoup de longueurs et améliorer mon style.

3 Choisissez-vous de préférence des vacances …
a avec quelques activités possibles – mais pas trop fatigantes?
b surtout reposantes?
c avec un grand choix d'activités sportives?

4 Que pensez-vous du sport à l'école?
a Ça va – il faut quand même s'exercer un peu pour être en forme.
b C'est une perte de temps. Quand il fait froid il faut sortir à moitié habillé et quand il fait chaud on est toujours en sueur – je trouve ça vraiment stupide!
c On ne fait pas assez de sport au collège – on devrait y consacrer plus d'heures.

5 En vacances, votre chambre est au troisième étage de l'hôtel. Vous descendez en bas – mais vous avez laissé votre porte-monnaie dans la chambre. Que faites-vous?
a Je prends l'ascenseur s'il est là – sinon je monte à pied.
b J'attends l'ascenseur pour remonter en haut.
c Je prends l'escalier – c'est très bien pour la santé!

6 Traverser la Manche à la nage ou monter au sommet de l'Everest – qu'est-ce que ça représente pour vous?
a Un exploit admirable.
b Un exploit inutile, coûteux et dangereux.
c Une aventure fantastique que je voudrais essayer.

7 Vous habitez à 5 kilomètres du collège et d'habitude vous y allez en autobus, mais aujourd'hui les transports publics sont en grève. Que faites-vous?
a Je demande à mes parents de m'emmener au collège en voiture.
b Je reste à la maison.
c J'y vais à pied ou en patins à roulettes.

8 Vous regardez la télé chez des amis et on passe le championnat de tennis au stade Roland Garros. Que faites-vous?
a Je trouve ça intéressant – si ce sont des joueurs célèbres.
b Je regarde un peu pour être poli(e), mais j'attends avec impatience la 'pause-café'.
c Je regarde très attentivement leur style et je suis impatient(e) de prendre ma raquette pour essayer de les imiter.

Résultats:
Maintenant, faites le total des a, b ou c que vous avez choisis.
Regardez la page 223 et lisez le texte qui correspond à la lettre que vous avez choisie le plus souvent.

✎ Lexique ✎✎✎✎

Le sport	Sport		
assister à (un match)	to watch/be present at (a match)	un fana (de)	a fanatic (about)
l'athlétisme (m)	athletics	jouer (à un sport)	to play (a sport)
avoir lieu	to take place	un joueur	player
l'alpinisme (m)	mountaineering	une largeur	width
une balle	ball (for tennis, cricket etc.)	une longueur	length
un ballon	inflated ball (e.g. for football)	la natation	swimming
le Benji	bungee-jumping	le parachutisme	parachuting
la boxe	boxing	faire partie de	to belong to
le bowling	ten-pin bowling	le ping-pong	table tennis
les boules (f pl)	French-style bowls	la planche à voile	wind surfing
le catch	all-in wrestling	pratiquer (un sport)	to play/do (a sport)
un championnat	championship	les sports de frisson	exciting sports
s'échauffer	to warm up	il s'agit de (+ infin.)	it's a matter of …
une équipe	team	le saut à l'élastique	bungee-jumping
(faire de) l'équitation (f)	(to go) horse riding	(être en) sueur	(to) sweat
(faire de) l'escalade (f)	(to do) (rock) climbing	le terrain	ground
(faire de) l'escrime (f)	(to do) fencing	le vol libre	hang-gliding

Les Français, sont-ils sportifs?

Aujourd'hui on a interviewé ces personnes,
en leur posant les questions suivantes:

Questions

a Pratiques-tu/Pratiquez-vous un sport?
b Quels sports fais-tu/faites-vous?
c Quel est ton/votre sport favori?
d Fais-tu/Faites-vous partie d'une équipe ou d'un club sportif?
e Aimes-tu/Aimez-vous regarder le sport (à la télé)?
f Voudrais-tu/Voudriez-vous essayer un nouveau sport? Si oui, lequel?

Alain   Mme Mayol M. Raymond   Camille

Avant d'écouter les interviews, copiez le tableau dans votre cahier.
Puis écoutez bien et notez les réponses.

		Alain (Exemple)	Mme Mayol	M. Raymond	Camille
a	Pratique le sport N'aime pas le sport	oui —			
b	Les sports pratiqués	le Football le cyclisme			
c	Sport favori	le Football La planche à voile			
d	Equipe ou club?	oui			
e	Regarde le sport à la TV	oui			
f	Voudrait essayer	le Football américain			

C'est qui?

Maintenant, écoutez les interviews encore une fois pour identifier ces personnes.
Exemple: 1 C'est Alain.

Cette personne …

1 … aime jouer au football.
2 … voudrait faire du Benji.
3 … déteste le sport.
4 … aime beaucoup la planche à voile.
5 … regarde le tennis à la télé.
6 … aime les sports de grand frisson.
7 … est membre d'un club de jeunes.
8 … fait de l'équitation.
9 … était pilote dans l'armée de l'air.
10 … voudrait faire de l'escrime.

> **Dossier personnel**
>
> *Notez vos idées sur les sports: ceux que vous aimez ou que vous n'aimez pas; ceux que vous voudriez essayer.*

L'interviewer, c'est vous!

Travaillez à deux pour faire une interview comme celles-ci. Vous pouvez utiliser les mêmes questions, mais essayez de parler d'autres choses en plus. (Par exemple, des questions sur l'entraînement, comment, où et quand on s'entraîne, ou sur les vêtements et l'équipement pour un sport, ou sur les raisons pour aimer ou ne pas aimer le sport.)
Une personne pose les questions d'abord et l'autre répond. Ensuite on change de rôle.
*Pour vous aider à répondre, regardez le **Lexique** à la page 32.*

Une lettre à écrire

Ecrivez une lettre (un ou deux paragraphes) à votre correspondant(e). Posez-lui des questions sur le sport et dites-lui ce que vous pensez du sport.

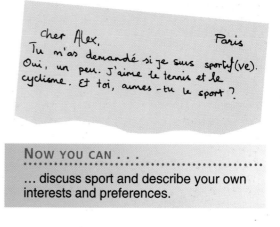

cher Alex,   Paris
Tu m'as demandé si je suis sportif(ve).
Oui, un peu. J'aime le tennis et le cyclisme. Et toi, aimes-tu le sport?

NOW YOU CAN . . .

… discuss sport and describe your own interests and preferences.

C'est l'époque de l'aventure!

Choisissez un sport de grand frisson.

le Benji   le vol libre   le parapente   le parachutisme

La presse en France

Enquête-journaux

En France, un foyer sur quatre achète tous les jours un quotidien, contre un sur deux en Grande-Bretagne. Normalement, on ne livre pas les journaux à domicile en France, mais on peut être abonné à un magazine ou à un journal. Si on a un abonnement, le magazine est livré par la Poste. Cependant, 63% des lecteurs réguliers de quotidiens achètent leur journal dans un kiosque. Les Français lisent plus régulièrement un quotidien régional qu'un journal national et ils lisent les magazines plus souvent que les journaux.

Depuis 1980, le nombre de lecteurs de la presse quotidenne a diminué de plus d'un quart. C'est peut-être parce que les journaux coûtent plus cher qu'autrefois, ou parce qu'il est beaucoup moins cher et plus facile de regarder le journal télévisé.

Enquête-magazines

D'après un sondage récent …

92,5% des Français de plus de 15 ans lisent au moins un des 133 premiers magazines. Les magazines de télévision hebdomadaires (surtout *Télé 7 Jours*) sont plus populaires que tous les autres magazines sauf *Femme Actuelle*. Les magazines 'pratiques', comme *Prima*, et *Mode et Travaux*, et les magazines sur la santé sont aussi très populaires. Les moins de 24 ans lisent 2,5 fois plus de magazines que les personnes de plus de 65 ans.

Chaque magazine est lu plusieurs fois et par plusieurs personnes.

La presse française en photos

Regardez les photos et lisez les textes. Puis mettez les textes dans le même ordre que les photos.

Exemple: 1A

A
Ces trois journaux ont plus de lecteurs que tous les autres quotidiens nationaux! En tête de liste – *L'Equipe*, un journal sportif, puis *Le Monde*, un journal du soir, assez sérieux, et *Le Figaro* qui est aussi célèbre et qui paraît le matin.

B
Voici un autre journal du soir très populaire. Les lecteurs qui préfèrent plus de photos et moins de texte vont probablement acheter ce journal.

C
Ce n'est pas seulement en France qu'on trouve des journaux écrits en français, mais aussi dans tous les pays francophones.

D
Voici un journal régional qui a toujours eu beaucoup de succès et qui a 38 éditions locales.

E
Ce sont les magazines de télévision qui ont les plus gros tirages – ensemble ils comptent entre 5 et 11 millions de lecteurs.

F
Ce journal hebdomadaire est pour les Antillais qui habitent en France.

G
Parmi les journaux lus à Paris, ce n'est pas étonnant que ce journal arrive en tête avec plus d'un million de lecteurs réguliers.

H
Pour ceux qui désirent un journal du matin plus petit que les autres, mais qui n'est pas si cher, voici un quotidien, lancé en 1993, qui a beaucoup de succès.

I
Il y a aussi un choix énorme de magazines. Alors, si vous vous intéressez à la mode, à la musique ou à l'informatique, vous êtes sûr de trouver un magazine qui vous plaira.

J
Pour les jeunes Français il y a une grande sélection de magazines – en voici trois qui sont très intéressants et aussi très éducatifs.

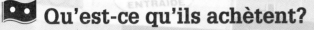 **Qu'est-ce qu'ils achètent?**

Dix personnes achètent des journaux ou des magazines – mais lesquels? Ecoutez la cassette et notez chaque fois soit le nom du journal qu'on demande, soit le numéro de la photo à la page 34 où on le voit.

A vous d'acheter le journal!

Travaillez à deux. L'un(e) de vous regarde cette page, l'autre regarde la page 134.

A *Vous êtes le (la) client(e). Vous voulez acheter:*
1. *un quotidien;*
2. *un magazine pour vous instruire;*
3. *un magazine sur la télé.*

Changez de rôle. Vous êtes le (la) marchand(e) de journaux. Dans votre kiosque, vous avez tout sauf:
Elle; L'Equipe; France-Soir.

Dossier-langue

Rappel: the comparative

In *La presse en France* a lot of comparisons were made, e.g.
Les magazines de télévision hebdomadaires sont plus populaires que les autres magazines.

When comparing things in French, use *plus* + the adjective to say 'more …', e.g.
plus *cher*   (more expensive) dearer
plus *facile*   (more easy) easier.

Remember to use the correct form of the adjective to match the noun it describes, e.g.
Cette photo *est plus jolie que l'autre.*
Les magazines *sont d'habitude plus cher**s** que les journaux.*

See how many examples you can find on page 34 of *plus* used for comparisons.

Other ways of comparing things are by using *moins* (less), *aussi* (as) and *pas si* (not as/so), e.g.
InfoMatin *est **moins** grand que Le Figaro.*
    *InfoMatin is smaller (**less** big) than Le Figaro.*
*Ce magazine est **aussi** intéressant que l'autre.*
    This magazine is **as** interesting as the other.
*Ce magazine **n'est pas si** intéressant que l'autre.*
    This magazine is **not as** interesting as the other.

Find some other examples of these on page 34. Then watch out for some more as you work through this Area.

✏ Lexique ✏✏✏✏

La presse	The press
un abonnement	a subscription
être abonné(e)	to be a subscriber
une bande dessinée	strip cartoon
un bi-mensuel	fortnightly (2 per month)
un hebdo(madaire)	weekly (paper etc.)
un journal	newspaper
un journal régional	local paper
un lecteur (une lectrice)	reader
livrer (un magazine)	to deliver (a magazine)
à domicile	to someone's home
un magazine	magazine
un mensuel	monthly (paper etc.)
un quotidien	daily (paper)
le rédacteur	editor
la rédaction	editorial staff
une revue	magazine
un tirage	circulation (of magazine etc.)

Plus ou moins?

Mettez 'plus', 'moins', 'aussi', ou 'si' pour compléter ces phrases correctement.

1. En France ……… de familles achètent un quotidien qu'en Grande-Bretagne.
2. Les magazines de télévision sont ……… populaires que les autres revues.
3. *InfoMatin* est ……… cher que les autres journaux mais ……… petit.
4. *Le Monde* apparaît ……… fréquemment que *Le Figaro*, mais ……… tard.
5. *France-Soir* n'est pas ……… sérieux que *Le Monde*, mais il est ……… vite à lire.
6. Les Français lisent les journaux nationaux ……… régulièrement que les journaux régionaux.
7. *L'Equipe* est ……… populaire que tous les autres quotidiens nationaux.
8. Un hebdomadaire sort ……… souvent qu'un quotidien, mais ……… souvent qu'un bi-mensuel.
9. En général les jeunes trouvent que les journaux ne sont pas ……… intéressants que les revues.
10. Les jeunes lisent les revues ……… souvent que les vieilles personnes.

Et vous, vous lisez le journal?

Lisez d'abord ces questions et préparez vos réponses personnelles. Ensuite faites A ou B.

A *Travaillez à deux, posez les questions tour à tour. Chaque personne note les réponses de l'autre.*

Exemple
1 c
2 The Daily Mail a
3 a The Clothes Show
4 d, g

Ecoutez l'exemple d'abord pour vous aider.

Enfin comparez les réponses – combien de réponses sont identiques pour les deux partenaires?

B *Travaillez en groupes pour faire des sondages. Chaque personne (ou paire de personnes) pose des questions différentes aux autres membres du groupe. A la fin on présente les résultats aux autres.*

1 Lis-tu un journal …
   a presque tous les jours?
   b surtout le weekend?
   c de temps en temps?
   d presque jamais?

2 Qu'est-ce que tu lis comme journal?
   C'est quoi comme journal?
   a C'est un quotidien national.
   b Un journal régional.
   c Un hebdomadaire.
   d Un journal du soir.

3 Est-ce que tu lis des revues …
   a régulièrement?
   b assez souvent?
   c de temps en temps?
   d rarement ou pas du tout?
   Si oui, quelle est ta revue favorite?

4 Quels articles trouves-tu les plus intéressants?
   a Les informations.
   b La vie des personnes célèbres.
   c Le sport.
   d Les articles sur la mode.
   e Les articles sur le cinéma, les concerts, la télé etc.
   f Les lettres des lecteurs.
   g Les articles sur tes intérêts spéciaux: (l'informatique, les voitures de courses etc.)

Une lettre à écrire

Ecrivez une lettre à votre correspondant(e). Utilisez quelques-unes de ces questions et de vos propres réponses.

> Cher / Chère Alex,
> Est-ce que tu lis des journaux ou des revues? Moi je préfère les revues.

La presse, c'est mon travail (1)

Ecoutez cet extrait d'un programme à la radio et faites les activités ci-dessous.

M. Jean-Pierre Levoisier – marchand de journaux

Ecoutez l'interview avec un marchand de journaux et notez à chaque fois la phrase qui correspond le mieux à ce qu'il a dit.

1 M. Levoisier …
   a travaille à son propre compte.
   b travaille pour son frère.
   c travaille pour une agence.
2 Il vend …
   a plus de journaux le dimanche que les autres jours de la semaine.
   b moins de journaux le dimanche que les autres jours de la semaine.
   c plus de journaux le samedi que les autres jours.
3 Voici un des désavantages de son travail:
   a Il ne peut pas prendre de vacances.
   b Le matin il doit se lever plus tôt que les autres membres de sa famille.
   c Il s'ennuie souvent.
4 Il estime que la vie d'un marchand de journaux est …
   a plus difficile et plus compliquée qu'autrefois.
   b plus facile et moins compliquée qu'autrefois.
   c plus difficile mais aussi intéressante qu'autrefois.
5 En général M. Levoisier est …
   a absolument content de son métier.
   b pas du tout content de son métier.
   c content de son travail – mais avec quelques réservations.

Lexique

Le monde du travail	The world of work
une agence	agency
un(e) apprenti(e)	apprentice
un caméscope	camcorder
un(e) conseiller(-ère) d'orientation professionnelle	careers adviser
un(e) débutant(e)	beginner
une formation	(course of) training
un placement	placement (in a job etc.)
la rédaction	editorial staff; newsroom
se relayer	to work shifts
le travail à mi-temps	part-time job
le travail à plein temps	full time job
travailler à son propre compte	to work for oneself, to be self-employed

Portrait d'un quotidien

La sortie d'un nouveau journal chaque jour est un défi qui commence à l'aube.
Un contre-la-montre quotidien pour ne pas rater la vente dans l'après-midi et le soir même.
En images, une journée de la vie du Monde.
(Extrait d'un reportage photo de Gilles Rigoulet pour le 50ème anniversaire du Monde.)

Le Monde

7h15 Rue Falguière. Les bureaux se remplissent peu à peu. La rédaction, les sténos, le standard… sous le calme apparent, un sentiment d'urgence.

7h45 Bureau du directeur. Conférence de rédaction, debout. Les chefs de service présentent leur menu. «Quelque chose pour la «une»?»

8h15 Service International. Lecture des dépêches d'agences et de la presse internationale. Coups de fil aux correspondants. Et l'on se met à écrire.

8h45 Sur leurs terminaux d'ordinateurs les «Coyote» les rédacteurs écrivent, coupent, titrent. Les articles sont relus par le chef de service.

9h00 Service Société. Aujourd'hui comme hier, l'essentiel de la copie devra être envoyé à 10 heures. L'édition n'attend pas.

9h30 Bureau des dessinateurs. Serguei et Pessin s'inspirent de l'actualité politique et sociale. Pancho termine son dessin pour les pages 'International'.

10h15 Bureau des correcteurs. La relecture s'accélère. Dans les armoires, des dictionnaires, des encyclopédies, des atlas, des lexiques, des annuaires…

10h45 Le «bulletin», la colonne de gauche à la «une» est l'un des derniers articles à «partir». Il est relu par le directeur.

12h10 Atelier de photogravure à Ivry. Les pages, transmises par fac-similé depuis l'immeuble de la rue Falguière, sont transformées en plaques offset.

12h25 Imprimerie. Les plaques sont calées sur les rotatives. L'encrage et le mouillage sont réglés à distance, par lecture scanner des films.

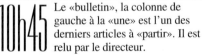

13h15 Les deux rotatives tournent: 140 000 exemplaires à l'heure. Le journal doit être dans les kiosques parisiens à partir de 14 heures.

19h00 Le journal se vide peu à peu. A Ivry, l'impression du quotidien est terminée. En attendant l'effervescence du lendemain.

NOW YOU CAN . . .
… find out about the French press and discuss newspapers and magazines.

Photos: © Gilles Rigoulet

Si on sortait?

Il y a tant de choses à faire et à voir. Alors, qu'est-ce qu'on fait?
Lisez la publicité, puis faites les activités à la page 39.

Pariscope sur Minitel
Cinéma – Théâtre –
Restaurants –
Spectacles jeunes –
Infos circulation
3615 Pariscope

Théâtre

Peines d'amour!!!
Peines d'amour perdues
William Shakespeare
Jours pairs
8-10-14-16-22 mai
Beaucoup de bruit pour rien
William Shakespeare
Jours impairs
9-15-17-21-23 mai
Compagnie du Matamore
Théâtre du Vésinet

Vingtième Théâtre à Paris
Les Lycéens font du théâtre
du 9 au 31 mai
Présentation d'ateliers/clubs
Spectacles
Conférences
Renseignements et programme:
43 66 01 13
Du 9 au 31 mai une exposition réalisée
par les lycéens dans le hall du théâtre:
Les Lycéens s'affichent

Danse

Etoiles du ballet de l'Opéra National de Paris
Répertoire du XXe siècle
Du 10 au 18 mai
Opéra Comique
42 86 88 83
loc. tlj sf sam. et jours fériés
de 11h à 19h

Musique

Festival de Jazz
Du 5 au 17 mai.
Théâtre de
Boulogne-
Billancourt
46 03 60 44

Puccini
Messa di Gloria
Beethoven
5ème symphonie
Orchestre symphonique des
Jeunes en Île de France
Chœur AIR FRANCE
Dir. Laurent Brack
Mardi 2 mai à 20h30
Salle Pleyel
Rens. Rés.: 45 61 53 00

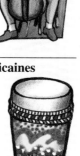

Festival de Musiques Africaines
Théâtre Gérard Philippe
Samedi 20h30
Tarika (Madagascar)
Cinq musiciens sur scène
avec une énergie infernale!
Salala (Madagascar)
Trio vocal
Fenoamby (Réunion)
Un des groupes les plus
populaires de la Réunion
Rossy (Madagascar)
Dix musiciens – et c'est le groupe
le plus populaire de Madagascar

Sport et Loisirs

Espace Jemmapes
Gymnase Jean Dame
de 18h30 à 23h30
Spectacle d'arts martiaux et de danses
Renseignements: OMS
2ème arrondissement
Tél 42 61 55 02

Centre SEGA
La tête dans les nuages
5 bd. des Italiens
Le premier centre
vidéo-interactif familial
où sont réunis, sur
1500 m² , un espace
simulateurs et jeux
vidéointeractifs de haute technologie, un
espace détente et restauration et un
espace boutique avec un large choix de
jeux vidéo et de logiciels.
Ouvert tlj de 10h à 24h

Aquaboulevard de Paris
Rens. 40 60 10 00
11 courts de tennis,
6 courts de squash, pratique
du golf, 2 golfs miniatures,
gym./danse/aérobic,
musculation, espace forme,
parc aquatique, bowling,
billard, boutiques, restaurants.
Visite gratuite du Pont Promenade

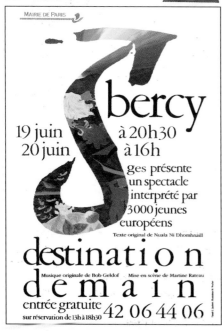

MAIRIE DE PARIS

bercy
19 juin à 20h30
20 juin à 16h
...ges présente
un spectacle
interprété par
3000 jeunes
européens
Texte original de Nuala Ni Dhomhnaill
destination demain
entrée gratuite
sur réservation de 13h à 18h30
42 06 44 06
Musique originale de Bob Geldof   Mise en scène de Martine Rateau

Fête de la JEUNESSE

21h30
Emission POLLEN
de Jean-Louis Foulquier
Princess Erika
Bruno Maman
Fatal Mambo

22h30
Tonton David
en concert
Tél. 67 84 68 85

France inter   Midi Libre   SODETRHE   ODAC   ODSH   CONSEIL GÉNÉRAL DE L'HÉRAULT

Où iront-ils?

*Regardez les débuts des conversations de ces personnes.
Que feront-ils? Devinez d'abord, puis écoutez leurs
conversations pour voir si vous avez raison.*

1 Tu aimes les jeux vidéo, toi? — Oui, oui.

2 Tu veux aller au théâtre samedi soir, ou à un concert? — Euh … ça dépend.

3 Qu'est-ce que tu aimes faire, comme loisirs? — Moi, je suis très sportif.

4 Tiens, il y a le Festival de Jazz cette semaine, non? — Oui, je crois.

5 Dis, Anaïs, tu sais qu'il y aura Tonton David à la Fête de la Jeunesse.

Au centre d'information

*Pendant les vacances, vous travaillez à Paris dans un centre
d'information pour les jeunes. Aujourd'hui il faut remplir ces fiches
pour des jeunes qui vont bientôt venir à Paris.*

*A chaque fois, regardez la publicité et donnez les coups de
téléphone nécessaires, puis notez les renseignements.*

Pour vous aider, regardez les questions dans la case en bas.

Exemple: 1
*Regardez la publicité et écrivez la réponse à **a** et à **b**.*
*Pour la réponse à **c** il faut téléphoner. (Ecoutez
l'exemple sur la cassette:)*

1 – Allô. Aquaboulevard.
Vous: – Bonjour. Voulez-vous me dire les heures
d'ouverture de la piscine, s'il vous plaît?
– Bien sûr. Les piscines font partie du parc
aquatique qui ouvre à 9 heures du matin.
Vous: – Merci bien, Madame.
– Je vous en prie.

1
Nom ou organisation:
Club de sports, Mantes-le-Jolie
Evénement ou but de la visite:
Visite de l'Aquaboulevard
Renseignements demandés:
a *Prix pour visiter le Pont Promenade*
b *Si on peut manger au centre*
c *L'heure des séances à la piscine*

2
Nom ou organisation:
Club de Jeunes à Marseille.
Evénement ou but de la visite:
Le spectacle à Bercy, le 19 juin
Renseignements demandés:
a *Prix des billets*
b *Le concert finit à quelle heure?*
c *Numéro de téléphone pour renseignements supplémentaires*

3
Nom ou organisation:
Lycée Louis Pasteur
Evénement ou but de la visite:
Les Lycéens font du théâtre
Renseignements demandés:
a *Prix des places*
b *Est-ce qu'il y a des réductions pour étudiants?*
c *L'heure des représentations (au 'Vingtième Théâtre')*

4
Nom ou organisation:
Ecole de danse de Lille
Evénement ou but de la visite:
Etoiles du Ballet de l'Opéra National
Renseignements demandés:
a *L'heure des séances le samedi et le dimanche*
b *Prix des billets les moins chers pour la matinée*
c *Les heures d'ouverture du bureau de locations pour les billets*

Pour vous aider:
Des questions à poser

Y a-t-il des billets Avez-vous des places	pour … ?	
C'est combien	l'entrée, les places, les billets,	s'il vous plaît?
Y a-t-il des réductions pour	les étudiants? les moins de 18 ans?	
Quelles sont les heures des	séances? représentations?	
La (dernière) séance Le spectacle Le concert Le match	commence finit	à quelle heure?
	dure combien de temps?	

C'est pour un renseignement, s'il vous plaît

*Travaillez avec un(e) partenaire. L'un(e) de vous regarde
ces pages (38 et 39) et répond aux questions de l'autre,
qui regarde la page 135. Pour bien répondre, vous aurez
besoin de ce renseignement supplémentaire:*
*Il ne reste que des billets à 120F pour le concert de
Tonton David.*
Changez de rôle de temps en temps.

A Paris, qu'est-ce qu'on fait?

Regardez d'abord tous ces mots et expressions.
Puis faites des conversations.

1

On propose une activité

Il y a	un concert une boum un match	ce soir. samedi. demain soir.	On y va? Tu veux y aller? Tu viens?
Si on allait Qui veut aller Toi, tu veux aller		en ville? chez Vincent? au cinéma?	
Tu veux faire		un pique-nique? du bowling? un tour à vélo?	
On va jouer		aux échecs? aux cartes? au tennis de table?	
Tu préfères regarder		le match de rugby? le film (à la télé)? l'émission sur …?	
On pourrait (peut-être) aller		à la piscine. dans une discothèque. au café.	

3

(quand)

On se donne rendez-vous Si on se voyait	ce soir	à … … heures.

(où)

Rendez-vous	devant l'église. au café. à la discothèque.		
	chez	moi. toi. Robert.	

On décide quoi faire
Qu'est-ce qu'on fait?
Tu es libre ce soir?
Qu'est-ce que tu veux faire?
T'as une idée, toi?
Moi, je voudrais …

Deciding what to do
What shall we do?
Are you free this evening?
What do you want to do?
Have you any ideas?
I should like …

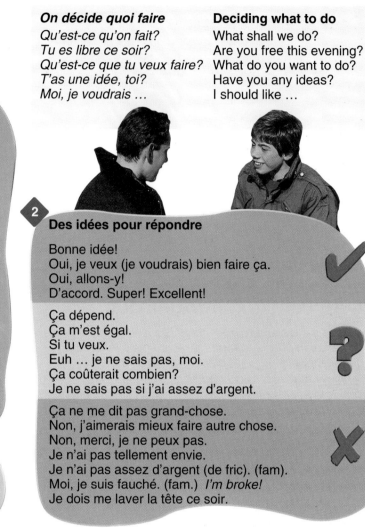

2

Des idées pour répondre

Bonne idée!
Oui, je veux (je voudrais) bien faire ça.
Oui, allons-y!
D'accord. Super! Excellent!

Ça dépend.
Ça m'est égal.
Si tu veux.
Euh … je ne sais pas, moi.
Ça coûterait combien?
Je ne sais pas si j'ai assez d'argent.

Ça ne me dit pas grand-chose.
Non, j'aimerais mieux faire autre chose.
Non, merci, je ne peux pas.
Je n'ai pas tellement envie.
Je n'ai pas assez d'argent (de fric). (fam).
Moi, je suis fauché. (fam.) *I'm broke!*
Je dois me laver la tête ce soir.

4

Ça va?

Oui, d'accord. Entendu. Oui, ça va.	A ce soir. A sept heures, alors. A bientôt.
Oui, mais sept heures, c'est un peu tôt. Disons sept heures et demie.	
Tu ne peux pas venir me chercher chez moi?	
Pas devant	le cinéma. le théâtre.
Si on se voyait	au café? dans le foyer? à la station de métro?

 Tu es libre ce soir?

Travaillez à deux. Inventez des conversations en suivant ces
formules. Ajoutez d'autres détails si vous voulez.

Exemple

A — Tu veux faire du bowling ce soir?
B **?** — Euh … je ne sais pas, moi.
A — Ou on pourrait aller dans une discothèque.
B **✔** — Oui, d'accord – au Plaza, peut-être?
A — Alors, rendez-vous à huit heures au Plaza. Ça va?
B **?** — Oui, mais disons huit heures et demie.
A *(Oui, …)* — Oui, oui, ça va. Alors, à ce soir!

1 A
 B ✔
 A
 B ✔

2 A
 B ?
 A
 B ?
 A *(Oui, …)*

3 A
 B ✗
 A
 B ?

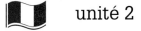

Dossier-langue

moi, toi etc.

When people are discussing things they often use extra pronouns, to stress or emphasise their opinions, e.g.

– *Tu veux faire du bowling ce soir?*
– *Euh … je ne sais pas, **moi**.*
– *Tu aimes le jazz, **toi**?*
– *Ah non, **moi**, je ne l'aime pas beaucoup.*

These pronouns are often called 'stressed' or 'emphatic' pronouns:

moi	I/me	**nous**	we/us
toi	you	**vous**	you
lui	he/him	**eux**	they/them
elle	she/her	**elles**	they/them
soi	oneself		

Besides being used for emphasis, they are often used after prepositions (words like 'with', 'after' etc.), e.g.

– *Tu sors toujours avec Michel?*
– *Ah non, je ne sors plus avec **lui**.*
– *Les garçons sont restés longtemps au café?*
– *Je n'en sais rien. **Nous**, on est partis avant **eux**.*
– *Ce magazine est à **toi**?*   Is this magazine yours?
– *Ah non, il n'est pas à **moi**!* No, it's not mine.

One very common use is after *chez*.
*Tu viens me chercher chez **moi**?*
      Will you pick me up at my house?
*Faites comme chez **vous**.*   Make yourself at home.

To find out more about the stressed pronouns, look them up in **La grammaire**. Meanwhile, watch out for more of them in this unit and try to include some of them in this next set of conversations.

J'ai vu ça

Faites une petite description d'un concert ou d'un autre événement auquel vous avez assisté.

C'était quoi? C'était où? Ça vous a plu, ou étiez-vous un peu déçu? Qu'est-ce qui vous a surtout frappé?

Exemple

Samedi, je suis allé(e) …
avec …
Ça a commencé à …
C'était vraiment bien/nul …
etc.

Que fait-on samedi prochain?

Samedi prochain des copains et toi vont aller à un des endroits décrits dans la publicité à la page 38. Inventez une ou deux conversations pour décider où vous irez.

*Pour vous aider, vous pourriez écouter encore une fois les conversations enregistrées: **Où iront-ils?***

Utilisez une sélection des phrases à la page 40 si vous voulez.

Exemple

– Qu'est-ce que tu veux faire, toi, Alexandre?
– Voyons. Il y a un Festival de Musiques Africaines.
– Ah non, moi, ça ne me dit pas grand-chose.
– Qui veut aller au théâtre?
– Moi non! Il fait trop chaud! On pourrait aller à la piscine.
– Bonne idée. Si on allait à l'Aquaboulevard?
– Oui oui. Moi, je voudrais faire ça. Vous voulez y aller, vous autres?
– Oui, d'accord. Où est-ce qu'on se voit?
– Près du métro à quatre heures, ça va?
– Oui oui, entendu! A bientôt, alors!

Laisse-moi un mot!

A *Il faut répondre à ces invitations que vous avez reçues. Vous devez en accepter une, en refuser une et demander des renseignements sur l'autre.*

Exemple: Cher Luc,
            Merci de ton message/invitation. Je …

1 Demain, on ira au festival de Jazz avec le club. Rendez-vous à la gare routière à 20h. laisse-moi un mot si tu vas venir! Luc.

2 On organise une excursion pour voir "destination demain" à Bercy, le 19 juin. Tu viens? (Ecris-moi un petit mot!) Pauline

3 Vendredi prochain on va aller ensemble au théâtre pour voir "Peines d'amour perdues" de Shakespeare. Laisse-moi un mot si tu veux y aller. Prix 80 francs. Nicolas

B *Maintenant à vous d'inventer deux invitations comme celles-là. Echangez-les avec un(e) ami(e) et répondez à tour de rôle aux messages de l'autre.*

NOW YOU CAN . . .

… discuss what to do, comment on other people's suggestions and describe an event you have attended.

Ciné-mag

En France on aime les films

Les Français aiment le cinéma – surtout les jeunes. Parmi les 15-19 ans 90% vont au cinéma au moins une fois par an. Les Français apprécient beaucoup les films – mais c'est à la télé qu'ils les regardent le plus souvent! Pour 988 heures passées en moyenne dans l'année devant la télévision, ils passent 4 heures dans une salle de cinéma.

Quels sont les films les mieux appréciés?

Beaucoup de jeunes aiment les films d'horreur, les films de science fiction avec des effets spéciaux, ou les films policiers (qu'on appelle les «polars»).

Les films à suspense, les films de guerre, les dessins animés et les films d'espionnage sont aussi très appréciés. Cependant, dans un sondage récent, on a découvert que pour les jeunes, comme pour les adultes, ce sont les comédies – les films qui font rire – et les films d'aventure qui sont les plus populaires.

Une vraie 'star' du cinéma de nos jours

G. PIERRE/SYGMA

Tous les Français reconnaissent facilement cet homme. Le voilà dans deux de ses films les plus connus – *Le retour de Martin Guerre* et *Cyrano de Bergerac*. On peut le voir aussi dans beaucoup d'autres films, dont au moins un en anglais (*The Green Card*). Il joue toujours le rôle le plus important, mais il dit que pour lui «chaque film est un apprentissage». C'est Gérard Depardieu, bien sûr, la véritable «star» du cinéma français depuis plus de douze ans.

R. MELLOUL/SYGMA

Le cinéma, c'est du travail!

Pour faire un film il faut toute une armée de professionnels! Sur l'écran on ne voit que les acteurs, mais il y a aussi les musiciens qui réalisent la bande sonore, les techniciens du son et de l'éclairage et ceux qui créent les effets spéciaux. Puis il y a les maquilleurs, les dessinateurs et les décorateurs.

En plus, on a besoin de scénaristes pour écrire les dialogues et, plus tard, de monteurs, pour sélectionner les meilleures images.

François Truffaut – un grand cinéaste français (1932 à 1984)

W. KAREL/SYGMA

Depuis l'âge de douze ans François Truffaut voulait toujours devenir cinéaste, et il a dit plus tard: «Le cinéma m'a aidé à supporter la vie quand j'étais adolescent.» Son premier film célèbre, *Les quatre cents coups* (1959), est l'histoire de la vie difficile d'Antoine Doinel, un garçon de treize ans, un peu comme lui-même.

Truffaut voulait faire des films sincères et faciles à comprendre et il préférait les tourner dans la rue ou sur la plage plûtot que dans les studios – comme il a dit: «Le soleil coûte moins cher que les projecteurs!» Les plus célèbres de ses 25 films sont *Jules et Jim* (1962), un grand film d'amour, *Fahrenheit 451* (1966) et *Le dernier métro* (1980), qui a gagné 12 Césars (l'Oscar du cinéma français).

Emmanuelle Béart – qui est-elle?

M. JAMET/SYGMA

- 📽 Fille d'un chanteur français célèbre, Guy Béart, elle est vedette du théâtre, mais surtout du cinéma.
- 📽 Presque tout le monde l'a vue dans *Manon des Sources* ou dans un de ses films les plus récents comme *L'Enfer* ou *Une femme française*.
- 📽 En parlant d'Emmanuelle Béart âgée de 28 ans *Le Figaro* a dit: «Le cinéma des années 90 a enfin trouvé sa 'star'.»

Entre les métiers du cinéma, les plus intéressants sont les cascadeurs qui remplacent les vedettes dans les scènes les plus dangereuses et la 'scripte', qui doit noter tous les détails de chaque scène pour assurer la continuité du film. Si vous voulez un métier dans le cinéma, eh bien, voilà, vous avez le choix!

A vous de découvrir

*Lisez **Ciné-mag** et trouvez …*

1 le nom d'une des meilleures 'stars' françaises de notre époque.
2 le nom d'un grand cinéaste français du vingtième siècle.
3 comment s'appelle la personne qui écrit le dialogue d'un film.
4 le nom d'une vedette française dont le père est un chanteur français célèbre.
5 en quoi consiste le travail d'un cascadeur.
6 le genre de films préféré des Français.
7 comment s'appelle l'Oscar du cinéma français.
8 quel film raconte la vie difficile d'un adolescent.
9 comment s'appellent les films policiers, en français familier.
10 qui a interprété le rôle de Cyrano de Bergerac.

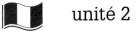

✍ Un lexique à faire 📣📣📣

Qu'est-ce que c'est comme film?
C'est quel genre de film?   What kind of film is it?
C'est quoi comme film?

*Maintenant, complétez le **Lexique** vous-même. Vous trouverez tous les mots sur ces deux pages.*

sound-track	special effects	film
stuntman	adventure film	thriller
film director	spy film	love story
comedy	fantasy	make-up person
animated	war film	to make a film
cartoon	horror film	shooting (of film)
lighting	detective film	star
screen	science-fiction	

📼 C'est quoi comme film?

Ecoutez cet extrait d'un programme à la radio. Cette partie de l'émission s'appelle C'est quoi comme film? *On donne le titre d'un film à un des concurrents qui doit essayer d'en parler pendant 30 secondes.*

Pour chaque concurrent, c'est à vous de choisir les réponses correctes:

1 C'est un film …
  a français.
  b américain.
  c français-allemand.

2 C'est un film …
  a d'espionnage.
  b comique.
  c de science-fiction.

3 C'est une histoire …
  a romantique.
  b imaginaire.
  c vraie.

4 Les vedettes sont …
  a des créatures.
  b un Français et une Française célèbres.
  c des caractères de bandes dessinées.

5 Le concurrent trouve que le film est …
  a effrayant.
  b très amusant.
  c pas très amusant.

A vous de décrire un film

Choisissez un film que vous avez vu, au cinéma ou à la télé, et faites-en une courte description, commes celles que vous venez de lire.
Avant de commencer faites un lexique d'expressions utiles que vous pouvez garder pour vous aider plus tard (même pour les examens). Voici des idées.

Exemple

Pour commencer:
  C'est l'histoire de …
  Le film se déroule …

Pour raconter l'action:
  Avec beaucoup de difficultés, …
  Il a beaucoup d'aventures, mais …
  Cependant …
  Enfin/Finalement …

Pour décrire le film:
  attendrissant
  comique
  un film qui fait pleurer

Un plan pour vous aider:
  quelle sorte de film
  nationalité
  vedettes/directeur
  histoire
  descriptions et réflexions

C'est quel film?

Voici quelques descriptions de films français ou américains. Pouvez-vous les identifier? Les titres sont dans la case en dessous.

1 C'est un film d'amour français très connu. C'est l'histoire de deux hommes et d'une femme. Le directeur est un cinéaste français très célèbre. C'est un film qui fait rire, mais il est aussi très émouvant.

2 C'est un film français avec Gérard Depardieu. C'est un film d'amour, mais aussi un film historique. Il s'agit d'un homme au très grand nez. Ce film a des parties tristes, mais aussi des parties amusantes.

3 C'est un dessin animé américain. C'est l'histoire d'un petit lion dont le père est le roi de tous les animaux. Il a beaucoup d'aventures et de problèmes, mais à la fin du film il devient, lui-même, le roi de la jungle. C'est un film comique, mais quelquefois très touchant.

4 C'est un film de science fiction américain avec beaucoup d'effets spéciaux. Il s'agit d'un petit extra-terrestre, très laid, mais adorable, qui est abandonné sur la terre par erreur. Des enfants deviennent ses amis et, après beaucoup de problèmes, ils l'aident finalement à retourner chez lui. C'est un film qui fait rire, mais qui fait aussi pleurer!

5 C'est un film de science-fiction, ou peut-être un film d'horreur, dirigé par un Français mais basé sur un livre de Ray Bradbury. Le film a lieu dans un monde de cauchemar où les livres sont interdits. Les pompiers doivent brûler tous les livres qu'ils trouvent. Cependant, un jour un pompier commence à lire un des livres – avec des conséquences très importantes. C'est un très bon film, un peu sinistre et quelquefois très effrayant.

6 C'est un film de guerre américain, basé sur une histoire vraie. Il se déroule pendant la deuxième guerre mondiale et il s'agit d'un homme qui a sauvé la vie de beaucoup de juifs. Il a fait une liste de leurs noms et peu à peu, avec beaucoup de difficultés, il a réussi à les sortir de danger. C'est un film passionnant et très émouvant.

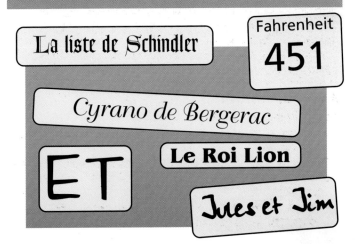

La liste de Schindler

Fahrenheit 451

Cyrano de Bergerac

ET

Le Roi Lion

Jules et Jim

Dossier-langue

The superlative

When you say something is 'the best known', 'the greatest', 'the most interesting' etc. you are using a superlative. There are lots of examples of this in *Ciné-mag*. Look back and find out how it's done in French. Here's a cartoon to help you.

> Puis-je réserver le plus tôt possible et payer le plus tard possible et pour le moins cher possible?

The superlative is formed like the comparative but with the addition of *le*, *la* or *les*, e.g.

Les plus gros *succès*.   The greatest successes.
Les métiers **les plus intéressants**.
                  The most interesting jobs.
Le rôle **le plus important**. The most important part.

You use *le*, *la*, *les* and the correct form of the adjective (masculine, feminine, singular or plural).
If the adjective normally goes **before** the noun, the superlative also goes **before** the noun:
Les plus gros *succès*.

If the adjective normally goes **after** the noun, then the superlative also goes **after** the noun:
Les films **les plus populaires**.

the most common form of the superlative is *plus* (meaning 'most'), but you can also use *moins* (meaning 'least'):
Les choses **les moins importantes**.
                  The least important things.
Some other common superlatives are:
le (la) (les) meilleur(e)(s)   the best
le/la (les) moins cher(s)/chère(s)
                  the least expensive/cheapest
le plus cher   the most expensive/dearest
le pire   the worst
See how many examples of the superlative you can find in *Ciné-mag*.
Watch out for some more in the rest of the cinema items.

LE FILM AUX 7 CÉSARS

MEILLEUR film français   MEILLEURE musique
MEILLEUR réalisateur   MEILLEUR son
MEILLEUR scénario   MEILLEUR montage
            MEILLEUR décor

PROVIDENCE
réalisation de Alain RESNAIS

Enquête-cinéma

Lisez ce questionnaire pour le magazine **Ciné-mag** *puis copiez et complétez la 'fiche réponse'.*

Les meilleures vedettes, les meilleurs films

Entre les films que vous avez vus, à votre avis:
1 Quel était le meilleur film?
2 Quelles étaient les meilleures vedettes (homme et femme)?
3 Quel était le film le plus amusant?
4 Quel était le film le plus effrayant?
5 Quel était le film le plus émouvant?
6 Y a-t-il un film que vous n'avez pas aimé? (Lequel?)

✂

Fiche réponse
1 Le meilleur film était ....
2 La meilleure vedette (homme) était ....
  La meilleure vedette (femme) était ....
3 Le film le plus amusant était ....
4 Le film le plus effrayant était ....
5 Le film le plus émouvant était ....
6 Un film que je n'ai pas aimé était ....

T'as-vu ça?

Ecoutez un groupe de jeunes Français – Yannick, Denis, Josiane, Camille et Jean-Christophe – qui discutent des films qu'ils ont vus récemment. Voilà les trois films qu'ils ont vus:
Une Femme Française
Astérix Chez les Bretons
Freddy Sort de la Nuit*.
Ecrivez les noms des jeunes. Essayez de noter qui a vu quel film et leurs impressions. Le **Lexique** *en dessous contient beaucoup des expressions qu'ils utilisent.*

	Nom	Film	Impressions
Exemple	Josiane	Freddy	moche!

🔊 Lexique

On discute les films	Talking about films
T'as vu … ?	Have you seen … ?
Oui, je l'ai vu.	Yes, I've seen it.
Non je ne l'ai pas vu.	No, I haven't seen it.
Je voudrais le voir.	I should like to see it.
Je n'ai pas envie de le voir.	I don't want to see it.
On dit que c'est bien comme film.	People say it's a good film.
Je n'aime pas les films d'amour/violents/d'aventure.	I don't like love/violent/adventure films.
Comment l'as-tu trouvé?	What did you think of it?
Je l'ai trouvé nul.	I thought it was rubbish.
Moi, je ne l'ai pas aimé.	I didn't like it.
C'était bien?	Was it good?
C'était …	It was …
excellent/super/amusant	excellent/great/amusing
marrant (fam)	funny
pas mal	not bad
rasant (fam)	boring
minable (fam)	pathetic
moche (fam)	rubbish, stupld

 Discutez!

Au cinéma, qu'est-ce que vous aimez?

Pour commencer faites des notes au sujet de vos propres préférences: les films que vous avez vus récemment, au cinéma ou à la télé; quel genre de films ou quelles vedettes vous aimez ou n'aimez pas.

Puis, travaillez en petits groupes (pas plus de cinq personnes). Discutez entre vous comme les jeunes Français que vous venez d'écouter.

Finalement, une personne pour chaque groupe fait un reportage à la classe, en parlant des opinions de son groupe.

Exemple

Mathieu a revu La Guerre des Etoiles dans un festival de films de science-fiction à la télé, et il trouve que c'est toujours super. Deux des filles ont vu Alerte – un film d'horreur avec Dustin Hoffman – et à leur avis le film est nul, mais Dustin Hoffman est génial!

*Ecrivez une sélection de vos propres réponses à ces questions dans votre **Dossier personnel**.*

Si on allait au cinéma?

Que passe-t-on? ▭▭▭ ?

Que passe-t-on Qu'y a-t-il	comme film	à l'Odéon? cette semaine? au cinéma en ville?

C'est un film …?

C'est un film	français? américain? britannique?	▮▮▧ ?

C'est doublé?

v.o.	en version originale	C'est sous-titré?
v.f.	en version française	C'est doublé?

C'est quand? *commence/finit/dure?*

La	dernière prochaine	séance	commence	à quelle heure?
Le film			finit	
			dure combien de temps?	

Pour acheter un billet

C'est combien,	les places, les billets,	s'il vous plaît?	*prix?*
Y a-t-il une réduction pour étudiants?			*réduction?*
Une place, Deux billets,	s'il vous plaît.		▭ billet adulte 1

Une lettre à écrire

Voici un extrait de la dernière lettre de votre correspondant(e):

> Aimes-tu le cinéma? Y vas-tu souvent? Moi j'y vais presque tous les samedis et je regarde beaucoup de films à la télé.
>
> Quel genre de films aimes-tu le mieux? Moi, j'adore les films d'horreur et j'aime aussi les films comiques.
>
> Le meilleur film que j'ai vu récemment était 'Allô Maman, ici bébé'. C'est un film américain avec John Travolta. Tu l'as vu? C'est très marrant.
>
> Et toi, quel film as-tu vu récemment? Quels sont tes stars favorites?
>
> Y a-t-il un film que tu voudrais voir?
>
> Moi, je voudrais voir 'Reservoir dogs', mais ici il est interdit aux moins de 16 ans …

Répondez à ses questions et parlez un peu d'un film que vous avez vu récemment.

 *Travaillez à deux. Une personne (A) regarde cette page et pose des questions. L'autre (B) regarde la page 137 et répond aux questions.*

Exemple

▭▭▭ à l'Odéon?	**A:** Qu'y a-t-il comme film à l'Odéon?
	B: C'est *Alerte!*, un film à suspense.
▮▮▧ ?	**A:** C'est un film francais?
	B: Non, c'est un film américain.
v.o.?	**A:** C'est en version originale?
	B: Oui, mais c'est sous-titré.
dernière séance?	**A:** La dernière séance commence à quelle heure?
	B: A 22h05.
dure?	**A:** Et le film dure combien de temps?
	B: Le film dure 128 minutes.

Maintenant faites les conversations suivantes. Puis changez de rôle pour les refaire.

1 *Vendredi, 18h. Vous demandez des renseignements.*

    ▭▭ *au Pathé Champs-Elysées?*

    ▮▮▧ ?   *v.f.?*

    prochaine séance?   dure?

2 *Mercredi, 14h20. Vous demandez des renseignements.*

    ▭▭ *au Gaumont-Parnasse?*

    ▮▮▧ ?   *v.f.?*

    prochaine séance?   dure?

3 *A l'Odéon. Vous achetez des billets.*

    prix?

    réduction?

    2 × ▭ billet adulte 1

4 *Au Pathé Champs-Elysées. Vous achetez des billets.*

    prix?

    réduction?

    1 adulte, 3 enfants × ▭ billet adulte 1

NOW YOU CAN . . .

… talk about the cinema, describe and discuss films you have seen or want to see, enquire about tickets and times and book or buy tickets.

Je m'excuse!

1 *Essayez de trouver la conversation correcte pour chaque dessin (A-E) et la bonne description pour chaque conversation (F-J).*

2 *Ecoutez la cassette pour vérifier votre choix.*

3 *Travaillez à deux pour lire les conversations à haute voix, en imitant les personnes enregistrées.*

A
– Mais enfin, Fabrice. Dis-moi où tu étais? Je t'ai attendu presque une heure avant de rentrer ici. Et il faisait froid en plus. Ce n'était pas du tout amusant!
– Oui, oui, je sais, Odile. Calme-toi! Ce n'était pas de ma faute. Je suis parti de bonne heure, mais ma voiture est tombée en panne et j'ai dû attendre le mécanicien pendant une heure. J'ai essayé de te laisser un message, mais ton répondeur ne marchait pas.

B
– Ah vous voilà … enfin! Entrez vite!
– Salut Lucien! Excusez-nous. Les autres sont déjà arrivés?
– Oui, mais ce n'est pas grave. Heureusement on n'a pas encore tout mangé!
– Finalement, le père de Jean-Marc avait besoin de sa voiture, et nous avons dû prendre un taxi.
– Oui, oui. Ça va! Ne vous en faites pas!

C
– C'est Saïd à l'appareil.
– Bonjour Saïd.
– Excusez-moi, Madame. Voulez-vous dire à Michel que je suis désolé de ne pas être venu ce matin. J'ai dû aller à Tours avec l'équipe de basket.
– Ce n'est pas grave, Saïd. Je vais expliquer à Michel.

D
– Excuse-moi Pierrette. Je suis en retard.
– Ça ne fait rien.
– Je suis vraiment désolée. J'ai manqué l'autobus, tu sais, et j'ai dû venir à pied. Ça fait longtemps que tu attends?
– Non, pas vraiment. Vingt minutes environ. Ne t'en fais pas, ce n'est pas grave!

E
– Te voilà enfin. Qu'est-ce qui s'est passé?
– Oh excuse-moi, Emmanuel. Je me suis trompée de chemin. J'avais peur, tu sais!
– Moi aussi, j'avais peur!
– Je suis désolée! Je ne l'ai pas fait exprès.
– Ça va! N'en parlons plus. Allons au café.

F
Une personne est vraiment en colère, donc elle parle fort et assez vite. L'autre répond moins vite et explique patiemment. Il essaie de calmer l'autre personne autant que possible.

G
Il parle très poliment, parce que l'autre personne est plus âgée que lui.
Elle lui répond gentiment, mais elle parle assez formellement, parce qu'elle ne le connaît pas très bien.

H
Une personne est très inquiète, donc elle parle très vite, mais l'autre parle calmement.

I
Une personne parle vite car elle est vraiment très inquiète. L'autre parle d'abord un peu impatiemment, mais plus tard il se calme et il parle plus doucement.

J
Malheureusement ils sont arrivés en retard, mais on les reçoit très gentiment.

✍ Lexique 👆👆👆👆

Comment s'excuser	How to apologise
Je vous présente mes excuses.	I apologise.
Pardonnez-moi!	Forgive me!
Pardon!	
Je m'excuse.	
Excuse-moi.	Sorry.
Excusez-moi.	
Je te/vous prie de m'excuser.	Please excuse me.
Je suis (vraiment) désolé(e) …	I'm (really) sorry …
… de ne pas être venu(e).	… that I couldn't come.
Je ne l'ai pas fait exprès.	It wasn't intentional./ I didn't do it on purpose.
Ce n'était pas de ma faute.	It wasn't my fault.
Ça fait longtemps que tu attends?	Have you been waiting long.
J'ai dû (attendre/venir à pied).	I had to (wait/come on foot).

Quoi dire en réponse	How to reply
Il n'y a pas de mal.	No harm done.
Je vous en prie.	Never mind.
Ça ne fait rien.	It doesn't matter.
Ce n'est rien.	
Ne t'en fais pas.	Don't worry.
Ne vous en faites pas.	
Ce n'est pas grave.	It's not important.
N'en parlons plus.	Let's forget it.
C'est vraiment embêtant.	It's really annoying.

Façons de parler	Ways of speaking
doucement	gently, softly
formellement	formally
furieusement	furiously
gentiment	nicely, kindly
lentement	slowly
patiemment	patiently
poliment	politely

Que faut-il dire?

Voici des situations. Qu'est-ce qu'il faut dire?

1 Vous avez manqué le train et vous arrivez chez votre ami(e) avec une heure de retard.
2 Vous avez manqué l'autobus et vous devez aller à pied. Vous arrivez à la piscine une demi-heure en retard. Votre petit(e) ami(e) vous attend avec impatience.
3 Vous avez fait des courses pour la mère de votre correspondant(e), mais vous avez oublié le pain.
4 Vous vous êtes trompé(e) de chemin et vous avez pris un taxi pour rentrer chez votre correspondant(e). Vous êtes arrivé(e) un quart d'heure en retard.
5 Vous étiez malade hier, alors vous n'avez pas pu aller à une boum chez votre ami(e) Emmanuel(le). Vous téléphonez pour lui expliquer, mais c'est son père qui répond. (Expliquez poliment!)

Dossier-langue

Rappel: adverbs

The conversations on page 46 and also the descriptions of them contain a lot of adverbs. Adverbs are words (usually **add**ed to a **verb**) which tell you **how**, **when** or **where** something happened or **how often** or **how much** something is done. See how many adverbs you can spot on pages 46 and 47. You are looking for words like *poliment* (telling **how**), *hier* (telling **when**), *ici* (telling **where**), *souvent* (telling **how often**) or *beaucoup* (telling **how much**). Here's another clue: just as in English lots of adverbs end in '-ly', so, in French many end in *-ment*. This is often added to the feminine form of the adjective, e.g.

heureux (m); heureuse (f)   happy
        *heureuse**ment***   happi**ly**

For more about adverbs, look at **La grammaire**.

Faites des phrases

Maintenant essayez de faire entre cinq et dix phrases au sujet de votre vie de tous les jours, en utilisant un adverbe dans chaque phrase.
Exemple: Le matin, je me lève très vite.

👀 Parlez comme ça

Voici une conversation 'modèle'.

A – Excusez-moi, je suis en retard. Ça fait longtemps que tu attends/vous attendez?
B – Vingt minutes environ. Qu'est-ce qui est arrivé?
A – Ce n'était pas de ma faute. C'est à cause de l'autobus.
B – Ce n'est pas grave!

Travaillez à deux pour faire la conversation, chaque fois d'une manière différente, par exemple:

1 A est inquiet(-ète).
   B parle calmement.

2 A a l'air très relax.
   B parle furieusement.

3 A est en colère à cause de l'autobus.
   B parle doucement.

4 A parle très poliment.
   B parle très formellement.

NOW YOU CAN ...
....
… make excuses and apologise for arriving late or forgetting to do something and give simple explanations.

Le principal loisir des Français

Au cours de sa vie, un Français passe plus de temps devant le petit écran qu'au travail: environ 9 années, contre 7 années de travail. Les enfants scolarisés consacrent aussi plus de temps au petit écran qu'à l'école: environ 900 heures par an, contre 800 heures de classe. La durée moyenne d'écoute par personne, plus de 3 heures par jour, représente l'essentiel du temps libre.

Voici les chaînes – il y a aussi le câble, mais nous, on n'est pas encore abonné. Il y a maintenant de la publicité sur toutes les chaînes, donc, pour l'éviter, on prend sa télécommande et on fait du 'zapping'!

C'est à la télé

Cher Alex,

Merci bien de ta lettre. Tu m'as demandé des renseignements sur la télévision en France, donc je t'envoie ces extraits de 'Télé-Loisirs'. Comme ça, tout sera plus clair — génial, non? Dans ta prochaine lettre, parle-moi un peu de la télé chez toi. Ça va drôlement impressionner mon prof. d'anglais, si je sais tout ça! Raconte-moi quelles sont tes émissions favorites et quelle chaîne tu aimes le mieux. A bientôt,

Laurent (Laurence)

Ce sont des chaînes plutôt sérieuses, mais il y a quelquefois de bons films et pour le sport ce n'est pas mal du tout.

TF1

19.00	**Patinage artistique** Les masters Miko. Compétition spectacle à Bercy. Avec, entre autres, Denise Biellman, Paul Wylie, Yuka Sato, Ekatarina Gordeeva, Sergeï Grinkov, Philippe Candeloro, Surya Bonaly, Sophie Moniotte, Pascal Lavanchy, Eric Millot. 39798
19.50	**Le bébête show** Divertissement.
20.00	**Journal** Par Patrick Poivre d'Arvor.
20.35	**Images de la France, la minute hippique, météo**
20.45	**SCARLETT** *Inédit.* Téléfilm en trois parties de John Erman (1ʳᵉ partie). *Voir ci-contre.* 914218
22.45	**TELE-VISION** Magazine. *Voir ci-contre.* 166893
0.10	**Coucou!** *Rediffusion.*
0.55	**Le bébête show** *Rediffusion.*
1.00	**TF1 nuit, météo**
1.10	**Programme de la nuit** Millionaire. Jeu • 1.40 TF1 nuit • 1.50 Histoires naturelles • 2.45 TF1 nuit • 2.55

FRANCE 2

17.50	**Les années collège** *Déjà diffusé.* Série canadienne. «Recherche désespérée» (1ʳᵉ partie). Wheels ne se remet pas du décès de ses parents. 18847
18.20	**Sauvés par le gong** *Déjà diffusé.* Série. «La sèche». Des officiers viennent à Bayside recruter des élèves. 9356847
18.40	**Images du jour** Coupe de l'America.
18.45	**Que le meilleur gagne!** Jeu.
19.10	**Flash d'informations**
19.15	**Studio Gabriel** Invitée : Marie Gillain.
19.50	**Bonne nuit, les petits!**
20.00	**Journal, météo**
20.50	**COUP DE JEUNE ★** Film français de Xavier Gélin (1991). Comédie. *Déjà diffusé sur Canal+.* *Voir ci-contre.* 602462
22.30	**Ça se discute** Par Jean-Luc Delarue. «Une journée de l'an 2005». Voyage dans le futur proche (automobiles, ordinateurs obéissant à la voix …) *Voir p.20.* 9241606

FRANCE 3

16.30	**Les Minikeums** Dessins animés. Késakeum • Ulysse 31 • Késakeum • Les aventures de Tintin : «L'île Noire» (nᵒ 2).
17.40	**Une pêche d'enfer** Par P. Sanchez. En direct des grottes de l'aven Armand.
18.20	**Questions pour un champion** Jeu.
18.50	**Un livre, un jour** Par Olivier Barrot. «Les fauves» de Bernard Zürcher (éditions Hazan).
18.55	**19-20** Présenté par Elise Lucet.
19.10	**Journal régional**
19.30	**19-20, météo** *Suite.*
20.05	**Fa si la chanter** Par Pascal Brunner.
20.35	**Tout le sport** Par Gérard Holtz.
20.45	**INC** Magazine de la consommation.
20.50	**LA MARCHE DU SIECLE** Magazine. *Voir ci-contre.* 300478
22.30	**Météo, le soir 3** Par Henri Sannier.
22.55	**UN SIECLE D'ECRIVAINS** Collection dirigée par B. Rapp. «Jacques Prévert». *Voir ci-contre.* 8564768

C'est la chaîne la plus populaire. Mes parents la mettent toujours pour le journal télévisé, pendant le dîner, mais c'est si rasant! Ça me coupe l'appétit! Moi, je ne regarde pas beaucoup cette chaîne, sauf des fois 'Le bébête show' – c'est un truc satirique, fait avec des marionnettes, mais ce n'est pas si drôle que les guignols sur Canal+.

Ça, je l'ai vu. Il s'agit d'un vieux prof de 75 ans qui fait des travaux sur le rajeunissement. Un soir, il avale, par hasard, son élixir miracle. Il est transformé en petit garçon, mais il a toujours ses facultés intellectuelles de prof célèbre. C'était un peu moche, quand même!

Qu'est-ce qu'on regarde?

Regardez les extraits de Télé-Loisirs *et trouvez une émission pour …*

1 les petits.
2 ceux qui aiment les animaux.
3 les gens sportifs.
4 quelqu'un qui aime les films français.
5 quelqu'un qui parle italien.
6 un étudiant de la littérature française.

Qu'est-ce que tu as regardé?

Des jeunes discutent la télé et les émissions qu'ils ont vues hier à la télé. Ecoutez la cassette et écrivez une liste de tout ce qu'ils ont regardé, et sur quelles chaînes.

Répondez!

Maintenant répondez à la lettre de Laurent. Parlez de la télévision dans votre pays et de vos émissions préférées.

Ça, c'est la meilleure chaîne, mais seulement si on a un décodeur. On y passe des tas de bons films, mais il n'y a que quelques périodes de la journée où on peut voir les émissions en clair, c'est à dire, sans décodeur.

Heureusement, les fameux 'Guignols de l'Info' sont 'en clair'. Ils font partie de l'émission 'Nulle part ailleurs'. Presque tout le monde regarde les sept minutes de leurs 'sketchs' – c'est vraiment extra! Chaque marionnette coûte, en moyenne, 40 000 francs et il y en a plus de 400. Chacune est animée par deux manipulateurs, l'un s'occupe des bras et l'autre de la tête et des yeux. Evidemment, c'est ça mon émission préférée!

La Cinquième, qui est la chaîne éducative, émet de 6 heures jusqu'à 19 heures. A cette heure elle est suivie par 'Arte' qui est la chaîne culturelle et complètement différente des autres – on y consacre une soirée entière à un thème. Notre prof nous a dit qu'on y passe de très bonnes choses!

CANAL+

18.00 **Canaille peluche** Dessin animé

Emissions visibles sans décodeur

18.30 **Pizzarollo** Jeu. Par David Chevalier. *Retrouver nos trucs et astuces page 77.*

18.40 **Nulle part ailleurs**

20.30 **Le journal du cinema** Par I. Giordano.

20.35 **THE BLUE BOY**
D Téléfilm britannique de Paul Murton. *Voir ci-contre.* 4557909

21.35 **Flash d'informations**

21.50 **UN AN DANS LA VIE D'EMMANUELLE BEART** Documentaire. *Voir ci-contre.* 7106744

23.00 **L'enfer** (1h 39). ★★ Film français de Claude Chabrol (1993). Drame. Avec E. Béart. Rediffusions: *le 14 mai à 10.50, le 16 à 20.35, le 19 à 13.35, le 24 à 22.45 et le 30 à 16.20.* 2091003

Guignols Cantona et Papin avec le PPD.

LA 5ᵉ

17.30 **Atout savoir 13.00** Ça déméninge. Jeu interactif • **13.30** Défi. Invités : S. André, professeur d'art oratoire, Odette Laure • **14.00** Détours de France • **15.00** Pas normal! • **15.30** Qui-vive? • **15.45** Allô! la Terre • **16.00** La preuve par cinq • **16.35** Inventer demain **16.45** Langue : anglais • **17.00** Les explorateurs de la connaissance. Jeu interactif **17.25** Téléchat • **17.30** Les enfants de John. 33243744

18.00 **Les écrans du savoir** Question de temps • **18.15** Ma souris bien-aimée • **18.30** Le monde des animaux • **18.55** Le temps • **19.00** Fin.

ARTE

19.00 **Confetti** • **19.30** Danse du feu et sacrifices chez les Nasi en Chine Les Nasi ont une écriture unique au monde • **20.15** Equateur, la vallée des oubliés • **20.30** 8 1/2.

20.40 **LA REGLE DE L'HOMME** ★★ *Déjà diff. Téléfilm de J.-D. Verhaeghe (1993). Avec B. Fresson, J.-P. Bisson.* **L'histoire** : En 1927, au Maroc, le sergent Bibard, une tête brûlée, se met sous les ordres du commandant Feroud. Celui-ci n'est autre que Mehmet Pacha, figure légendaire du Maghreb. **Notre avis** : Le destin d'un homme exceptionnel magnifiquement servi par les comédiens. 5075812

M6

18.00 **O'Hara** *Déjà diffusé.* Série. «L'art du vol». Deux frères cambriolent une bijouterie. 66199

18.34 **6 minutes première édition**

19.00 **Agence Acapulco** *Déjà diffusé.* Série américaine. «Intuition féminine» 91286

19.54 **6 minutes, météo**

20.00 **Madame est servie** *Déjà diffusé.* Série américaine. «Quelle comédie!» Angela va chercher son fils dans sa colonie de vacances. Avec J. Light. 20712

20.35 **E=M6** Magazine Présenté par Mac Lesggy. *Sauf décrochages régionaux.*

20.40 **Le mardi, c'est permis**

20.45 **Grandeur nature**

20.50 **LOIS ET CLARK …**
… Les nouvelles aventures de **Superman**. *Inédit.* Série américaine. *Voir ci-contre.* 759286

22.45 **UN AMOUR FOU** *Déjà diffusé.* Téléfilm italien. *Voir ci-contre.* 5206354

0.35 **Les professionels** *Déjà diffusé.* Série britannique. «La proie». 9019687

Pour pas mal de jeunes, M6 est la meilleure chaîne. Mes deux sœurs y regardent tous les feuilletons et toutes les séries. Je les regarde de temps en temps, si je suis un peu stressé, ça détend!! Mais je n'aime pas tellement cette chaîne – les séries américaines, j'en ai ras le bol! En tout cas, pour la plupart ce sont des émissions déjà diffusées et je les ai déjà vues!

Lexique

La TV et la radio	TV and radio
un baladeur	personal stereo
une chaîne	channel
un débat	debate, discussion
ça détend	it's relaxing
déjà diffusé	already shown (repeat)
un dessin animé	animated cartoon
une émission	programme
en moyenne	on average
grandeur nature	life-size
un guignol	puppet (show)
inédit	new, not previously shown
le jeu	game (show)
en direct (de)	live (from)
un documentaire	documentary
un feuilleton	serial, soap opera
le journal télévisé	
les informations (f pl)	news
les actualités (f pl)	
nulle part ailleurs	nowhere else
un poste	a set (radio or TV)
la publicité (la 'pub')	advertising
une série	series
une station	radio station
un téléroman	soap opera
les variétés (f pl)	variety programme

La radio en France

Regardez ces statistiques sur la radio en France, puis répondez aux questions.

Les statistiques

1 Les Français écoutent la radio en moyenne trois heures par jour.
2 Dans plus de 82% de familles françaises une personne au moins a un transistor.
3 Normalement, les Français écoutent la radio plus souvent pendant la semaine que le weekend.
4 Les jeunes Français choisissent de préférence les programmes musicaux, comme *NRJ, Fun Radio, Europe 2* et *Nostalgie*, tandis que la population adulte préfère les grandes stations nationales, comme *RTL, France-Inter* et *Europe Numéro 1*.

Et vous?

1 Et vous, combien d'heures par jour écoutez-vous la radio?
2 Et vous, y a-t-il quelqu'un dans votre famille qui a un transistor? C'est vous? Sinon, c'est qui?
3 Et vous, écoutez-vous la radio plus souvent pendant le weekend ou pendant la semaine, ou c'est pareil?
4 Et vous, quelle est votre station préférée? Choisissez-vous plutôt les programmes musicaux?

Ecoutez-vous la radio?

Dans un magazine pour les jeunes, l'un des lecteurs pose une question et d'autres lecteurs répondent et donnent leur avis. Voici une de ces questions et une sélection des réponses.

«Que pensez-vous de la radio…pour les jeunes? Moi, j'adore ça. Tous les soirs, je m'endors avec la radio. Est-ce que vous l'aimez, vous l'écoutez? Aimez-vous ses programmes? L'écoutez-vous plus que vous ne regardez la télévision?»
David

A «Salut David! Ta question m'a intéressée car, avant, je n'aimais pas trop la radio et je m'y mets! Pourquoi? Tout simplement parce que je me suis fait cambrioler et qu'il ne me reste plus que ma radio (pas de grande qualité, mais c'est déjà ça!) pour mettre un peu d'animation dans ma chambre. Avant, j'écoutais des cassettes (souvent les mêmes…) et je me rends compte que la radio, c'est plus vivant, plus joyeux. Il y a toutes sortes de musiques et de programmes. Ce dont je ne raffole pas, c'est les pubs.
Je n'ai pas de station précise et habituelle. Je choisis selon mon humeur de la journée. Je ne peux pas vivre sans musique. Sans musique j'ai le moral à zéro. Alors j'écoute la radio, et j'encourage tout jeune à l'écouter. Chacun peut y trouver son style, sa personnalité.»
Aline

B «David. Je trouve qu'aujourd'hui la radio pour jeunes est assez décevante. NRJ, par exemple, passe, 24 heures sur 24, de la musique bien à la mode, jusqu'à ce que tous les auditeurs sachent la chanson par cœur.
D'autre part je crois que le but de ces radios est de transmettre quelque chose, et il devrait y avoir plus de reportages, plus d'interviews. La radio devrait parler de la politique, aussi, mais sans censure ou médiatisation, librement.»
Mathilde

C «Salut David. J'ai découvert la radio il y a un peu moins d'un an et depuis je ne peux plus m'en passer. C'est un excellent mode de communication et d'expression. Par la radio, on peut exprimer beaucoup plus de choses qu'à la télévision, on se sent plus libre. L'avantage de la radio c'est qu'il n'y a pas de visage sur la voix, alors on ne peut pas juger la personne sur des traits physiques.
Je préfère la radio car elle peut être interactive; il y a contact entre l'animateur et les auditeurs. Longue vie à la radio!»
Stéphane

D «Cher David. Je voudrais te dire que j'écoute la radio très souvent: le matin en me réveillant, en faisant mes devoirs, en me couchant, à midi et même en ce moment. J'adore la radio, car on peut passer des dédicaces ou des messages le soir, sur certaines ondes. On peut également écouter de nouveaux chanteurs et y prendre goût. Ça nous laisse le temps de penser, non pas comme la télé. Les infos sont courtes, mais ça suffit largement pour être informé.»
Patrice

Pouvez-vous trouver le titre correct pour chaque lettre?
1 Je voudrais plus de reportages.
2 J'aime le contact entre animateur et auditeurs.
3 La radio nous laisse le temps de penser.
4 J'écoute toutes sortes de musique.

NOW YOU CAN . . .

… understand information about TV and radio programmes and ask for and give opinions.

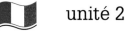

2.8 VOUS AIMEZ LA LECTURE?

Les Français, aiment-ils la lecture?

82% des Français (de plus de 15 ans) lisent au moins un livre par an et une jeune personne (15-25 ans) sur cinq lit plus de trois livres par mois. Les filles sont plus nombreuses à lire les livres que les garçons, mais les garçons lisent plus souvent les bandes dessinées.

Et vous?
Complétez ces phrases avec 'plus' ou 'moins'.
1 Je lis .... de trois livres par mois.
2 Je lis .... de quatre livres par an (on ne compte pas les livres scolaires!).
3 Je lis les livres .... souvent que les bandes dessinées.
4 Je lis les magazines .... souvent que les livres.

La lecture et moi

1 Lisez d'abord ces questions et répondez en notant d'abord les lettres.

Exemple

1b; **2c**; **3a-B**, **b-C**, **c-A**   etc.

*2 Maintenant, utilisez vos réponses et le vocabulaire des questions pour vous aider à écrire quelques phrases au sujet de **La lecture et moi**. (Naturellement, vous pouvez utiliser d'autres expressions en plus, si vous voulez.)*

Exemple

(**1 et 2**) Je lis de temps en temps, mais je ne vais jamais à la bibliothèque.

(**3**) J'aime les livres de sciences, de science-fiction et les bandes dessinées.

(**4**) Normalement je choisis un livre parce qu'un de mes amis l'a recommandé.

(**5**) Je suis en train de lire *The Day of the Triffids* de John Wyndham.

(**6**) Le dernier livre que j'ai lu est *Witches Abroad* de Terry Pratchett.

(**7**) Mes auteurs préférés sont Stephen King et Goscinny.

(**8**) Ma bande dessinée favorite est *Astérix le Gaulois*.

*Pourquoi ne pas mettre ces phrases dans votre **Dossier personnel**?*

📣 Lexique 📣📣📣📣

La lecture	Reading
un auteur	author
une bibliothèque	library
un conte	(short) story
un écrivain	writer
emprunter	to borrow
une histoire	story
lire	to read
une pièce (de théâtre)	play
prêter	to lend
un roman	novel
un titre	title

Questionnaire

La lecture et moi

1 Lisez-vous …
 a beaucoup et régulièrement?
 b de temps en temps?
 c très rarement?

2 Empruntez-vous des livres d'une bibliothèque …
 a souvent?
 b de temps en temps?
 c jamais?

3 Quel genre de livres aimez-vous?
 Pour chaque genre de la liste écrivez:
 A = Oui, je les aime.
 B = Non, je ne les aime pas beaucoup.
 C = Je ne suis pas sûr(e).
 a les livres d'aventures
 b les livres de sport
 c les livres de science (la nature, la vie des animaux etc.)
 d les livres sur les techniques modernes (l'espace, l'informatique etc.)
 e les histoires vraies
 f les livres de science-fiction
 g les bandes dessinées
 h les romans policiers
 i les romans d'amour
 j les livres comiques
 k autres
 Quel genre de livres vous intéresse le plus? (Choisissez deux ou trois genres, si vous voulez.)

4 Normalement, choisissez-vous un livre …
 a parce que quelqu'un l'a recommandé?
 b parce que vous en avez entendu parler à la radio ou à la télévision?
 c parce que vous connaissez l'auteur?

5 Etes-vous en train de lire un livre en ce moment? Si oui, lequel?

6 Quel est le dernier livre que vous avez lu?

7 Quel est votre auteur préféré?

8 Quel est votre livre favori?

Tous les jeunes Français les connaissent

Ces livres sont entre les plus populaires de tous les livres lus par les jeunes Français. Leurs auteurs sont très bien connus par les adultes aussi, car ce ne sont pas vraiment des auteurs de livres pour enfants.

Regardez les titres et les descriptions des écrivains, puis lisez les petits résumés en dessous et essayez d'identifier chacun.

1 Alexandre Dumas
Ecrivain français (1802–1870)
Il a écrit beaucoup de romans historiques, dont les plus célèbres sont probablement *Le Comte de Monte-Cristo* et *Les Trois Mousquetaires*. Dans ses livres l'amitié et la bonne humeur sont très importantes.

2 Marcel Pagnol
Ecrivain et cinéaste français (1895–1974)
Il habitait à Marseille et la plupart de ses livres et de ses films se déroulent dans le Midi. Il a écrit des comédies et des livres de souvenirs de son enfance, comme celui-ci, *La Gloire de mon Père*. Vous avez peut-être vu à la télé un des deux films basés sur ses livres: *Jean de Florette* et *Manon des Sources*.

3 Jules Verne
Ecrivain français (1828–1905)
Il a écrit des romans scientifiques dans lesquels il a fait des prédictions extraordinaires. Entre les plus célèbres il y a *Vingt mille lieues sous les mers*, *Voyage au centre de la terre* et *Le tour du monde en 80 jours*.

4 Alphonse Daudet
Ecrivain français (1840–1897)
Il a écrit des romans comme *Tartarin de Tarascon*, mais il aimait surtout écrire des contes. Il aimait la nature et il décrivait la vie quotidienne à la campagne.

5 Antoine de Saint-Exupéry
Ecrivain français (1900–1944)
Il était aviateur et c'est de ce métier qu'il a tiré son inspiration pour plusieurs de ses livres d'aventure, par exemple *Vol de Nuit* et *Pilote de guerre*. Cependant, c'est un livre pour les enfants, *Le Petit Prince*, qui est le plus connu.

A
C'est un livre de contes au sujet de la vie en Provence. Dans cette région, quand il était jeune, l'auteur passait ses vacances dans un vieux moulin à vent à Fontvieille, près d'Arles, et c'est dans ce moulin qu'il a trouvé l'inspiration pour ses histoires. Dans les contes, il nous présente les gens de la région et raconte d'une manière amusante des anecdotes de leur vie quotidienne.

B
C'est un livre d'aventures dont le héros s'appelle le Capitaine Némo, prince indien d'origine. Dans le livre on voyage sous la mer avec lui, dans son célèbre sous-marin, Nautile. Le livre est un peu fantaisiste, mais très intéressant et amusant.

C
Presque tous les Français ont lu ce livre où il s'agit de la rencontre d'un aviateur en panne dans le désert avec un petit bonhomme qui vient d'une autre planète. L'auteur raconte leurs conversations et tout ce qui arrive, avant le retour chez lui de ce petit étranger. C'est une histoire fantaisiste et touchante.

D
C'est un roman historique très célèbre qui raconte les exploits d'une bande d'amis qui vivaient au dix-septième siècle à l'époque du Cardinal de Richelieu. Ils ont eu beaucoup d'aventures et ils se battaient régulièrement en duel pour protéger l'honneur de leur reine. C'est un livre passionnant et très facile à lire.

E
Dans ce livre, l'auteur parle des souvenirs de sa vie d'enfant en Provence. Il décrit sa vie en famille, ses années scolaires à Marseille et ses merveilleuses vacances en pleine campagne. Pendant ces vacances il fait la connaissance d'un garçon du pays qui devient son meilleur ami. C'est un livre charmant, touchant et amusant.

Dossier-langue

Rappel: narrating stories
Although you can often narrate a story mainly in the present tense, you do sometimes find you need to use some past tenses.
Talking about the past
Don't forget:
- when talking about a **single incident in the past**, use the perfect tense;
- when **describing** something in the past or talking about what **used to happen**, use the imperfect tense.

Find some examples of these two tenses in use on this page.

Remember which tenses to use when you describe a book or film yourself.

📖 J'ai lu …

Avez-vous lu un (ou plusieurs) des livres à la page 52? Lequel (ou lesquels)?

Avez-vous vu une des versions filmées d'un (ou plus) de ces livres? Il en existe plusieurs.

Ecoutez des jeunes Français qui discutent de livres puis faites une petite présentation ou écrivez un court article au sujet d'un livre que vous avez lu.

Pour vous aider:

C'est	un livre d'aventure.
	un roman historique.
	etc.
Il s'agit de …	
On raconte …	
C'est l'histoire de …	
L'auteur	parle de …
	décrit …
Le héros (L'héroïne) s'appelle …	
L'action se déroule à …	
A la fin/Finalement/Enfin …	
Après beaucoup d'aventures …	
C'est un livre	touchant.
	intéressant.
	etc.
Je l'ai trouvé	très bien / mal écrit.
	super.
	ennuyeux.

Reconnaissez-vous ces livres?

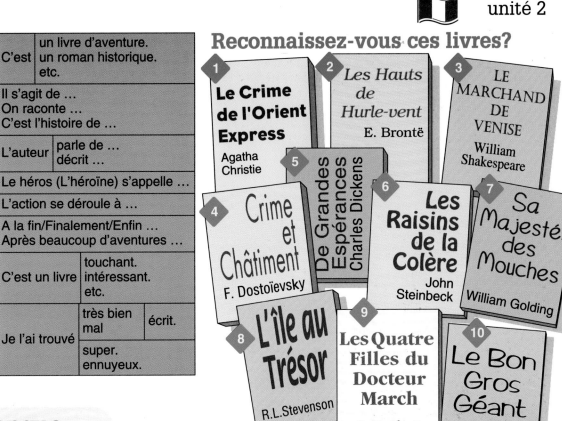

1 Le Crime de l'Orient Express — Agatha Christie

2 *Les Hauts de Hurle-vent* — E. Brontë

3 LE MARCHAND DE VENISE — William Shakespeare

4 Crime et Châtiment — F. Dostoïevsky

5 De Grandes Espérances — Charles Dickens

6 Les Raisins de la Colère — John Steinbeck

7 Sa Majesté, des Mouches — William Golding

8 L'île au Trésor — R.L.Stevenson

9 Les Quatre Filles du Docteur March — L. M. Alcott

10 Le Bon Gros Géant — Roald Dahl

Dossier-langue

Rappel: adjectives

Don't forget to make adjectives agree with the words they describe, e.g.
une histoire amusant**e**, **des** caractères très sympathique**s**, **des** aventures passionnant**es**, **une** très bon**ne** description.

NOW YOU CAN . . .

… discuss books and reading in general and describe a book you have read.

Sommaire

Now you can …

1 discuss leisure interests, say what does and does not interest you and talk about an event you have attended
2 discuss sport and describe your own interests and preferences
3 find out about the French Press, and discuss newspapers and magazines

Si on sort?
4 discuss what to do, comment on other people's suggestions and describe an event you have attended
5 talk about the cinema, describe and discuss films you have seen or want to see, enquire about tickets and times and book or buy tickets
6 make excuses and apologise for arriving late or forgetting to do something and give simple explanations

Et si on reste à la maison?
7 understand information about TV and radio programmes and ask for and give opinions
8 discuss books and reading in general and describe a book you have read

3.1 LA SANTÉ L'ÉTÉ

Votre santé en vacances

Lisez cet article, puis trouvez un titre pour chaque paragraphe.

A C'est le moment de bouger

B L'eau est bonne?

C Attention aux insectes

D Boire, boire et boire

E Bronzons futé

1 Le soleil est là. On l'a attendu toute l'année. Cependant trop de soleil égale danger, car le soleil abîme dangereusement la peau. Ceux qui sont blonds ou roux peuvent se brûler facilement. Voilà quelques précautions à prendre:
mettez une crème solaire qui donne une très bonne protection;
portez un chapeau et des lunettes de soleil;
évitez le soleil entre 11 heures et 15 heures;
ne vous endormez pas sur la plage en plein soleil;
buvez de l'eau régulièrement.

2  L'été, c'est vraiment le moment de pratiquer son sport préféré. Mais attention: bouger, oui, s'épuiser, non. Surtout pas en pleine chaleur. On joue beaucoup mieux en fin d'après-midi qu'entre midi et deux.

3 Et n'oubliez pas de boire – avant, pendant et après l'effort. En transpirant, on perd de l'eau et des sels minéraux: il faut donc les récupérer. Pendant un effort prolongé, boire un verre d'eau, même si on n'a pas soif permet d'éviter crampes et courbatures.

4 Aïe, une piqûre! Si c'est une abeille, retirez le dard avec soin. Puis désinfectez la blessure avec un produit antiseptique. Appliquez un glaçon pour calmer la douleur. S'il y a beaucoup d'insectes, mettez une crème anti-insecte et couvrez-vous bien le soir.

une guêpe

une abeille

une creme anti-insecte

5 Vous aimez passer vos vacances dans l'eau? La mer, le lac, la piscine, la rivière. Nager, plonger, s'amuser – ça fait du bien, mais n'oubliez pas ces petits conseils pour éviter des problèmes:
attendez une heure après un repas avant de vous baigner;
ne vous baignez pas après avoir bu de l'alcool;
faites attention aux indications de sécurité (drapeaux, panneaux etc.).

(Santé d'été: Okapi/Croix Rouge Française)

✍ Un lexique à faire

…	bee
…	to burn
…	sun cream
…	insect repellent
…	wasp
…	skin
…	antiseptic product
…	insect sting/bite
…	care
(Complétez la liste:)	
une brûlure	a burn
se brûler	to burn oneself
une écorchure	a graze, scratch
s'écorcher	to …
une piqûre	a sting, (an injection)
piquer	to sting (to inject)
une blessure	injury, wound
…	to injure
une …	a cut
couper	to …

▶▶ Santé jeunes

Pendant tout l'été, l'émission Santé jeunes vous explique comment éviter les petits et grands dangers de l'été. Voilà des thèmes qu'on va traiter au cours de ces émissions:

- se faire bronzer sans danger
- premiers secours – les gestes qui peuvent sauver la vie
- le coup de chaleur
- attention au bord de la mer
- votre santé dans les pays chauds
- les piqûres d'insecte
- une trousse de médicaments
- l'asthme – les symptômes, les causes

Maintenant, écoutez la première émission. On parle de deux de ces thèmes. Lesquels?

De quoi s'agit-il?

Voilà les symptômes d'un problème discuté pendant l'émission. Quel est le problème?

On a mal à la tête.
On a envie de vomir.
Le visage est rouge.
On se sent fatigué.
On a soif.

Ce qu'il faut faire

Pouvez-vous compléter ces conseils?

Il faut – allonger la personne (1);
– lui donner à (2);
– tremper un T-shirt ou une serviette et mettre cette compresse géante sur (3);
– appeler (4).

> au soleil, une ambulance, à l'ombre, boire, un médecin, manger, sa tête, son dos

Attention aux moustiques!

Ecoutez l'émission Santé jeunes encore une fois, puis écrivez trois conseils pour éviter les piqûres d'insectes.

Pour vous aider:

Utilisez …
Evitez …
Le soir et la nuit, …

Une trousse de médicaments

des ciseaux
de l'aspirine
un produit anti-insecte
un pansement
du sparadrap
des comprimés pour les maux de tête
un produit antiseptique

Faites une liste dans votre cahier de tout ce qui est dans la trousse de médicaments.

Exemple

1 *du sparadrap* – sticking plaster

▶▶ Je ne me sens pas bien

Travaillez à deux. Une personne regarde cette page. L'autre regarde la page 138.
Votre partenaire ne va pas bien. Posez-lui des questions, puis donnez-lui des conseils.

Pour vous aider:

Mettez-vous à l'ombre.
Je vais retirer le dard.
Je vais vous chercher quelque chose à boire.
Je vais mettre un antiseptique.
Je vais mettre cette serviette trempée sur votre tête.

Exemple

– Ça va?
– Non, je ne me sens pas bien.
– Qu'est-ce qu'il y a? etc.

> NOW YOU CAN . . .
>
> … understand and discuss minor health problems that can occur in summer.

Les pharmacies en France

Si on a un petit problème de santé on va souvent chez le pharmacien. Pouvez-vous compléter ces phrases pour faire un dépliant sur les pharmacies en France?

Les pharmacies en France – dix choses à savoir!

1 On ne peut pas acheter ... , comme de l'aspirine, dans un supermarché en France. Il faut aller dans une pharmacie.

2 Les pharmacies sont signalées par une croix ... .

3 Souvent les gens consultent le pharmacien plutôt que d'aller voir le médecin, parce qu'il faut ... la consultation du médecin.

4 On peut consulter le pharmacien pour de petits problèmes, comme par exemple ... ...

5 Si le pharmacien estime que le problème est assez grave, il vous conseillera de consulter ... .

6 Le pharmacien peut vendre des médicaments sans ordonnance, comme par exemple ... ...

7 Pour certains médicaments, il faut avoir ... signée par un docteur.

8 A part les médicaments, on peut acheter quelques produits de toilette, par exemple ... ...

9 En général, les pharmacies sont ouvertes tous les jours de la semaine ... .

10 Il y a toujours ... de garde. Pour tout renseignement, contactez l'office du tourisme, le commissariat ou la presse locale.

Services de garde

Médecin : SOS Assistance Médecins du Golfe, 94.97.65.65.

Pédiatre de garde (Permanence) : 94.97.72.12.

Pharmacie (la nuit et pour les urgences) : 94.07.08.08.

Urgences vétérinaires du Golfe : D' Chappuis 94.97.37.11.

SOS vétérinaire : 94.54.34.00.

Pour vous aider:

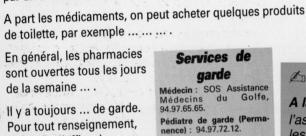

un médecin

des médicaments

du savon, du shampooing, du dentifrice, du déodorant

un peu d'indigestion, un léger mal de tête, une piqûre d'insecte, un rhume, une toux, un mal de gorge

de 9h à 12h et de 14h à 19h

une pharmacie

verte

des pastilles, des sirops pour la gorge, de l'aspirine, des crèmes anti-insecte, des pommades

une ordonnance

payer

Une ordonnance
En général, le prix des médicaments sur ordonnance est remboursable par la Sécurité Sociale (entre 35% et 65%).

La vignette
Pour se faire rembourser, il faut détacher la vignette et la mettre sur sa feuille de soins.

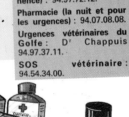

La croix verte
La croix, c'est en souvenir des religieux qui venaient au secours des blessés et qui portaient une croix sur leurs vêtements. Elle est verte comme la couleur des plantes qui sont à l'origine de beaucoup de médicaments.

✍ Un lexique à compléter

A la pharmacie	At the chemist's
l'aspirine (f)	...
les comprimés (m pl)	tablets
la constipation	...
la diarrhée	diarrhoea
le ...	toothpaste
du déodorant	deodorant
être enrhumé(e)	to have a cold
la grippe	flu
un ...	medication
une ordonnance	...
un pansement	dressing, bandage
du papier hygiénique	toilet paper
des pastilles (f pl) pour la gorge	throat sweets
la ...	chemist's shop
un(e) pharmacien(ne)	...
une pilule	pill
une pommade	cream, ointment
un rhume	cold
du ...	soap
des serviettes hygiéniques (f pl)	sanitary towels
le shampooing	...
le sirop	cough linctus
du sparadrap	sticking plaster
une toux	cough
la vignette	special tax label on medicines bought on prescription

Chez le pharmacien

Ecoutez la cassette. Il y a beaucoup de clients chez le pharmacien. Qu'est-ce qu'ils achètent? Mettez les images dans le même ordre que les conversations.

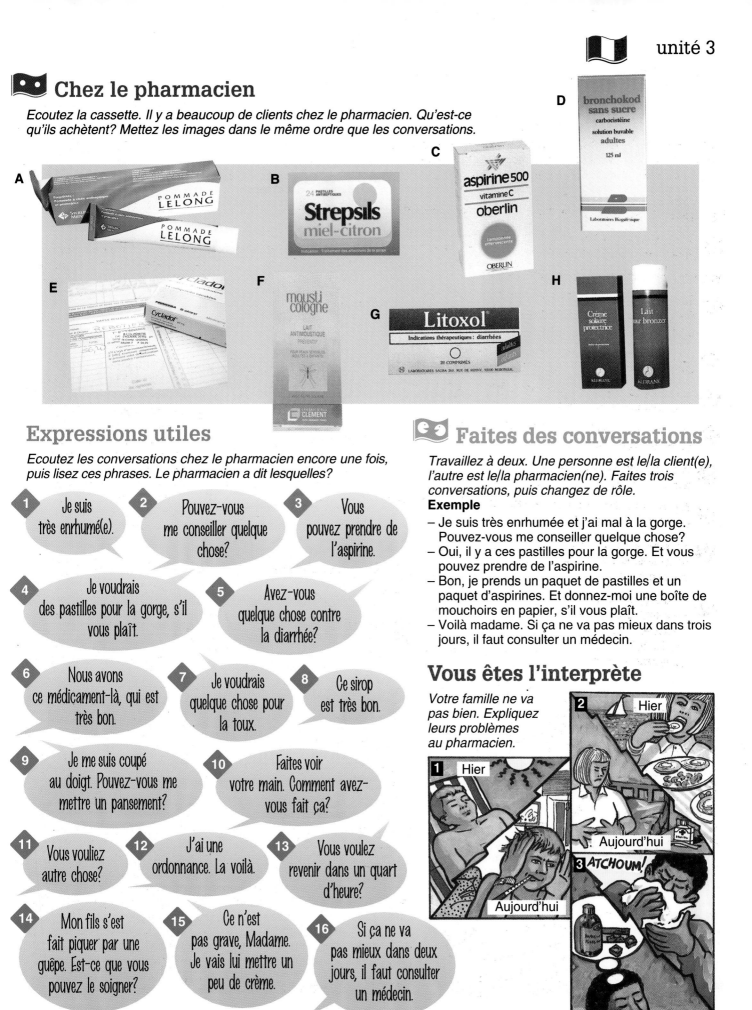

Expressions utiles

Ecoutez les conversations chez le pharmacien encore une fois, puis lisez ces phrases. Le pharmacien a dit lesquelles?

1 Je suis très enrhumé(e).

2 Pouvez-vous me conseiller quelque chose?

3 Vous pouvez prendre de l'aspirine.

4 Je voudrais des pastilles pour la gorge, s'il vous plaît.

5 Avez-vous quelque chose contre la diarrhée?

6 Nous avons ce médicament-là, qui est très bon.

7 Je voudrais quelque chose pour la toux.

8 Ce sirop est très bon.

9 Je me suis coupé au doigt. Pouvez-vous me mettre un pansement?

10 Faites voir votre main. Comment avez-vous fait ça?

11 Vous vouliez autre chose?

12 J'ai une ordonnance. La voilà.

13 Vous voulez revenir dans un quart d'heure?

14 Mon fils s'est fait piquer par une guêpe. Est-ce que vous pouvez le soigner?

15 Ce n'est pas grave, Madame. Je vais lui mettre un peu de crème.

16 Si ça ne va pas mieux dans deux jours, il faut consulter un médecin.

Faites des conversations

Travaillez à deux. Une personne est le/la client(e), l'autre est le/la pharmacien(ne). Faites trois conversations, puis changez de rôle.

Exemple

– Je suis très enrhumée et j'ai mal à la gorge. Pouvez-vous me conseiller quelque chose?

– Oui, il y a ces pastilles pour la gorge. Et vous pouvez prendre de l'aspirine.

– Bon, je prends un paquet de pastilles et un paquet d'aspirines. Et donnez-moi une boîte de mouchoirs en papier, s'il vous plaît.

– Voilà madame. Si ça ne va pas mieux dans trois jours, il faut consulter un médecin.

Vous êtes l'interprète

Votre famille ne va pas bien. Expliquez leurs problèmes au pharmacien.

Attention aux médicaments

Certains médicaments peuvent être dangereux si on dépasse la dose prescrite.
Lisez la posologie pour trouver la réponse aux questions.

1

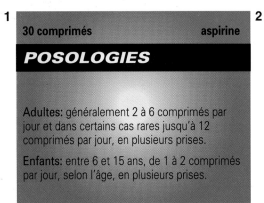

30 comprimés — aspirine

POSOLOGIES

Adultes: généralement 2 à 6 comprimés par jour et dans certains cas rares jusqu'à 12 comprimés par jour, en plusieurs prises.

Enfants: entre 6 et 15 ans, de 1 à 2 comprimés par jour, selon l'âge, en plusieurs prises.

Un enfant de dix ans peut prendre combien de comprimés par jour?

2

Vitamine C

maux de gorge – états grippaux – angines

72 pastilles

Posologie

8 à 10 pastilles par jour à sucer lentement

Un adulte qui a mal à la gorge peut sucer combien de ces pastilles par jour? On doit les sucer comment?

3

Sirop adultes

Sirop

à la pholcodine

Mode d'administration et posologie:

voie orale – une cuillerée à soupe 3 à 5 fois par jour.

Un adulte qui tousse beaucoup peut prendre quelle quantité de ce sirop? Et combien de fois par jour?

Un petit problème

Vous avez eu un petit problème pendant vos vacances en France. Ecrivez un mot à vos amis français pour raconter ce qui s'est passé.

Exemple

> Samedi dernier nous avons eu un petit problème. Mon père s'est coupé la main en montant la tente. Ça faisait très mal et nous sommes allés à la pharmacie. On lui a mis une crème antiseptique et un pansement et maintenant ça va mieux, mais ...

Comment?
C'était très douloureux
Ça faisait mal
On ne pouvait presque plus parler

A la pharmacie
On lui a conseillé/On m'a conseillé de consulter un médecin
On lui a vendu/On m'a vendu un bon médicament
On lui a mis/On m'a mis un pansement/une crème antiseptique

Maintenant
Ça va (un peu) mieux
Ça fait toujours mal – on va consulter un médecin.

Quand?
L'autre jour,
Samedi dernier
Hier
etc.

Qui?
Moi
Ma mère
Mon père
etc.

Le problème
se couper la main (je me suis coupé la main etc.)
se faire piquer par une guêpe (il/elle s'est fait piquer etc.)
souffrir d'une indigestion

Jeu des définitions

Pouvez-vous trouver la bonne réponse?

1 C'est la personne qui prépare les ordonnances. Les gens qui ne se sentent pas bien viennent souvent la consulter.
2 C'est quelque chose qu'on prend quelquefois quand on a mal à la gorge.
3 C'est quelque chose que le médecin donne quelquefois aux malades et qu'on doit donner au pharmacien. On en a besoin pour certains médicaments.
4 C'est une crème qu'on peut mettre sur la peau s'il y a un risque d'infection.
5 C'est une crème qui protège la peau du soleil.
6 C'est une petite étiquette qui se trouve sur certains médicaments et dont on a besoin pour se faire rembourser par la Sécurité Sociale.

Dossier-langue

Rappel: qui and que

Both *qui* and *que* can link two sentences together.
Both can relate to people or things.

Qui means 'who', 'that' or 'which' when referring to people, things or places.

*C'est la pharmacienne **qui** prépare les ordonnances.*
It's the chemist who makes up the prescriptions.
*Jean, **qui** ne se sent pas bien, vient la consulter.*
Jean, who isn't feeling well, asks her for advice.

In each of the above sentences, *qui* has replaced a noun (*la pharmacienne*, *Jean*) which would otherwise stand as the **subject** of the verb which follows *qui*.

Qui is also used with prepositions when referring to people.

*Ce sont des gens **avec qui** je travaille.*
These are the people I work with. (**with whom** I work)

Qui is never shortened before a vowel.

Que can mean 'whom', 'that' or 'which'. It is sometimes left out in English but not in French.

*Voilà la pharmacienne **que** nous sommes allés voir ce matin.*
There's the chemist (that) we went to see this morning.

In the above sentence, *que* has replaced *la pharmacienne*, which is the **object** of the verb which follows *que*. (*Nous* is the subject.)

Que is shortened to *qu'* before a vowel.

*C'est le même film **qu'**il a vu l'année dernière.*
It's the same film (that) he saw last year.

Un jeu sur la santé

A vous de compléter les questions pour un jeu. Puis vous pouvez trouver les réponses.

1 Comment s'appelle la personne …
2 C'est quelque chose qu'on met …
3 C'est une crème …
4 Comment s'appelle l'insecte noir et jaune …
5 C'est un médicament …

A qui protège contre les piqûres d'insectes.
B qui pique et qu'on voit souvent en été?
C qui travaille souvent à l'hôpital et qui soigne les malades?
D qu'on prend quelquefois si on a mal à la tête.
E pour se protéger les yeux du soleil.

En une phrase

Pouvez-vous écrire les deux phrases en une seule phrase?
Exemple
C'est le docteur Laval. Il m'a soigné quand j'étais malade.
C'est le docteur Laval qui m'a soigné quand j'étais malade.

1 Un petit problème
a C'est le poisson. Il m'a rendu malade.
b On va d'abord à la pharmacie. Elle se trouve près de l'hôtel.
c Prenez ce médicament. Il est très efficace contre les troubles digestifs.

2 Une piqûre d'insecte
a C'est votre fils? Il a été piqué par une guêpe.
b Va chercher la trousse de médicaments. Elle se trouve dans le coffre de la voiture.
c Il y a une crème. Elle est très bonne pour les piqûres d'insectes.

Un accident d'équitation

A vous de décider s'il faut mettre 'qui' ou 'que (qu')' pour compléter ces phrases.

1 C'était Nadine … a eu un accident d'équitation?

2 Et où est le cheval … elle montait?

3 Comment s'appelle la fille … a téléphoné au médecin?

4 Avez-vous vu le médecin … est venu?

5 On a transporté Nadine à l'hôpital … se trouve près de l'université.

6 Je vais lui apporter ce livre … j'ai trouvé très intéressant.

NOW YOU CAN …

… consult a chemist about minor ailments, buy common medicines and use *qui* and *que* to link two sentences.

Le corps humain

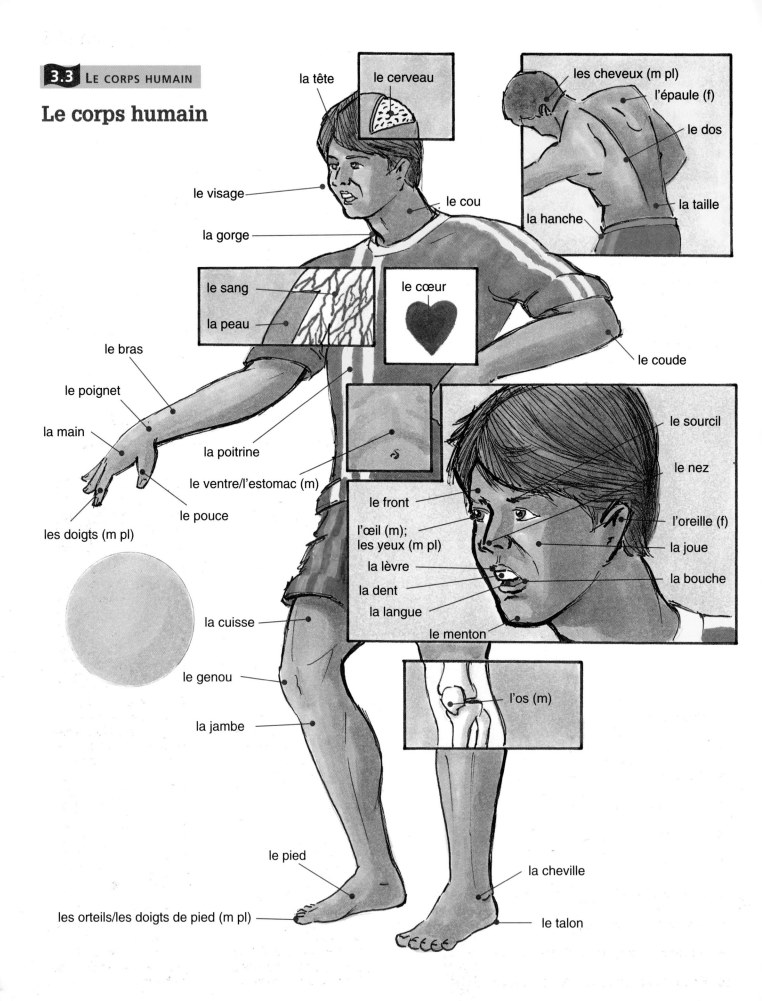

la tête

le cerveau

les cheveux (m pl)

l'épaule (f)

le dos

le visage

le cou

la taille

la gorge

la hanche

le sang

le cœur

la peau

le coude

le bras

le sourcil

le poignet

le nez

la main

le front

l'œil (m);
les yeux (m pl)

l'oreille (f)

la poitrine

la joue

le ventre/l'estomac (m)

la lèvre

la bouche

le pouce

la dent

les doigts (m pl)

la langue

le menton

la cuisse

le genou

l'os (m)

la jambe

le pied

la cheville

les orteils/les doigts de pied (m pl)

le talon

Une machine magnifique!

Que savez-vous du corps humain? Faites ce jeu pour savoir.

1 Il y a combien d'os en moyenne dans le corps humain?
  a 112   **b** 206   **c** 324

2 Un(e) adulte a combien de dents normalement
(y compris les dents de sagesse)?
  a 20   **b** 24   **c** 32

3 On a combien de litres de sang?
  a entre 4 et 5 litres
  b entre 6 et 7 litres
  c plus de 8 litres

4 Plus de la moitié du corps humain se compose
de muscles.
Il y a environ combien de muscles en tout?
  a 660   **b** 770   **c** 880

5 Quelle est la température du corps humain normalement?
  a 32°C   **b** 37°C   **c** 100°C

6 On respire combien de fois dans une minute en moyenne?
  a entre 5 et 10 fois
  b entre 13 et 17 fois
  c plus de 100 fois

7 Quelle est la partie la plus dure du corps?
  a les os   **b** la tête   **c** les dents

8 Comment s'appelle l'organe qui contrôle tous
les mouvements du corps et qui est le centre
des facultés mentales?
  a le cœur   **b** le cou   **c** le cerveau

9 Comment peut-on vérifier que le cœur fonctionne?
  a en prenant le pouls de quelqu'un
  b en regardant les yeux
  c en examinant les mains

(Solution à la page 223)

Qu'est-ce qu'on dit?

Voilà des expressions courantes. Pouvez-vous les compléter? Puis cherchez dans le dictionnaire pour trouver le sens.

Exemple

Mon

Mon œil! *(My foot!)*

1 C'est casse-

2 trempé jusqu'aux

3 Ça coûte les   de la

4 avoir la puce à l'

5 à vue de

6 se lever du mauvais

7 On s'est cassé la   pour trouver une solution.

8 Il parle entre ses

9 Voyager en car, ça me donne mal au

10 Entre midi et deux, le soleil coupe les

Autres pays, autres mœurs

Pouvez-vous compléter ces phrases avec une partie du corps?

1 En France on se serre … quand on se rencontre.

2 En Chine, pour se saluer, on incline … à distance respectueuse.

3 Dans les pays de tradition bouddhiste … est considérée comme la partie la plus noble du corps. Donc il ne faut pas toucher … de quelqu'un d'autre, même s'il s'agit d'un enfant.

4 A l'inverse, … sont considérés comme malpropres. Alors évitez de vous servir des … pour fermer la porte.

5 En Turquie et en Grèce, si on hoche … de bas en haut, ça veut dire 'non'.

6 En Indonésie, faites attention à ne pas parler avec quelqu'un en mettant … sur … . Ça peut indiquer le désir de se battre.

J'ai mal partout!

Ecoutez la cassette. Ces gens ne vont pas bien. Décidez qui parle à chaque fois.
Exemple: 1F

Maintenant, décrivez leur problème à quelqu'un d'autre.
Exemple
A Elle a mal au dos.

Ça me fait mal

Décrivez ce qui s'est passé.
Exemple
Il s'est cassé le pied.

Dossier-langue

Rappel: reflexive verbs with parts of the body

When a reflexive verb is used in the perfect tense with a part of the body, the past participle does not agree with the subject.
Here are some more examples:

Ma sœur s'est fait une entorse de la cheville.
My sister has sprained her ankle.
Maman s'est brûlé la main.
Mum has burnt her hand.
Ma copine s'est cassé la jambe.
My friend has broken her leg.

The verb *se faire mal* (to hurt oneself) acts in a similar way to these reflexive verbs.

Look at the examples above. Even though the perfect tense is formed with *être*, there is no agreement with the subject. Here are some more examples:

Ils se sont fait mal à l'épaule.
They've hurt their shoulders.
Elles se sont fait mal aux pieds.
They've hurt their feet.

Notice how you say **what** you have hurt. Compare these two sentences:

J'ai mal au dos. I've got a bad back.
Je me suis fait mal au dos. I've hurt my back.

Now look at **J'ai mal partout!** and describe what they have hurt using *se faire mal*, e.g.
Elle s'est fait mal au dos.

NOW YOU CAN . . .
. . . describe parts of the body and indicate pain or injury.

3.4 EN FAISANT DU SPORT

Ça s'est passé comment?

Ces personnes ont toutes eu un problème. Mais comment ça s'est-il passé? Ecoutez la cassette puis trouvez la réponse.

Exemple: 1D

1 Paul 2 Nicole 3 M. Perrec 4 Mme Denis

5 Marc   6 Sylvie   7 Jean

A en coupant du pain
B en buvant une canette de cola
C en faisant du jardinage
D en jouant au rugby
E en s'approchant d'une maison
F en faisant la cuisine
G en descendant l'escalier

Répondez pour eux

Maintenant travaillez à deux. Une personne regarde la page 138 et pose des questions, l'autre regarde cette page et répond aux questions pour chaque personne.

Exemple

– Paul, tu t'es fait mal?
– Oui, je me suis fait mal au genou en jouant au rugby.

Un bon conseil

Donnez un bon conseil pour chaque problème.

Exemple

– Comment peut-on réduire le risque de crampes après l'exercice?
– En buvant de l'eau.

mettre une crème anti-insecte

aller à la pharmacie

téléphoner au secours

rester à l'ombre

consulter le journal régional

1 Comment peut-on obtenir des médicaments?
2 Comment peut-on trouver le pharmacien de garde?
3 Comment peut-on éviter des piqûres de moustique?
4 Comment peut-on éviter un coup de soleil?
5 Comment peut-on aider quelqu'un en cas d'accident?

NOW YOU CAN . . .

… use the present participle to describe two things which happened at the same time.

Dossier-langue

en + present participle

1 Look back at the pictures and captions and find out how to say the following:
  a going downstairs
  b playing rugby
  c cooking
2 Look at the verbs used. Which three letters do they end in, in English and in French?
3 Can you work out how to say the following:
  a I hurt my foot when playing tennis.
  b She broke her leg skiing.
  c He fell while crossing the road.

Vous souffrez du stress?

Calmez-vous en faisant du sport.

Solution

1 a en descendant l'escalier
   b en jouant au rugby
   c en faisant la cuisine
2 -ing; -ant
3 a Je me suis fait mal au pied en jouant au tennis.
   b Elle s'est cassé la jambe en faisant du ski.
   c Il est tombé en traversant la route.

How to form the present participle

This structure is called the present participle.
It is easy to form.
Take the *nous* form of the present tense:
  nous faisons   *nous jouons*   *nous mangeons*

Delete the *nous* and the *-ons* ending:
  fais   *jou*   *mange*

Then add *-ant*:
  faisant   *jouant*   *mangeant*

Note: Verbs like *manger*, *changer* etc. take an extra *'e'* before the letters *'o'* and *'a'* to make the *'g'* sound soft. Three important exceptions are:

être	*avoir*	*savoir*
étant	*ayant*	*sachant*

Ayant très peur, il a ouvert la porte.
Feeling very frightened, he opened the door.

Using the present participle

It translates the English expressions 'whilst/while -ing' and 'by -ing'.
It is also used to explain how something happened or how it can be done.
Have another look at the activity ***Ça me fait mal*** on page 62. You could describe how the injuries occurred by using *en* + the present participle, e.g.

  1 *Il s'est cassé le pied en jouant au rugby.*

Now re-do the activity in this way.

 Allô, les secours

Un accident, ça peut arriver n'importe où et à n'importe qui. Si on est témoin d'un accident grave, une des premières choses à faire est de téléphoner au secours: soit en composant le 15 pour le SAMU (Service d'Aide Médicale d'Urgence), soit le 18 pour les pompiers. Pas besoin de carte ni de pièce, ces deux numéros sont gratuits.

Ecoutez les conversations sur la cassette, puis choisissez le bon résumé de chaque situation.

1 a Un homme s'est brûlé la jambe en faisant un barbecue.
  b Un homme a brûlé du jambon en faisant un barbecue.
  c Un homme s'est coupé la main en faisant un barbecue.
2 a Un cycliste a fait une mauvaise chute et a très mal à la jambe. C'est probablement une entorse ou une fracture.
  b Un cycliste est tombé de son vélo et s'est coupé la main. Ça saigne beaucoup.
  c Une dame a arrêté un cycliste en appuyant sur le vélo.
3 a Un skieur est devenu tout rouge en descendant la piste.
  b Un skieur a fait une mauvaise chute et a perdu connaissance.
  c Un skieur a fait une mauvaise chute et s'est fait mal à la jambe. Il ne peut pas la bouger.
4 a Une fille s'est fait mordre par un serpent.
  b Une fille s'est fait mordre par un chien en se promenant à la campagne.
  c Une fille a eu un accident dans une cabine téléphonique près de Die.

Maintenant dites de quoi il s'agit.
Exemple: 1 Il s'agit d'une brûlure.

une fracture	une morsure de vipère
une brûlure	une plaie qui saigne

Que faut-il faire?

Ecoutez les conversations encore une fois pour compléter ces conseils.

1 Il faut refroidir … … avec de l'eau pendant au moins … minutes.
2 Il faut essayer d' … l'hémorragie en appuyant fortement sur la plaie avec la paume de … … .
3 Il faut rester avec la victime et lui dire de ne pas … .
4 Il faut allonger la victime sur … … et lui demander de ne pas bouger pour ne pas diffuser trop de … dans … … .

la jambe	bouger	appuyer	le dos
arrêter	dix	la brûlure	venin
la main			

Pour vous aider à comprendre

une chute	a fall
une entorse	sprain, strain (of ankle or knee)
l'hémorragie (f)	bleeding
la paume	palm of the hand
perdre connaissance	to lose consciousness, to faint
une plaie	wound
saigner	to bleed
se faire mordre	to be bitten
récupérer	to recover
souffrir du choc	to suffer from shock

 Il y a eu un accident

Travaillez à deux. Une personne travaille pour le service de secours et regarde cette page. L'autre est témoin d'un accident et regarde la page 139. Vous posez des questions et vous notez les détails dans votre cahier. Puis changez de rôle.
Exemple
– Service de secours, bonjour.
– Bonjour. Je vous téléphone parce qu'il y a eu un accident.
– Oui, vous téléphonez d'où?
– Le numéro de téléphone est … .
– Où est-ce que l'accident a eu lieu?
– Au camping municipal.
– Et qu'est-ce qui s'est passé?
– Un garçon jouait au tennis, puis il est tombé et il a très mal au genou.
– Bon, on vient le plus tôt possible (tout de suite/dans une demi-heure/dans un quart d'heure).

Vous êtes journaliste

1 *Ecoutez la cassette et complétez les détails de l'accident pour le journal.*

2 *Ecoutez la cassette et écrivez un petit résumé de l'accident en mer.*

Accident de montagne

Un accident s'est produit …1… à Val d'Isère. Un skieur a décidé de faire du ski hors piste malgré le …2… temps. Il …3… et les conditions étaient difficiles. Comme il n'est pas revenu au chalet en fin d'après-midi, on a …4… le service de sécurité. Les guides ont …5… des traces de ski et ils ont trouvé le skieur par terre. Il s'était cassé …6… .

Accident en mer
Hier 14h30, La Rochelle, jeune fille de 19 ans, la planche à voile en mer, mauvais temps, tombée, n'a pas pu regagner sa planche, pas blessée mais souffrait du choc, a récupéré

3 *Décrivez un accident que vous avez vu, ou inventez-en un.*

où	quand	temps
victime	ce qui s'est passé	

★★★ ★ Premiers soins ★ ★★★

Sauriez-vous quoi faire en cas d'accident – si quelqu'un s'est fait une entorse de la cheville, si quelqu'un s'est fait mordre par un chien, ou si quelqu'un s'est évanoui, par exemple, au stade ou au théâtre?
Faites ce jeu-test pour savoir comment vous réagiriez et découvrez ensuite comment il faut réagir.

① Vous êtes au stade. La personne à côté de vous vient de tomber par terre. Elle s'est probablement évanouie. Que devrait-on faire?
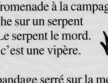
  a On devrait essayer de remettre la personne debout.
  b On devrait s'éloigner le plus vite possible.
  c On devrait la laisser par terre et lui lever les jambes.
  d On devrait la laisser par terre et lui lever la tête.

② Vous vous promenez à la campagne quand votre ami trébuche et tombe maladroitement. Il a mal à la cheville mais il peut marcher avec difficulté. Il s'est probablement fait une entorse de la cheville. Que faut-il faire?
  a Il faut mettre un bandage serré, si vous en avez un et faire transporter votre ami chez le pharmacien ou chez le médecin.
  b Il faut lui enlever sa chaussure et masser son pied.
  c Il faut lui conseiller d'acheter une moto.
  d Il faut l'encourager à rentrer à la maison le plus vite possible.

③ En faisant la cuisine votre sœur s'est brûlé le bras. Que faites-vous?

  a Je mets de la crème antiseptique sur la brûlure.
  b Je lui mets le bras sous l'eau froide puis je lui mets un pansement sec.
  c Je ne fais rien parce que les brûlures se guérissent toutes seules.
  d Je regarde dans la casserole pour voir ce qu'on va manger.

④ Votre ami s'est fait mordre à la main par un chien. Que faut-il faire?

  a Il faut donner à manger au chien.
  b Il faut mettre du coton hydrophile sur la blessure.
  c Il ne faut pas toucher à la blessure, mais vous pouvez donner de l'aspirine à votre ami.
  d Il faut nettoyer soigneusement la blessure, puis la protéger avec un pansement et consulter un médecin.

⑤ Un enfant, qui grimpait dans l'arbre, a fait une mauvaise chute. Il semble avoir la jambe cassée. Que faut-il faire?

  a Il faut rassurer l'enfant, le réchauffer, éviter tout mouvement de la jambe et appeler un médecin.
  b Il faut lui dire de prendre une échelle la prochaine fois.
  c Il faut l'aider à se relever, puis lui donner quelque chose à boire avant d'appeler le médecin.
  d Il faut l'aider à marcher jusqu'à une voiture puis l'emmener à l'hôpital.

⑥ En jouant au volley sur la plage, votre ami(e) tombe et se coupe le poignet. Ça saigne beaucoup. Que faut-il faire?

  a Il faut nettoyer la plaie pour enlever le sable puis la laisser à l'air libre.
  b Il faut faire vite: protéger la plaie avec un pansement et appuyer fermement pour arrêter le saignement, puis chercher de l'aide.
  c Il faut chercher quelqu'un d'autre pour continuer le jeu.
  d Il ne faut rien faire à cause du risque d'infection.

⑦ Vous faites une promenade à la campagne et votre ami marche sur un serpent qu'il n'a pas vu. Le serpent le mord. Vous pensez que c'est une vipère. Que faut-il faire?

  a Il faut mettre un bandage serré sur la morsure.
  b Il faut encourager votre ami à marcher, puis continuer votre promenade. S'il a encore mal le soir, il doit consulter un médecin.
  c Il faut faire venir de l'aide et, en attendant, votre ami doit rester calmement étendu par terre, en évitant tout mouvement inutile.
  d Il faut grimper dans un arbre et attendre le départ du serpent.

⑧ Vous passez vos vacances dans un gîte à la campagne. Le prochain village est à 25 kilomètres. Un enfant de trois ans, qui est en vacances avec vous, avale une vingtaine de comprimés. Que faut-il faire?

  a Il faut lui demander s'il sait compter jusqu'à vingt..
  b Il faut le coucher et attendre que ça passe.
  c Il faut essayer de le faire vomir puis l'emmener chez un médecin ou à l'hôpital.
  d Il faut le gronder, puis l'interdire de manger et de boire.

⑨ Le soir, un petit garçon met le feu à sa robe de chambre en s'approchant trop près du feu. Quelle est la première chose à faire?

  a Appeler les pompiers.
  b Gronder l'enfant pour avoir ruiné ses vêtements.
  c Aller chercher les voisins.
  d Essayer d'étouffer le feu, en enroulant l'enfant dans une couverture ou dans une serviette.

⑩ Vous êtes le seul témoin d'un accident de la route. Quelle est la première chose que vous devez faire?

  a Protéger la scène de l'accident: par exemple en mettant un triangle rouge derrière la voiture.
  b Courir jusqu'à la maison la plus proche pour téléphoner à Police-Secours.
  c Téléphoner aux assurances.
  d Essayer de faire sortir les victimes des voitures.

Vous avez bien réagi?
Regardez la page 223 et faites le total de vos points.

NOW YOU CAN . . .
… give details about an accident (location, details of injuries etc.) and understand information about first aid.

Pour se faire soigner en France

Complétez ces renseignements aux touristes étrangers. Puis choisissez les trois conseils que vous considérez les plus importants et écrivez-les dans votre cahier ou sur une affiche.

1 Il faut ... pour consulter un médecin ou un dentiste en France.

2 Si ... ou le dentiste est conventionné, la Sécurité Sociale remboursera environ 75% des frais.

3 Pour se faire rembourser, il faut ... une feuille de soins.

4 Pour avoir la même protection que les Français, en cas de maladie, il faut obtenir un formulaire spécial (au Royaume-Uni c'est le E111) ... de partir.

5 Mais payer 25% des frais médicaux peut être une somme énorme. Donc on vous conseille de prendre aussi ...

6 Si vous avez besoin de médicaments, le médecin vous donnera ... . Entre 35 et 65% du prix des médicaments est remboursable. Il faut garder l'ordonnance et les vignettes avec votre feuille de soins.

7 Si vous souffrez d'... à long terme ou si vous avez des allergies spécifiques, sachez comment expliquer cela en français.

8 Si vous devez prendre ... régulièrement, allez voir un médecin dans votre pays avant de partir.

une assurance de voyage	avant
compléter	une maladie
le médecin	des médicaments
une ordonnance	payer

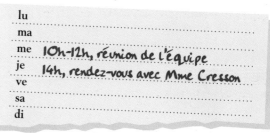

C'est quand, votre rendez-vous?

Ecoutez la cassette. Des personnes prennent un rendez-vous chez le dentiste ou chez le docteur. A chaque fois, notez le jour et l'heure du rendez-vous.

On prend un rendez-vous

Travaillez à deux. Une personne regarde cette page, l'autre regarde la page 139. A chaque fois, notez le jour et l'heure du rendez-vous. Après deux conversations, changez de rôle. Aujourd'hui, c'est lundi. Prenez un rendez-vous chez le docteur ou chez le dentiste. Consultez votre agenda pour voir si vous êtes libre.

Exemple

– Je voudrais prendre un rendez-vous avec le docteur.
– Oui, mercredi à 14 heures, ça vous va?
– Ce n'est pas possible mardi?
– Non, je regrette, il n'y a pas de consultation le mardi.
– Ah bon.
– Alors, mercredi à 14 heures, ça va?
– Oui, très bien.

1 *Vous voulez voir le docteur mardi si possible.*

lu	
ma	
me	10h-12h, réunion de l'équipe
je	14h, rendez-vous avec Mme Cresson
ve	
sa	
di	

2 *Vous voulez voir la dentiste cette semaine, le matin si possible.*

lu	
ma	9h-12h, conférence de presse
me	
je	13h, visite de l'usine
ve	
sa	
di	

3 *Vous avez très mal aux dents. Vous voulez voir la dentiste le plus tôt possible.*

lu	
ma	9h-12h, rendez-vous avec M. Leclerc
me	
je	9h-10h, interview chez Kodak
ve	
sa	
di	

4 *Vous voulez voir le médecin samedi matin si possible, ou un soir en semaine, sinon en fin d'après-midi.*

lu	
ma	
me	9h-18h, Lyon
je	
ve	10h-15h, réunion au bureau
sa	13h-17h, stade
di	

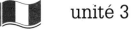

Concours Dentifluor

Quand vous êtes chez le dentiste, vous voyez ce dépliant et vous décidez de participer au concours. Notez votre choix et complétez la phrase. (Voilà des idées: efficace, goût agréable, pas cher, recommandé etc.)

Concours Dentifluor

Utilisez Dentifluor pour avoir de belles dents et gagnez en même temps un week-end de ski dans les Alpes pour deux personnes! Pour participer à notre concours Dentifluor, vous devez:

◆

● lire ces 10 conseils pour protéger vos dents et pour éviter le traitement dentaire, puis décider quels sont les trois conseils les plus importants;

◆

● compléter la phrase suivante en moins de 10 mots: Je me sers de Dentifluor parce que …

Pour avoir de belles dents

A Evitez de manger des sucreries, surtout le soir, avant de vous coucher.

B Apprenez à vous brosser les dents de la bonne manière, des gencives vers les dents, pendant trois minutes.

C Brossez vos dents trois fois par jour, toujours après les repas.

D Allez consulter deux fois par an votre dentiste.

E Pour maintenir vos dents en bonne santé, mangez des aliments solides (fruits et légumes crus, par exemple).

F N'hésitez jamais à faire soigner très vite une dent cariée.

G Utilisez du fil de soie pour éliminer la plaque dentaire dans les espaces interdentaires.

H Changez votre brosse à dents tous les trois mois.

I Brossez-vous les dents avec un dentifrice au fluor.

J Faites vous faire un détartrage par votre dentiste au moins une fois par an.

Mal aux dents

Ecoutez la cassette et lisez le texte. Il y a trois différences. Pouvez-vous les trouver?

Selon la cassette, Monsieur Duhamel a mal aux dents depuis … . Il croit qu'il … . Il doit payer … .

– Bonjour, Monsieur Duhamel. Alors, qu'est-ce qui ne va pas?
– Bonjour, monsieur. J'ai mal aux dents.
– Depuis combien de temps?
– Depuis (trois jours).
– Et c'est quelle dent qui vous fait mal?
– Celle-ci. Je crois que (je me suis cassé une dent).
– Laissez-moi voir. Oui, en effet. (Je vais la traiter) tout de suite.
– Vous voulez une piqûre?
– Oui, s'il vous plaît.
  ………
– Voilà, c'est fait.
– Merci, monsieur. Je vous dois combien?
– Ce sera (500F). Vous payerez à la réception.
– Merci, monsieur. Au revoir.

Travaillez à deux. Une personne est le/la client(e). L'autre est le dentiste. Regardez la conversation et les 'dents' ci-dessous. Faites deux conversations, puis changez de rôle.

une semaine
trois jours
hier matin
etc.

je me suis cassé une dent
j'ai perdu un plombage
j'ai une infection

250F
300F
500F
etc.

Je vais la traiter
Je vais la plomber
Je vais la replomber

✍ Un lexique à compléter ✍✍

Chez le dentiste	At the dentist's
… … … …	toothbrush
…	to brush
la carie	tooth decay
… …	tooth
… …	dentist
le …	toothpaste
le … … …	dental floss
les … (m pl)	gum
une piqûre	injection
un plombage	filling
le traitement	treatment
J'ai … aux dents.	I've got toothache.

🎧 Dans le cabinet du médecin

Ecoutez la cassette et faites les activités suivantes:

1 C'est vrai ou faux?

a La femme a mal au genou.

b Elle a vomi trois fois hier.

c Le médecin lui a donné une ordonnance.

d Il lui a dit de revenir dans une semaine si ça n'allait pas mieux.

2 Corrigez les erreurs

a L'homme a mal au ventre.

b Il a fait du patinage récemment.

c Le docteur lui a conseillé de faire un autre sport, comme par exemple, l'équitation.

d Il lui a donné un certificat médical.

3 Répondez aux questions

a Où est-ce que la femme s'est fait mal?

b Qu'est-ce que c'est probablement? (un bras cassé/une entorse/la grippe/…)

c Que doit-elle faire?

4 Complétez le résumé

a Un garçon anglais a eu un accident en faisant …

b Il s'est fait mal …

c On lui a fait faire une …

d Il a …

e On va lui mettre … dans le plâtre.

✎ Lexique ✄✄✄

Chez le médecin	At the doctor's
avoir de la fièvre	to have a temperature
le cabinet du médecin	doctor's consulting room
le docteur	doctor
douloureux	painful
enflé	swollen
une entorse	sprain
examiner	to examine
grave	serious
la grippe	flu
les heures de consultation (f pl)	surgery hours
l'hôpital (m)	hospital
un infirmier/une infirmière	nurse
le/la malade	patient
une maladie	disease
le médecin	doctor
le plâtre	plaster
la radio/les rayons X (m pl)	X-ray(s)
se reposer	to rest
sévère	serious
vomir	to be sick

Expressions utiles

Ecrivez ces expressions en deux listes:

1 le médecin	2 le/la malade.
Qu'est-ce qui ne va pas?	What's wrong?
Je ne me sens pas bien (du tout)	I don't feel (at all) well.
Je me sens un peu malade.	I feel rather ill.
J'ai mal au/à la/à l'/aux …	My … hurt(s), ache(s).
Je me suis fait mal au/à la/à l'/aux …	I've hurt my …
Ça vous fait mal là?	Does it hurt there?
Je me suis cassé la jambe.	I've broken my leg.
Je vais vous donner une ordonnance.	I'll give you a prescription.
Est-ce qu'il faut revenir vous voir?	Do I need to come back and see you?
Vous êtes malade depuis quand?	How long have you been ill?
Je n'ai pas pu dormir hier soir.	I couldn't sleep last night.
C'est grave?	Is it serious?
Avez-vous des allergies?	Are you allergic to anything?
J'ai une allergie à …	I'm allergic to …

🎧 Qu'est-ce qui vous amène?

Lisez cette conversation à deux. Puis faites d'autres conversations en changeant les mots.

– Bonjour, docteur.

– Bonjour. Alors, qu'est-ce qui ne va pas?

– J'ai mal (au genou), docteur.

– Oui.

– Et (j'ai très mal dormi).

– Laissez-moi voir. Ça vous fait mal là?

– (Aïe … oui, ça fait mal.)

– Hmm.

– C'est grave?

– Non, je ne crois pas. (Il faut vous reposer.)

– Est-ce qu'il faut revenir?

– Si ça ne va pas mieux (dans une semaine), revenez me voir.

– Merci, docteur.

au genou	à l'épaule	aux yeux
au bras	à la jambe	aux oreilles
au cou	à la cheville	aux pieds
au dos	à la tête	etc.
au ventre	etc.	
etc.		

j'ai très mal dormi	Aïe … oui, ça fait mal.
je ne me sens pas bien	Oui, un peu.
j'ai vomi pendant la nuit	Non.
je suis toujours fatigué(e)	
j'ai de la fièvre	

Il faut vous reposer.	dans une semaine
Je vais vous donner une ordonnance.	dans trois jours
Il faut rester au lit deux jours.	etc.
Il ne faut pas marcher.	

Médecins sans frontières

L'organisation humanitaire Médecins sans frontières a été fondée par un groupe de médecins en 1971.

Quelquefois, après un tremblement de terre, une famine, ou dans une situation de guerre, on entend parler de cette organisation à la télé et à la radio. Qui sont-ils? Où vont-ils? Qu'est-ce qu'ils font?

Ecoutez la cassette et lisez le texte.

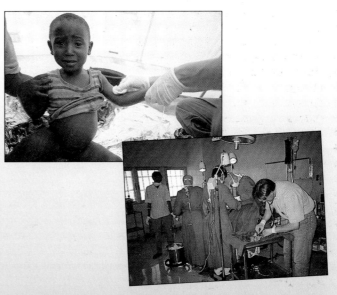

L'organisation Médecins sans frontières s'occupe de quoi exactement?

■ Médecins sans frontières apporte de l'aide médicale à des victimes de guerre ou de catastrophes naturelles, comme des tremblements de terre, la sécheresse, une inondation etc.

Qui sont les médecins sans frontières?

■ Ce sont surtout des volontaires qui s'engagent pour une période minimum de six mois.

Est-ce que ce sont uniquement des médecins qui travaillent pour l'organisation?

■ Non. La plupart sont des médecins et des infirmiers, mais on recrute aussi des professionnels non-médicaux, par exemple, des administrateurs. En plus de leur qualifications professionnelles, les gens doivent parler une langue étrangère, comme l'anglais, l'espagnol ou le portugais. En effet, 140 volontaires britanniques partent en mission chaque année.

Et où vont les MSF?

■ Actuellement il y a des volontaires dans plus de 80 pays du monde … des pays comme l'Afghanistan, la Côte d'Ivoire, le Malawi, le Zaïre.

Et le travail, en quoi consiste-t-il?

■ Le travail est très varié selon les missions. Dans une situation de guerre, on arrive, on installe un bloc opératoire (une salle d'opérations) et on soigne les blessés. Il y a aussi des programmes de vaccination et de nutrition. Au Zaïre par exemple, il y a eu une campagne de vaccination massive contre la polio et la rougeole. On a vacciné 300 000 enfants de moins de 5 ans. Puis il y a le travail sur l'environnement, surtout en ce qui concerne l'eau. Les camps de réfugiés et les hôpitaux ont besoin de grandes quantités d'eau potable.

Et vous vous occupez de l'aide médicale à long terme aussi?

■ Oui, en Afrique on crée des hôpitaux et on forme des infirmiers.

Que savez-vous?

Maintenant fermez votre livre. Travaillez avec un(e) partenaire ou en groupe. Chaque personne, à son tour, doit dire une phrase à propos de Médecins sans frontières.

Le sida

Le sida est présent dans le monde entier et, pour l'instant, ne se guérit pas.
Pour bien le connaître, on a préparé de la documentation pour répondre à
toutes les questions.
Lisez le texte, puis trouvez la question qui va avec chaque réponse.

Vous aimez
qu'on vous
fasse rire quand
vous n'avez
pas le moral.
Pourquoi
un séropositif
serait-il différent
de vous ?

A *Est-ce que le sida existe dans tous les pays?*

B *Qu'est-ce que le sida?*

C *Comment est-ce qu'on attrape le sida?*

E *Où est-ce que je peux m'informer?*

D *Que veut dire être 'séropositif'?*

F *Est-ce qu'il y a un risque à travailler à côté d'une personne séropositive?*

G *Comment savoir si l'on est séropositif?*

Infos santé – le sida
Une réponse à toutes vos questions

1 Le sida est la forme la plus grave d'une maladie due à un virus: le VIH. Ce virus détruit les défenses naturelles qui protègent le corps de beaucoup de maladies, comme la grippe, la pneumonie, le cancer.

2 Quand une personne possède le virus dans ses cellules, on dit qu'elle est séropositive. Une personne séropositive n'est pas malade du sida, mais elle peut avoir le sida dans les années qui suivent. Et une personne séropositive peut transmettre la maladie.

3 Il y a quatre modes de transmission du sida:
▲ les rapports sexuels avec une personne infectée;
▲ l'utilisation de seringues et aiguilles contaminées;
▲ une femme enceinte séropositive peut transmettre la maladie à son bébé;
▲ les transfusions sanguines avant 1985.
Aujourd'hui les dons de sang sont contrôlés systématiquement. Les risques de contamination sont devenus exceptionnels pour le receveur et nuls pour la personne qui donne son sang.

4 On peut en toute sécurité travailler à côté d'une personne infectée, travailler avec elle, la toucher, lui serrer la main, se baigner dans la même piscine etc.

5 Le sida est présent dans le monde entier et se développe rapidement. La France est le pays d'Europe le plus touché.

6 Si on a l'impression d'avoir pris un risque on peut faire un test de dépistage pour savoir si l'on est séropositif. Le test doit se faire au moins trois mois après l'exposition au risque.

7 Des personnes qui ont peur d'avoir pris un risque, qui hésitent à faire un test ou qui s'inquiètent auprès de quelqu'un d'autre, peuvent chercher des renseignements et du soutien en appelant **SIDA INFO SERVICE**.

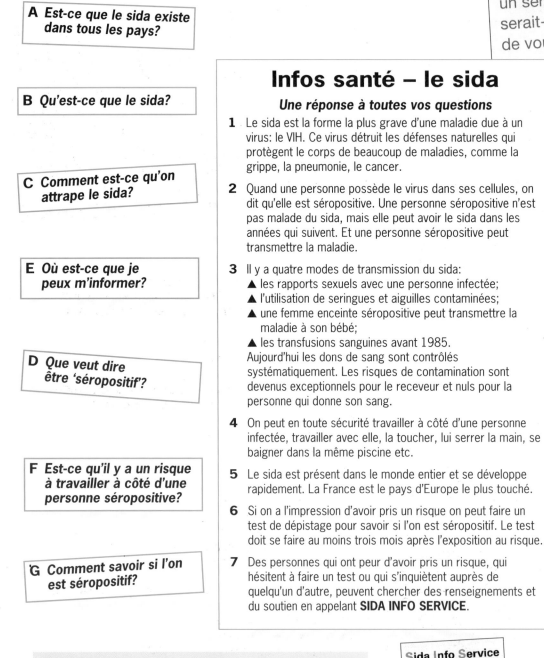

Pour vous aider à comprendre:

une aiguille	needle
des cellules (f pl)	cells
enceinte	pregnant
la grippe	flu
du soutien	support
un test de dépistage	screening test
une transfusion sanguine	blood transfusion
le VIH	HIV

Sida Info Service

05·36·66·36
Appel Gratuit · 24 heures sur 24

SIDA
INFO
SERVICE

Parce que c'est souvent
difficile d'en parler ...
SIDA INFO SERVICE
05 36 66 36

écouter, informer,
orienter, soutenir

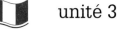

3.7 C'EST DUR D'ETRE ADO

Ça va ou ça ne va pas?

Heureux, mais stressés

Selon une enquête en France auprès des jeunes de 11 à 19 ans, la plupart des jeunes vont bien, mais ils disent souvent être mal dans leur peau: un jeune sur deux est fatigué, stressé par l'école.

Les filles vont moins bien que les garçons

Sur de nombreux points, les filles sont différentes des garçons dans leurs comportements. Elles ont plus souvent des troubles du sommeil, de l'appétit, et, en plus, elles cumulent les risques pour leur santé en fumant plus. Elles sont aussi plus sujettes à l'angoisse et à la dépression.

La famille continue de jouer un rôle important

La famille conserve beaucoup d'importance pour les jeunes. Même s'il peut y avoir des conflits, 70% affirment avoir une vie familiale agréable.

Vrai ou faux?

1 Dans l'ensemble, les jeunes vont bien.
2 Beaucoup sont stressés par l'école.
3 Les garçons sont plus sujets à la dépression.
4 Les filles ont plus souvent des problèmes d'appétit.
5 Les garçons ont plus souvent des problèmes de sommeil.
6 La plupart des jeunes se sentent bien dans leur famille.

Il y a des jours quand tout va bien, on se sent plein d'énergie et d'optimisme. Et il y a d'autres jours quand rien ne va, on se sent mal dans sa peau et on n'a pas le moral.

Ecoutez les jeunes sur la cassette.
Combien sont en pleine forme?
Combien n'ont pas le moral?

Ecoutez les conversations encore une fois, puis trouvez une raison pour leur bonne ou mauvaise humeur.

Exemple

1a Il a eu de mauvaises notes.

Pour vous aider:

On n'a pas le moral

Il/Elle …

a a eu de mauvaises notes.
b a des ennuis d'argent.
c s'est disputé(e) avec ses parents.
d ne sait pas, mais il/elle s'ennuie.
e vient d'apprendre qu'un(e) ami(e) est gravement malade.
f se sent seule, parce qu'elle ne connait pas beaucoup de jeunes.
g est stressé(e) par l'école.
h ne sait pas quoi faire de sa vie.
i est toujours fatigué(e) et ne dort pas bien.
j a des boutons et se sent moche.

On a le moral

Il/Elle …

a a gagné un match.
b vient de passer des vacances super.
c a reçu une lettre d'un(e) ami(e).
d a gagné un concours.

On l'a invité(e) …

e à sortir mercredi.
f à une boum samedi.

Ça va?

1 Vous n'avez pas le moral aujourd'hui. Rien ne va. Faites une liste de dix phrases pour expliquer pourquoi.

Exemple

Je me suis disputé(e) avec mon meilleur ami/ma meilleure amie.

2 Vous êtes en pleine forme. Faites une liste de dix phrases pour expliquer pourquoi.

Exemple

J'ai reçu une lettre d'un(e) ami(e).

✍ Un lexique à faire 📣📣📣📣

Ecrivez ces expressions en deux listes: 1 ça va; 2 ça ne va pas

Je suis en pleine forme.	I feel really well.
Je ne suis pas bien dans ma peau.	
Je me sens mal dans ma peau.	I feel out of sorts, uncomfortable, down.
Il/Elle est de (très) bonne humeur.	He/She's in a (really) good mood.
Ça va.	I'm OK.
Comme ci, comme ça.	Not bad.
Ça ne va pas du tout.	Things are really bad.
Ça ne va pas aujourd'hui.	Things aren't so good today.
Je n'ai pas la forme.	I'm not at my best.
Je ne me sens pas bien.	I don't feel well.
Ça va très bien.	I'm fine.
Il/Elle n'a pas le moral.	He/She's fed up.
Je suis déprimé(e).	I'm depressed.
Il/Elle est triste.	He/She's upset.
Il/Elle est de (très) mauvaise humeur.	He/She's in a (really) bad mood.
J'en ai marre. (F)*	I'm fed up.
J'en ai ras le bol. (F)	I've had enough.
J'ai le cafard. (F)	I feel depressed.
Il/Elle a le moral à zéro.	He/She's really down.
Je croque la vie. (F)	Life's great.

* Les expressions suivies de (F) sont du français familier.

👀 A discuter

Qu'est-ce que vous faites quand vous avez le moral à zéro et que vous voulez vous changer les idées?

Je téléphone à un(e) ami(e).

J'écoute de la musique.

Je fais du sport.

👀 Le stress, un problème de nos jours

Ecoutez l'interview sur la cassette, puis lisez ce résumé. Dans chaque section il y a une phrase qu'on ne dit pas dans l'interview. Pouvez-vous trouver ces trois phrases?

Les origines du stress aujourd'hui

1 La société est plus complexe.
2 On a l'impression qu'on n'a jamais assez de temps.
3 Il y a des ennuis d'argent.
4 Il y a toujours la peur du chômage.
5 Il y a souvent des problèmes.

Les symptômes du stress

6 On peut noter une augmentation de l'irritabilité, de l'anxiété, de l'angoisse.
7 Il y a souvent des problèmes de sommeil et de l'appétit, des migraines aussi.
8 Mais le symptôme le plus courant, c'est la fatigue.

Pour réduire le stress

9 Il n'existe pas de pilule anti-stress.
10 Il faut trouver le temps pour ses loisirs.
11 Le traitement physique est peut-être le plus efficace – ça peut être le sport ou la relaxation.
12 On dit que l'humour est la plus vieille recette anti-stress.

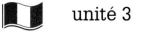

Jeu-test: souffrez-vous du stress?

Répondez aux questions par:
Toujours (T); Quelquefois (Q); Rarement ou jamais (R).

1 Vous sentez-vous souvent fatigué(e)?
2 Etes-vous récemment devenu(e) plus irritable?
3 Etes-vous devenu(e) plus anxieux(-ieuse)?
4 Supportez-vous mal les difficultés?
5 Perdez-vous facilement patience?
6 Souffrez-vous de problèmes de sommeil?
7 Avez-vous tendance à réfléchir longtemps à vos problèmes?
8 Voyez-vous souvent l'aspect négatif des choses?
9 Est-ce que vous vous fâchez facilement?
10 Faites-vous toujours les choses à la dernière minute?
11 Vous découragez-vous vite?
12 Avez-vous du mal à vous relaxer?

Regardez la page 223 pour voir si vous souffrez du stress.

Etre adolescent ...

Lisez ces lettres à un journal pour adolescents, puis inventez un titre pour chaque lettre.
Ensuite, lisez les réponses et décidez quelle réponse va avec chaque lettre et quelle
lettre n'a pas de réponse.

1
Je me sens moche et je me trouve grosse. Chaque fois que je pense m'acheter des fringues, rien ne me va. Ma tenue favorite – un jean et un gros pull. Parfois ça me démoralise totalement. Que faire?

Zoë

2
J'ai 16 ans et je me sens tellement confus. Je me pose souvent la question: A quoi je sers? Qu'est-ce que je vais faire de ma vie? Est-ce que je vais réussir ma vie? Ça me préoccupe trop peut-être, mais je ne sais pas comment m'en sortir.

Alexandre

3
J'ai des boutons, mais je m'en fiche. Je me trouve grosse, tant pis. Lorsque je suis avec mes copains et mes copines, j'oublie mon physique et je ris, je danse, je m'amuse. Je croque la vie à pleines dents et c'est ça l'essentiel.

Magali

Réponses

A
Beaucoup d'adolescents se sentent angoissés par ces questions. Il faut prendre les choses petit à petit. A la question: Comment réussir ma vie, vous ne trouverez pas de réponse en cinq minutes. Vivez, rencontrez vos amis, faites des projets d'études, de vacances. Et tout va se mettre en place.

B
Vous vous trouvez un peu dodu et du coup vous êtes mal dans votre peau. A votre âge, le poids varie souvent parce que votre corps est en train de se transformer. Au fait, pourquoi accordons-nous tant d'importance à nos formes? Peut-être à cause des mannequins «fil de fer» qui nous donnent à tous l'impression d'être énormes!

Une lettre à écrire

Maintenant à vous d'écrire une lettre à propos de l'adolescence. Vous pouvez décrire un problème imaginaire ou simplement écrire vos réflexions sur l'adolescence. Voilà quelques idées:

Je ne m'entends pas avec ...
Je suis content(e) d'être adolescent(e).
Je suis mal dans ma peau.
Personne ne m'écoute.

NOW YOU CAN . . .
· ... talk about how you and others feel and discuss well-being, depression and stress.

On parle du tabac

Autrefois, on fumait beaucoup en France. Mais aujourd'hui on fume moins. Et on a passé des lois pour protéger les non-fumeurs, par exemple il est interdit de fumer dans les lieux publiques, comme les gares et le métro. Et dans les cafés et les restaurants il y a des zones fumeurs et non-fumeurs.
Ecoutez la cassette. Des jeunes parlent du tabac.

- *Combien de personnes fument?*
- *Combien de personnes fumaient autrefois mais ne fument plus maintenant?*
- *Combien de personnes n'ont jamais fumé?*

Puis lisez ces phrases. Dans quel ordre les entend-on? (Ecrivez la lettre de chaque phrase.)

Enfin trouvez
- *deux raisons qu'on donne pour fumer.*
- *trois raisons qu'on donne pour ne pas fumer.*

A Je suis asthmatique, donc je supporte très mal la fumée.

B J'avais un mauvais goût dans la bouche.

C Je sais que c'est mauvais pour la santé.

D Pour faire adulte ... ça me donnait de l'assurance.

E Ça a été dur, mais quand j'ai réussi je me sentais tellement mieux.

F Fumer n'est ni chic ni romantique, c'est une mauvaise habitude qui peut tuer.

G C'est vrai que la fumée, c'est gênant pour les non-fumeurs.

H Pour faire comme les autres ... par curiosité ... pour voir comment c'était.

I Fumer, ça gêne pour le sport.

J Il y en a qui pensent que ça fait adulte, que c'est chic.

Le tabac – qu'en savez-vous?

Faites correspondre les questions et les réponses.

1 Tout le monde dit que fumer c'est mauvais pour la santé, mais pourquoi exactement?

2 Il est interdit de fumer dans les lieux publiques en France, pourquoi?

3 On ne voit pas fumer les joueurs de tennis ni les athlètes. C'est curieux, non?

4 On sait que fumer, c'est mauvais pour la santé. Pourtant on fume, pourquoi?

5 J'ai remarqué que les fumeurs ont souvent les dents et les doigts jaunes? Ça vient de quoi?

6 Pourquoi est-il si difficile de cesser de fumer?

A Fumer, ça gêne pour le sport. Les fumeurs ont du mal à respirer et s'essoufflent vite.

B Chacun a sa raison – on veut faire comme les autres, on commence par curiosité puis on prend l'habitude, on pense que c'est calmant dans des situations difficiles.

C On a passé des lois anti-tabac pour protéger les non-fumeurs. En plus, il peut y avoir un risque d'incendie.

D Une cigarette contient de nombreuses substances, parmi elles du goudron qui a un teint jaune.

E La nicotine dans une cigarette est une drogue qui provoque une dépendance. Arrêter de fumer n'est pas facile. Souvent les fumeurs doivent faire plusieurs essais. Il n'existe pas de recette miracle. Voilà quelques astuces qui peuvent aider: attendre des circonstances favorables, en parler à des amis, changer son mode de vie (faire un nouveau sport) etc.

F Le tabac est impliqué dans de nombreuses maladies, par exemple le cancer des poumons et les maladies respiratoires.

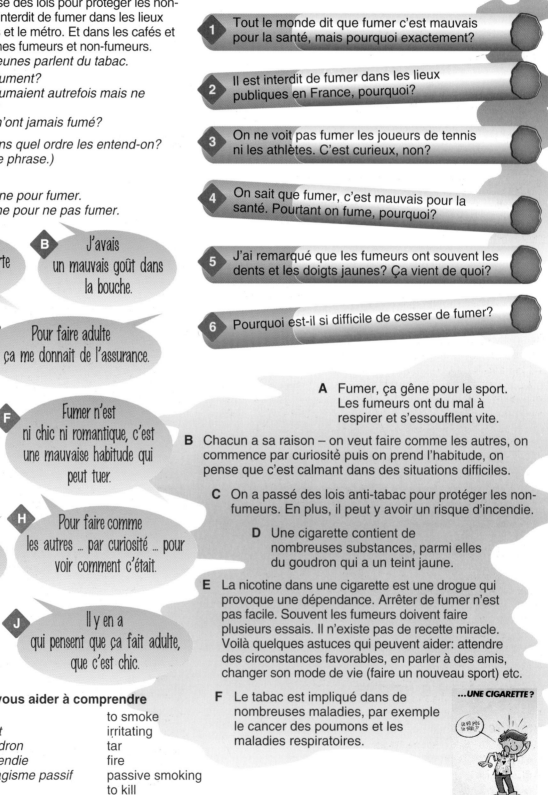

...UNE CIGARETTE?

Fumer, c'est pas ma nature!

Pour vous aider à comprendre

fumer	to smoke
gênant	irritating
le goudron	tar
un incendie	fire
le tabagisme passif	passive smoking
tuer	to kill
zone fumeur	smoking area
zone non-fumeur	non-smoking area

© Comité Français d'Education pour la Santé

A discuter

Travaillez à deux ou en groupes. Parlez du tabac.
Est-ce qu'on fume chez vous?
Quelle est la meilleure raison pour ne pas fumer?
Est-ce que les non-fumeurs devraient être plus tolérants?

Une affiche anti-tabac

Dessinez une affiche anti-tabac.

J'ai changé mon mode de vie

Complétez cette lettre à un magazine sur la santé en mettant la forme correcte des verbes.
Pour vous aider:
Mettez les verbes en jaune au présent; les verbes en vert à l'imparfait, les verbes en rouge au passé composé.

Je (mener) une vie professionnelle très active avec pas mal de stress. Il y a trois ans, je (fumer) beaucoup et je ne (faire) pas beaucoup d'exercice: juste un peu de marche à pied le week-end. Je (vivre) sur mes nerfs et j' (avoir) du mal à me détendre. En rentrant à la maison, je (penser) toujours aux problèmes du travail, je (trouver) difficile de m'en détacher. Puis, un jour, je (se décider) de me prendre en main. Je (s'inscrire) à une classe de yoga et j'(décider) de faire de la natation au moins deux fois par semaine. Depuis, je (fumer) moins et je (se sentir) mieux équipée pour combattre les problèmes du travail.
Anne Lebrun

Charles Martin

Il y a deux ans Charles Martin a décidé de s'entraîner pour un marathon. Pour se préparer il a dû changer son mode de vie. Faites un petit résumé de sa vie d'autrefois et de sa vie d'aujourd'hui.
Voilà les détails:

Autrefois
• fumer régulièrement
• ne pas manger équilibré (trop de sucreries, pas assez de fruits et de légumes)
• souffrir souvent de migraines

Décision
• s'entraîner pour le marathon
• cesser de fumer

Aujourd'hui
• ne plus fumer
• faire du sport régulièrement
• souffrir de migraines moins souvent

AVENTURE
c'est sans tabac.

FUMER, C'EST PAS MA NATURE.

L'ENERGIE C'EST PAS FAIT POUR PARTIR EN FUMEE.

Autrefois et aujourd'hui

Faites une des activités suivantes:

1 *Faites une bande dessinée pour illustrer comment la vie de quelqu'un a changé.*
Exemple

Autrefois, je ne faisais jamais de sport, je mangeais beaucoup et je regardais la télé tout le temps.

Puis j'ai rencontré Géraldine. Je fais du jogging tous les jours et je n'ai jamais le temps de regarder la télé.

2 *Ecrivez une lettre à un magazine contrastant votre vie imaginaire d'autrefois avec votre vie d'aujourd'hui.*

Pour vous aider:
Autrefois
Décrivez au moins deux choses que vous faisiez ou que vous ne faisiez pas.
Décision – quand? pourquoi?

Aujourd'hui
Décrivez le changement dans votre vie d'aujourd'hui.

Les drogues, on s'informe

Lisez cet article sur la drogue et choisissez un titre pour chaque paragraphe.

A Le risque du sida

B Au début une «potion magique», après un cauchemar

C Contre la drogue on n'est jamais trop informé

D On peut s'en sortir

F L'adolescence – une période difficile

E Pourquoi se drogue-t-on?

Drogue: éviter le piège

1 Héroïne, haschisch, ecstasy ... la drogue se trouve au coin de la rue. Quartiers riches ou banlieues pauvres, grande ville ou campagne, pas de différence notable. Pourquoi se drogue-t-on? Quels en sont les effets? Quels en sont les risques? Peut-on aider quelqu'un qui se drogue? Autant de raisons pour en parler et pour s'informer sur tous les aspects de la drogue.

2 Si les vendeurs de drogue rôdent souvent autour des lycées et des collèges, ce n'est pas par hasard. L'adolescence est une période délicate: on se pose des questions sur la vie, on a envie d'être autonome, de choisir sa voie et souvent on a le sentiment indéfinissable d'être «mal dans sa peau».

3 Ceux qui se droguent prennent toujours un risque. La plupart du temps, il s'agit d'une cigarette de haschisch ou de marijuana. Pourquoi? On fume pour le plaisir ou par curiosité. D'autres se droguent parce qu'ils éprouvent un sentiment de vide, de solitude, d'angoisse. Ils prennent de la drogue pour se sentir mieux.

4 Au départ, c'est peut-être «bon». Mais après vient le «mauvais», l'accoutumance et la dépendance. On ne peut plus s'en passer, on en a de plus en plus besoin, on est «accro». A l'arrêt de la consommation de ces produits, les personnes dépendantes sont physiquement et psychologiquement malades: c'est le «manque» qui leur donne envie de reprendre leur intoxication pour ne plus souffrir. La drogue devient obsédante: on passe la plupart de sa journée à sa recherche, à trouver de l'argent pour l'acheter, à éviter le manque.

5 Parmi les toxicomanes qui s'injectent il y a aussi le risque du sida. Fréquemment, la même seringue circule de l'un à l'autre. Dans l'aiguille, il reste toujours un peu de sang. Un des participants qui est séropositif peut ainsi contaminer tout le groupe.

6 Pour sortir de la dépendance, il existe des centres d'accueil et de soins anonymes gratuits qui sont ouverts aux toxicomanes. On peut en parler à des spécialistes. Ils peuvent proposer une forme d'aide qui soit adaptée aux problèmes et à la personnalité de chaque individu.

(Science et Vie Junior, 05/95)

Pour vous aider à comprendre:

l'accoutumance (f)	addiction, tolerance, where increasing amounts of the drug are needed
accro	hooked
le manque	withdrawal symptoms, where the body reacts to the drug being stopped
les soins (m pl)	help
la surdose	overdose
un(e) toxicomane	drug addict

Il n'y a pas de drogués heureux

Ecoutez les témoignages sur la cassette et complétez les résumés avec les mots dans la case.

Témoignages

A Une toxicomane

J'ai commencé à fumer quand j'avais ...**1**... ans.
Je m'ennuyais dans ...**2**... .
Je ...**3**... être capable de m'arrêter quand je le voulais mais je n'ai pas ...**4**... .
Je fume à longeur de ...**5**... et je ...**6**... de la coke. J'ai envie de ne plus rien ...**7**... d'autre.
Quand je n'ai plus de produit je suis complètement ...**8**... .
Je ne ...**9**... pas qu'il serait si ...**10**... de s'en passer.

croyais	journée	prends
déprimée	la vie	pu
difficile	pensais	quatorze
faire		

B Un ancien toxicomane

Il était toxicomane pendant ...**1**... ans.
Il ...**2**... accro à l'héroïne.
Il était ...**3**... .
Il ne pensait qu'à se procurer sa ...**4**... .
Il était malade dans son ...**5**... , dans sa ...**6**... .
Il ne ...**7**... rien d'autre. Il croyait qu'il avait tout ...**8**... .
Après un coma pour surdose on l'a admis au ...**9**... de désintoxication. Là, il a ...**10**... un psychiatre qui l'a beaucoup aidé.
Ça a été ...**11**... et ...**12**... mais maintenant il s'en est sorti.

centre	était	poudre
corps	faisait	rencontré
dix	long	seul
dur	perdu	tête

© Comité Français d'Education pour la Santé

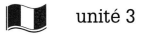

3.9 FORME ET SANTÉ

La forme et la santé sont importantes pour tout le monde. Alors, vous allez travailler individuellement ou en groupes pour préparer du matériel pour encourager les gens à s'occuper de leur santé. Ça peut être un dépliant avec des conseils, des tableaux et des jeux. Pour vous aider, vous allez écouter des interviews, lire des extraits des journaux et faire des activités. Voir aussi la fiche de travail 3/7.

Pour avoir la forme

Pour être en pleine forme et bien dans sa peau, que faut-il faire? Voilà la question qu'on a posée aux gens dans la rue.
Ecoutez la cassette et notez les réponses de six personnes.
Exemple

Réponses possibles	1	2	3	4	5	6
A manger équilibré, manger régulièrement	✓					
B bien dormir						
C faire de l'exercice, faire du sport régulièrement	✓					
D savoir se détendre, se relaxer, éviter le stress						
E ne pas fumer						
F essayer d'être optimiste, voir l'aspect positif des choses						

Puis, faites un petit résumé des réponses.
Exemple
Pour beaucoup de personnes, il faut … pour être en forme, mais il y a d'autres choses qui sont importantes aussi, comme par exemple …
A mon avis, il est très important de …

Mangez-vous bien?

1 Quatre questions
Ecrivez quatre questions que vous pouvez poser à quelqu'un pour voir si on mange bien. Vous trouverez des idées dans cet article.
Exemple
Qu'est-ce que vous prenez d'habitude comme petit déjeuner?

2 Un menu varié
Travaillez individuellement ou à deux pour préparer un menu pour une journée (trois repas). Consultez le tableau des aliments pour être sûr d'inclure tous les aliments nécessaires.

Etes-vous bien dans votre assiette?

Pour beaucoup de personnes, bien manger c'est bien vivre. Mais que veut dire bien manger?

Manger régulièrement
Essayez de manger des repas réguliers au lieu de grignoter au cours de la journée. Surtout ne manquez pas le petit-déjeuner. C'est un repas essentiel, parce que le corps a besoin de recharger ses batteries après la nuit.

Manger équilibré
Saucissons, pâtes, saucissons, pâtes … c'est vrai que c'est drôlement bon, mais pas très équilibré. Pour grandir notre corps a besoin de manger de tous les aliments. N'oubliez pas de manger chaque jour des fruits et des légumes.

Eviter de grignoter
On sait qu'il ne faut pas grignoter entre les repas, mais si vous avez envie de manger un casse-croûte, choisissez plutôt un fruit, un yaourt ou un sandwich. Essayez d'éviter des sucreries comme des biscuits, du chocolat et des gâteaux.

N'oubliez pas de boire
Buvez de l'eau – c'est la seule boisson indispensable à la vie. Consommez en modération les boissons à base de caféine, comme le café, le thé et le cola.

Manger avec plaisir
Manger, c'est aussi bon pour le moral! C'est une occasion de se mettre à table, de parler de sa journée, de rencontrer les autres et de partager un moment agréable.

Les aliments	Leur plus	Leur effet
Le lait, le fromage, les yaourts	le calcium	ils consolident les os et les dents
Le poisson, les œufs, le foie	la vitamine A	ils donnent une bonne vue et une belle peau
La viande, le poisson, les œufs	les protéines	ils entretiennent les muscles, le cœur et le cerveau
Les légumes secs et les céréales	la vitamine B6	ils fortifient les cheveux et font fonctionner les muscles
Les pommes de terre et les légumes	la vitamine K	ils sont excellents pour le sang
Les légumes verts	le fer	ils transportent l'oxygène dans le sang
Les fruits	la vitamine C	ils combattent les infections
Le pain, les pâtes, le riz	les glucides lents	ils vous soutiennent dans vos efforts sportifs
Le sucre, le chocolat, la confiture	les glucides rapides	ils donnent de l'énergie
Le beurre et l'huile	les lipides	ils aident à la fabrication des hormones

(Santé d'été: Okapi/Croix Rouge Française)

Vous avez sommeil?

Nous passons un tiers de notre vie à dormir ... mais que savons-nous du monde du sommeil? Faites un jeu 'vrai ou faux' sur ce thème.

Pour vous aider, écoutez d'abord l'interview avec un spécialiste du sommeil et complétez ces phrases. Mais essayez de ne pas vous endormir tout de suite!

On ne peut pas ...**1**... sans dormir.
Pendant le sommeil les ...**2**... et les ...**3**... poussent plus vite et le ...**4**... récupère.
On ne peut pas ...**5**... ses cours en dormant.
Pour bien dormir, il faut ...**6**... les boissons à base de caféine et les grands repas.
Il est préférable de se ...**7**... à heures fixes dans une ...**8**... fraîche et silencieuse.
Et il faut se coucher ...**9**... minuit.
Un adolescent a besoin de ...**10**... heures de sommeil environ, les adultes, entre ...**11**... et ...**12**... heures.
Mais tout le monde n'a pas le même ...**13**... de sommeil.
Un chat dort en moyenne ...**14**... heures par jour, mais un éléphant ne dort que ...**15**... heures.

Comment vous relaxez-vous?

Il est important de savoir se détendre et de trouver le temps pour des loisirs. Faites un sondage pour découvrir comment vos camarades se relaxent. Montrez les résultats dans un camembert ou un graphique en barres.

Exemple

écouter de la musique	
faire de la musique	
regarder la TV	
faire du judo	
jouer au tennis	
téléphoner à un(e) ami(e)	

0 1 2 3 4 5 6 7 8 9 10

Faites de l'exercice ... même si vous n'avez pas le temps!

Complétez cette liste de conseils pour encourager les gens à faire de l'exercice.

1 Montez l'escalier plutôt que de prendre ... . C'est un bon moyen de faire de l'exercice sans perdre du temps!
2 Pour de petit trajets de moins de 500 mètres, laissez ... à la maison et allez-y ... ou ....
3 Si vous commencez un nouveau ... , ne vous forcez pas trop au début.
4 Faites des ... petit à petit.
5 Faites attention aux ... et aux courbatures, au mal de dos surtout, et, si nécessaire, modérez vos efforts.
6 ... avant, pendant et après l'effort. Ça diminue le risque des crampes.

progrès	en vélo	Buvez	l'ascenseur
la voiture	sport	crampes	à pied

Débrouillez les phrases

1 (est) (tout le monde) (la santé.) (Fumer,) (le) (sait,) (mauvais) (pour)
2 (très) (est) (Cesser) (souvent) (de fumer) (difficile.)
3 (mieux) (commencer!) (ne pas) (Il vaut)
4 (optimiste) (de) (rire!) (Essayez) (et) (d'être)
5 (qu'aux autres.) (Souriez,) (du bien) (ainsi) (ça vous fait)

Six conseils pour avoir la forme

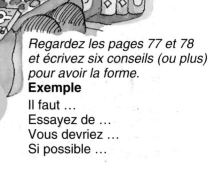

Qu'est ce que je peux faire pour avoir la forme?

Regardez les pages 77 et 78 et écrivez six conseils (ou plus) pour avoir la forme.
Exemple
Il faut ...
Essayez de ...
Vous devriez ...
Si possible ...

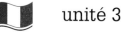

👀 Ont-ils la forme?

Ecoutez la cassette. On pose des questions à Hélène et à Sébastien à propos de leur mode de vie. Faites des notes et décidez comment ils peuvent améliorer leur mode de vie.

Pour vous aider:

Il devrait	prendre un petit déjeuner plus copieux.
	faire plus d'exercice.
	trouver le temps pour les loisirs.
Elle devrait	cesser de fumer.
	manger des fruits et des légumes plus souvent.

👀 La santé et vous

Répondez aux questions (comme Hélène et Sébastien) ou faites des interviews avec un(e) partenaire. Avez-vous la forme? C'est à vous de décider!

1 Mangez-vous équilibré? Qu'est-ce que vous avez mangé hier?
2 Combien d'heures par nuit est-ce que vous dormez en moyenne?
3 Avez-vous du temps pour vos loisirs? Comment vous détendez-vous?
4 Faites-vous du sport ou de l'exercice chaque semaine?
   Quels sports pratiquez-vous? Et combien d'heures d'entraînement faites-vous?
5 Fumez-vous?

NOW YOU CAN . . .
....
... discuss healthy life-styles and general fitness.

Sommaire

Now you can ...

1 understand and discuss minor health problems that can occur in summer
2 consult a chemist about minor ailments, buy common medicines and use *qui* and *que* to link two sentences
3 describe parts of the body and indicate pain or injury
4 use the present participle to describe two things which happened at the same time
5 give details about an accident (location, details of injuries etc.) and understand information about first aid
6 arrange to see a doctor or a dentist in France and describe your symptoms
7 talk about how you and others feel and discuss well-being, depression and stress
8 talk about smoking, compare past with present lifestyles and understand some information about the dangers of drugs
9 discuss healthy life-styles and general fitness

For your reference
Grammar

Vocabulary and useful phrases

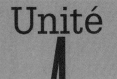
Projets d'avenir

4.1 COMMENT VOYEZ-VOUS L'AVENIR?

L'avenir, comment sera-t-il?

Au commencement du 19e siècle, qui aurait prévu les télécopieurs, les voyages sur la lune, l'Internet ou même le micro-onde?

Il est difficile d'imaginer comment la vie aura changé d'ici dix ans. On peut, quand même, s'amuser à faire quelques prédictions.

1 *Lisez ces articles puis regardez la liste de prédictions à la page 81.*

2 *Trouvez la prédiction qui représente le mieux l'idée principale de chaque article. (Attention – il y a plus de prédictions que d'articles.)*

Exemple: 1D

3 *Classez les prédictions en trois listes. A ton avis, comment est chaque prédiction?*

Très probable　　**Possible**　　**Peu probable**

La haute technologie et la vie quotidienne

1 Bistrot du XXIe siècle

Les consommateurs sont priés de ne pas renverser leur demi sur le clavier.

«Bonjour! Je voudrais un poulet au curry, une orange pressée et une connexion avec l'Université de Chicago, s'il vous plaît.»

C'est le menu que l'on peut commander chez Riva Sandwichs, le plus branché des bistrots parisiens. Raccordé au réseau mondial Internet par six terminaux installés parmi les consommateurs, ce lieu offre toute une gamme de services en plus du couvert: cours d'initiation à Internet, téléchargement de programmes, visiophonie, création de boîtes à lettres électroniques, jeux ... C'est trois jeunes mordus d'informatique – moyenne d'âge 24 ans – qui ont monté l'affaire sous la marque Café Orbital, en investissant 250 000 francs.

A côté des 'cybercafés', le centre Pompidou, la Fnac, la Grande Bibliothèque et la Cité des Sciences sont aussi en train d'installer des espaces de cyberculture. L'aventure virtuelle ne fait que commencer!

2 Lucarnettes

On pourra désormais se balader en gardant l'œil fixé sur la télé pour ne jamais manquer une seconde de son feuilleton préféré. Avec un miniposte dans le bas du verre droit des lunettes et écouteurs en stéréo, antenne et tuner à la ceinture, les couch potatoes vont enfin pouvoir découvrir les joies du jogging!

3 Dans dix ans, finis les embouteillages

Finie la voiture qu'il faut entretenir, nettoyer. Il suffit désormais de courir jusqu'à la borne Tulip la plus proche. Pratiques ces voiturettes qui n'appartiennent à personne. Il suffit d'insérer sa carte à puce et hop! 60 km d'autonomie avec des pointes à 75km/h.

Mathieu Polak/SYGMA

L'avenir et la vie familiale

4 Où habiterons-nous?

Il y aura plus de mobilité résidentielle, plus de propriétés à louer, et finie l'idée d'une maison 'pour la vie'. Beaucoup de familles choisiront d'habiter à la campagne, dans un village ou une petite ville de province, et, si possible, dans une maison individuelle, en évitant à tout prix les immeubles énormes et la pollution de la ville.

Le logement s'adaptera beaucoup plus aux besoins évolutifs des habitants; par exemple, on prévoit des chambres à 'géométrie variable' avec la possibilité d'ajouter ou d'enlever des cloisons rapidement et sans problèmes.

5 Le cinéma chez vous

En 2005, on n'ira plus au cinéma, le ciné viendra chez vous! Vous verrez tous les nouveaux films dans votre salon, sur l'écran géant qui aura les mêmes proportions qu'un écran de cinéma. Avec les nouveaux systèmes de sonorisation vous aurez le son tout autour de vous, comme si vous étiez là!

6 Le mariage, ça existera toujours

Au 21e siècle le mariage continuera à exister, mais ce sera seulement les membres des groupes religieux qui s'y intéresseront.

Cependant, puisque le gouvernement voudra encourager une vie familiale plus stable, il fera de son mieux pour aider les couples mariés, habitant ensemble. Par exemple, ils devront payer moins d'impôts et moins de loyer que les divorcés, les couples en union libre et les familles monoparentales.

En plus, on payera des salaires aux mères de famille à condition de rester chez elles pour s'occuper des enfants de moins de six ans.

7 Adieu oncles, cousins, cousines

Les enfants uniques d'aujourd'hui n'assisteront peut-être jamais à une grande réunion de famille. Ils auront des rapports plus étroits avec leurs parents et auront tendance à créer des regroupements de toutes sortes: groupes musicaux, sportifs, scientifiques, ethniques ... ou gangs de rue.

Les prédictions:

Au 21e siècle ...

A personne n'aura sa propre voiture. On se servira de voitures électriques qu'on louera sur demande en payant avec une carte à puce.

B le visiophone remplacera complètement le téléphone d'aujourd'hui.

C le gouvernement prendra des mesures financières pour stabiliser la vie en famille.

D nous serons tous branchés sur l'Internet.

E il y aura de moins en moins de bébés et de plus en plus de personnes âgées.

F les familles quitteront la ville pour habiter à la campagne et les habitations seront moins permanentes, mais plus adaptables.

G la cuisine traditionnelle disparaîtra, il n'y aura plus de restaurants et on se nourrira de comprimés et de boissons vitaminées.

H les joggeurs ne manqueront pas leurs émissions favorites.

I il n'y aura plus de familles nombreuses, mais il y aura beaucoup plus d'enfants uniques.

J le cinéma n'existera plus. On regardera les films à la maison en 'réalité virtuelle'.

Dossier-langue

Rappel: the future tense

Look back at the verbs in the preceding articles to complete this reminder about the future tense.

1 The future endings (*-ai, -as, -a, -ons, -ez, -ont*) are (the same/different) .... for all verbs.

2 The endings are usually added to the i............... of regular verbs.

3 Regular *-re* verbs drop the final *-e* before the endings are added, e.g. vendre – je ....

4 Some verbs have irregular future stems (the part before the endings). From the preceding articles, find the future **stem** of the following verbs:

aller (to go)	*avoir* (to have)
être (to be)	*faire* (to do/to make)
pouvoir (to be able)	*venir* (to come)
voir (to see)	*vouloir* (to want/to wish)

Check the answers with your teacher or in *La grammaire*.

See how many examples of the future tense you can find in the articles above and watch out for others as you work through the unit.

A mon avis

Ecoutez cette conversation sur les prédictions et notez à chaque fois quelle prédiction on considère la plus possible et la moins probable.

A vous de faire des prédictions

Faites vous-même deux ou trois prédictions. Essayez d'en inventer une vous-même, sinon, voici des idées pour vous aider:

1 les magasins/le shopping 'à distance'

2 la guerre nucléaire, le réchauffement, la destruction de notre planète

3 les avances médicales

4 les recherches spatiales

5 à l'école – des ordinateurs qui obéiront à la voix et à l'œil

6 les finances – les cartes à puce

7 moins d'ouvriers, plus de techniciens

8 les loisirs

9 l'essence – plus chère que l'or massif

10 les transports

NOW YOU CAN ...

... discuss the future and use the future tense to make some predictions.

Les examens en France

Vivienne vous en parle

En France le seul examen scolaire qui compte vraiment, c'est le bac qu'on passe au lycée, en terminale.

Cette année je viens de passer mon bac français en fin de première – une année avant le bac principal. Il y a deux épreuves – l'orale et l'écrite. L'examen écrit dure quatre heures!

Moi, j'ai eu 16/20 à l'oral et 16/20 à l'écrit – je suis très contente.

En septembre, je vais entrer en terminale pour préparer un bac S (scientifique). J'étudierai les maths, les trois sciences, l'histoire-géographie, la philosophie et, comme langues vivantes, je ferai l'anglais et l'espagnol. Ma matière favorite est la biologie.

...es obtenues aux épreuves du baccalauréat	
...DÉMIE Creteil-Paris-Versailles	
M: FARDEAU	
...noms: VIVIENNE	
...le: 5 SEP 78 à: PARIS	
FRANCAIS ECR.	16/20
FRANCAIS ORAL	16/20
ÉTABLISSEMENT LYC PRIVE DE L'ALMA FRÉQUENTÉ: PARIS	

Copiez et complétez ces phrases

1 En France, la dernière année au lycée s'appelle … .
2 L'examen scolaire le plus important est … .
3 L'examen qu'on passe en première s'appelle le … .
4 Pour son bac S, Vivienne doit étudier trois … .
5 Comme langues vivantes elle fera … et … .
6 Sa matière favorite est … .

Lexique

Les examens et les diplômes	Exams and diplomas
le baccalauréat (le bac)	main French school-leaving exam, taken at 17/18 years old
un apprentissage	an apprenticeship
un examen	an exam
passer/avoir un examen	to **take** an exam
être reçu à un examen	
réussir à un examen	to **pass** an exam
échouer à un examen	
rater un examen (fam.)	to **fail** an exam
une épreuve	test, exam paper
une épreuve orale/écrite	oral/written test
étudier	to study
un examen blanc	mock exam
l'oral blanc	mock oral exam
faire/suivre des études	to study
la formation	training
la formation continue	day-release or night-school training
les notes (f pl)	marks
avoir de bonnes/mauvaises notes	to get good/bad marks
s'orienter vers (les sciences)	to turn towards/to specialise in (science)
Que préparez-vous comme examen?	Which exam are you studying for?
Je prépare le bac/le GCSE.	I'm working for the Baccalauréat/GCSE.
En quelles matières?	In what subjects?

Qu'est-ce qu'ils font comme études?

Lisez ces résumés des études et des projets de cinq jeunes Français, puis écoutez la cassette pour identifier chaque personne.

Michel
Pauline
Ludovic
Nadège
Boris

1

Il s'est orienté vers les sciences. Il prépare le bac et, s'il a de bonnes notes, il ira à l'université. Plus tard il a l'intention de travailler pour gagner assez d'argent pour voyager en Australie et en Extrême-Orient. Quand il reviendra, il espère être journaliste ou travailler dans la publicité.

2

Pour le bac elle étudie la biologie, la physique, la chimie, les maths, l'histoire-géo, la philosophie et l'allemand. Elle espère aller à la fac pour étudier la biologie. Plus tard elle a l'intention d'enseigner la biologie en Afrique. Si ce n'est pas possible, elle travaillera peut-être pour le ministère de l'environnement.

3

Cette année, elle va passer son bac français. Quand elle quittera le lycée, elle a l'intention de continuer ses études et elle voudrait faire une fac de droit, pour être avocat. Sinon, elle pense travailler dans l'administration. Elle espère trouver une place à l'Université de Paris, mais elle va habiter chez ses parents pour la première année au moins.

4

S'il a son bac, il ira à l'université pour obtenir des diplômes en activités physiques et sportives. Plus tard il espère devenir prof de sport dans un collège en France, mais d'abord, quand il sortira de l'université, il a l'intention de passer un an au moins au Canada.

5

Quand il quittera l'école, il va travailler d'abord dans le garage de son oncle. Sinon, il pense travailler comme sapeur-pompier, mais son rêve est d'aller aux Etats-Unis et d'être astronaute!

Dossier-langue

Rappel: expressing intention

There are several different ways of saying what you plan to do. From the information about the five French students try to find at least one example for each of the following ways of describing intentions, e.g.

1a *aller* + the infinitive
Elle va habiter chez ses parents.

1 If you feel **almost definite** about something, you can use
  a *aller* + the infinitive, or
  b the future tense.

2 If you are **less sure** about something, you can use
  a *avoir l'intention de* + infinitive, or
  b *penser* + infinitive.

3 If you **hope to do** something, use
  espérer + infinitive.

4 If what you plan to do **depends on something else happening** use
  si + present tense, + future tense (like the English), e.g.
  Si je suis reçu, j'irai à l'université.
  If **I pass** the exam, **I shall go** to university.

5 **N.B.** You must use the **future tense** after *quand*, when you are referring to something that will happen in the future (this differs from the English), e.g.
  Je quitterai l'école quand j'aurai dix-huit ans.
  I shall leave school when **I am** 18.

Une interview avec Pierre

Voici les réponses de Pierre, mais quelles sont les questions?

1 J'espère faire des études à l'Université de Paris.
2 Mes matières favorites sont la géo et l'histoire.
3 Comme langue vivante je fais l'allemand.
4 Si j'ai de bonnes notes à l'université, je serai peut-être prof d'histoire-géo.
5 Sinon, je pense travailler comme photographe ou comme journaliste.
6 Oui, bien sûr, je voudrais voyager, surtout aux Etats-Unis.

Ecoutez la cassette pour les vérifier.

Deux jeux pour deux personnes

1 C'est qui?

Une personne dit une phrase qui décrit un des cinq étudiants, l'autre doit identifier cet étudiant.
Exemple
A: Il voudrait aller au Canada.
B: C'est Ludovic.
A: Oui. A toi maintenant.
B: Elle va étudier la biologie à la fac.
A: C'est Pauline.

2 Le jeu des quatre questions

Une personne choisit un des étudiants et répond de sa part, mais uniquement avec 'oui' ou 'non'.
L'autre personne essaie de deviner son identité en posant quatre questions au maximum. Puis changez de rôle.
Exemple
B: Est-ce que tu espères aller à l'université?
A: Oui.
B: Tu as l'intention d'étudier la biologie?
A: Non.
B: Tu feras beaucoup de sport?
A: Oui.
B: Tu es Ludovic.
A: Oui. (Bravo!)

Quels sont vos projets d'avenir?

Maintenant travaillez à deux pour faire des interviews.
1 *On se pose des questions. Répondez pour vous-même.*
2 *Notez vos réponses en forme de résumé dans votre* **Dossier personnel**.
  Voilà quelques idées:

Tu prépares quel examen cette année?		
Tu étudies quelles matières cette année?		
Quelle est ta matière favorite/préférée?		
As-tu l'intention de	voyager?	
	continuer tes études après l'école?	
Espères-tu	aller à l'université?	
	continuer à habiter chez tes parents?	
Penses-tu	faire un diplôme?	
Vas-tu	travailler à l'étranger?	
	aimerais faire	l'année prochaine? plus tard?
Qu'est-ce que tu	voudrais faire	quand tu quitteras l'école?
	as l'intention de faire	après les examens?

Les examens approchent

Les examens, je les déteste!

Ça va sans dire. Normalement, on n'aime pas les examens, en tout cas ils ne sont pas là pour nous amuser!

Il y a quand même des choses qu'on peut faire pour rendre un peu plus facile cette période de révision.

Quelle est la meilleure méthode pour se préparer aux examens? A partir de quand faut-il commencer à réviser et comment devrait-on s'y prendre?

On a posé ces questions à des adultes et à des jeunes. Voici une sélection de leurs conseils – les 'professionnels' d'abord!

Le plus important, c'est de bien dormir. Je vous conseille de vous coucher tôt le soir et de vous lever de bonne heure le matin. En plus, essayez de prendre un bon petit déjeuner, surtout le matin des examens.

Jean-Pierre Guérin – médecin

N'essayez pas de vous concentrer pendant de très longues périodes. Il vaut mieux réviser pendant une demi-heure, quarante minutes au plus. Puis il faut prendre dix minutes de repos: écoutez de la musique, buvez un jus d'orange avant de retourner à votre travail.

Mme Mélun – professeur et conseillère d'orientation

Moi, je n'aime pas réviser tout seul. Je préfère travailler avec un copain ou une copine, surtout avec une amie plus sérieuse que moi. Comme ça elle va peut-être m'apprendre à mieux organiser mon travail et on pourra discuter ou se poser des questions. Puis, plus tard, pour se détendre un peu, on ira boire un verre au café du coin!

Philippe

Le plus grand ennemi de la révision, c'est le téléphone. Alors, quand je suis en train de réviser, je demande à ma mère de répondre au téléphone pour moi. Elle dit à mes amis que je vais les rappeler plus tard. Comme ça, je réussis à travailler sans interruption. Puis, plus tard, je m'amuse à téléphoner à tous mes copains qui, eux aussi, sont en train de réviser!

Eric

Préparez-vous bien en avance. Faites un plan que vous pouvez afficher au mur de la chambre où vous travaillez et cochez chaque jour les choses que vous avez apprises – ça va vous encourager! Mais ne continuez pas à réviser jusqu'au dernier moment! La veille de l'examen, arrêtez de travailler et essayez de vous relaxer un peu.

François Gauger – psychiatre

Et maintenant des 'astuces' proposées par des jeunes.

Ce n'est pas marrant de réviser, donc j'ai décidé d'inventer des méthodes variées pour m'amuser. Quelquefois j'enregistre des résumés sur une cassette pour écouter plus tard. Ou bien, je note des choses sur des cartes postales et j'ajoute de petits dessins amusants pour m'empêcher d'oublier les détails importants. Mais le plus efficace, si on a un ordinateur, c'est de taper des résumés puis de changer la fonte et la grandeur des lettres pour faire ressortir les choses importantes. Mais, attention! N'oublie pas de tout sauvegarder avant d'éteindre l'ordinateur!

Céline

Mélanie

Il faut bien préparer son bureau avant de se mettre à travailler. Choisis tes meilleurs crayons, bien taillés, trouve des gommes amusantes, des stylos qui sont en état de marche – n'hésite pas à t'acheter quelques nouveaux trucs: ça va t'encourager à travailler! Mets tout près un jus de fruit ou une bouteille d'eau minérale, puis des fruits ou des noisettes et des raisins secs. Ça y est – tu es prêt! Maintenant au travail!

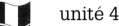

C'est l'avis de qui?

Chacune de ces phrases représente l'opinion d'au moins une des personnes de la page 84. Pouvez-vous les identifier?

1 Il est important de bien dormir et de bien manger pendant la période des examens.
2 Il ne faut pas s'arrêter de travailler pour répondre au téléphone.
3 C'est une bonne idée d'inviter quelqu'un pour réviser avec toi – comme ça on peut s'aider à résoudre les problèmes.
4 Ne continuez pas à travailler trop longtemps sans repos – il vaut mieux prendre régulièrement des pauses pour se détendre.
5 Pour rendre ton travail plus intéressant il faut inventer des 'trucs' amusants pour te changer un peu les idées.
6 Avant de te mettre à réviser, range bien tes affaires et prépare des boissons et des casse-croûtes etc.
7 N'hésitez pas à vous offrir des stylos neufs ou des gommes 'fantaisie' – ça va vous égayer un peu, quand même!
8 Essayez de commencer à réviser bien en avance et évitez de travailler la veille ou le jour même de l'examen.
9 Si on a un ordinateur, on devrait en profiter pour faire de la révision.
10 Faites un plan, avant de commencer votre révision; ça vous aidera à voir votre progrès.

Dossier-langue

Two verbs together

In French it is common to find two verbs in sequence in a sentence: a main verb followed by an infinitive. Sometimes the infinitive follows directly, sometimes you must use *à* or *de* before the infinitive.

You will find a lot of these verbs in use in the revision hints and the sentences above. Make up your own lists for reference, like this:

1 Find the French for the verbs listed below.
2 List them under three headings, adding an example each time if you want to, e.g.

A   Verbs followed directly by an infinitive
pouvoir – to be able to
savoir – to know how to

B   Verbs followed by à + an infinitive
se mettre à – to begin to

C   Verbs followed by de + an infinitive
conseiller (à qqn) de – to advise (someone)

to be able to	to avoid (doing sthg)
to know how to	to invite (s.o.) to
to prevent (s.o.) from	to teach (s.o.) to
to advise (s.o. – *à qqn*) to	to enjoy oneself (doing sthg)
to try to	to decide to
to hesitate to	to forget to
to encourage (s.o.) to	to succeed (in doing sthg)
to be going to	to ask (s.o. – *à qqn*) to
to stop	to continue to
to begin to (2 verbs)	to help (s.o.) to

List the infinitive form except for these two expressions:
  it is better to; it is necessary to (you must)

Des 'astuces' pour la révision

Maintenant à vous de faire une liste de conseils pour bien se préparer aux examens.

Choisissez quelques-unes des suggestions déjà exprimées, mais essayez d'ajouter vos propres idées.

Voici d'autres idées:

A mon avis on devrait	se mettre à réviser deux mois d'avance.
Il faut essayer de	prendre le temps de se reposer.
On ne devrait pas	réviser la veille de l'examen.
Il est préférable de	travailler à la bibliothèque.
Il ne faut pas	passer trop de temps sur ce que l'on sait déjà faire.
Il vaut mieux	consacrer de larges tranches de temps à une même matière.

Les examens et après – une présentation

Faites une présentation de ce sujet.

Vous pourrez peut-être utiliser un rétroprojecteur ou montrer une affiche avec vos 'astuces' ou votre emploi du temps. Si vous avez l'intention de partir en vacances après les examens ou de voyager, vous pourrez montrer des dépliants ou des photos.

Voici des titres pour vous aider:

1 L'examen que je prépare (et les matières)
2 Pour m'aider à réviser
3 Tout de suite après les examens
4 L'an prochain
5 Quand je quitterai l'école
6 Plus tard

Si vous voulez, écoutez d'abord les deux présentations sur la cassette.

> **NOW YOU CAN . . .**
> ....
> … talk about your exams (including tips for revising) and discuss future study and training.

Un stage en entreprise

Avant d'entrer dans le 'vrai' monde du travail, beaucoup de jeunes personnes, en France comme en Grande Bretagne, effectuent un stage en entreprise. Souvent les jeunes Français ont un placement pendant leur année de première, donc entre 16 et 17 ans, pour une période de deux semaines en moyenne.

Chaque année entre huit et dix élèves d'une école anglaise, Cullompton Community College dans le Devonshire, font leur stage en entreprise en France, dans la petite ville de Ploudalmézeau en Bretagne. Comme ça fait partie d'un échange scolaire, ces jeunes 'stagiaires' sont logés dans une famille française et ils passent une partie de leur temps avec leurs correspondants. Leur stage en entreprise dure quatre ou cinq jours.

Pour faire un stage en France, il faut bien s'exprimer en français et savoir se débrouiller. La plupart des stagiaires ont déjà fait un échange scolaire ordinaire l'année précédente.

A la fin de leur stage, ces jeunes personnes ont fait beaucoup de progrès en français et la plupart sont très contentes de leur séjour. Il y a souvent des choses qui les étonnent ou qui les amusent, et ils en gardent un excellent souvenir.

Vrai ou faux?

Est-ce que ces phrases sont vraies ou fausses?
Corrigez les phrases qui sont fausses.

1 Les jeunes Français font un stage en entreprise qui dure, d'habitude, une quinzaine de jours.
2 Quelques élèves d'une école anglaise ont l'occasion de faire leur stage en Bretagne.
3 Normalement ils font ce stage pendant leur première visite en France.
4 Les stagiaires sont logés dans une auberge de jeunesse à Ploudalmézeau.
5 Ils ne sont jamais avec leurs correspondants parce qu'ils travaillent tout le temps.
6 Pour faire un stage en France, il faut bien parler français.
7 La plupart de ces jeunes personnes trouvent leur stage utile, agréable et quelquefois amusant.

Un stage en entreprise à Ploudalmézeau

📖 Lexique 📖📖📖📖

Un stage en entreprise	Work experience
un(e) conseiller(-ère) d'orientation	careers adviser
(faire du) classement	(to do) filing
une enterprise	business, company
la formation	training
un horaire	timetable, schedule
quels sont/étaient vos horaires?	what hours do/did you work?
un placement	placement
un stage	course, placement

Regardez les photos de ces quatre élèves dans leurs placements et choisissez la description qui correspond à chaque photo.

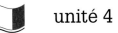
A Emily

Pour mon stage en France, j'ai travaillé dans une école primaire à Ploudalmézeau, dans la classe maternelle, avec des enfants de trois à cinq ans. C'était très intéressant et j'aimais travailler avec les petits. Une difficulté pour moi était de comprendre les enfants qui parlaient beaucoup plus vite et moins distinctement que les professeurs.

Une chose qui m'a étonnée un peu, c'était qu'au commencement de l'après-midi, on sortait des lits et tous les enfants faisaient la sieste – bonne idée, non?

B Lisa

J'ai choisi de faire mon stage dans un supermarché à Ploudalmézeau et j'y ai travaillé le mardi, le mercredi, le jeudi et le lundi de notre séjour, de 9h45 jusqu'à 11h45 et de 14h30 jusqu'à 16h30. Le Rallye Super ressemblait beaucoup à un supermarché anglais, sauf que les rayons 'fromages' et 'vins' étaient plus grands. J'ai travaillé dans plusieurs rayons, mais celui que j'ai préféré était le rayon de la boulangerie-pâtisserie, où vous me voyez sur la photo.

Je me suis débrouillée à l'aide de mon dictionnaire de poche. Mon stage était très bien et j'en garde un excellent souvenir.

C Katie

Je voulais travailler dans un bureau, mais finalement on m'a trouvé un placement dans cet office du tourisme. Pour commencer j'étais un peu inquiète, mais tout le monde était très gentil avec moi et on m'a tout expliqué très patiemment. Pendant mon stage, j'ai tapé des lettres et j'ai dessiné des affiches publicitaires en travaillant sur l'ordinateur. Une chose qui m'a surprise, c'est que les claviers français sur les ordinateurs et les machines à écrire ne sont pas les mêmes que chez nous. Quand même, je m'y suis habituée assez facilement et j'ai beaucoup aimé la semaine que j'ai passée à l'office du tourisme.

D Claire

J'ai quinze ans et j'ai fait mon stage en France au bureau de poste. Mes horaires étaient de neuf heures du matin jusqu'à cinq heures du soir avec une heure pour le déjeuner. Sur la photo je suis en train de trier les lettres selon leur destination. En plus, j'ai travaillé au guichet à vendre les timbres et à peser les lettres. J'ai utilisé deux machines différentes pendant mon stage, l'une pour imprimer le cachet de la poste sur les lettres et l'autre pour trier les lettres qui n'avaient pas de code postal.

Je crois que je me suis fait comprendre en français et une fois j'ai même servi d'interprète à des clients allemands qui ne parlaient pas français! Je me suis débrouillée assez bien et je suis très contente de mon stage.

Pour vous aider:	
le cachet de la poste	postmark
imprimer	to print
trier	to sort

C'est quelle fille?

Complétez les phrases avec le nom d'une ou deux des filles.

1 … a travaillé quatre heures par jour.
2 … a utilisé un ordinateur pendant son stage.
3 … étudie deux langues vivantes.
4 … sait taper à la machine.
5 … aime les enfants.
6 … s'inquiétait un peu au début.
7 … ont vendu des choses aux clients.
8 … ont utilisé des machines.
9 La description que j'ai trouvée la plus intéressante était celle de … .
10 Si je pouvais choisir, je ferais le travail de … .

Mon stage en entreprise

Ecoutez ces jeunes Français qui parlent de leur stage en entreprise. Essayez de trouver la réponse de chaque personne aux questions suivantes:

1 Où as-tu fait ton stage en entreprise?
   Exemple: J'ai travaillé dans un bureau/un garage/une école/un supermarché/un restaurant/un hôpital/chez mon oncle/à la ferme/etc.
2 Quels étaient tes horaires?
   Exemple: J'ai travaillé de … à … /J'ai fait … heures par semaine/par jour/etc.
3 Qu'est-ce que tu as fait comme travail?
   Exemple: J'ai rempli les rayons/J'ai travaillé … sur l'ordinateur/… avec les animaux/… avec les enfants/ J'ai vendu …/J'ai préparé …/J'ai aidé …/J'ai servi les clients/J'ai appris à …/J'ai trié les documents/J'ai utilisé une machine/J'ai fait du classement/etc.
4 Comment as-tu trouvé ce travail?
   Exemple: C'était (assez/très) intéressant/varié/ ennuyeux/dur/bien/difficile/fatigant/passionnant/etc.
5 Est-ce que tu voudrais faire cette sorte de travail plus tard?
   Exemple: Oui, je voudrais …/ Non, je ne voudrais pas …/Je ne sais pas.

Maintenant à vous

C'est à vous maintenant de raconter votre stage en entreprise. Ça peut être vrai ou imaginaire.
Vous pourriez le faire …

1 *en forme de lettre à votre correspondant(e):*
   Cher/Chère …,
   Tu m'as demandé de te raconter un stage en entreprise. Eh bien, voilà. J'ai travaillé …
ou
2 *en forme d'interview:*

   Travaillez à deux en utilisant les questions de l'activité précédente.
ou
3 *en forme de présentation*
   Préparez un petit exposé, utilisez un projecteur si vous voulez ou montrez des photos si vous en avez.

Douze raisons pour choisir un métier

Des jeunes Français discutent les meilleures raisons pour choisir un métier. Voici une liste des raisons les plus populaires. Ecoutez la cassette et notez l'ordre de ces raisons.

1 C'est intéressant comme travail.
2 C'est bien payé.
3 Ça permet de voyager à l'étranger.
4 C'est un métier prestigieux.
5 On aura beaucoup de vacances.
6 Ça donne du contact avec le public.
7 Ça permet d'aider les gens.
8 On pourra aider à protéger l'environnement.
9 Ça offre la sécurité de l'emploi.
10 Ça offre beaucoup de débouchés.
11 On pourra être indépendant et prendre ses propres décisions.
12 On travaille en équipe et on rencontre beaucoup de gens.

Ecrivez en ordre d'importance les trois raisons qui, pour vous, comptent le plus pour choisir un métier.

Posez des questions à d'autres personnes pour trouver quelqu'un qui a fait la même sélection que vous.

Exemple

A: Qu'est-ce que tu as mis en première place?
B: Numéro 1: 'c'est intéressant'. Et toi?
A: Oui, moi aussi. Et en deuxième place?
B: En deuxième place, j'ai mis le numéro 6: 'Je voudrais un travail où on a du contact avec les gens'.
A: Ah non, pour moi l'indépendance est importante. En deuxième place j'ai mis le numéro 11.
B: Tant pis! Je vais parler à quelqu'un d'autre.

Il y a beaucoup de métiers!

Choisissez dix de ces catégories de métier et trouvez un example de chacun.

un métier …
1 médical ou paramédical
2 qui demande du contact avec le public
3 dans la mode
4 dans le commerce
5 dans l'agriculture ou l'horticulture
6 dans les finances
7 artistique
8 qui permet de voyager
9 qui permet de travailler avec les enfants
10 qu'on peut exercer en plein air
11 dans l'alimentation
12 dans le tourisme
13 qui permet de travailler avec les animaux
14 dans l'enseignement
15 dans le bâtiment
16 dans l'informatique
17 dans les médias
18 sportif
19 dans le secteur des transports
20 où on travaille dans un bureau

🖊 Un lexique à faire 🖊🖊🖊

Les métiers	Jobs
un(e) acteur(-trice)	…
un agent de police	…
un(e) agriculteur(-trice)	farmer
un(e) assistant(e) social(e)	social worker
un(e) avocat(e)	lawyer
un cadre	executive, manager
un chômeur	unemployed person
le chômage	unemployment
(être) au chômage	(to be) unemployed
…	hairdresser
un comptable	accountant
un(e) couturier(-ière)	dressmaker, fashion designer
un(e) cuisinier(-ière)	…
un(e) dessinateur(-trice)	designer
un(e) diététicien(ne)	dietician
un(e) employé(e) de banque/de bureau/ de la SNCF/de la Poste	bank/office/ railway/ post office worker
…	farmer
un(e) fonctionnaire	civil servant
un garçon de café	…
un gendarme	policeman (branch of the army)
un(e) horticulteur(-trice)	horticulturist
une hôtesse d'accueil	receptionist
une hôtesse de l'air	…
un(e) infirmier(-ière)	…
un ingénieur (en agronomie)	(agricultural) engineer
un(e) instituteur(-trice)	primary school teacher
un(e) journaliste	…
un maçon	…
un mannequin	…
un(e) maquilleur(-euse)	make-up artist
un(e) mécanicien(ne)	mechanic, train driver
…	doctor
un militaire	…
un notaire	solicitor
un(e) ouvrier(-ière)	manual worker
…	chemist
un(e) photographe	…
un plombier	plumber
un prêtre	priest
un(e) programmeur(-euse)	…
un(e) représentant(e)	…
un routier	lorry driver
un sapeur-pompier	firefighter
…	secretary
une serveuse	waitress
un(e) technicien(ne)	…
travailler	to work
dans le marketing	in marketing
dans l'informatique	in IT
pour un organisme humanitaire	for a charity
un(e) vendeur(-euse)	salesperson
un(e) vétérinaire	vet

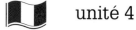

Je voudrais faire ça

Ecoutez ces jeunes Français qui parlent du métier qu'ils aimeraient faire. A chaque fois, notez le métier et, si possible, les raisons de ce choix.
Exemple

Nom	Métier	Raison
Elisabeth	*maquilleuse*	*aimerait travailler dans le théâtre*
Antoine **Klara** **Mathieu** **Kevin**		

Que ferez-vous comme métier?

Travaillez à deux pour faire des interviews. Une personne pose des questions, l'autre répond. Puis changez de rôle.

Avant de commencer, prenez le temps de préparer vos questions. Pensez aussi à vos propres réponses et notez-les.

Maintenant essayez de faire une interview continue, sans trop d'hésitations.

Pour vous aider, regardez encore une fois les douze raisons à la page 88.

Voici des questions et des réponses possibles:

A

Savez-vous Sais-tu	déjà ce que	vous voulez tu veux	faire plus tard dans la vie?

B

Non, je ne sais pas vraiment.
Je n'ai aucune idée.

B

Oui, je voudrais être ingénieur/institutrice/etc.
(*Remember: no* un/une *or* le.la *etc. before a job.*)

A *Posez 2 ou 3 questions différents dans cette section.*

Aimeriez-vous	travailler à l'étranger?
Aimerais-tu	travailler près de chez vous?
	travailler à l'intérieur?
Est-ce que tu voudrais	travailler en plein air?
	travailler avec les enfants?
Est-ce que vous voudriez	travailler avec les animaux?
	avoir des responsabilités?
Préférez-vous	travailler en équipe?
Préfères-tu	avoir un horaire de travail régulier?

A

Si vous avez (tu as) choisi un métier, quelles sont vos (tes) raisons?

B

Oui, si possible.
Oui, peut-être./Oui je crois.
Pas forcément./Ça dépend.
Je préfère … ./Je voudrais … .
Je ne suis pas sûr(e).
Non, absolument pas.

B

Parce que	je voudrais j'aimerais	travailler	dans l'informatique en plein air etc.

Une lettre à écrire

Répondez à cette lettre de votre correspondant(e) français(e). Vous pouvez donner des réponses vraies ou imaginaires. Posez-lui au moins deux questions en plus.

Salut!
J'ai bien reçu ta dernière lettre et les belles photos – merci beaucoup. Tu m'as demandé de te parler des métiers de mes parents etc. – eh bien, voilà.

Cette semaine, en effet, on a eu de bonnes nouvelles pour notre famille – après six mois au chômage, mon père vient de trouver une situation. Il travaillait avant pour une école de conduite qui a dû fermer, mais maintenant il va travailler comme chauffeur de camion pour la Poste. Ouf! Ma mère est surtout contente. Elle est pâtissière, mais lorsque mon père était au chômage elle a dû faire des heures supplémentaires. Comme nous sommes trois enfants dans la famille elle était très fatiguée.

Et tes parents, qu'est-ce qu'ils font dans la vie? Qu'est-ce que tu voudrais faire plus tard? Est-ce que tu espères continuer tes études après l'école?

Moi, je voudrais travailler en ville dans une banque ou dans une grande entreprise. Pour ça je dois avoir mon bac d'abord, puis aller à la fac pour obtenir un diplôme en maths. Je ne sais pas si je réussirai ou non.

Essaie de répondre vite à ma lettre.
A bientôt!
Ton ami(e) français(e)
Martin(e)

NOW YOU CAN . . . .
....
… discuss work experience, jobs and your choice of careers.

STAGES/FORMATION

A

Profession Sport:
un combat en faveur de l'emploi.

Vous êtes passionné par les métiers du sport et de l'animation et possédez un Brevet d'Etat d'Education Sportif ou êtes en cours de formation?

Vous recherchez dans le secteur de l'encadrement sportif ou des loisirs un emploi permanent ou à temps partiel avec une formation complémentaire?

**CONTACTEZ L'ASSOCIATION
PROFESSION SPORT
DE VOTRE DEPARTEMENT**

B

Assoc. d'Hôtellerie Int.
Saint-Denis, Paris

Vous voulez travailler dans l'Hôtellerie, la Restauration ou le Tourisme?

Demandez le dossier d'inscription pour nos Stages en Hôtels en Grande Bretagne

Les Stages s'adressent aux Majeurs, âgés de 18 à 35 ans, possédant un bon niveau d'anglais

Vous serez nourri(e) et logé(e) et, vous serez rémunéré(e) à partir de la troisième semaine.

(Pour toute candidature, un test de langues et une interview sont obligatoires.)

C

Par l'apprentissage devenez agent des installations électriques

Des études en alternance

Vous devrez avoir moins de 19 ans et être titulaire d'un BEP Maintenance des Systèmes Mécaniques de Production ou Electrotechnique.

Déposez votre dossier à

Agence Recrutement d'Île de France

A nous de vous faire préférer le train

COMMERCE/DISTRIBUTION/VENTES

D

Vous êtes matinal et dynamique?

Nous vous offrons un travail à temps partiel

Venez renforcer nos équipes de portage de journaux sur Paris-Ouest – Boulogne – Versailles

Voiture indispensable

Le goût du travail en équipe, ainsi que le sens du contact seront des éléments déterminants

F

Vitrage Europa engage Jeunes Femmes Jeunes Hommes sérieux

- Aucune qualification obligatoire
- Formation au travail payée
- Rien à vendre, travail à temps complet
- Contrat d'engagement définitif
- Il est nécessaire d'habiter VERSAILLES ou sa région proche et de posséder un véhicule
- Bon salaire

E

Avec plus de 80 magasins en France, nous sommes une entreprise commerciale performante, leader dans son domaine d'activité (vente de films et de travaux photo). Poursuivant notre expansion, nous recherchons pour nos nouveaux magasins en banlieue parisienne:

VENDEUSES
Vous êtes jeune, souriante et dynamique, nous vous offrons un cadre de travail agréable et une formation spécifique aux produits.
Les postes sont à pourvoir à: NANTERRE, BOULOGNE BILLANCOURT

G

Mayoral
France s.a. Recherche
Comptable pour tâches administratives
- BTS Comptabilité.
- 1 an d'expérience.

Assistante administrative
Pour ces deux postes
- Disponible de suite
- 20-25 ans
- Espagnol courant.

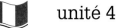

C'est quelle annonce?

Comprenez-vous bien la publicité à la page 90? Lisez ces phrases, et, à chaque fois, notez l'annonce (ou les annonces) qui correspond(ent).

Exemple: 1E

1 Il faut vendre quelque chose.
2 Il ne faut pas habiter trop loin de Versailles.
3 Il faut posséder un véhicule.
4 Il faut se lever de bonne heure.
5 Il faut être tout de suite disponible.
6 Il faut parler au moins une langue étrangère.
7 Il faut être dynamique.
8 Il faut aimer le sport.
9 Il faut s'intéresser au chemin de fer.
10 Il faut avoir au moins 20 ans.

A vous de choisir

Voici des détails de cinq personnes qui cherchent du travail. Regardez la publicité et choisissez une situation pour chaque personne.

1 Pierre

Français, 19 ans, voudrait travailler à l'étranger, parle espagnol et anglais, s'intéresse à la restauration.

2 Estelle

Jeune parisienne, vivante, ne sait pas conduire, pas de diplômes, aimerait travailler dans la vente, aime le contact avec le public.

3 Kémi

Jeune homme d'origine colombienne, mais habitant Paris, sportif, en cours de formation pour un diplôme d'éducation sportive, cherche du travail à temps partiel qui lui permettra de continuer ses études.

4 Jean-Michel

Canadien français, 20 ans, étudiant à l'université de Paris, cherche travail à temps partiel, le matin de préférence, conduit sa propre voiture.

5 Hélène

Française, 26 ans, bilingue (mère espagnole), cherche du travail dans l'administration, diplômes, expérience.

C'est comme ça, le travail

Quatre de ces jeunes personnes ont trouvé du travail. Ecoutez la cassette et, à chaque fois, écrivez ce qu'on fait comme travail (Case 1) et le(s) mot(s) utilisé(s) pour le décrire (Case 2).

Exemple: Pierre – **B** – intéressant, fatigant

Case 1

A organise des activités sportives dans un club de vacances
B travaille dans la cuisine d'un grand hôtel à Londres
C travaille pour la SNCF
D distribue les journaux aux kiosques de Paris
E vend tout le matériel de la photographie

Case 2

C'est (assez/très) …
intéressant/
varié/
facile/
ennuyeux/
dur/bien payé/
satisfaisant/
mal payé/
difficile/
fatigant/…

✍ Lexique ✍✍✍

Le monde du travail	**The world of work**
le boulot	work (slang)
un débouché	career opportunity, opening
disponible	available
un(e) employé(e)	employee
faire dans la vie	to do for a living
les horaires variables (m pl)	flexi-time
le licenciement	redundancy
un métier	trade, profession, job
le salaire	salary
une situation	job, position
à mi-temps	half-time
le travail à temps partiel	part-time work
à temps complet	full-time
travailler à son compte	to be self employed
dans un bureau	in an office
travailler dans une usine	to work in a factory
en plein air	outdoors

Au bureau	**In the office**
une cartouche	cartridge
un classeur	filing cabinet
le classement	filing
les coordonnées (f pl)	address and phone number
un dossier	file, project
une imprimante	printer
un ordinateur	computer
un photocopieur	photocopier
une photocopie	photocopy
un badge	ID tag
un répondeur automatique	answering machine
taper à la (machine)	to type
un télécopieur	fax machine
une télécopie, un fax	a fax
télécopier, envoyer un fax	to send something by fax
la télémessagerie } *la messagerie électronique*	electronic mail
le traitement de texte	word processing

Le monde du bureau

Pendant les vacances vous allez travailler dans un bureau en France. Regardez d'abord la deuxième partie du **Lexique** à la page 91 (**Au bureau**) – ce sont des mots que vous devriez comprendre.

Qu'est-ce que vous devez faire?

Voici des choses qu'on vous demande de faire, mais dans quel ordre? Ecoutez la cassette pour le découvrir.

Pourriez-vous … ?

Je serais contente de votre aide.

Voudriez-vous … ?

Ça m'aiderait beaucoup si … .

Est-ce qu'il vous serait possible de … ?

1 téléphoner à la Poste
2 prendre un rendez-vous pour le directeur
3 taper trois lettres
4 envoyer un fax
5 faire des photocopies
6 faire du classement
7 chercher des renseignements dans un dossier
8 faire marcher l'imprimante
9 changer une cartouche dans l'ordinateur
10 préparer un badge pour un visiteur

La première journée de travail

Géraldine veut faire bonne impression pour sa première journée de travail et elle est très polie avec tout le monde. Choisissez à chaque fois la phrase qu'elle emploie.

1 On lui propose de faire le tour de l'usine. Elle dit:
  a Oui, ça m'intéresserait de faire le tour de l'usine.
  b On fait le tour de l'usine? D'accord.
  c Le tour de l'usine? Oui, si vous voulez.

2 L'heure du déjeuner approche et elle a faim. Elle dit:
  a Quand est-ce que je pourrais aller déjeuner?
  b J'ai drôlement faim! Où se trouve la cantine?
  c Je vais acheter un pain au chocolat à la boulangerie d'à côté.

3 Il fait chaud dans le bureau. Elle dit:
  a Cela vous dérangerait si j'ouvrais la fenêtre?
  b Je vais ouvrir la fenêtre.
  c Qu'il fait chaud! On ne peut pas ouvrir la fenêtre?

4 Vendredi après-midi, elle doit aller chez le dentiste. Elle dit:
  a Vendredi après-midi, je ne peux pas travailler. J'ai rendez-vous chez le dentiste.
  b J'ai oublié de vous dire, vendredi je ne serai pas là – j'ai rendez-vous chez le dentiste.
  c Est-ce qu'il me serait possible de partir plus tôt, vendredi? J'ai rendez-vous chez le dentiste.

5 On lui a demandé de faire des photocopies. Elle dit:
  a Le photocopieur, c'est où?
  b Pourriez-vous me dire où se trouve le photocopieur?
  c Je dois faire des photocopies. Qu'est-ce que je fais?

Dossier-langue

The conditional tense (1)

When making requests for you to do things, the speakers both used the conditional tense. People often do this because it sounds more polite. Compare these sentences:

Je **veux** téléphoner chez moi, s'il vous plaît.
I want to phone home please.

Je **voudrais** téléphoner chez moi, s'il vous plaît.
I should like to phone home please.

You have already been using this tense in the expressions je voudrais, and je pourrais. There are some more examples in the speech bubbles on this page.

The conditional tense is quite easy to form:
It's a mixture of the **future tense** (which forms the **stem**) and the **imperfect tense** (which gives the **endings**).

future tense	conditional tense	
j'**aimer**ai	j'aimer**ais**	I should like
tu **aimer**as	tu aimer**ais**	you would like
il **aimer**a	il aimer**ait**	he would like
elle **aimer**a	elle aimer**ait**	she would like
on **aimer**a	on aimer**ait**	one/they/we would like
nous **aimer**ons	nous aimer**ions**	we should like
vous **aimer**ez	vous aimer**iez**	you would like
ils **aimer**ont	ils aimer**aient**	they would like
elles **aimer**ont	elles aimer**aient**	they would like

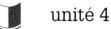
Vous pourriez m'aider?

Travaillez à deux. Une personne regarde cette page, l'autre regarde la page 142.

A *Demandez la permission de faire les choses suivantes:*

1 utiliser le télécopieur
2 téléphoner en Guadeloupe
3 laisser un message pour un client
4 utiliser le photocopieur
5 emprunter des timbres

Exemple

Est-ce que je pourrais … ?
Me serait-il possible de … ?
Est-ce que vous me permettriez de … ?

Notez la réponse de votre partenaire.
Oui./Non./Ça dépend./etc.

B *Demandez à l'autre personne de faire les choses suivantes:*

6 vous prêter son ordinateur
7 vous montrer où sont les cartouches
8 vous expliquer comment le fax se met en marche
9 vous aider à faire marcher l'imprimante
10 vous donner les coordonnées d'un client (Alex Gravier)

Exemple

Vous pourriez … ?
Est-ce qu'il serait possible de … ?
Auriez-vous le temps de … ?

Notez la réponse de votre partenaire.
Oui./Non./Ça dépend./etc.

Lexique

Au téléphone	**On the 'phone**
C'est … à l'appareil.	It's … speaking.
Est-ce que je peux parler à … ?	May I speak to … ?
Je pourrais parler à … ?	
C'est moi.	Speaking.
Vous pourriez me passer (nom)?	Could you put me through to (name)?
C'est de la part de qui?	Who's speaking?
Ne quittez pas.	Hold the line.
Je vous le (la)passe.	I'm putting you through to him (her).
Je suis désolé(e),	I'm very sorry,
il/elle est absent(e)/n'est pas là pour le moment.	(s)he isn't here at the moment.
il/elle est occupé(e).	(s)he is busy.
il/elle est en réunion.	(s)he's in a meeting.
il/elle a rendez-vous avec quelqu'un.	(s)he has an appointment with someone.
Comment pourrais-je vous aider?	How may I help you?
Pourriez-vous rappeler plus tard?	Could you ring back?
Je rappellerai plus tard.	I'll ring back.
Il/Elle pourrait me rappeler?	Could (s)he ring me back?
Je peux lui donner/laisser un message?	Can I give/leave him/her a message?
Ça ne répond pas.	There's no reply.
Son poste est occupé.	It's engaged.
Vous patientez?	Will you hang on?

On compte sur vous!

Vous travaillez pour la Société Eurovente.

Un après-midi, lorsque vous rentrez au bureau après le déjeuner il n'y a personne – sauf vous! Cependant, on vous a laissé des messages. D'abord, un petit mot de Mlle Noirier, chef du marketing.

> *J'ai dû aller à une réunion en ville. Pourriez-vous répondre au téléphone pour moi s.v.p. J'espère revenir vers quatre heures. (N'oubliez pas de noter les coordonnées des gens qui appellent.)*
> *Merci.   PN*

Le patron, M. Richaut, vous a laissé un message au répondeur automatique.

Ecoutez son message (sur la cassette) et notez:

1 *où il est;*
2 *quand il sera de retour au bureau;*
3 *les messages pour ses clients;*
4 *son numéro de téléphone.*

L'un de vous regarde les deux messages et répond au téléphone. L'autre personne regarde la page 143 et joue le rôle des clients qui téléphonent. Changez de rôle après deux conversations.

Exemple
Le téléphone sonne

Vous êtes A et vous travaillez pour la Société Eurovente. Votre partenaire joue le rôle de Mme Pascal, une cliente de M. Richaut.

A: Société Eurovente. Comment pourrais-je vous aider?
B: Bonjour. Est-ce que je peux parler à M. Richaut?
A: Je suis désolé(e), mais il n'est pas là pour le moment. Je peux lui donner un message?
B: Est-ce que je peux prendre un rendez-vous avec lui pour demain matin?
A: Oui Madame, à quelle heure?
B: A neuf heures?
A: Ah non, il ne sera pas ici à neuf heures. A dix heures et demie, ça va?
B: Oui, oui, ça va.
A: C'est de la part de qui?
B: C'est Mme Pascal.
A: Et quelle est votre numéro de téléphone, s'il vous plaît, Madame?
B: C'est le 76 30 41 27.
A: Merci. Au revoir Madame.
B: Au revoir Monsieur.

NOW YOU CAN . . .

… understand advertisements for jobs, understand and use the language you need in the world of work and use the conditional tense to be more polite.

✍ Un lexique à faire ✍✍✍✍

Regardez l'image et complétez le lexique.

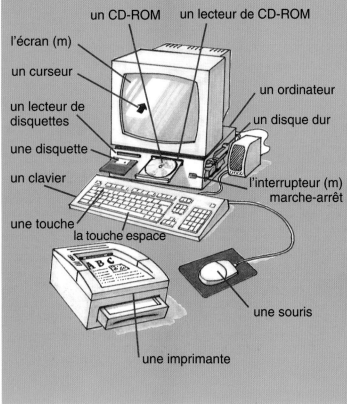

un CD-ROM   un lecteur de CD-ROM

l'écran (m)

un curseur

un lecteur de disquettes

une disquette

un clavier

une touche

la touche espace

un ordinateur

un disque dur

l'interrupteur (m) marche-arrêt

ABC

une souris

une imprimante

L'informatique	Information Technology
allumer	to switch on
appuyer sur (la touche)	to press (the key)
une base de données	database
brancher	to plug in
...	CD-ROM
...	CD-ROM drive
...	keyboard
couper et coller	to cut and paste
...	cursor
...	hard disc
...	floppy disc
...	screen
envoi (m)	return (key)
éteindre (éteignez!)	to switch off, shut down
...	printer
...	on/off switch
...	disc drive
majuscules (f)	caps. (key)
miniscules(f)	lower case (small letters)
le mot de passe	password
...	computer
une puce	(micro)chip
sauver, sauvegarder	to save
souligner	to underline
...	mouse
un tableur	spreadsheet
taper	to type
...	key
...	space bar

Un jeu de définitions

Regardez le lexique et trouvez le bon mot pour ces définitions.

1 On appuie là-dessus pour écrire un caractère.
2 On appuie là-dessus pour allumer ou éteindre l'ordinateur.
3 On appuie là-dessus pour faire un espace.
4 On s'en sert pour imprimer le texte.
5 C'est une chose qu'il faut faire pour ne pas perdre le texte.
6 C'est le contraire de miniscules.
7 Il vous montre votre place sur l'écran.
8 C'est un disque où on peut lire mais ne pas écrire.
9 C'est une partie essentielle du matériel – c'est là où on voit ce qu'on a écrit ou dessiné.
10 C'est un disque souple qu'on met dans l'ordinateur.

Le télétravail

– un système pour l'avenir!

Avec un ordinateur, un modem et un télécopieur on peut installer son bureau à la maison. Grâce à l'informatique, on va voir une augmentation du télétravail, le système de travail à la maison tout en restant en contact avec son employeur. Quels en sont les avantages et les inconvénients pour l'employé et l'entreprise?

Le télétravail – du pour et du contre

1 On peut varier ses heures de travail.
2 On peut être à la maison quand les enfants rentrent.
3 On a un plus grand choix de domicile.
4 Le contact social du bureau vous manque et on se sent isolé(e).
5 Pas de transport – comme ça on économise en temps et en argent!
6 On économise de l'espace au bureau.
7 Si on est chez soi les autres pensent que vous êtes toujours disponible.

Lisez l'article puis écoutez les trois personnes et notez les opinions exprimées.

Faites deux listes: les avantages et les inconvénients du télétravail. Ajoutez d'autres idées vous-même!

Pour vous aider:

disponible	available
des heures supplémentaires (f pl)	overtime
la population active	working population
le télétravail	teleworking (working from home for an employer)

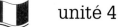

Le chômage, peut-on l'éviter?

EN FRANCE, comme dans tous les pays de l'Europe, le chômage pose un problème difficile. Il est très probable qu'à l'avenir le chômage existera toujours.

Nous avons demandé à des spécialistes et à nos lecteurs de vous donner des conseils pour trouver du travail ou des 'trucs' pour éviter le chômage à l'avenir.

Voici une sélection de leurs idées:

1
Pensez en avance à votre cv. Plus tard on vous demandera de parler du travail que vous avez déjà fait. Quand je discute les stages en entreprise ou les jobs de vacances avec mes élèves, je leur conseille toujours de chercher quelque chose qui a un rapport à leur métier futur. Après tout, c'est la pratique qui compte!

T.B., Prof. de Lycée, Paris

2
Il faut savoir bien en avance quelles sont les qualifications nécessaires pour tel ou tel métier. Lisez soigneusement la publicité dans les journaux et les magazines spécialisés et notez exactement ce qu'on vous demande d'obtenir comme diplômes pour les métiers qui vous intéressent.

S.T., Conseillère d'Orientation, Mantes-la-Jolie

3
En choisissant les cours à suivre, je conseille aux jeunes de ne pas choisir les choses trop à la mode. Par exemple, récemment tout le monde se précipitait vers la Psychologie, maintenant c'est la Géo qui est au numéro 1. Essayez de trouver quelque chose un peu moins populaire!

L.R., Proviseur de Lycée, Paris

4
Mon père m'a souvent conseillé comme ça: «Il faut toujours avoir plusieurs cordes à ton arc!» On ne va pas faire un seul métier tout le long de sa vie, mais peut-être plusieurs. Il faudra savoir s'adapter. Donc, tout en m'orientant vers les sciences, au lycée, je ne laisse pas tomber la musique dans mes heures privées, et pendant les vacances j'ai suivi aussi des cours en informatique.

S.L, Montpellier

5
Neuf mois après la fin de leurs études, 25% de jeunes diplômés de l'enseignement supérieur sont au chômage, mais, chez les jeunes sans qualification, il y en a 70%. Donc, je vous conseille de choisir une bonne formation et d'obtenir un diplôme, si possible.

G.I.S., Conseiller de l'ANPE (Agence Nationale Pour l'Emploi)

6
Pour bien s'orienter vers du travail il faut bien se connaître. Il y a, par exemple, plusieurs 'tests-orientation' que vous pourriez faire.

M.R., CIO (Centre d'Information et d'Orientation)

Ah bon! J'espère que tu as de bonnes notes en anglais. Ton métier idéal est Roi de l'Angleterre.

7
Pour choisir ton métier, demande à tes amis qui ont déjà trouvé du travail de te donner leurs impressions ou même de t'introduire dans la même entreprise. C'est souvent le 'piston'* qui compte!

N.S., Lille

*Le piston (F) string-pulling, knowing the right people

8
Profitez des CIDJ (Centres d'Information et de Documentation de la Jeunesse). Ils sont tous là pour vous aider. Ça vaut la peine de consulter la documentation qu'ils ont sur tous les métiers.

J-P.F., Employé du CIDJ, quai Branly, Paris

Dossier-langue

Asking and advising etc.

conseiller	to advise	*permettre*	to allow
demander	to ask	*promettre*	to promise
dire	to tell	*proposer*	to suggest

Some of the verbs used in these letters follow this pattern:
verb + **à** + person + **de** + infinitive.
(For a full list of similar verbs, see *La grammaire*.)

*Nous avons **demandé à** nos lecteurs **de** vous donner des conseils.*
We have asked our readers give you some advice.

*Je **conseille aux** jeunes **de** ne pas choisir.*
I advise the young people not to choose.

Note that *à* + person can be replaced by an indirect pronoun (*me, te, lui, nous, vous, leur*):
*Je **leur conseille de** chercher …*
I advise them to look for …

See how many examples of these verbs in action you can find on this page.

Trouvez le bon titre pour chaque lettre

A Se connaître, c'est important **E** Pensez à votre cv
B Ne suivez pas la foule **F** Consultez les journaux
C Demandez aux amis **G** Les diplômes sont importants
D On est là pour vous aider **H** Il ne faut pas trop se spécialiser

J'ai suivi vos conseils

Ces jeunes personnes ont lu l'article et ont suivi les conseils du magazine.
Ecoutez la cassette et, pour chaque personne, décidez quelle lettre l'a surtout impressionnée.
Exemple: Rémi – lettre 1

NOW YOU CAN . . .
…………………………………………………………
… consider and discuss ideas about patterns of work in the future.

Monsieur le Président il faut que je vous dise …

Un magazine pour les jeunes a invité ses jeunes lecteurs à écrire au Président de la République. Plus de mille jeunes ont écrit une lettre.

Voici la lettre d'Antonin, Il n'a pas beaucoup de chance d'influencer le président, mais il fait de beaux rêves!

Lisez bien soigneusement la lettre d'Antonin.

Si vous pouviez écrire au président ou au premier ministre de votre pays, qu'est-ce que vous lui demanderiez?

Choisissez et complétez au moins deux des phrases suivantes pour lui exprimer vos demandes ou vos questions.

1 Pourriez-vous … ?
2 Serait-il possible pour vous de … ?
3 Voudriez-vous … ?
4 Si vous aviez l'occasion de … , feriez-vous de votre mieux?
5 Si vous aviez l'occasion de … , que feriez-vous?
6 Si vous aviez l'occasion d'abolir complètement … , le feriez-vous?

Pourriez-vous réduire le service militaire à 4 mois et le service civil à 9 mois?
Pourriez-vous essayer avec les médecins de faire un vaccin contre le sida?
Pourriez-vous construire plus de déchetteries pour garder l'environnement plus joli?
Pourriez-vous ne pas supprimer la cinquième chaîne si elle ne fait pas assez de parts de marché …
Pourriez-vous faire une chaîne publique pour l'info mais pas sur le câble, car moi j'habite à la campagne et je n'ai pas le câble.
Pourriez-vous faire quelque chose pour l'Algérie, car si les habitants continuent à s'entretuer il n'y aura plus d'habitants?
Pourriez-vous réduire l'école à 6 heures par jour?
Pourriez-vous essayer d'écouter les jeunes, représenter leurs idées si elles sont bonnes?
Amicalement

Antonin

Dossier-langue

The conditional tense (2)
The conditional tense is often used to say or ask what someone **would** do. For example, *Pourriez-vous … ?* means 'Would you be able to … ?' or 'Could you … ?'

Often the other part (or clause) of the sentence contains *si* ('if').

Look at these examples to find which tense is used in the *si* clause when the conditional is used in the main clause.

Si j'étais président(e) de la république, j'abolirais les impôts.
If I were the president, **I would abolish** taxes.

Si votre voiture tombait en panne, sauriez-vous quoi faire?
If your car **broke down, would you know** what to do?

The pattern is:
si + imperfect tense, + conditional tense.

Etes-vous urbaniste?

Habitez-vous déjà une ville idéale ou un village idéal?
Sinon, si vous pouviez effectuer des changements, qu'est-ce que vous voudriez faire pour l'améliorer? Faites au moins trois changements!
Voici quelques idées:

améliorer les transports publics (J'améliorais …)
faire construire des rues-piétonnes en centre ville (Je ferais …)
remplacer les grands immeubles par des maisons pas trop chères avec des jardins (Je remplacerais …)

Mais vous avez sûrement beaucoup d'autres suggestions pour …
les magasins
de nouveaux complexes sportifs (piscines, piste de ski, patinoire, stade)
un nouveau théâtre/cinéma/musée/centre pour les jeunes/café
les transports (pourquoi pas des pistes cyclables/un héliport?)

Préparez une petite présentation ou écrivez un article (pour le magazine de votre école, peut-être).

Illustrez votre présentation avec des dessins ou des plans des changements proposés.

Ajoutez des raisons pour vos avis, par exemple:

Je créerais de nouveaux jardins publics pour les enfants, parce qu'il est dangereux de les laisser jouer dans les rues.
Pour améliorer le manque de centres pour les jeunes de 9 à 13 ans, je ferais construire …

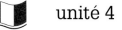

Faites de beaux rêves

Si c'était possible …

Voici quelques-unes des questions posées récemment à des lycéens âgés de 16 à 19 ans.

1 *Ecoutez la cassette pour trouver les réponses de Pierre, Vivienne, Michel, Camille et Ludovic.*

2 *Ecrivez vos propres réponses à ces trois questions, puis gardez-les dans votre **Dossier personnel**.*

Questionnaire

1 Si tu pouvais faire n'importe quel métier, lequel choisirais-tu?
2 Si tu pouvais vivre n'importe où dans le monde, où vivrais-tu?
3 Si tu pouvais faire la connaissance de n'importe quelle personne célèbre, qui aimerais-tu rencontrer?

Voici une sélection de leurs réponses:

1 Si je pouvais faire n'importe quel métier, …
  a je serais réalisateur de film parce que j'aime bien le cinéma.
  b je serais pilote de Canadair.
  c je voudrais devenir médecin.
  d je serais astronaute.
  e j'aimerais être couturière.

2 Si je pouvais vivre n'importe où dans le monde, …
  a Michel   je vivrais …
  b Ludovic   j'irais peut-être …
  c Pierre   je vivrais dans …
  d Camille   je vivrais …
  e Vivienne je choisirais …

3 Si je pouvais faire la connaissance de n'importe quelle personne célèbre, …
  a Vivienne je …
  b Ludovic   je …
  c Pierre   je …
  d Michel   je …
  e Camille   je …

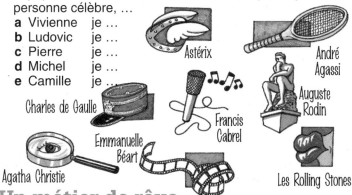

Astérix
André Agassi
Auguste Rodin
Francis Cabrel
Charles de Gaulle
Emmanuelle Béart
Agatha Christie
Les Rolling Stones

Un métier de rêve

Si vous pouviez choisir n'importe quel métier – même en inventer un – ce serait quoi? Quelles seraient les conditions de travail; où serait situé votre entreprise; avec qui travailleriez-vous etc.?

Préparez une présentation de votre 'métier de rêve'.

Ça pourrait être un projet sérieux ou bien un projet 'fantaisiste'.

Regardez d'abord les idées de deux jeunes Français, Manon et Yves.

Mon métier de rêve
Yves Burlot

1 Introduction

Si je pouvais exercer n'importe quel métier, je travaillerais pour l'Abbé Pierre à aider les 'sans abri'.

2 Un court article: Qui est l'Abbé Pierre?

– âgé de 82 ans
– travaille depuis 40 ans pour les 'sans abri'
– pour aider les 'sans abri' il a fondé la société *Les Chiffonniers d'Emmaus* et plus de 111 communautés en France et ailleurs

3 Une lettre à l'Abbé Pierre pour expliquer ce que j'aimerais faire moi-même

– je pourrais faire de la publicité
– j'aimerais travailler dans une communauté
– je voudrais faire des voyages publicitaires

4 Les avantages

J'aurais la satisfaction de faire un travail utile.
J'aurais des responsabilités.

5 Les désavantages

Je ne gagnerais pas beaucoup.
Je changerais toujours de lieu de travail.
Ce serait un travail difficile.

Mon métier de rêve
Manon Adigo
Le métier

– faire de la publicité pour le tourisme au Togo (Afrique occidentale – mon pays natal)

En quoi le travail consisterait-il?

– je serais habillée par les meilleurs couturiers et je poserais pour des photos dans les meilleurs hôtels
– j'essayerais gratuitement toutes les attractions touristiques et je mangerais dans les meilleurs restaurants pour faire de la bonne publicité

Conditions spéciales

Je ne travaillerais plus que trois jours par semaine et surtout pas le weekend!
J'aurais des réductions pour mes vacances et celles de mes amis.
Si j'aimais les vêtements que je portais pour les photos, je pourrais les garder pour moi.

Pourquoi, à mon avis, je suis si bien adaptée à ce métier

Je parle français (la langue de la partie du Togo où j'habite) et je connais très bien le Togo. Franchement, je suis très belle!

*Pour vous aider à trouver une raison pour votre choix, regardez encore une fois **Douze raisons pour choisir un métier** à la page 88.*

Les Français aiment le Loto

Le Loto français date de 1976, mais même avant ça il y avait la Loterie Nationale, créée en 1933.

Les Français ont dépensé 13 milliards de francs au Loto. Plus d'un Français sur deux participe à des jeux proposés et gérés par la Française des Jeux, société d'Etat. Le Loto arrive en seconde position derrière les courses de chevaux, mais il concerne davantage de joueurs: environ 30% des Français de toutes catégories (surtout ceux ayant des revenus moyens-inférieurs). 13 millions de bulletins sont déposés chaque semaine dans les 13 500 points de vente (bureaux de tabac, kiosques et boutiques) avec une mise moyenne de 20 francs par bulletin.

Si je gagne, je partirai au soleil.

Jouer, *c'est rêver un peu*

Une nouvelle génération est arrivée à partir de 1989: les 'jeux instantanés'. Le succès de ces cartes à gratter s'explique par le fait que les joueurs savent tout de suite s'ils ont gagné et peuvent être réglés immédiatement sur le point de vente ou, pour les gros gains, dans un centre de paiement agréé.

Plus d'un milliard de tickets de 'Millionnaire' ont été vendus au cours des seize premiers mois de sa création. Ce succès est dû pour une large part à la perspective offerte aux gagnants de passer à la télévision (TF1) et d'y gagner de 100 000F à un million de francs en tournant une roue.

© Francoscopie

Vrai ou faux?

1. Plus d'un Français sur deux participe au Loto.
2. Il y a plus de joueurs pour le Loto que pour les courses de chevaux.
3. C'est surtout les gens les plus riches qui participent au Loto.
4. On peut acheter les bulletins du Loto dans les kiosques, les bureaux de tabac ou quelques magasins.
5. Les cartes à gratter aussi sont très populaires en France.
6. Tous les gagnants aux cartes à gratter sont payés par un centre de paiement agréé.
7. Les gagnants ont la possiblité de passer à la télé.
8. S'ils passent à la télé ils gagnent quelquefois de grosses sommes d'argent.

Etes-vous pour ou contre le Loto?

Choisissez le bon titre pour chaque lettre:

A C'est une aventure!

B C'est amusant

C C'est une tentation!

D C'est à vous de décider

E L'argent ne fait pas le bonheur!

F C'est effrayant!

1 Moi, je suis pour – si les gens le trouvent amusant et s'ils gagnent de temps en temps, moi, je n'y vois pas de mal!
S.R., Lyon

2 Moi, je suis absolument contre. C'est de l'argent perdu! Les persones âgées, les jeunes, les pauvres sont tentés d'acheter des billets, sans vraiment trop penser aux conséquences. S'ils gagnent quelque chose, ils continuent de jouer, puis peu à peu ils perdent l'argent qu'ils ont gagné!
F.M., Paris

3 Moi, je suis pour. A mon avis, pour beaucoup de personnes ça introduit, chaque semaine, une petite aventure dans leur vie – bonne idée, non?
J-P.L., Lille

4 Moi, je suis contre. Je suis surtout contre à cause des grosses sommes d'argent qu'on pourrait gagner. A mon avis, c'est effrayant. Si je gagnais une somme pareille, ça changerait complètement ma vie et je ne veux pas trop de changements!
J.L.T., Châteauroux

5 Moi, je suis pour. L'argent que vous gagnez vous donne du pouvoir. Si vous ne voulez pas dépenser cet argent pour vous, rien ne vous empêche de le donner à une organisation bénévole – c'est à vous de décider!
X.P., Marseille

6 Moi, je suis contre. Ça encourage les gens à attacher trop d'importance à l'argent. Souvent ce n'est pas l'argent qui vous rend heureux. Il y a plus que ça qui compte dans la vie!
S.J., Bordeaux

✍ Lexique ✍✍✍✍

Pour donner votre avis	Giving opinions
Des expressions utiles	**Useful expressions**
à mon avis	in my opinion
Quel est ton/votre avis?	What is your opinion?
Je crois/pense/trouve que …	I think that …
Je n'y crois pas.	I don't believe in it.
On dit que …	They say that …
Il paraît que …	It seems that …
On devrait …	We/They ought to …
On ferait mieux de …	It would be better to …
en somme	all in all
si vous êtes d'accord	**if you agree**
d'accord	agreed, I agree
Je suis tout à fait d'accord.	I quite agree.
Tu as/Vous avez raison.	You're right.
Je suis de votre avis.	I'm of the same opinion.
C'est exactement ce que je pense.	That's exactly what I think.
C'est bien mon avis.	That's certainly my view.
C'est ça.	That's right.
Moi aussi, je pense que …	I also think (that) …
ça dépend	**it depends**
C'est possible.	it's possible.
Je n'en suis pas sûr(e)/ certain(e).	I'm not sure.
On ne sait jamais!	You never know!
Je n'en sais rien.	I've no idea.
au cas où … (fam)	just in case …
Il y a du pour et du contre.	There are points for and against.
si vous n'êtes pas d'accord	**if you disagree**
Je ne suis (absolument) pas d'accord.	I disagree (entirely.)
Il ne faut pas exagérer.	Don't exaggerate.
Ce n'est pas très important.	It isn't very important.
Pour moi, ça n'a pas (beaucoup) d'importance.	For me, that's not (very) important.
par contre …	on the other hand …

📼 Pour ou contre le Loto?

1 *Ecoutez d'abord les avis de quelques autres Français dans l'émission* Une minute dans la rue. *Combien de ces personnes sont pour le Loto, combien sont contre et combien ne sont pas sûres?*

2 ***Ecrivez*** *une lettre au magazine pour nous faire savoir vos idées! Dites si vous êtes pour ou contre le Loto, ou même si vous n'êtes pas sûr. Regardez le* **Lexique** *pour des expressions utiles. Essayez de donner vos raisons.*
Exemple

parce que c'est	amusant
	une perte d'argent
	dangereux
	excitant
ça pourrait	changer la vie complètement
	aider les familles
	causer des problèmes

Je suis pour le Loto parce que je pense que

Que feriez-vous?

Si vous gagniez une grosse somme d'argent, que feriez-vous?

Si je gagnais une grosse somme d'argent, j'achèterais une belle voiture, une belle maison. J'aurais plein de chiens, d'instruments de musique etc.

Pierre

Si je gagnais une grosse somme d'argent, je la donnerais à une œuvre de charité ou à une organisation humanitaire.

Vivienne

Et vous, que feriez-vous?
Exemple
J'achèterais …
Je m'offrirais …

J'irais à …

Je voyagerais en …

J'en profiterais pour …

Je donnerais de l'argent à …
J'offrirais des cadeaux à …

Je mettrais l'argent à la banque.

NOW YOU CAN …

… use the conditional tense to say what you would do, express your own opinions and discuss winning money through a national lottery.

L'argent de poche

'Si ce n'est pas trop indiscret, combien reçois-tu d'argent de poche, par semaine ou par mois et qu'est-ce que tu dois financer avec cela?'

Voici la question que nous avons posée récemment à des élèves de seconde et de terminale au lycée.
Voici une sélection typique des réponses.
A vous de les lire et de copier et compléter les tableaux en dessous.

1 Je gère mon budget en totalité et mes parents me donnent de l'argent tous les mois (une somme fixe). Il me reste 150 francs pour les sorties, les vêtements, les anniversaires.

2 Je reçois 150F par mois — c'est pour le cinéma, les livres et les sorties (transport et frais).

3 300F par mois — casse-croûtes, sorties, cadeaux!

4 Moi, 150F par mois pour le cinéma, Quick, McDonald's, les soirées.

5 Moi aussi, j'ai 150F par mois et je les dépense pour le ciné et les sorties.

6 Rien, mes parents me paient directement ce dont j'ai besoin.

7 Environ 100F à 200F par mois pour mes sorties.

8 J'ai 19 ans. J'ai 2 500F par mois pour financer ma voiture, l'essence, mes fringues, mes sorties, la cantine, les inscriptions sportives, les vacances personnelles, les produits nécessaires à une fille, les fournitures scolaires.

9 RIEN!! Mais rien du tout!

10 Je reçois 100F par mois, mais je peux accéder à mon compte. Cet argent me sert pour les sorties, les cadeaux.

11 100F par mois pour m'habiller.

12 150F — cadeaux pour mes amis, magazines pour moi.

13 200F par mois. Je dois acheter une partie de mes fringues.

14 800F par mois pour les habits et les sorties. Je mets à côté 200F par mois pour dépenser en vacances.

15 200F pour le cinéma et la musique, c'est-à-dire les CD et les concerts.

16 600F par mois pour la musique et les frais d'activités sportives, mais je dois faire des économies pour m'offrir plus tard une motocyclette.

Copiez et complétez le tableau.

Argent de poche reçu	Garçons	Filles
Somme moyenne reçue par mois		
Somme la plus élevée		
Somme la moins élevée		

Regardez la somme moyenne.
a *Vous la trouvez juste?*
b *Vous croyez que ce n'est pas assez?*
c *Vous croyez que c'est trop?*

Si vous voulez, répondez vous-même à la question:
'Combien reçois-tu d'argent de poche, par semaine ou par mois et qu'est-ce que tu dois financer avec cela?'
Comparez les résultats de votre classe avec ceux du lycée français.

Copiez le tableau et cochez les choses financées par l'argent de poche de ces jeunes.

Choses financées par l'argent de poche	Garçons	Filles
vêtements		
sorties		
cinéma		
musique (CD etc.)		
anniversaires et cadeaux		
autres choses		

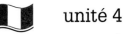

Pour gagner de l'argent

Beaucoup de lycéens complémentent l'argent donné par les parents avec de l'argent gagné en travaillant le mercredi après-midi ou le samedi ou pendant les vacances scolaires. Voici des élèves en seconde et en terminale au Lycée Charles de Gaulle.

Maxime

Camille

Jordan

Il y a une de ces personnes qui travaille dans une boutique de mode, deux qui travaillent dans une grande surface, une autre qui fait du babysitting. Un des garçons travaille à la gare, dans le bureau des objets trouvés, et un autre dans un café. L'autre personne ne travaille pas pour l'instant, mais elle raconte le petit job de son correspondant anglais, qu'elle a fait avec lui pendant ses vacances en Angleterre.
Ecoutez la conversation sur la cassette pour découvrir qui fait quoi.

Exemple: Jordan travaille dans une grande surface.

Manon

Kevin

Denis

Lucie

Sondage boulots

On fait un sondage dans le même lycée. Voilà les questions qu'on pose aux élèves.

Ecoutez l'interview avec Denis et Camille, puis complétez leurs réponses.

Les questions

1 Quel âge avez-vous?
2 Avez-vous un job ou voudriez-vous en avoir un? Si oui, c'est quoi comme travail?

Exemples

a distribuer les journaux
b faire du babysitting
c travailler dans un fast-food
d travailler dans un supermarché/un magasin
e autre chose

3 Quels jours travaillez-vous et quels sont vos horaires de travail?
4 En quoi consiste le travail?
5 Combien gagnez-vous (si ce n'est pas trop indiscret)?
6 Lequel de ces mots décrit le mieux votre job? intéressant, satisfaisant, varié, ennuyeux, amusant, fatigant, dur, (une autre expression)

Les réponses de Denis
Nom: Lefèvre, Denis
Age: J'ai.... ans.
Job: Je travaille ... , mais j'aimerais un job ... .
Horaires: Je travaille le ... et ... (jours) de ... à ... . (heures)
Détails: Je dois ramasser ... et essuyer ... . Quelquefois je travaille ... .
Rémunération: Je gagne ... par ... .
Opinion: C'est un travail ... .

Les réponses de Camille
Nom: Mercier, Camille
Age: J'ai ... ans.
Job: Oui, je ... .
Horaires: Je travaille le ... . (jour). Les heures sont ... .
Détails: Je ... .
Rémunération: Je gagne ... par ... .
Opinion: C'est un travail ... .

Et vous?

Maintenant, répondez vous-même à ces questions. Mettez les réponses dans votre **Dossier personnel**.
Peut-être pourriez-vous faire un sondage dans votre classe aussi?

> NOW YOU CAN ...
> ... discuss pocket money and part-time jobs.

Un job pour l'été

Avec un copain, Joseph Lockwood, et d'autres jeunes vous allez chercher du travail en France cet été. On vous a demandé d'obtenir des renseignements.

Dans un magazine français récent, vous lisez cet article:

Un job pour l'été

Trop jeune!

Trouver un job pour l'été, c'est sans doute assez facile – si on a 18 ans ou plus. Moi, j'ai 16 ans, et c'est dur, dur, dur! J'ai regardé dans tous les journaux et mes parents ont téléphoné partout – même réponse: '16 ans? Il vaut mieux revenir l'année prochaine!' J'ai fini par cueillir des framboises d'abord, puis des abricots – un travail très fatigant – mais j'ai quand même fait de nouveaux amis.
Estelle R, Le Blanc, Indre

Ne commencez pas trop tard!

Trouver un job pour l'été, ça veut dire commencer à chercher au printemps, au plus tard! Il y a quand même une assez grande sélection, surtout pour les plus de 18 ans – coursier, serveur dans un restaurant fast-food, caissière dans un supermarché, animateur dans un camp de vacances – tout ça est possible. Sinon vous pouvez vendre quelque chose sur les plages ('à la criée') – le journal, des casse-croûtes, des badges etc. Et il y a toujours la cueillette de fruits et les vendanges!
CDIR (Centre de Documentation et d'Information Rurale) 75013 Paris

Respectez les règles

• Si vous avez moins de dix-huit ans vous n'aurez pas le droit de travailler la nuit et probablement pas le dimanche non plus.
• Si vous voulez vendre des choses sur les plages, des magazines, des beignets ou des bonbons, par exemple, il faut obtenir un permis à la Préfecture de Police ou à la Mairie.
• Si vous avez des problèmes pour trouver un job d'été, consultez nos bureaux de renseignements: CIDJ, 101 quai Branly, 75740 Paris.

Qu'avez-vous découvert jusqu'ici?

Lesquelles de ces phrases sont vraies?

1 Il est très facile pour tous les jeunes de trouver un job d'été en France.
2 Il est plus facile de trouver un job d'été, si on a au moins dix-huit ans.
3 Il y a plusieurs organisations officielles qu'on pourra consulter.
4 Si on obtient un permis à la Mairie on pourra gagner de l'argent en vendant des choses sur la plage.
5 Si vous avez moins de dix-huit ans, vous aurez le droit de travailler la nuit, mais pas le dimanche.
6 Il faut s'y prendre à l'avance si on veut être sûr de trouver un job.
7 Si on a plus de dix-huit ans on pourra peut-être travailler dans un camp de vacances.
8 On finira probablement par cueillir des fruits!

Recherche d'un job

En écrivant au CIDJ à Paris, vous avez obtenu ce 'carnet information jeunesse'.
Vos amis vous posent des tas de questions. Essayez de trouvez les réponses en lisant ces extraits:

Can foreign students get jobs in France?

How old do you have to be?

What kind of skills would help you get a job?

How much can you earn?

Le travail des étudiants étrangers

Cas particuliers des étudiants originaires des pays de l'Union européenne.

Ils peuvent en principe travailler en Europe sans aucune restriction. Il leur suffit de déposer le double de la déclaration d'engagement remplie par l'employeur auprès de la mairie ou du commissariat de police de leur lieu de résidence.

Le salaire: une question d'âge

La rémunération doit être au moins égale au SMIC* sauf pour les moins de 17 ans (80% du SMIC) et ceux âgés de 17 à 18 ans (90% du SMIC).
Pour travailler il faut avoir 16 ans, 18 ans si l'horaire proposé par l'entreprise est supérieur à 39 heures.

Que faire?

Conduire une voiture ou un camion, parler des langues étrangères, utiliser un traitement de texte, tenir un standard téléphonique, encadrer ou animer des groupes, vendre …

*Salaire Minimum Interprofessionnel de Croissance (statutory minimum wage)

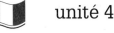

Qu'est-ce qu'il y a comme job?

Maintenant vous avez trouvé une sélection de jobs possibles.
Regardez la publicité et répondez aux questions en bas:

A

Les supermarchés ont besoin de vous!

Beaucoup des grands supermarchés veulent recruter des jeunes (17 ans minimum), pour le réassortiment des rayons. On peut travailler très tôt le matin ou en nocturne. Entre 24 et 30 heures de travail par semaine, vous serez payé sur une base légèrement supérieure au SMIC. Envoyez votre CV au magasin choisi.

B

Tout le monde veut être animateur

Renseignez-vous chez les CIDJ si vous avez au moins 17 ans et si vous voulez pratiquer ce job populaire, ou pour des détails sur un stage de formation, contactez le CEMEA (Centre d'Entraînement aux Méthodes d'Education Active) 76 boulevard de la Villette, 75019 Paris. Vous serez logé, nourri et payé (entre 2 000F et 5 000F pour trois semaines).

C

Le Fast-Food – ça vous intéresse?

Burger-frites, la chaîne de *fast-food*, demande étudiants et lycéens de 18 ans au minimum pour préparation et vente de ses célèbres hamburgers-frites américains. Uniforme gratuit; vous serez nourri par **Burger-frites;** vendredi, samedi et dimanche soirs 20 heures par semaine – salaire de 650F Prenez contact avec le manager du **Burger-frites** le plus près de chez vous.

D

Travaux saisonniers

Pour la cueillette des fruits, la récolte du maïs ou du tabac, les vendanges – on a toujours besoin d'ouvriers. C'est du travail dur, mais la rémunération est basée sur le SMIC. La saison des vendanges commence vers le 15 septembre dans le sud de la France, mais pas avant le début octobre dans les autres régions.

Ce qu'il faut savoir

1 Quel est l'âge minimum pour travailler …
  a au supermarché?
  b dans un fast-food?
  c comme animateur avec les enfants?

2 Combien d'heures par semaine faut-il travailler …
  a au supermarché?
  b dans un fast-food?

3 Dans quels jobs serez-vous …
  a logé?
  b nourri?
  c habillé?

4 Quel est le meilleur job pour …
  a quelqu'un qui adore les enfants?
  b quelqu'un qui voudrait travailler dehors?
  c quelqu'un qui aime manger les burgers?
  d quelqu'un qui peut se lever de très bonne heure?

5 Quelle est la rémunération …
  a dans un fast-food?
  b dans un supermarché?
  c pour les animateurs?
  d pour les travaux saisonniers?

Les petits boulots

Pour avoir des renseignements sur d'autres jobs, écoutez ces jeunes qui parlent des jobs qu'ils ont faits.
Pour chaque témoignage copiez et remplissez cette fiche:

1 Cette personne a travaillé …

  avec des enfants ....
  dans un hôtel ....
  à vendre les journaux sur la plage ....
  dans les transports ....
  autre: ....

2 J'aimerais faire ce job parce que ......
....

ou

3 Je ne pourrais/voudrais pas faire ce job parce que......................
....
....

Pour vous aider, voici des réponses possibles:

Il faut	avoir 18 ans. parler une langue étrangère. travailler dehors (et j'ai le rhume des foins). se lever de bonne heure.
J'adore	les enfants. les animaux. la campagne. la grande ville.
J'aime (beaucoup)	conduire. travailler sur ordinateur. voyager. cuisiner. être sur la plage.

Ce job m'intéresse

Vous avez choisi, chacun(e), un job que vous aimeriez faire. Il faut faire vite!

Le curriculum vitæ

D'abord, il faut préparer le curriculum vitæ. Voici celui de Joseph:

Curriculum vitæ

Nom:	Lockwood
Prénoms:	Joseph George
Nationalité:	britannique
Adresse:	7 Almondbury Road Birchencliffe Huddersfield
Date de naissance:	le 17 juin 1978
Situation de famille:	célibataire
Enseignement secondaire:	New Green College Huddersfield
Diplômes:	GCSE dans 9 matières
Connaissances de langues:	7 années de français (A*) 3 années d'allemand (B)
Visites à l'étranger:	2 semaines en Normandie (du camping) 2 semaines à Montréal (échange) 10 jours à Rome (voyage scolaire)
Sports pratiqués:	natation, voile, ski, badminton
Loisirs:	informatique, musique, cinéma
Emploi:	le samedi je travaille dans un supermarché

Expérience professionelle.

Une interview!

Nathalie, une lycéenne française, s'intéresse, comme Joseph, au travail d'animatrice et aujourd'hui elle a eu une interview pour le job. On lui a posé dix des questions suivantes. Ecoutez l'interview et notez quelles questions on lui a posées. Est-ce qu'elle obtient le job?

1 Quel âge avez-vous?
2 Quelle est votre nationalité?
3 Où habitez-vous?
4 Depuis quand habitez-vous là? (réponse: depuis … ans)
5 Quelle est votre date de naissance?
6 Vous êtes célibataire?
7 Vous êtes à quelle école?
8 Qu'est-ce que vous avez comme diplômes? (Et quels niveaux?)
9 Quelles langues vivantes avez-vous étudiées à l'école?
10 Quels pays étrangers avez-vous visités?

Maintenant à vous

*Maintenant écrivez votre propre curriculum vitæ suivant le modèle. N'oubliez pas de le garder dans votre **Dossier personnel**!*

Une lettre à écrire

Ensuite il faut envoyer une lettre. Lisez soigneusement la lettre de Joseph, puis choisissez le job qui vous intéresse et écrivez une lettre identique, mais sur vous-même.

7 Almondbury Road
Birchencliffe
Huddersfield

CEMEA,
76 boulevard de la Villette,
75019 Paris

mardi le 6 mai

Monsieur,

J'ai vu votre petite annonce sur le travail d'animateur qui m'intéresse beaucoup. Je cherche du travail en France cet été pour perfectionner mon français, et je voudrais poser ma candidature.

J'ai presque 18 ans et j'espère aller à l'université cet automne pour étudier le français et l'allemand. J'aime beaucoup les enfants et plus tard je voudrais devenir professeur de langues vivantes. Comme loisirs, j'adore la natation et je fais de la voile en été. En hiver je fais du ski et je joue au badminton.

L'an dernier, pendant les vacances, j'ai travaillé dans un supermarché à Huddersfield et cette année j'ai fait un stage de deux semaines dans un collège où j'ai aidé les élèves qui apprenaient l'informatique.

Je serai libre à partir du 10 juillet jusqu'au 15 septembre. Pourriez-vous m'envoyer les documents nécessaires et les renseignements sur le stage de formation.

Veuillez agréer, Monsieur, l'expression de mes sentiments distingués,

Joseph Lockwood
Joseph Lockwood

11 Que faites-vous pendant votre temps libre?
12 Faites-vous du sport?
13 Avez-vous fait un stage en entreprise? (Parlez-moi un peu de ça.)
14 Vous avez un petit job le soir ou le weekend? (Si oui, que faites-vous? Ça vous plaît?)
15 Avez-vous déjà travaillé pendant les vacances? (Parlez-moi un peu de ça.)
16 Pourquoi voudriez-vous faire ce job-ci?
17 Quand serez-vous libre?
18 Est-ce que vous pourrez commencer le … ?

L'interview, c'est pour vous!

Travaillez à deux. Une personne choisit dix questions et les pose à l'autre personne qui doit répondre selon le job choisi. Puis changez de rôle.

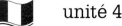

Le piston, c'est quand même utile!

Jean-Pierre a obtenu un job de vacances un peu extraordinaire. Après les vacances il l'a décrit dans un article pour le magazine de son collège. Voici son article:

Le piston, en principe, je ne suis pas tellement 'pour', mais il est tellement difficile de trouver du boulot! En tout cas, d'habitude ce sont mes amis qui trouvent leur boulot par le piston, mais cette fois-ci j'ai eu de la chance.

L'oncle d'un de mes amis travaille dans un zoo privé et il m'a trouvé un job vraiment amusant avec les animaux. Heureusement j'ai dix-huit ans, j'ai déjà mon permis et j'aime beaucoup conduire! Voilà mon travail; je devais tout le temps circuler dans le zoo sur une sorte de petite voiture pour vérifier si tous les animaux allaient bien ou s'il y avait des problèmes. Je téléphonais régulièrement au bureau central en disant, 'L'éléphant a l'air heureux' ou 'les lions n'ont plus rien à manger'.

Normalement il n'y avait rien de spécial à signaler, mais un jour Nikki, un des singes, a volé un chapeau affreux appartenant à une des visiteuses. C'est mon singe favori et plus tard je lui ai donné deux bananes – son fruit favori!

Jean-Pierre T, Thoiry-les-Yvelines

Vrai ou faux?

1 Jean-Pierre a trouvé son job dans un article qu'il a lu dans un magazine.
2 Un oncle de Jean-Pierre l'a aidé à trouver du travail.
3 Jean-Pierre a son permis de conduire.
4 Jean-Pierre devait téléphoner au bureau pour chercher des renseignements sur les animaux.
5 Un des singes, qui s'appelle Nikki, aime les bananes.
6 Un jour, un singe a mangé le chapeau d'un monsieur qui visitait le zoo.

Maintenant écrivez un court article sur un job de vacances que vous avez fait. Ça pourrait être vrai ou imaginaire.

> **NOW YOU CAN . . .**
> ... find out about and discuss holiday work in France, plan a cv and write a letter of application.

Sommaire

Now you can ...

1 discuss the future and use the future tense to make some predictions
2 talk about exams (including tips for revising) and discuss future study and training
3 discuss work experience, jobs and your choice of career
4 understand advertisements for jobs, understand and use the language you need in the world of work and use the conditional tense to be more polite
5 check your knowledge of IT vocabulary, read about some changes in the world of work and consider ideas for helping you to get a job in the future
6 use the conditional tense to say what you would do, express your own opinions and discuss the national lottery
7 discuss pocket money and part-time jobs
8 discuss holiday work in France, plan a cv and write a letter of application for a job

For your reference

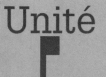
On se débrouille

5.1 AU CENTRE COMMERCIAL

Rendez-vous aux 4 Temps

les 4 temps

CENTRE COMMERCIAL
PARIS • LA DÉFENSE

Entre l'Etoile et la Grande Arche, au cœur de la Défense, les 4 Temps vous accueillent. Une ville dans la ville où sont réunis 250 commerces, des services, des cinémas, des restaurants dans les styles les plus divers.

Horaires d'ouvertures
Tous les magasins sont ouverts de 10h à 20h du lundi au samedi. L'hypermarché Auchan: ouvert de 9h à 22h du lundi au samedi. En semaine et le dimanche: la zone loisirs, restaurants et cinémas est ouverte jusqu'à 23h.

Accès facile
SNCF, Autobus:
descente station Défense
Métro, RER:
station Grande Arche La Défense
En voiture:
avec 6000 places, vous avez toujours une place de parking

Un hypermarché à Paris
Aux 4 Temps, vous trouverez un des plus vastes hypermarchés avec la moitié de sa surface consacrée à l'alimentation. Mais si vous aimez les boutiques spécialisées, le niveau 1 vous attend avec ses commerces traditionnels – comme la boulangerie Paul, la boucherie Coucaud, le traiteur Degras, le chocolatier Léonidas.

Le shopping est roi
Environ 250 magasins: des magasins de mode, des magasins de chaussures, des librairies, des papeteries, des bijouteries, des parfumeries, des magasins de sport, des magasins de jouets, des drogueries, des magasins de cadeaux. En plus un bureau de tabac, des opticiens, des coiffeurs, une agence de voyages, une pharmacie.

A votre service
Tous les services sont à votre disposition pour vous simplifier la vie: banque, location de voitures, réparation-minute, pressing, photocopies, bureau de poste et bureau de change. Il y a des téléphones publics sur tous les niveaux. Au point information (niveau 1), des hôtesses peuvent vous renseigner et vous aider.

Pour votre confort
Les différents niveaux sont desservis par des escaliers roulants, vous y circulerez sans fatigue.
Vous trouverez également des toilettes publiques
• au niveau 0
• au niveau 2, près des restaurants.

Le temps des loisirs
Flâner en musique, sans avoir ni trop chaud ni trop froid, boire un verre à une terrasse, essayer la cuisine régionale ou exotique ou passer un bon moment au cinéma, rien de plus simple: 9 salles d'exclusivités et 29 restaurants vous attendent jusqu'à 23 heures.

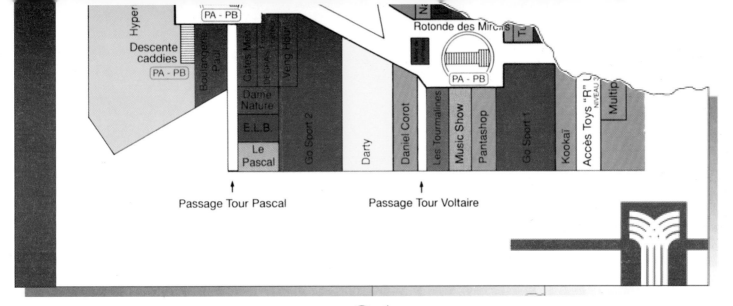

Trouvez les mots

Lisez la publicité sur les 4 Temps et trouvez les mots suivants:

5 magasins spécialisées

4 moyens de transport pour se rendre au centre commercial

3 services

2 magasins d'alimentation

1 moyen pour monter ou descendre d'un niveau à un autre.

✍ Un lexique à faire ✍✍✍✍

Trouvez ces mots dans le dépliant.

Les magasins	Shops
une alimentation générale	general store
... ...	jeweller's
... ...	butcher's
... ...	baker's
... ...	delicatessen, pork butcher's
une confiserie	sweet shop, confectioner's
... ...	general household shop
une épicerie	grocer's
un grand magasin	large store
une grande surface	department store
... ...	hypermarket
... ...	book shop
... ...	gift shop
... ...	shoe shop
... ...	toy shop
... ...	fashion/clothing shop
... ...	sports shop
... ...	stationer's
... ...	perfume shop
... ...	cake shop

🎭 Au point information

Ecoutez la cassette. Des visiteurs demandent des renseignements.
A *Lisez les questions et notez la bonne réponse.*
Exemple: 1b

1 Est-ce que les magasins ferment à midi?
   a Oui, entre 12h et 14h.
   b Non, les magasins sont ouverts sans interruption.
   c Non, les magasins sont ouverts de 12h à 20h.

2 Où est-ce qu'on peut changer de l'argent? Au niveau 2, il y a
   a un bureau de change.
   b une banque.
   c un bureau de poste.

3 Est-ce qu'il y a une boîte aux lettres au centre?
   a Non, il n'y en a pas.
   b Oui, c'est près de la poste.
   c Oui, c'est près de la banque.

4 Est-ce qu'il y a un fast-food au centre?
   a Oui, il y en a plusieurs.
   b Il n'y a qu'un McDonald's au niveau 1.
   c Tous les restaurants se trouvent au niveau 2.

5 La pharmacie est sur quel niveau?
   a C'est au niveau 0.
   b C'est au niveau 1.
   c C'est au niveau 2.

B *Complétez les réponses.*
   6 – Est-ce qu'il y a un magasin de photos quelque part?
      – Oui, au niveau 1, il y en a ... .
   7 – Où se trouvent les salles de cinéma?
      – C'est au niveau ... au bout de la place de la Patinoire.
   8 – Est-ce qu'il y a des toilettes publiques au centre?
      – Oui, il y en a au niveau ... et au niveau ... .
   9 – Où se trouve la station de métro?
      – C'est au niveau 0. Prenez ... ici et suivez les panneaux.
   10 – Est-ce que les magasins sont ouverts le dimanche?
      – Non, les magasins sont ... , mais les restaurants et les cinémas sont ouverts jusqu'à ... heures.

Des magasins pour tous les goûts

daniel corot

1 ➡ Daniel Corot (niveau 1)
Les hommes trouveront dans ce magasin un grand choix de costumes, pantalons, cravates … modes ou classiques.

Promod

2 ➡ Promod (niveau 1)
Un style très sympa, très mode pour toutes les femmes qui aiment le changement, à des prix tout à fait raisonnables.

Orcade

3 ➡ Orcade (niveau 2)
Pour hommes, femmes et enfants, des chaussures de styles variés et une maroquinerie à des prix exceptionnels.

Cléopatre

4 ➡ Cléopatre (niveau 0)
Entrez en toute liberté dans cet espace aux murs recouverts de bijoux fantaisie: colliers, bracelets, boucles d'oreilles.

5 ➡ Go Sport (niveau 1)
Vous y trouverez, dans les grandes marques, vêtements, équipements et accessoires pour le tennis, le ski, le golf, le vélo, la musculation, la course à pied, la natation et même le baseball et l'équitation.

6 ➡ Le temps de vivre (niveau 1)
Grand choix de livres dans des rubriques variées, en collection de poche ou livres reliés.

LE TEMPS
DE VIVRE

GAME'S

7 ➡ GAME'S (niveau 2)
Jeux traditionnels, jeux pour micro, jeux électroniques, jeux vidéo. Cibles et fléchettes. Billards.

Boulangerie Paul

8 ➡ Boulangerie Paul (niveau 1)
Ici le pain est cuit à l'ancienne. Pâtisseries maison pur beurre, tartes, tourtes et quiches et de délicieux sandwichs composés.

SEPHORA

9 ➡ Sephora (niveau 1)
Vous trouverez ici les grandes marques de parfum et les produits de beauté.

PLEIN CIEL

10 ➡ Plein Ciel (niveau 0)
Une grande papeterie où vous trouverez une gamme complète d'articles: stylos, matériel scolaire et bureau, calculatrices et un superbe rayon Beaux-Arts.

C'est quoi comme magasin?

Lisez les extraits de la publicité et décidez ce que c'est comme magasin.
Exemple: 1 C'est un magasin de mode masculine.

Où faut-il aller?

Travaillez à deux. Une personne pose une question. L'autre consulte le dépliant pour trouver la réponse. Après six questions, changez de rôle.
Exemple: – Où est-ce qu'on peut acheter un classeur?
– Il y a une papeterie au niveau 0.

Une visite au centre commercial

Proposez le programme d'une visite au centre commercial pour une de ces personnes ou pour vous-même.
Ça peut être aux 4 Temps ou à un autre centre commercial que vous connaissez.

Pour vous aider:
En arrivant au centre, allez d'abord …
Ensuite allez … pour regarder les disques/les livres/les vêtements etc.
Si vous avez faim/soif, allez au …
Si vous avez encore le temps, allez au …

1 Dominic Lejeune – il aime le sport, la musique et les jeux électroniques. Il ne peut passer qu'une heure au centre.

2 Céline Debré – elle s'intéresse à tout ce qui concerne la mode et elle veut aussi acheter du parfum. Elle peut passer deux heures au centre, mais comme c'est sa pause-déjeuner, elle doit aussi manger quelque chose.

3 Madame Saphir – elle adore le shopping, elle a beaucoup d'argent et elle peut passer toute la journée au centre commercial, mais elle aime aussi prendre des pauses dans des cafés et des restaurants.

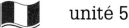
Un nouveau centre commercial

Dessinez un nouveau centre commercial.

Comment serait-il?
(grand/petit, combien de niveaux?)
Qu'est-ce qu'il y aurait comme magasins?
Qu'est-ce qu'il y aurait en plus?
(des restaurants, des cafés, d'autres services comme
des banques, une poste, une garderie pour enfants, un
bowling, un cinéma, …)
Où serait-il?
(au centre-ville, aux alentours de la ville, près
de l'autoroute, …)
Quand serait-il ouvert?
(quels jours, quels horaires etc.)
Est-ce qu'il y aurait   un grand parking?
                         un autobus spécial pour y aller?

Une semaine fantastique

*Ecoutez les annonces sur la cassette. Décidez quelle
image va avec chaque annonce.*

C'est à quel étage?

*Ecoutez la cassette encore une fois et notez l'étage pour
les rayons suivants.*

1 le rayon des arts ménagers
2 la parfumerie
3 la bijouterie
4 le rayon mode
5 la librairie
6 la papeterie
7 le rayon des disques
8 le rayon sport

✍ Lexique ✍✍✍✍

Dans un grand magasin	In a department store
un ascenseur	lift
un bon rapport qualité-prix	good value for money
une braderie	clearance sale, jumble sale
une chute	fall
un échantillon gratuit	free sample
l'escalier (m)	stairs
l'escalier roulant (m)	escalator
la marque	brand name
un rabais	discount
un rayon	department
une remise	discount
en promotion	on special offer
une solde	sale bargain

NOW YOU CAN . . .
....
… find different shops and departments when
shopping and understand publicity about special offers.

Pour changer de l'argent

Avant de dépenser de l'argent dans les magasins en France, il faut avoir de l'argent français. Qu'en savez-vous?

1 Le Crédit Lyonnais, le Crédit Agricole, la Société Générale sont tous …
   a des sociétés d'assurance.
   b des associations agricoles.
   c des banques.

2 Si vous voulez changer un chèque de voyage, on demande souvent à voir …
   a votre portefeuille.
   b votre passeport.
   c votre argent français.

3 Si on vous demande si vous avez de la monnaie, on veut savoir si vous avez …
   a des pièces.
   b des billets de banque.
   c de l'argent français.

4 Si on n'a pas beaucoup d'argent en espèces, on peut souvent payer avec …
   a une carte postale.
   b une carte de crédit.
   c une carte de visite.

5 Pour savoir combien on va vous donner pour une livre sterling, il faut demander …
   a les horaires d'ouverture.
   b les numéros des chèques.
   c le cours du change.

6 Quelquefois on peut obtenir de l'argent par …
   a une boîte aux lettres.
   b un distributeur automatique.
   c une machine à écrire.

✎ Un lexique à faire

Trouvez les mots français pour compléter le lexique.

L'argent	Money
…	bank
…	bank note
…	credit card
…	to change
…	traveller's cheque
…	exchange rate
…	to spend
…	cash machine
… *(f pl)*	(in) cash
en liquide	with cash
…	pound sterling
…	small change
…	coin

🎧 A la banque

Ecoutez les conversations à la banque. Puis notez dans votre cahier les opérations qui correspondent à chaque conversation.

		Exemple:	1	2	3	4	5
A	On veut changer un chèque de voyage.	✔					
B	On veut changer des livres sterling.						
C	On demande l'adresse en France.	✔					
D	On demande le cours du change.						
E	On demande des pièces de 10 francs.						

unité 5

Expressions utiles

Le /La touriste

Pour changer de l'argent, s'il vous plaît?
Je voudrais changer un chèque de voyage, s'il vous plaît.
Je voudrais changer de l'argent, s'il vous plaît.
Des livres sterling.
Trente/Cinquante/Cent livres.
Est-ce que vous pouvez me donner des pièces de 10 francs, s'il vous plaît?
Pouvez-vous me dire le cours du change?
Est-ce qu'il y a des frais de commission?

L'employé(e) de banque

Allez là-bas – au 'change'.
Vous avez votre passeport?
Quelle est votre adresse en France?
Voulez-vous signer là, s'il vous plaît?
Attendez à la caisse, s'il vous plaît.
C'est quelle devise?
Vous voulez changer combien?
Le cours du change aujourd'hui c'est à 7F60 la livre.

Faites des conversations

Travaillez à deux pour faire ces conversations. Une personne est le/la touriste, l'autre est l'employé(e) de banque. Après deux conversations, changez de rôle.
Exemple

– Bonjour, Madame/Monsieur. Je voudrais changer un chèque de voyage, s'il vous plaît.

– Oui, vous avez votre passeport?

– Oui, le voilà.
– Merci. Voulez-vous signer là, s'il vous plaît?

s'il vous plaît?

– Voilà.
– Merci. Voici votre argent.

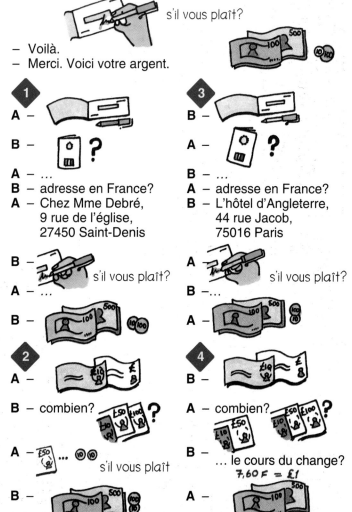

1
A –
B –
A – …
B – adresse en France?
A – Chez Mme Debré,
 9 rue de l'église,
 27450 Saint-Denis
B – s'il vous plaît?
A – …
B –

2
A –
B – combien?
A – £50 … s'il vous plaît
B –

3
B –
A –
B – …
A – adresse en France?
B – L'hôtel d'Angleterre,
 44 rue Jacob,
 75016 Paris
A – s'il vous plaît?
B – …
A –

4
B –
A – combien?
B – … le cours du change?
 7,60 F = £1
A –

Cosette, c'est moi

Je ne suis pas à la mode et, en plus, je n'ai pas d'argent de poche. Ma mère n'a rien contre la mode, seulement c'est trop cher pour nous. Mon père gagne peu et ma mère ne travaille pas. Mes parents ont fait le choix d'avoir une famille nombreuse, ils se privent énormément pour nous, pour nos études: quelquefois au bout de deux ou trois semaines de traque de toutes les «dépenses inutiles», l'un d'entre nous reçoit 10 F.
Jamais nous ne sommes partis en vacances tous ensemble. Alors, cet été nous avons décidé de partir: pour la première fois, notre famille sera réunie pendant quinze jours. Deux de mes frères et moi ayant plus de 16 ans, nous pouvons travailler pendant les grandes vacances. Nous avons tous les trois travaillé pendant le mois de juillet. Avec cela nous allons aller en Normandie.
Les études, c'est dur; l'avenir est bouché … d'accord, mais j'ai des parents qui font tout pour moi, des frères et des sœurs adorables et marrants, je fais les études que j'ai voulues, j'ai de bons amis. Alors j'ai tout ce qu'il faut pour être heureuse et je ne m'en prive pas.

Angélique

© Phosphore

a What difficulties does Angélique have?
b What is the main cause of her difficulties?
c What is special for Angélique about this year's holidays. Mention three details.
d What does Angélique think about her parents?

© NEAB

Idées souvenirs

C'est combien?

Travaillez à deux. Une personne regarde cette page et demande le prix de chaque souvenir. L'autre regarde la liste à la page 146 pour trouver la réponse. Changez de rôle après quelques minutes.

Exemple

– C'est combien, la boîte de petits gâteaux?
– C'est 50 francs.
– Et le livre sur la Normandie? Il fait combien?
– Il est très cher, il est à 340 francs.

Aux magasins

Ecoutez des touristes. Qu'est-ce qu'on achète? Combien paie-t-on? C'est pour qui?

	achète	prix	pour qui?
1	cassette	100F	frère

liste à la page 146

✎ Lexique

Les cadeaux et les souvenirs	Presents and souvenirs
une affiche	poster
une bande dessinée	comic strip book
un bol	(breakfast) bowl
une boîte de petits gâteaux	tin/box of biscuits
une boîte de bonbons	tin/box of sweets
un cadeau	present
une carte de vœux	greetings card
une cassette	cassette
un CD	CD
un drapeau	flag
des fleurs	flowers
un jeu de boules	game of French bowls
un jeu de cartes	pack of cards
un jeu de société	(board) game
comme le Monopoly	such as Monopoly
un livre pour enfants	children's book
une maquette	model (car, boat etc.)
un ours	teddy bear
une petite Tour Eiffel	model Eiffel Tower
une peluche	soft toy
un porte-clés	keyring
un pot de confiture	jar of jam
une poupée en costume régional	doll in traditional costume
un T-shirt	T-shirt
faire un paquet-cadeau	to gift wrap
un vase (en poterie)	(pottery) vase

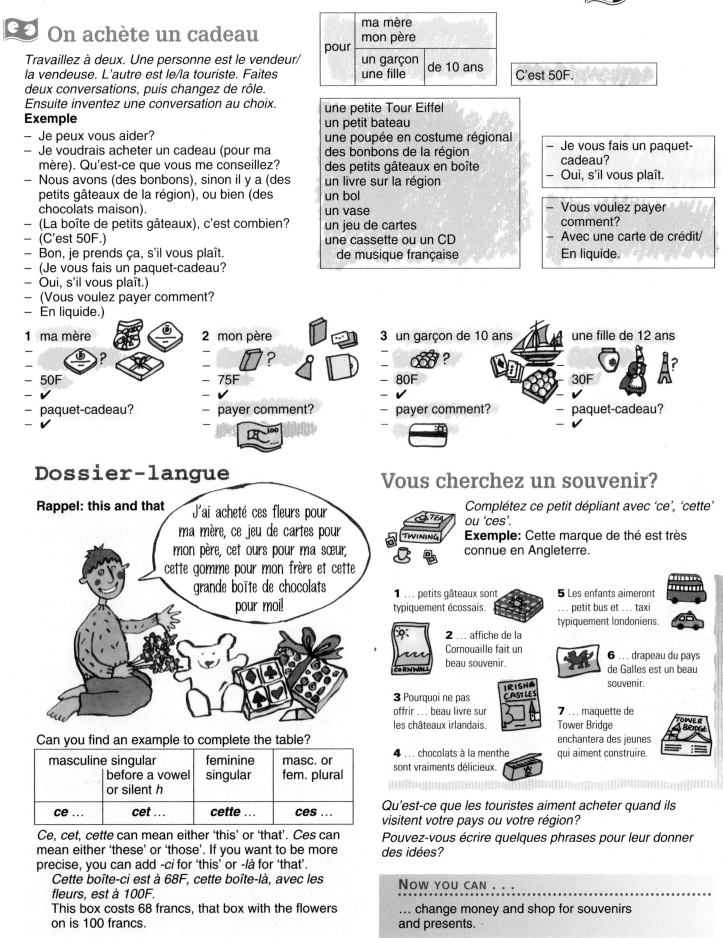 On achète un cadeau

Travaillez à deux. Une personne est le vendeur/ la vendeuse. L'autre est le/la touriste. Faites deux conversations, puis changez de rôle. Ensuite inventez une conversation au choix.

Exemple

– Je peux vous aider?
– Je voudrais acheter un cadeau (pour ma mère). Qu'est-ce que vous me conseillez?
– Nous avons (des bonbons), sinon il y a (des petits gâteaux de la région), ou bien (des chocolats maison).
– (La boîte de petits gâteaux), c'est combien?
– (C'est 50F.)
– Bon, je prends ça, s'il vous plaît.
– (Je vous fais un paquet-cadeau?)
– Oui, s'il vous plaît.)
– (Vous voulez payer comment?)
– En liquide.)

pour	ma mère	
	mon père	
	un garçon	de 10 ans
	une fille	

C'est 50F.

une petite Tour Eiffel
un petit bateau
une poupée en costume régional
des bonbons de la région
des petits gâteaux en boîte
un livre sur la région
un bol
un vase
un jeu de cartes
une cassette ou un CD
de musique française

– Je vous fais un paquet-cadeau?
– Oui, s'il vous plaît.

– Vous voulez payer comment?
– Avec une carte de crédit/ En liquide.

1 ma mère
– ?
– 50F
– ✔
– paquet-cadeau?
– ✔

2 mon père
– ?
– 75F
– ✔
– payer comment?

3 un garçon de 10 ans
– ?
– 80F
– ✔
– payer comment?

4 une fille de 12 ans
– ?
– 30F
– ✔
– paquet-cadeau?
– ✔

Dossier-langue

Rappel: this and that

J'ai acheté ces fleurs pour ma mère, ce jeu de cartes pour mon père, cet ours pour ma sœur, cette gomme pour mon frère et cette grande boîte de chocolats pour moi!

Can you find an example to complete the table?

masculine singular before a vowel or silent *h*	feminine singular	masc. or fem. plural
ce … *cet* …	*cette* …	*ces* …

Ce, cet, cette can mean either 'this' or 'that'. *Ces* can mean either 'these' or 'those'. If you want to be more precise, you can add *-ci* for 'this' or *-là* for 'that'.

Cette boîte-ci est à 68F, cette boîte-là, avec les fleurs, est à 100F.

This box costs 68 francs, that box with the flowers on is 100 francs.

Vous cherchez un souvenir?

Complétez ce petit dépliant avec 'ce', 'cette' ou 'ces'.

Exemple: Cette marque de thé est très connue en Angleterre.

1 … petits gâteaux sont typiquement écossais.

2 … affiche de la Cornouaille fait un beau souvenir.

3 Pourquoi ne pas offrir … beau livre sur les châteaux irlandais.

4 … chocolats à la menthe sont vraiments délicieux.

5 Les enfants aimeront … petit bus et … taxi typiquement londoniens.

6 … drapeau du pays de Galles est un beau souvenir.

7 … maquette de Tower Bridge enchantera des jeunes qui aiment construire.

Qu'est-ce que les touristes aiment acheter quand ils visitent votre pays ou votre région?

Pouvez-vous écrire quelques phrases pour leur donner des idées?

NOW YOU CAN . . .

… change money and shop for souvenirs and presents.

On achète des vêtements

Ecoutez les conversations sur la cassette et regardez les images. Quel vêtement prend-on?

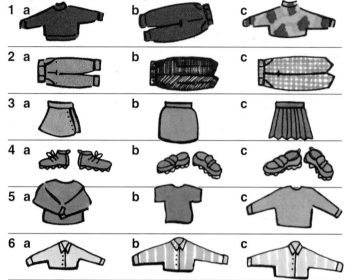

1 a   b   c

2 a   b   c

3 a   b   c

4 a   b   c

5 a   b   c

6 a   b   c

Trouvez les paires

Voici des extraits de conversations. Pouvez-vous trouver les paires?

Puis écoutez la cassette encore une fois pour vérifier.

Exemple: 1G

1 Vous le voulez en laine ou en acrylique?

A Mais bien sûr. La cabine d'essayage est là-bas.

B Oui, d'accord.

2 Je suis désolée, Monsieur, je ne l'ai plus en gris, mais je l'ai en noir. Vous voulez l'essayer?

C Nous l'avons aussi en bleu, en gris et en jaune.

D 45.

3 Je peux l'essayer en marron?

E Très bien, Madame. Voulez-vous passer à la caisse, s'il vous plaît?

4 Vous faites quelle pointure?

5 Mm … je n'aime pas beaucoup la couleur.

F Oui, bien sûr. Vous faites quelle taille?

6 Bon, je peux essayer le bleu marine?

G En laine.

7 Vous voulez payer comment?

8 Bon, je prends le bleu clair.

H Avec une carte de crédit. Ça va?

Expressions utiles

Lisez ces phrases et classez-les en deux listes:

le/la client(e)   **le vendeur/la vendeuse**

1 Est-ce que vous avez cette jupe dans d'autres couleurs, s'il vous plaît?
2 Vous faites quelle taille?
3 Je peux l'essayer?
4 La cabine d'essayage est là-bas.
5 Qu'est-ce que vous désirez, Monsieur?
6 Nous l'avons aussi en bleu, en gris et en jaune.
7 Je peux les essayer en bleu, s'il vous plaît?
8 Vous faites quelle pointure?
9 Je cherche un pull rouge pour un garçon de neuf ans.
10 Est-ce que vous acceptez les chèques de voyage?
11 J'ai vu un sweatshirt en vitrine. Qu'est-ce que vous avez comme couleurs?
12 Et le bleu marine s'accorde avec beaucoup de choses.
13 Et c'est quel prix?
14 Bon, je le prends.
15 Voulez-vous passer à la caisse, s'il vous plaît?
16 Je cherche une chemise rayée comme ça mais en bleu clair.
17 Est-ce qu'on peut l'échanger si ça ne va pas?
18 Oui, si vous gardez le reçu.
19 Je peux payer avec une carte de crédit?
20 Je suis désolée, Monsieur, je ne l'ai plus en gris.

CARTES ACCEPTÉES
Aurore   CB

Lexique

On achète des vêtements	Buying clothes
en acrylique	in acrylic
s'accorder	to go with
assorti	matching
une cabine d'essayage	fitting room
à carreaux	checked
en laine	in wool
la pointure	shoe size
rayé	striped
la taille	size
uni	plain
en vitrine	in the window

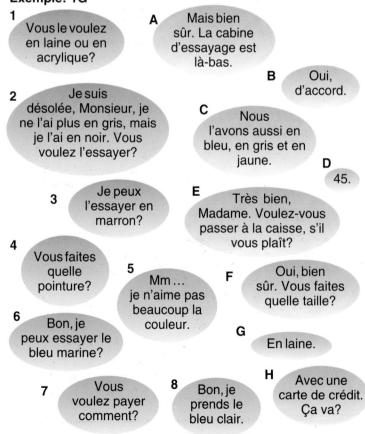

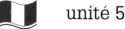

👀 Au rayon mode

*Travaillez à deux. Une personne regarde cette page.
L'autre regarde la page 146. Faites trois conversations,
puis changez de rôle. Vous voulez acheter des vêtements.
Voilà des détails.*

Exemple

– Avez-vous ce jean dans d'autres couleurs?
– Nous l'avons en noir, bleu marine et gris.
– Je peux l'essayer en gris, s'il vous plaît?
– Oui, vous faites quelle taille?
– 42.
– Voilà. La cabine d'essayage est là-bas.
  …
– Ça va?
– Non, ça ne me va pas. Merci quand même.

👀 Inventez des conversations

*Travaillez à deux. Une personne est le/la touriste; l'autre
est le vendeur/la vendeuse. Vous êtes dans une boutique
de mode. Le/la touriste veut acheter deux vêtements. On a
l'un, mais pas l'autre. Imaginez votre conversation, puis
changez de rôle.*

Exemple

– Bonjour Monsieur/Madame.
– Bonjour. Je voudrais un pull, s'il vous plaît.
– Un pull, oui. Vous faites quelle taille?
– 40.
– Et vous le voulez en laine ou en acrylique?
– En acrylique.
– Et en quelle couleur?
– Bleu marine.
– Attendez un moment. Je suis désolé(e), il n'y en a plus.
  Vous désirez autre chose? etc.

👀 On parle de la mode

*Des jeunes parlent de la mode. Ils discutent les quatre
questions ci-dessous. Ecoutez leur discussion sur la
cassette et faites ces activités.*

1 Que portez-vous de préférence le week-end?

*Faites une liste de tous les vêtements différents qui sont
mentionnés par ces jeunes.*

**2 Est-ce qu'il y a des couleurs que vous aimez
souvent mettre ou que vous ne mettez jamais?**

*Notez les couleurs préférées de chaque personne qui
parle sur la cassette (Julien, Emilie, David, Aurélie,
Sébastien et Nathalie).*

3 Aimez-vous porter des bijoux?

*Ecoutez Emilie, Aurélie et Nathalie sur la cassette.
Qui aime porter quoi?*

Exemple: Emilie A

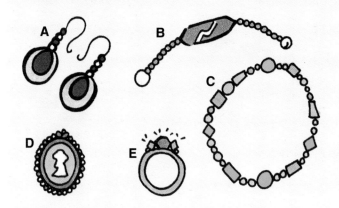

4 Et finalement, la mode, c'est important?

*Ecoutez les jeunes sur la cassette. Combien de personnes
pensent que la mode est importante?
Voilà quelques avis. Lesquels entendez-vous sur la cassette?
Puis classez-les en deux listes:*

c'est important   ce n'est pas important

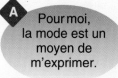

A Pour moi, la mode est un moyen de m'exprimer.

B Moi, je porte surtout des vêtements confortables.

C Je fais attention à ce que je porte et je n'aime pas porter de vêtements qui sont vraiment démodés.

D Pour moi, la mode n'a aucune importance – je porte toujours les mêmes choses – un pull et un jean.

E Il y a des personnes qui pensent que c'est cool de porter de grandes marques. A mon avis, c'est ridicule de payer trois fois plus cher un vêtement de la 'bonne' marque, alors qu'on peut trouver un vêtement presque identique à un prix moins élevé.

F Moi, je m'habille comme je veux. L'important c'est d'avoir un style original.

G J'aime porter des vêtements à la mode parce que je me sens bien dedans.

👀 Et vous?

*Faites une petite discussion à deux ou en groupes
ou faites un sondage sur la mode. Répondez aux
mêmes questions.*

Quel est le problème?

Ecoutez les conversations sur la cassette et complétez le résumé avec un mot de la case.

un défaut	rétréci	d'avis
marche	petites	la couleur

1 Un garçon a acheté une calculatrice samedi dernier, mais elle ne … pas.
2 Une fille a reçu un T-shirt comme cadeau, mais elle n'aime pas … … .
3 Un homme a acheté des chaussettes, mais elles sont trop … .
4 Une femme a acheté un chemisier, mais à la maison elle a trouvé … … – un petit trou dans le tissu.
5 Un homme a acheté une chemise, mais quand il l'a lavée, la chemise a … .
6 Une fille a acheté un jean, mais elle a changé … .

On peut vous aider?

Lisez ces conversations avec un(e) partenaire, puis inventez-en d'autres.

1
– J'ai acheté (cette calculatrice) (l'autre jour) mais (elle) ne marche pas.
– Faites voir. Ah oui, vous avez raison. Vous avez votre reçu?
– Le voilà.
– Bon, on peut soit remplacer (la calculatrice), soit vous rembourser.
– Je voudrais me faire rembourser, s'il vous plaît.

2
– On m'a offert (ce T-shirt) comme cadeau, mais (je n'aime pas beaucoup la couleur). Est-ce que je peux l'échanger?
– Oui, vous voulez choisir (un) autre?
– Bon, merci.

3
– J'ai acheté (ce pull) (hier), mais à la maison (j'ai trouvé qu'il y avait un défaut … là).
– Bon, vous avez le reçu?
– Oui.
– Bon, vous voulez (le) remplacer ou vous voulez être remboursé(e)?
– Je voudrais (le) remplacer, s'il vous plaît.

Qu'est-ce qu'on dit?

Ecoutez la cassette encore une fois et choisissez la phrase qu'on entend dans chaque conversation. Attention – on n'entend pas toutes ces phrases!

Exemple: 1C

A Pouvez-vous me rembourser, s'il vous plaît?

B Je suis désolé(e), mais c'est hors de question.

C Je voudrais me faire rembourser, s'il vous plaît.

D Sans reçu, on ne peut pas vous rembourser.

E Je voudrais le remplacer, s'il vous plaît.

F Pouvez-vous les échanger contre une autre paire?

G Je regrette, les soldes ne sont ni échangeables ni remboursables.

H Je regrette, mais ce n'est pas possible.

I Est-ce que je peux l'échanger?

l'autre jour	ce baladeur
samedi dernier	cet appareil
hier	cette calculatrice
avant hier	cette montre
vendredi dernier	ce T-shirt
la semaine dernière	ce short
	ce sweat
elle la une	ce sac
il le un	ce pull
	ce jean
	cette écharpe
	cette veste
	ces chaussettes
	ces gants

je n'aime pas beaucoup la couleur/le modèle
il est trop grand/petit/…
j'ai trouvé qu'il y avait un défaut … là
j'ai changé d'avis

J'ai acheté un œuf comme celui-là la semaine dernière.

Est-ce que je peux l'échanger?

5.4 LEQUEL PRÉFÉREZ-VOUS?

Chez le charcutier

Lisez et écoutez cette saynète qui se passe dans une charcuterie.

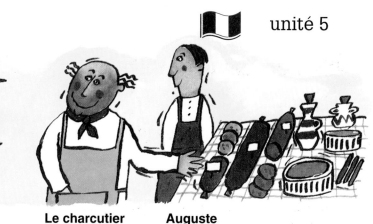

Mlle Dupont   **Le charcutier**   **Auguste**

Mlle D.: Bonjour Monsieur.

Charc.: Bonjour Mademoiselle Dupont. Vous allez bien?

Mlle D.: Pas mal, Monsieur, pas mal.

Charc.: Qu'y a-t-il pour votre service ce matin?

Mlle D.: Du pâté, d'abord, 250 grammes de pâté, ce pâté que …

Charc.: Voyons, 250 grammes de pâté maison, c'est ça, non?

Mlle D.: Non, pas de pâté maison …

Charc.: Lequel alors?

Mlle D.: Avez-vous ce pâté Bonnefoie que j'ai vu à la télé?

Charc.: A la télé, à la télé! Vous n'allez pas me dire que vous croyez tout ce que vous voyez à la télé! Auguste, tu connais Mademoiselle Dupont, non? Tu peux deviner ce qu'elle m'a demandé comme pâté?

Aug.: Lequel alors?

Charc.: Le pâté Bonnefoie qu'elle a vu à la télé!

Aug.: *(Il rit aux éclats.)* Mon Dieu, elle ne va pas nous dire qu'elle croit tout ce qu'elle voit à la télé? Du pâté Bonnefoie …

Mlle D.: Bon, bon, ça va! Donnez-moi du pâté maison alors.

Charc.: Voilà, Mademoiselle. Du pâté maison. Et avec ça?

Mlle D.: De l'huile d'olive, s'il vous plaît. Une grosse bouteille.

Charc.: Laquelle, Mademoiselle? Vous n'avez pas vu ça à la télé, je suppose? *(Il rit encore.)*

Mlle D.: Non. Mais j'ai une amie qui me recommande une marque d'huile d'olive qui s'appelle Lasieuse. Elle s'en sert tout le temps.

Charc.: Elle est très riche, votre amie?

Mlle D.: Non, pas tellement, elle est …

Charc.: Vous savez le prix de l'huile d'olive Lasieuse, Mademoiselle?

Mlle D.: Non, je …

Charc.: Auguste, tu sais toi le prix de l'huile d'olive Lasieuse?

Aug.: *(De nouveau, il rit aux éclats.)* L'huile Lasieuse? Elle a gagné à la Loterie nationale, Mademoiselle Dupont? L'huile Lasieuse, l'huile La…!

Mlle D.: Ça va, ça va! Ne recommencez pas. Donnez-moi n'importe quelle marque d'huile d'olive, mais qui ne coûte pas trop cher.

Charc.: Voilà, Mademoiselle, de l'huile d'olive, une grosse bouteille. Et avec ça, qu'est-ce que je vous donne?

Mlle D.: De la charcuterie maintenant. Donnez-moi quatre ou cinq rondelles de deux ou trois saucissons différents.

Charc.: Très bien, Mademoiselle. Lesquels?

Mlle D.: Eh bien, celui-là, peut-être et …

Charc.: Alors celui-là, Mademoiselle, est très fort, très assaisonné … très très fort. Eh bien, si vous aimez le saucisson fort, très fort …

Mlle D.: Non non, pas trop fort. Celui-ci, peut-être. Il est moins fort, celui-ci?

Charc.: En effet, Mademoiselle, celui-ci est beaucoup, beaucoup moins fort. A vrai dire, il est plutôt fade. Ce saucisson n'a presque pas de goût.

Mlle D.: Pas celui-ci, alors. Dites-moi, lesquels me recommandez-vous finalement? Je voudrais deux ou trois saucissons différents.

Charc.: Alors, prenez celui-ci, et ces deux là-bas. Je vous coupe combien de rondelles de chacun?

Mlle D.: Mais ceux-là sont les plus chers!

Charc.: Mais de la meilleure qualité, Mademoiselle, de la meilleure qualité! Auguste, viens-ici! Mademoiselle Dupont veut des saucissons de la meilleure qualité. Lesquels choisis-tu pour elle?

Aug.: Mais celui-ci et ceux-là, Monsieur. Ils sont de la meilleure qualité.

Mlle D.: Oui oui, je comprends. Alors quatre rondelles de chacun. Et puis c'est tout!

Charc.: Voilà, Mademoiselle. Et c'est vraiment tout? Vous ne voulez pas goûter à nos spécialités?

Mlle D.: Vos spécialités, mais lesquelles?

Charc.: Eh bien, les tomates farcies aux herbes, la salade provençale, les pizzas à la mode de …

Mlle D.: Non non, merci. Je suis sûre que tout est délicieux, mais pour aujourd'hui, merci, j'en ai eu assez. Voilà votre argent, Monsieur. Et adieu!

Les achats de Mlle Dupont

Qu'est-ce que Mlle Dupont achète finalement?

A du pâté maison
B du pâté Bonnefoie
C de l'huile d'olive Lasieuse
D de l'huile d'olive ordinaire
E du saucisson fort
F du saucisson recommandé par le charcutier
G des spécialités du magasin
H des tomates farcies aux herbes
I de la salade provençale
J une pizza

Trouvez le contraire

1 une petite bouteille
2 pauvre
3 trop cher
4 pareils
5 assaisonné
6 d'une qualité inférieure

Dossier-langue

Quel and lequel

The different forms of *quel* (meaning 'what' or 'which') are used in many everyday questions.
Can you copy out the table and add the different forms of *quel*?

masculine singular	feminine singular	masculine plural	feminine plural
quel	?	?	?

Quel is always followed by a noun. When there is no noun, the different forms of *lequel* (meaning 'which one') are used. These follow a similar pattern to *quel*. Can you add these to the table? Look back at **Chez le charcutier** for some examples to help you.

masculine singular	feminine singular	masculine plural	feminine plural
?	laquelle	?	?

Here are some extracts from the conversation with the *charcutier*. Can you add what he said to find out which variety Mlle Dupont wanted each time?

– *Je voudrais du pâté.*
– ………?
– *Une grosse bouteille d'huile d'olive, s'il vous plaît.*
– ………?
– *Deux ou trois saucissons différents.*
– ………?

And finally a question from Mlle Dupont, in response to this:

– *Vous ne voulez pas goûter à nos spécialités?*
– ………?

On fait du lèche-vitrines

Ecoutez ces jeunes qui font du lèche-vitrines.
– Regarde ce jean. Il est chouette, non?
– Lequel?
– Celui en gris. Tu le vois?
– Ah oui. Il est pas mal, mais je préfère celui-ci en bleu marine à 440F.
– Oui. Mais à 440F c'est plutôt cher.
– Peut-être. Regarde la veste noire. Je l'aime bien.
– Celle au fond du magasin?
– Oui, celle-là.

– Regarde les T-shirts. Ils ne sont pas chers à 50 F.
– Ceux-là en vert et blanc?
– Oui, ils ne sont pas mal. Tu ne trouves pas?
– Hmm, non, je ne les aime pas tellement. Je préfère ceux-là à 100F.

– J'aime bien les chaussures noires.
– Lesquelles?
– Celles avec des lacets. Regarde.
– Oui, elles sont chics. Et j'aime bien ces tennis aussi.
– Ah oui, ceux à 500F?
– Non, pas ceux-là, ceux-ci à 460F.

De quoi parle-t-on?

*Ecoutez et lisez le texte **On fait du lèche-vitrines** et décidez de quoi on parle.*
Exemple: 1 un jean

1 Celui en gris.
2 Celui-ci en bleu marine.
3 Celle au fond du magasin.
4 Ceux-là en vert et blanc?
5 Je préfère ceux-là à 100F.
6 Celles avec des lacets.
7 Ceux-ci à 460F.

Vous aidez au magasin

Vous travaillez comme vendeur/vendeuse dans un grand magasin.
Ces clients parlent des articles, mais lesquels? Que dites-vous?
Exemple: 1 Lesquelles?

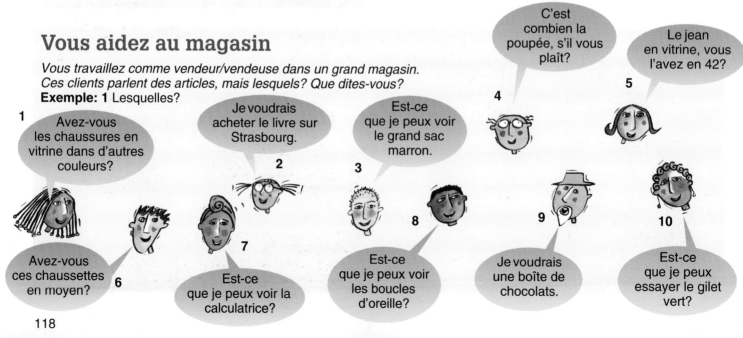

1 Avez-vous les chaussures en vitrine dans d'autres couleurs?

2 Je voudrais acheter le livre sur Strasbourg.

3 Est-ce que je peux voir le grand sac marron.

4 C'est combien la poupée, s'il vous plaît?

5 Le jean en vitrine, vous l'avez en 42?

6 Avez-vous ces chaussettes en moyen?

7 Est-ce que je peux voir la calculatrice?

8 Est-ce que je peux voir les boucles d'oreille?

9 Je voudrais une boîte de chocolats.

10 Est-ce que je peux essayer le gilet vert?

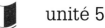

Dossier-langue

celui, celle, ceux, celles

When you want to refer to something and don't want to repeat the name of it each time, you can use the different forms of *celui* (meaning 'the one'). Look on page 118 for some examples of the different forms to complete the first line of the table below.

	masculine singular	feminine singular	masculine plural	feminine plural
the one	*celui*	…	…	…
this one	*celui-ci*	…	…	…
that one	*celui-là*	…	…	…

To say 'this one' or these or 'that one' or 'those', add -*ci* or -*là*. Add these to the next two lines of your table.

Complétez les conversations

1. – Tu as vu mon sac?
   – Lequel?
   – … que j'ai acheté hier.
2. – Tu préfères cette jupe-ci ou … ?
   – Moi, je préfère …-ci.
3. – C'est ton baladeur?
   – Non, c'est … de mon frère.
4. – Ce sont tes skis?
   – Non, …-là sont à ma sœur.
5. J'aime bien tes chaussures. Ce sont … que tu as achetées ce matin?
6. Avez-vous un chemisier comme …-ci mais en 42?
7. Ces boucles d'oreilles sont belles mais elles sont lourdes; …-là sont plus fines.
8. – Je voudrais un ballon de football, s'il vous plaît.
   – Oui, nous avons …-ci en cuir à 180F ou …-là en plastique à 59F.

Lequel prennent-ils?

Ecoutez les conversations. Chaque fois les clients doivent faire un choix entre deux articles. Lesquels choisissent-ils?
Exemple: 1a Il prend celui en noir et blanc.

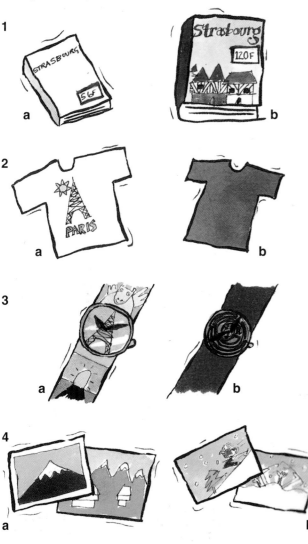

NOW YOU CAN . . .

… say which item you want when offered a choice and ask someone else to make their choice clearer.

Samedi matin

Le samedi matin il y a beaucoup de circulation en ville.
Hélas, quelquefois il arrive des accidents.
Trouvez le bon texte pour chaque dessin.
Exemple: A3

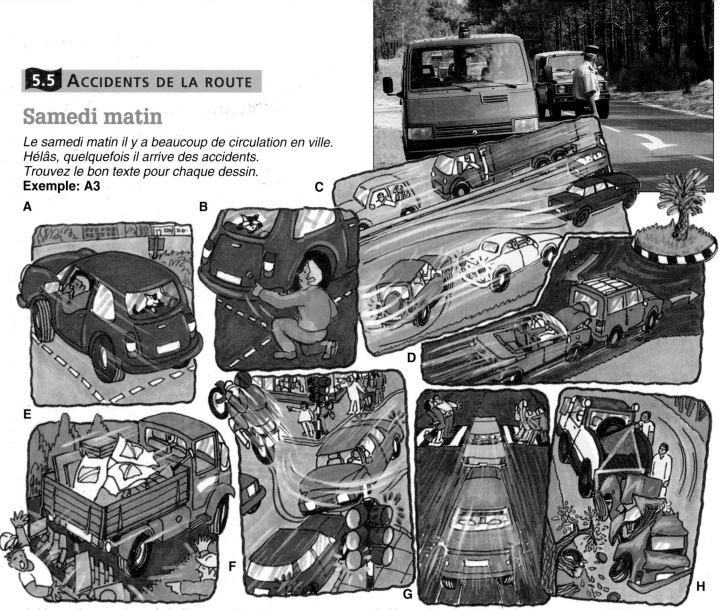

A
B
C
D
E
F
G
H

1 Une voiture a changé de file sans signaler.
2 Une moto a grillé un feu rouge et deux voitures sont entrées en collision.
3 Une voiture a reculé et est rentrée dans une autre voiture.
4 La voiture a heurté un arbre, l'automobiliste a été blessé et la voiture était bonne pour la casse.

5 Une voiture a freiné très brusquement et sans raison.
6 Un camion a reculé et est rentré dans un mur.
7 La voiture était un peu endommagée.
8 Une voiture attendait au rond-point quand une autre voiture l'a heurtée à l'arrière.

C'est utile, le dictionnaire!

Cherchez ces mots dans le dictionnaire et notez le sens en anglais.

à l'arrière	heurter
changer de file	reculer
endommagé	rentrer dans
être bonne pour la casse	sans raison
faire demi-tour	signaler
freiner	un virage
griller un feu	virer

 Ecoutez les conversations

Maintenant écoutez la cassette et choisissez le dessin qui va avec chaque conversation.
Exemple: 1C

Ce n'était pas ma faute!

Complétez l'explication de l'automobiliste.

Eh bien, Monsieur l'agent, je (**1** descendre) la rue principale. Je ne (**2** rouler) pas vite. J'(**3** aller) en ville pour faire des commissions. Il y (**4** avoir) une camionnette devant moi. Ça me (**5** gêner). Je (**6** vouloir) la dépasser. Alors je (**7** signaler) et je (**8** changer) de file, quand soudain je (**9** entrer) en collision avec l'autre voiture. Ce n'(**10** être) vraiment pas ma faute.

Dossier-langue

Rappel

Use the **imperfect tense** to describe the circumstances before the accident and the **perfect tense** to describe what suddenly happened to cause the accident.

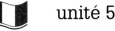

Un accident en ville

Travaillez en groupes. Sur une feuille, écrivez:

1 *une destination, pliez la feuille et passez-la à quelqu'un d'autre;*
2 *le nom d'un véhicule (une moto, un vélo etc.);*
3 *la cause de l'accident;*
4 *la conséquence de la collision.*

Puis

... ouvrez la feuille et racontez l'accident selon les détails sur la feuille.

Exemple

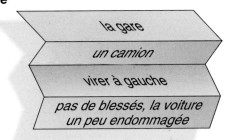

la gare

un camion

virer à gauche

pas de blessés, la voiture un peu endommagée

– Je conduisais vers la gare quand un camion a viré à gauche. Il y a eu une collision et ma voiture a été un peu endommagée.

... ou faites une conversation avec un(e) partenaire:

Exemple

– Où alliez-vous?
– J'allais à la gare.
– Et qu'est-ce qui s'est passé?
– Un camion a viré à gauche.
– Est-ce qu'il y a eu des blessés?
– Non.
– Et les véhicules?
– Le camion n'avait rien, mais ma voiture était un peu endommagée.

Accident de moto

Ecoutez la cassette. Il y a eu un accident.

1 Qu'est-ce qui s'est passé?
2 Est-ce qu'il y a eu des blessés?
3 Le motocycliste, qu'est-ce qu'il a eu?
4 Et l'automobiliste?
5 La moto, a-t-elle été endommagée?

Maintenant complétez le reportage de l'accident.

Collision moto-voiture

Rennes, Avenue Legrand, un ...(1)... Marc Legrand (18 ans) a été renversé par une ...(2)... conduite par André Laforge, demeurant à Rennes. Dans la collision, M. Legrand a été ...(3)... et transporté à ...(4).... Il a eu ...(5)... cassé. ...(6)... n'a pas été blessé.

Accident provoque conséquences heureuses à Toul!

Reportage spécial de Michel Hibert

Un accident de la circulation a eu des conséquences inattendues et que l'on peut qualifier de miraculeuses ...

En effet, jeudi matin, Monsieur X, au volant de sa voiture, se rendait au tribunal de Nancy où devait être prononcé son divorce. Il roulait à vive allure sur la Route Nationale 4, à l'entrée de Toul, lorsqu'il a heurté une autre voiture qui débouchait d'une rue à droite et qui avait la priorité. Les deux voitures ont été fortement endommagées et Monsieur X, qui ne portait pas de ceinture de sécurité, a eu le bras gauche cassé, ainsi que quelques blessures superficielles au visage.

La conductrice de l'autre voiture s'en est tirée avec une fracture de la jambe gauche et cette conductrice était ... vous l'avez deviné ... Madame X, qui se rendait également à Nancy pour le divorce.

Monsieur et Madame X ont été emmenés en ambulance au centre hospitalier de Toul et ils ont été placés dans la même chambre. Au bout d'une semaine d'hospitalisation et de discussions dans le calme et dans l'intimité, il n'était plus question de divorce ...

Souhaitons-leur un prompt rétablissement et une longue et heureuse vie commune!

Lisez l'article, puis corrigez les erreurs dans ces phrases.

1 Monsieur X a heurté une cycliste en roulant à Toul.
2 Les deux véhicules n'ont pas été endommagés.
3 Monsieur X s'est cassé le bras droite et a subi quelques blessures au visage.
4 La conductrice de l'autre voiture, en effet Madame X, s'est cassé le pied gauche.
5 En arrivant à l'hôtel, Monsieur et Madame X ont été placés dans la même chambre.
6 Après une semaine de discussions, il n'était plus question de mariage.

Un petit accident

Vous avez eu un petit accident en rentrant chez vous après les vacances. Ecrivez une lettre à vos amis français pour leur expliquer ce qui s'est passé.

Exemple

Malheureusement en rentrant à la maison, nous avons eu un accident de route. Nous roulions vers Calais sur la Nationale 43, quand une autre voiture est sortie droit devant nous. Papa a viré à droite, mais il n'a pas pu l'éviter. Heureusement il n'y a pas eu de blessés, mais notre voiture a été endommagée.

NOW YOU CAN ...
....
... understand and give information about traffic accidents.

Le vol de la voiture et des objets laissés dans la voiture est un problème dans beaucoup de pays. Et les touristes, qui portent souvent sur eux leur argent, leurs papiers et des objets de valeur, sont peut-être plus souvent les victimes d'un vol. Mais il y a des mesures qu'on peut prendre pour réduire les risques. Voilà deux dépliants qui donnent des conseils.

N'ouvrez pas la porte au voleur

Trouvez le bon texte pour chaque image.

A Ne laissez rien dans votre voiture et surtout pas vos papiers ou des objets de valeur.

B Emportez votre autoradio amovible.

C Bloquez le volant sur la position anti-vol.

D Fermez les vitres, les portes, le coffre.

E Ne laissez pas la clé, même pour un instant, sur le tableau de bord.

F Si possible, faites marquer vos vitres et équipez votre voiture d'un système d'alarme.

Voyagez plus sûr dans le métro

Pouvez-vous compléter ces conseils avec un mot dans la case?

argent
bijoux
contenu
porte-feuille
sac
siège

1 Manipulez votre … avec discrétion.

2 Si vous êtes bousculé, vérifiez le … de votre sac.

3 Mettez votre … dans une poche intérieure – jamais dans la poche revolver.

4 Ne portez pas de … trop voyants.

5 Ne posez pas votre … sur le … . Il pourrait tenter quelqu'un.

Des problèmes – ça arrive partout!

La plupart du temps, les touristes n'ont aucun problème en vacances, mais quelquefois il peut arriver quelque chose. Ecoutez les touristes sur la cassette et notez les détails à chaque fois.

1 Ça s'est passé où?

2 Qu'est-ce qu'on a volé?

3 Est-ce qu'on a trouvé l'objet volé?

Complétez les résumés

Ecoutez la cassette encore une fois pour compléter ces résumés.

A

Ça s'est passé en France. Une fille …(**1**)… du métro quand quelqu'un lui a volé son …(**2**)… . Elle a poursuivi …(**3**)… , qui a été arrêtée ensuite. Au commissariat on a trouvé …(**4**)… sur la voleuse.

B

Un garçon …(**1**)… du vélo avec un copain. Ils avaient laissé les vélos contre un mur pendant deux minutes pendant qu'ils …(**2**)… dans un magasin. Mais quand ils …(**3**)… , un …(**4**)… avait disparu. Ils …(**5**)… directement au commissariat.

Après trois jours, on a retrouvé le …(**6**)… . La roue …(**7**)… tordue, mais à part ça, le vélo n'était pas endommagé.

C

Une famille …(**1**)… en vacances en …(**2**)… . Ils…(**3**)… leur voiture dans un parking pendant qu'ils …(**4**)… un château. Quand ils …(**5**)… à la voiture, quelqu'un leur avait volé …(**6**)… .

D

Ça s'est passé en …(**1**)… , à …(**2**)… . Un homme et une femme ont dû attendre cinq heures avant de prendre l'avion pour Paris. Pendant ce temps, ils se sont allongés sur des sièges pour …(**3**)… un peu. Quelqu'un a pris la …(**4**)… de l'homme qui contenait son …(**5**)… , son …(**6**)…, ses …(**7**)… etc. Heureusement il a pu …(**8**)… un passeport temporaire et un autre billet d'avion pour rentrer en France.

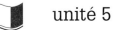

Vous êtes journaliste

Ecrivez des faits divers pour un journal régional. Jettez un dé ou écrivez des numéros au choix ou au hasard pour trouver les détails.
Exemple: 1, 6, 2, 5

Alors qu'il se trouvait sur la plage, un touriste suisse, Robert Legrand, chômeur, a été victime du vol d'une sacoche renfermant son passeport, divers papiers, ses clefs et une somme de 2 000F.

où?
1 Alors qu'il/elle se trouvait sur la plage
2 Dans sa voiture en stationnement
3 Dans le métro à Lyon
4 A l'aéroport de Marseille
5 Dans la Gare du Nord à Paris
6 Alors qu'il/elle se promenait en ville

de quelle nationalité?
1 anglais
2 écossais
3 irlandais
4 américain
5 canadien
6 suisse

de quelle situation?
1 avocat
2 chômeur (chômeuse)
3 retraité(e)
4 policier
5 infirmier (infirmière)
6 employé(e) de bureau

objet volé?
1 son passeport
2 un appareil-photo
3 un baladeur
4 un portefeuille contenant 1000F et des cartes de crédit
5 un sac à main/une sacoche renfermant son passeport, divers papiers, ses clefs et une somme de 2 000F
6 un sac de sports contenant des raquettes et des balles de tennis

Faits divers

Choisissez un de ces extraits et répondez aux questions.

Il a perdu sa montre et son temps

Bruxelles

Les auteurs d'un hold-up commis à Bruxelles ont été trahis par la montre que l'un d'eux avait perdue au moment de l'attaque.

Les deux hommes avaient attaqué une camionnette de chèques postaux en plein centre de Bruxelles lundi après-midi. Ils avaient pris une mallette contenant plus de trois millions de francs belges. Mais l'un des agresseurs avait perdu sa montre en frappant le conducteur de la camionnette. L'objet avait été acheté chez un bijoutier de Bruxelles. La police a pris contact avec le bijoutier et, grâce au bon de garantie, ils ont pu trouver le malfaiteur.

L'heure au poignet de son voisin

Montpellier

Un adolescent de 14 ans attendait le bus mardi vers 17h. Tout à coup, il a aperçu au poignet d'un homme qui attendait au même arrêt, sa montre que ce dernier lui avait dérobé sous la menace, il y a quelques jours.

L'adolescent est allé alerter les policiers qui surveillaient la sortie des écoliers. Conduit à la gendarmerie, l'individu a reconnu les faits et a restitué la montre.

Il sera convoqué plus tard par la justice.

1 Quand est-ce que ça a eu lieu?
2 Qu'est-ce qu'on a pris?
3 Est-ce qu'on a trouvé les malfaiteurs?

Un vol

Racontez un vol qui a eu lieu près de chez vous ou en vacances. Ça peut être vrai ou imaginaire.
Voilà des idées:

Ça s'est passé où et quand? Dans le métro, sur la plage, à l'aéroport?
Qui était la victime – nom, âge, nationalité, situation?
Qu'est-ce qu'on a volé?

NOW YOU CAN ...
....

... understand and describe an incident such as a theft and discuss how to avoid problems when travelling.

C'est l'objet perdu?

Ecoutez les conversations sur la cassette: des personnes ont perdu quelque chose dans le train. Puis regardez les objets trouvés. A chaque fois décidez si c'est l'objet décrit ou non.
Exemple: 1 Oui, c'est l'objet décrit.

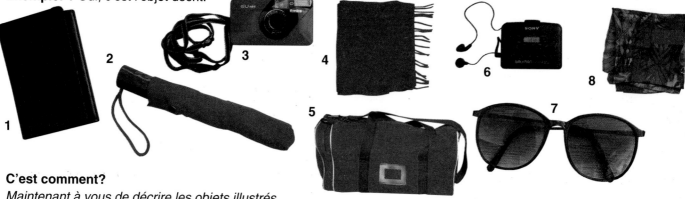

C'est comment?

Maintenant à vous de décrire les objets illustrés.

Le bureau des objets trouvés à Paris

Pouvez-vous trouver la bonne réponse à ces six questions?

1 Où sont envoyés les objets trouvés à Paris?
2 Quels sont les objets qu'on perd le plus souvent?
3 On garde les objets trouvés pour combien de temps?

4 Est-ce que la personne qui a trouvé l'objet peut le réclamer au bout d'un certain temps?
5 Combien d'objets sont réclamés?
6 Qu'est-ce qu'on fait avec les autres?

A Les gens laissent énormément de choses dans le métro et dans les autobus, surtout des clés, des parapluies et des gants. On perd aussi des objets bizarres, comme de fausses dents, et de grosses choses commes des vélos et des poussettes.

B Tous les objets trouvés, sauf ceux qui sont trouvés dans les trains et les gares de la SNCF, sont envoyés au bureau des objets trouvés, rue des Morillons à Paris. Alors si à Paris quelqu'un trouve un objet perdu, par exemple, dans la rue, dans un magasin, dans le métro ou dans un taxi, et qu'il le porte au commissariat de police le plus proche, l'objet sera envoyé au bureau des objets trouvés dans les 24 heures.

C Au bout d'un an, si le propriétaire de l'objet perdu ne l'a pas réclamé, celui qui a trouvé l'objet peut le réclamer. Mais pendant trente ans,

D le vrai propriétaire a toujours le droit de le réclamer.

Sur cent objets trouvés, trente sont rendus à leur propriétaire et trois seulement sont rendus à celui qui a trouvé l'objet.

E Les objets qui ne sont pas réclamés sont vendus, souvent à la vente aux enchères. L'argent des objets vendus va au gouvernement et ceux qui achètent ces objets sont souvent les marchands des marchés aux puces!

F Les objets peu importants, les grands objets et les vêtements ne sont pas gardés très longtemps: il n'y a pas assez de place. Ils sont gardés trois mois, au maximum. Les objets qui ont une assez grande valeur, par exemple, de l'argent, des montres, des bijoux etc. sont gardés le plus longtemps – trois ans, au maximum.

Quoi, par exemple?

Donnez …
1 exemple d'un gros objet qui prend beaucoup de place;
2 exemples d'un objet de plus grande valeur;
3 exemples d'un objet trouvé dans le métro.

Combien de temps?

On garde ces objets combien de temps?

1 un vélo
2 une veste
3 un collier en argent
4 un parapluie
5 des boucles d'oreille en or
6 une montre

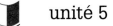

✍ Lexique ✍✍✍✍

Pour décrire quelque chose	Describing something
Comment est-il/elle?	**What is it like?**
Il est gros/petit/étroit/long.	It's big/small/narrow/long.
Elle est grosse/petite/étroite/longue.	
C'est long comme ça.	It's that long.
C'est haut comme ça.	It's that high.
C'est tout neuf?	**Is it brand new?**
Il est (tout) neuf.	It's (brand) new.
Elle est (toute) neuve.	
Il est (assez) vieux.	It's (quite) old.
Elle est (assez) vieille.	
C'est de quelle forme?	**What shape is it?**
carré(e)	square
rond(e)	round
en forme de losange	diamond-shaped
en forme de tube	tube-shaped
C'est en quelle matière?	**What is it made of?**
en argent	silver
en bois	wood
en caoutchouc	rubber
en coton	cotton
en cuir	leather
en laine	wool
en métal	metal
en nylon	nylon
en or	gold
en plastique	plastic
en soie	silk
en vinyle	vinyl
C'est de quelle couleur?	**What colour is it?**
blanc (blanche)	white
bleu(e) [clair(e)]	[light] blue
bleu(e) (marine)	(navy) blue
jaune	yellow, tan
noir(e)	black
orange	orange
rose	pink
rouge	red
vert(e) [foncé(e)]	[dark] green
de couleur argent	silver-coloured
doré(e)	golden
C'est de quelle marque?	**What make is it?**
un Nikon	Nikon
un Sony	Sony
une Swatch etc.	Swatch etc.

👀 On prend les détails

Ecoutez les conversations sur la cassette et notez les détails des objets perdus.

	objet perdu	quand?	description (forme, couleur)	contenu	où?
1	montre	10h	petite, bleue	–	magasin
2					
3					

👀 On a perdu quelque chose

Travaillez à deux. Lisez cette conversation, puis inventez-en d'autres en changeant les détails.

– Est-ce que je peux vous aider?
– Oui, j'ai perdu (un appareil).
– (Un appareil?) Bon je vais prendre quelques détails. C'est comment?
– (C'est un petit appareil rouge.)
– C'est neuf?
– (Assez neuf, oui.)
– Et c'est de quelle marque?
– (Ça, je ne sais pas.)
– Vous en savez la valeur à peu près?
– Oui, ça a coûté à peu près (300F).
– Et où l'avez-vous perdu?
– (Dans le métro, je crois.)
– Et quand l'avez-vous perdu?
– (Hier matin.)
– Bon, je vais prendre votre nom et votre adresse et on vous avertira.

Qu'avez-vous perdu?

un appareil
un porte-feuille
un porte-monnaie
un sac
un baladeur
une montre
un parapluie

Autres détails

Vous en savez la valeur, à peu près?
Ça a coûté environ …
Qu'est-ce qu'il y avait dedans?
Il y avait … dedans.
Est-ce que c'est marqué à votre nom?
Il y a mon nom et mon adresse dedans.

Où l'avez-vous perdu?

dans le métro
au restaurant, au café, à l'hôtel
dans l'autobus/le train

C'était quel autobus/train?
C'était le train de … de …
C'était l'autobus numéro … qui va …

Quand l'avez-vous perdu?

ce matin
cet après-midi
hier
entre … heures et … heures
Je ne sais pas, mais (je me rappelle que) je l'avais hier matin.

👓 Déclarations de perte

Travaillez à deux. Une personne regarde cette page; l'autre regarde la page 147. Vous travaillez pour le bureau des objets trouvés. Votre partenaire va vous donner les détails d'un objet perdu. Notez les détails dans votre cahier. Posez des questions si nécessaire. Après chaque conversation, changez de rôle.

Une lettre à lire

Lisez la lettre et répondez aux questions:

1 Qu'est-ce qu'on a perdu?
2 Quand?
3 Où?
4 Est-ce que la personne qui écrit est toujours en France?
5 Qui ira chercher l'objet perdu si nécessaire.

---

le 10 septembre

Monsieur/Madame,

Pendant mes vacances à Paris, j'ai perdu une montre dans le métro. J'ai dû la perdre le 8 septembre et je crois que c'était sur la ligne 4 (Orléans-Clignancourt).

C'est une montre à quartz pour homme, assez neuve et de marque suisse, Raymond Weil. La valeur en est de 900 francs environ. Si quelqu'un l'a retrouvée, puis-je vous demander de me le faire savoir. Comme j'habite en Angleterre, je ne pourrai pas aller la chercher moi-même, mais j'ai un ami qui viendra de ma part.

Je vous remercie d'avance et je vous prie d'agréer, Monsieur/Madame, l'expression de mes sentiments les plus distingués.

Jonathan Taylor

Une lettre à écrire

Maintenant à vous d'écrire une lettre comme celle-là. Vous avez perdu un sac en France. Décrivez le sac (au moins deux détails), expliquez où et quand vous l'avez perdu et décrivez ce qu'il y avait dans le sac.

1	Date de la perte: ....
2	Heure de la perte: ....

OBJET PERDU

3 Qu'avez-vous perdu? ....

4 Décrivez l'objet:
   a Forme, couleur: ....
   b Contenu: ....
   c Autres détails caractéristiques: ....
   d Valeur de l'objet: ....

5 Lieu de la perte:
   a Dans le métro, ligne No ....
   b Dans l'autobus, ligne No ....
   c Dans un taxi ....
   d Dans un établissement public.......................
   e Sur la voie publique......................................

👓 Qu'est-ce qu'on a trouvé?

Ecoutez les conversations sur la cassette et regardez ces objets. Notez ce qu'on a trouvé après chaque conversation. On a trouvé tous les objets perdus sauf un. Lequel?
Exemple: 1C

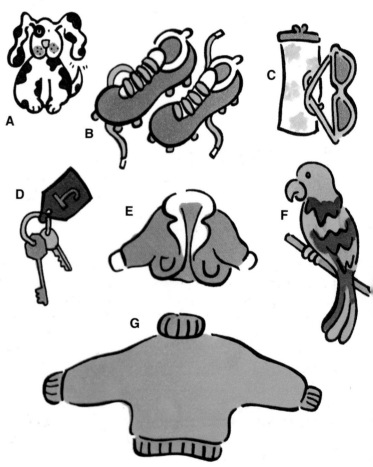

126

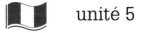

Complétez ces phrases

Voilà des extraits des conversations à la page précédente. Pouvez-vous compléter chaque phrase?

Exemple

1 Madame, ce sont vos lunettes?

1 Madame, ce sont vos …?
2 Marc est rentré sans sa … .
3 Je crois que nous avons trouvé votre …
4 Nous avons trouvé ton … .
5 Avez-vous vu mon … ?
6 Claire a perdu son … .
7 Je cherche mes … .
8 Luc, tes … sont dans la cuisine.

Dossier-langue

Rappel: expressing possession

Words like *mon*, *ma*, *mes* etc. change according to the word that follows (not the person who owns the thing).
Can you copy out and complete this table?

	masc singular	fem singular	before a vowel singular	plural
my	…	*ma*	…	…
your	*ton*	…	…	…
his her its	…	…	…	*ses*
our	*notre*	…	…	…
your	…	…	…	*vos*
their	*leur*	…	…	…

Objets trouvés

Manon avait oublié son sac à main dans le métro, mais elle a eu de la chance: quelqu'un l'avait rendu au commissariat. Complétez ce qu'elle dit.

Sébastien a trouvé un cartable au lycée. Il pense que c'est celui de son frère. Complétez ce qu'il dit.

C'est formidable!
Voilà … sac à main et … porte-monnaie, … carte d'identité, … carnet de chèques, … cartes de crédit, … permis de conduire, … peigne et … stylos.

Ça, c'est … stylo, … crayons et … règle; voilà … cahiers et … livres scolaires. Voilà aussi … peigne, … mouchoir, … portefeuille avec … argent et … clés.

Le prix de l'honnêteté

Dimanche matin, dans les rues de Montréal, William Murphy, un chômeur canadien de 28 ans, trouve un porte-monnaie. A l'intérieur plusieurs billets de Loto, et de la menue monnaie. Notre homme n'ayant plus un sou, décide d'abord de garder le porte-monnaie, espérant gagner quelques dollars au tirage. Dans un bar, il ouvre le journal, et découvre que les billets qu'il détient gagnent le gros lot, 7 millions de dollars.

C'est alors qu'il change d'avis. «J'ai hésité pendant deux heures», confessera-t-il avant de rapporter les billets gagnants à leur propriétaire, un veuf de 53 ans, Jean-Guy Lavigueur, également au chômage.

Mais le vieil homme avait du cœur, et décida de partager sa victoire, en récompense du geste héroïque de William. Il lui donna un chèque de 1,2 million de dollars. La classe non?

Lisez l'article et répondez aux questions en anglais.

a What did William Murphy find in the street?
b What was he going to do with it at first?
c How did he discover that his find was worth more than he first thought?
d In what way was it worth more?
e How long did it take him to make up his mind what to do?
f What did he do with the lottery tickets?
g Why did Jean-Guy Lavigueur give him a large sum of money?
h Apart from being honest, what did the two men have in common?

© SEG

NOW YOU CAN …

… report a loss, describe missing items and say who something belongs to.

Rêvez-vous de voyager?

*Bravo! Vous avez complété le programme **Encore Tricolore**. Maintenant vous pouvez vous débrouiller en France et dans les pays francophones.*

La France

La Guadeloupe

La Tunisie

La Suisse

Le Sénégal

Le Maroc

Le Québec

La Martinique

STOP

Gendarmerie Complexe -Sportif

Collège

PATISSERIE SALON DE THE

Je m'excuse. Tu avais raison. C'est faisable, l'Alaska. Et à bicyclette, encore! C'est faisable!

... Mais ça va mieux quand on sait lire une carte!

En bref

● Une famille française vient de compléter le tour du monde à vélo – un voyage qui a duré 14 ans! Françoise et Claude Hervé ont raconté ce voyage de découvertes et d'aventures dans un livre, «Le tour du monde à vélo».

● Quatres copains de Nantes ont fait le tour du monde avec deux vieilles voitures Citroën traction. Ils ont roulé en Inde et en Afrique et ils ont prouvé qu'il n'est pas nécessaire de se servir d'un véhicule moderne pour voyager.

● Mais en Concorde, évidemment, c'est un peu plus rapide – il faut seulement 48 heures pour faire le tour du monde!

Le français, c'est pour la vie!

Apprendre une langue, c'est très bien – mais il faut aussi la pratiquer. Alors profitez de toutes les occasions pour vous perfectionner en français:

- Lisez les magazines et les journaux français.
- Ecoutez les stations de radio francophones, comme France Inter, Europe 1 et RTL.
- Regardez les émissions et les films français à la télévision.
- Essayez de parler français quand vous avez l'occasion.

Sommaire

Now you can ...

1 find different shops and departments when shopping and understand publicity about special offers
2 change money and shop for souvenirs and presents
3 shop for clothes, discuss fashion and ask for a refund or an exchange
4 say which item you want when offered a choice and ask someone else to make their choice clearer
5 understand and give information about traffic accidents
6 understand and describe an incident, such as a theft and discuss how to avoid problems when travelling
7 report a loss, describe missing items and say who something belongs to

For your reference
Grammar

Activité 1

Destination inconnue

Choisissez une destination de vacances célèbre que vous connaissez un peu. Ça peut être une ville ou un pays. Ecrivez le nom dans votre cahier.

On va vous poser des questions pour découvrir la destination. Alors préparez-vous en avance à répondre à ces questions (avec 'oui', 'non' ou 'je ne sais pas'). Si on ne trouve pas facilement la solution, donnez quelques indices.

Voici des questions possibles:

Si c'est un pays, …
> est-ce qu'on y parle français/anglais/espagnol?
> est-ce que c'est un pays chaud?
> est-ce que c'est un pays en Europe/en Asie/en Afrique/ en Amérique?
> est-ce que c'est plus grand que l'Angleterre?
> peut-on y voir beaucoup de monuments historiques/célèbres?

Si c'est une ville, …
> est-ce que c'est une capitale?
> est-ce que c'est en France/aux Etats-Unis?
> etc.

Activité 3   Amboise

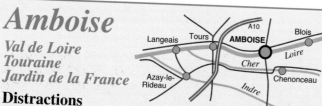

Amboise

**Val de Loire
Touraine
Jardin de la France**

Distractions

Equitation – Tennis – Boules – Golf miniature – Piscine – Pêche en rivière, en étang et dans la Loire – Promenades en forêt, à la campagne (fléchées) – Pique-nique – Visites: monuments, musées, curiosités (Amboise et alentours) – Spectacles – Concerts – Promenades aériennes

Excursions – Promenades

La ville est située au centre de la région des châteaux. Des excursions sont organisées en car vers Chambord, Cheverny, Blois, Chenonceaux, Villandry, Loches, Azay-le-Rideau, Langeais, Chinon etc.

D'autres circuits en car permettent, par ailleurs, d'assister aux spectacles son et lumière.

Des services réguliers d'autobus relient Amboise à Tours, ainsi qu'à Montrichard, Chenonceaux, Blois, Chaumont.

Tous les renseignements touristiques peuvent être demandés à l'office du tourisme concernant l'accueil et l'animation etc.

Différents circuits de promenade ont été établis dans les environs, promenades pédestres fléchées, randonnées cyclistes et équestres: les itinéraires sont à votre disposition.

A voir à Amboise

Le château d'Amboise
Le Clos Lucé – célèbre demeure du XVe siècle où Léonard de Vinci
vécut les dernières années de sa vie.
Le beffroi – édifice construit sur les anciens remparts.
Le musée de la poste – l'histoire de la poste à travers les âges.
L'église Saint-Denis – édifice remarquable de l'époque romaine, construit au XIIe siècle.

Activité 2

Faites de la publicité

Préparez une affiche ou une annonce à la radio pour encourager des touristes à visiter un pays francophone ou une région que vous connaissez un peu (votre propre région peut-être).

A   Que savez-vous d'Amboise?

Lisez le dépliant touristique, puis répondez aux questions.

1 Où se trouve Amboise?
2 Que peut-on visiter à Amboise même?
3 Que peut-on faire comme activités sportives?
4 Peut-on faire des excursions en car?
5 Peut-on assister à un spectacle son et lumière?

B   De quoi s'agit-il?

1 Un étang, c'est
 a un sport.
 b un plan d'eau.
 c un animal.
2 Le mot 'pédestre' veut dire
 a une chaussure.
 b à pied.
 c dans le bois.
3 'Fléché', ça veut dire
 a indiqué par des panneaux ou des flèches.
 b réfléchi.
 c organisé par un guide.
4 Un édifice, c'est
 a un moyen de transport.
 b un instrument de musique.
 c un bâtiment.
5 Une demeure, c'est
 a une maison importante.
 b un grand hôtel.
 c un bon restaurant.

C   Projets de week-end

Regardez le dépliant sur Amboise et notez deux ou trois choses pour chaque catégorie:
> Ça m'intéresse beaucoup.
> Ça m'est égal.
> Ça ne m'intéresse pas du tout.

Puis travaillez à deux pour faire le programme d'une journée à Amboise.

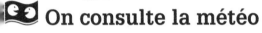 A l'hôtel

Travaillez à deux. Une personne regarde cette page, l'autre regarde la page 12.
Vous travaillez à la réception d'un hôtel. Posez ces questions à votre partenaire et notez ses réponses.

– Je peux vous aider?
– Oui, je voudrais réserver …
– Oui, c'est pour combien de personnes?
– C'est pour …
– Vous voulez des chambres avec salle de bains ou douche?
– Avec … .
– C'est pour combien de nuits?
– C'est pour …
– C'est …F la chambre.

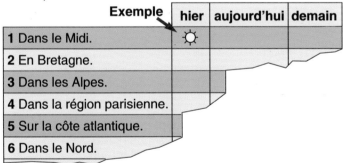

Tarif:

chambre avec salle de bains et WC	400F
chambre avec douche et WC	350F
chambre avec cabinet de toilette	300F

On consulte la météo

Travaillez à deux. Une personne regarde cette page, l'autre regarde la page 14. Consultez votre partenaire pour savoir quel temps il a fait hier/il fait aujourd'hui/il fera demain. Notez les détails pour les trois premières régions, puis changez de rôle.

Exemple
– Quel temps a-t-il fait hier dans le Midi?
– Hier, dans le Midi il a fait chaud.

	Exemple	hier	aujourd'hui	demain
1 Dans le Midi.	→	☼		
2 En Bretagne.				
3 Dans les Alpes.				
4 Dans la région parisienne.				
5 Sur la côte atlantique.				
6 Dans le Nord.				

Activité 4

Pour quelle raison?

*Lisez l'article **Alerte au cyclone** à la page 15 et trouvez les paires.*
Pourquoi …
1 certaines personnes doivent-elles se réfugier aux centres d'accueil?
2 doit-on faire des réserves d'eau?
3 doit-on fermer les volets?
4 doit-on se procurer des bougies et des radios à piles?
5 n'est-on pas autorisé à sortir pendant la tempête?

A Parce que l'électricité risque d'être coupée.
B Pour protéger la maison.
C Parce que c'est trop dangereux.
D Parce que leurs maisons ne résisteront peut-être pas au cyclone.
E Parce que l'alimentation en eau peut être interrompue.

 Activité 5

Des prévisions météorologiques

Ecoutez la météo et répondez aux questions.
1 Quel temps fait-il en ce moment?
2 Cela va-t-il continuer?
3 Est-ce qu'il y aura du soleil dans le Midi?
4 Y aura-t-il de la pluie dans le Midi?
5 Quel temps fera-t-il dans le reste de la France?
6 Est-ce qu'il neigera dans les Alpes?

Une semaine de vacances

Travaillez à deux. Une personne regarde cette page. L'autre regarde la page 17. Posez des questions pour découvrir ce que votre partenaire a fait et ce qu'il/elle va faire cette semaine. Prenez des notes dans votre cahier. Aujourd'hui, c'est mercredi après-midi.
Exemple
– Qu'est-ce que tu as fait avant-hier?
– Je suis allé(e) à la plage.
Vous écrivez: lundi – plage

Activité 6

Un nouvel hôtel

L'hôtel Dupont, un nouvel hôtel à Paris, va s'ouvrir dans six jours. Madame Dupont, la propriétaire, est en réunion. Vous travaillez dans son bureau. Le téléphone sonne tout le temps. Ecrivez des messages.
Exemple
1 Suzanne est allée directement à l'office du tourisme.

Suzanne: aller directement l'office du tourisme
Kevin: être malade; rester à la maison
Jean-Pierre: organiser la conférence de presse (mercredi 11h00)
Magali: aller directement l'agence de publicité cet après-midi; ne pas passer bureau.
Camille: manquer le train; arriver vers 14h00
Sébastien: prendre des photos; téléphoner demain

Qu'a-t-on oublié?

Travaillez à deux. Une personne regarde cette page, l'autre regarde la page 20.
Avant de partir en vacances vous vérifiez ce que vous avez mis dans la voiture. Répondez aux questions. Qu'est-ce qu'on a oublié?
Exemple
– Est-ce qu'on a des allumettes?
– Oui. On a des allumettes.

👀 Au bureau d'accueil

Travaillez à deux. Une personne regarde cette page, l'autre regarde la page 21.
Vous travaillez au bureau d'accueil de ce camping. Posez ces questions à votre partenaire, notez ses réponses et répondez aussi à sa question.

★★★ L'ETANG - Tél. 97 52 14 06
LP: AI - 01-04/30-10 - 165 empl. - 🆄🅱

🖐🍷🥄🛁🛏Ⓡ♒🏠🐕▢🛂⛵⛷♟

– On peut vous aider?
– …
– C'est pour une caravane ou une tente?
– …
– Et c'est pour combien de nuits?
– …
– Oui, il y a de la place. C'est pour combien de personnes?
– …
– …?
– Oui, …

👀 On arrive à l'auberge de jeunesse

Travaillez à deux. Une personne regarde cette page, l'autre regarde la page 25. Vous travaillez au bureau de cette auberge de jeunesse. Posez ces questions à votre partenaire, notez ses réponses et répondez à ses questions.

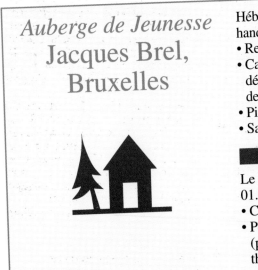

Auberge de Jeunesse
Jacques Brel, Bruxelles

Hébergement pour particuliers, handicapés physiques et groupes
• Restaurant en self-service
• Cafétéria – petite restauration, dégustation de bières belges, jeux de société, ambiance musicale
• Ping pong
• Salle de télévision, vidéo

HORAIRES

Le centre reste ouvert de 07.00 à 01.00 du matin toute l'année
• Cafétéria ouverte de 19.00 à 01.00
• Petit-déjeuner de 07.30 à 09.00 (petits pains, confiture, fromage, thé, chocolat, lait, café)

– …
– C'est pour combien de personnes?
– …
– Et c'est pour combien de nuits?
– …
– Oui, il y a de la place. Vous voulez louer des draps?
– …
– Oui, il y a un restaurant self-service et une cafétéria.
– …
– La cafétéria est ouverte à partir de …
– …
– On ferme à …

👀 Les festivals dans la région

Pour vous aider à parler des festivals, faites cette activité à deux. Une personne pose les questions de la page 23. L'autre trouve la bonne réponse en dessous. Puis changez de rôle et essayez de parler d'autres festivals.

A Oui, moi, j'y suis allé(e) l'année dernière.

B A Reading il y a un grand festival de musique et de danse qui s'appelle 'WOMAD'. Ça veut dire 'World of Music and Dance'.

C Il y a des spectacles avec des participants de tous les coins du monde. On peut déguster des plats internationaux. Il y a des activités pour les enfants et il y a surtout de la musique.

D Beaucoup de visiteurs viennent à Reading pour ce festival. On peut même y faire du camping.

E Il y avait une bonne ambiance et je l'ai trouvé très intéressant.

F Ça dure trois jours.

G C'est au mois de juillet.

Activité 7

Voyage en Afrique

Lisez ce récit d'un voyage en Afrique et écrivez les verbes correctement dans votre cahier.

1 Quand j' (avoir) 21 ans, j' (gagner) un concours de photos.
2 Avec l'argent, j' (décider) de faire un voyage en Afrique.
3 Pendant le voyage, j' (faire) la connaissance d'un Américain, James, qui (faire) le tour du monde.
4 Nous (décider) de voyager ensemble.
5 Pendant que nous (être) en Tunisie, James (acheter) un véhicule tout terrain.
6 Au début, tout (aller) bien.
7 Pendant que nous (faire) un safari, j' (prendre) des photos superbes.
8 Le paysage, les animaux – tout (être) magnifique.
9 Mais pendant que nous (traverser) le désert, le véhicule (tomber) en panne.
10 Finalement nous (arriver) à un petit hôtel.
11 Mais pendant que nous (loger) à l'hôtel, on m' (voler) mon passeport.
12 James, qui avait été pîqué par des moustiques, (tomber) malade.
13 Enfin, James (récupérer) et (décider) de continuer son voyage.
14 Et moi, je (rentrer) en France.

Activité 8   Assassinée

UNE JEUNE AUTO-STOPPEUSE ASSASSINÉE DANS L'AVEYRON

*C'était la première fois qu'elle utilisait
ce moyen de transport
Martine Solignac (19 ans) a été retrouvée
à 6 km de chez elle*

De notre corr. particulier
François DURGEL
TOULOUSE

Encore une nouvelle victime de l'auto-stop. Ces dernières semaines, les agressions – et parfois les assassinats – d'auto-stoppeurs se sont multipliées. Chaque fois, le scénario se déroule de la même façon: un adolescent – très souvent une jeune fille – fait imprudemment du stop, isolé sur le bord d'une route de campagne. On le retrouve, quelques heures plus tard, blessé ou tué. Une fois de plus, donc, vendredi dernier, sur une petite départementale, près de Toulouse, un tueur rôdait.

Martine Solignac, dix-neuf ans, en effet, est morte, probablement tuée par l'automobiliste qui l'avait prise en charge.

L'émotion est vive dans la région et plus particulièrement à Pomayrols, village situé au bord du Lot, au pied des monts de l'Aubrac, où Martine demeurait chez ses parents, dans leur propriété, 'Aux Creusets'. **Son père, Raymond Solignac,** est le maire de Pomayrols.

La jeune fille qui, durant l'année universitaire, étudiait à Toulouse, était connue pour son sérieux et sa gentillesse. **Il semble, disent les parents, que c'était la première fois qu'elle faisait du stop.** D'ailleurs, les gens du pays pratiquent peu ce moyen de transport.

Martine Solignac, après quelques jours passés chez d'autres membres de sa famille à Villeneuve-d'Aveyron, une localité située non loin de Villeneuve-de-Rouergue à l'autre extrémité du département, annonce vendredi, au déjeuner, qu'elle souhaite regagner Pomayrols et retrouver les siens. **Ne disposant dans l'heure d'aucun moyen de transport, Martine décide alors de se risquer à faire du stop.**

C'est le milieu de l'après-midi. La jeune fille téléphone à ses parents, les avertit de sa décision de rentrer et du moyen qu'elle a choisi pour le faire. Elle leur annonce qu'elle sera à Pomayrols dans la soirée, pour dîner. Martine, qui porte seulement un petit sac de voyage, prend la route de Villefranche.

Cabine téléphonique

On peut imaginer qu'elle n'a pas à attendre longtemps qu'un automobiliste s'arrête. pour la prendre, puisque, **environ une heure plus tard, à la sortie de Rodez, au carrefour de La Roquette, un témoin qui connait la jeune fille l'aperçoit. Elle vient de descendre d'une Renault 5 blanche,** qui, moteur tournant, paraît attendre la jeune fille pendant que celle-ci se dirige vers une cabine téléphonique.

Effectivement, aux Creusets, chez les Solignac, le téléphone sonne. «**Tout va bien,** dit Martine à sa mère, **soyez tranquilles. Je vous téléphone d'une cabine sur la route; dans moins d'une heure, je serai à la maison.**»

Ce sera la dernière fois que Mme Solignac entendra la voix toujours enjouée de sa fille. Martine n'étant pas rentrée à 22 heures, on pense d'abord qu'elle a pu s'arrêter sur la route, à Laissac, un gros bourg, où l'automobiliste qui la convoyait a fait quelques courses. Mais, passé minuit, l'inquiétude fait place à l'angoisse. On avise les gendarmes.

Avec les parents, des voisins, plusieurs brigades de gendarmes, on cherchera jusqu'au petit matin entre La Roquette et Pomayrols, soit sur près de cinquante kilomètres. **On retrouve le témoin qui a vu la jeune fille dans la Renault 5. Mais il ne peut donner qu'un signalement très vague du conducteur du véhicule et il n'a pas songé à relever le numéro d'immatriculation.**

Mais le lendemain, en début d'après-midi, un promeneur qui s'est engagé dans un petit bois, après avoir quitté la route le long de laquelle on avait cherché Martine toute la nuit, découvre, à moins de six kilomètres de la propriété des Solignac, le corps sans vie de la malheureuse jeune fille.

Martine a été frappée violemment en plein front, avec une pierre sans doute. Elle est en partie dévêtue. Les gendarmes, dans l'attente de l'autopsie qui aura lieu aujourd'hui, peuvent seulement indiquer que Martine Solignac n'a pas subi d'actes de sadisme et que son meurtrier ne s'est pas acharné sur elle. Il semble que le coup à la tête ait suffi à provoquer la mort. On remarque également que le sac de voyage de Martine n'a pas été retrouvé.

On pense que l'homme qui a tué la jeune fille n'était pas connu d'elle. Sinon, il est probable que Martine, en téléphonant à ses parents, aurait précisé de qui il s'agissait, ne serait-ce que pour les rassurer. **Pourtant, celui qui allait être son meurtrier a su mettre Martine en confiance. Elle a, en effet, accepté que l'homme,** prétextant sans doute de la ramener plus directement chez elle, **quitte la grande route et s'engage dans le petit chemin près duquel on l'a trouvée morte.**

France-Soir

Trouvez la bonne réponse

1 Martine, faisait-elle régulièrement de l'auto-stop?
   a Oui.
   b Non.
2 Pourquoi a-t-elle décidé de faire du stop ce jour-là?
   a Parce qu'il n'y avait pas d'autre moyen de transport à l'heure où elle partait.
   b Parce qu'elle n'avait pas beaucoup d'argent.
3 Quand est-elle partie?
   a Le matin.
   b L'après-midi.
   c Le soir.
4 A-t-elle attendu longtemps?
   a Probablement oui.
   b On pense que non.
5 Un témoin l'a vue descendre d'une voiture blanche. Où allait-elle?
   a Dans un magasin.
   b Vers un café.
   c Vers une cabine téléphonique.
6 Quand ses parents ont-ils appelé les gendarmes?
   a A 22 heures.
   b Après minuit.
   c Le lendemain matin.
7 Où a-t-on trouvé le corps de Martine?
   a Près de la route.
   b Dans une rivière.
   c Dans un petit bois.
8 Selon l'article, il est probable que Martine …
   a connaissait l'automobiliste.
   b avait confiance en l'automobiliste.
   c soupçonnait l'automobiliste.

Activité 1

Le loisir, c'est … ?

Voici huit définitions possibles du loisir. A votre avis, quelle est la meilleure définition? Y a-t-il une définition qui ne soit pas vraie, selon vous? Choisissez les trois définitions que vous trouvez les plus vraies.

Le loisir, c'est …

a une récompense qu'il faut avoir méritée.
b un droit fondamental de tout le monde.
c une perte de temps qu'on pourrait passer à faire des choses utiles.
d une nécessité pour rester en bonne santé.
e un bon moyen de se détendre.
f absolument nécessaire pour combattre le stress.
g un moyen d'échapper à la réalité.
h l'occasion d'ouvrir de nouveaux horizons.

Activité 2

Le sport – pour ou contre?

Etes-vous pour ou contre le sport? A votre avis, est-ce que le sport est agréable et nécessaire ou inutile et fatigant? Notez vos idées pour en faire une des choses suivantes:

1  *Travaillez à deux ou en groupes pour faire un petit débat. Trouvez des personnes qui n'ont pas exactement les mêmes idées que vous. Si vous voulez, enregistrez votre discussion. Cela sera utile plus tard comme révision pour l'examen oral.*

Voici des idées pour vous aider:

Lexique	
Donner son opinion	**Expressing opinions**
à mon avis	in my opinion
je (ne) trouve/pense/crois (pas) que …	I (don't) think that …
ça (ne) vaut (pas) la peine de (+ infin.)	it's (not) worth (doing something)
pour	**for**
aide à garder la forme, amusant, bon pour la santé, une activité sociale	
contre	**against**
une perte de temps, ennuyeux, rasant, coûte cher, devient une obsession	
autre	**other**
encourage l'esprit de concurrence, on passe beaucoup de temps dehors, en plein air, ça développe le caractère.	

2 *Ecrivez un petit article. Si possible, ajoutez des photos ou des dessins – cela pourrait être sérieux ou amusant.*

Exemples

Le cricket (pour)

J'aime beaucoup le sport et je crois que c'est très bon pour la santé. Mon sport favori est le cricket. C'est un jeu de balle anglais qui se joue avec des battes de bois. Je fais partie de l'équipe de mon collège … … et à mon avis c'est une excellente façon de passer son temps.

Le cricket (contre)

Mon frère adore le cricket, mais moi, je trouve ça absolument nul. Il ne se passe jamais rien, et onze hommes passent une journée entière au milieu d'un champ à ne rien faire du tout.

A vous d'acheter le journal!

Travaillez à deux. L'un(e) de vous regarde cette page, l'autre regarde la page 35.
B *Vous êtes le (la) marchand(e) de journaux. Dans votre kiosque, vous avez tout sauf:*
Le Parisien, Okapi, Télé-Loisirs.

Changez de rôle. Vous êtes le (la) client(e). Vous voulez acheter:
1 *un journal du soir;*
2 *un magazine pour vous distraire;*
3 *un magazine ou un journal sportif.*

Quand vous avez fini de lire vos journaux… Déposez-les dans les poubelles "spéciales journaux"!

MAIRIE DE PARIS

LA POUBELLE BLEUE

Découvrez l'endroit magique où le journal d'hier se transforme en journal de demain.

L'écologie ce n'est pas seulement à la campagne.

Activité 3

La page de vos lettres

a *Lisez l'article suivant et classez les opinions sous ces trois titres:*
  1 *Un luxe*
  2 *Une nécessité*
  3 *Des solutions de compromis.*

b *Choisissez deux ou trois de ces phrases qui représentent le mieux vos propres avis à ce sujet. Ecrivez-les dans votre* **Dossier personnel***, en y ajoutant d'autres idées si vous voulez.*

Les journaux – un luxe ou une nécessité?

Dans sa lettre qui a paru dans l'édition du mois dernier, Julien P. a écrit: 'A mon avis, les journaux et les magazines sont un luxe qui ne peut pas durer.' Nous avons reçu des tas de lettres à ce sujet, dont nous publions ici une sélection d'opinions:

A Pour produire tous ces journaux il faut des milliers de tonnes de papier chaque jour – donc des milliers d'arbres vont mourir!

B Pour moi le journal est indispensable. Je le lis dans le train, je fais les mots croisés avec mes amis, je le lis le soir avant de m'endormir. C'est beaucoup plus pratique que la télé et bien plus intéressant!

C J'adore les magazines – je ne pourrais pas m'en passer. J'en achète très souvent et je les échange avec mes amis.

D A mon avis on devrait garder les journaux, mais ils devraient être beaucoup plus petits – on ne peut pas lire toutes ces pages dans une seule journée!

E On n'a pas besoin de journaux. Il y a les informations à la télé ou à la radio et les renseignements sur le minitel, et si on veut lire on a des livres!

F Le journalisme, c'est une profession très intéressante, et bien écrire c'est un art. Si on supprime les journaux, tout ça va disparaître. Quelle horreur!

G Presque tous les journaux sont lus par une seule personne ou par deux personnes au maximum. Chaque lecteur le lit, en moyenne pour 30 minutes au plus. Quel gaspillage de papier!

H Le journal télévisé vous présente quelques faits seulement, mais avec un journal on voit tous les détails avec des opinions, des analyses, des idées. C'est beaucoup plus intéressant!

I Sans les magazines, qu'est-ce qu'on ferait dans la salle d'attente du médecin ou chez le coiffeur? L'important, ce n'est pas de les supprimer, mais de les recycler.

J Le weekend, on a plus de temps pour lire le journal, donc il est mieux d'acheter un hebdomadaire, qui est souvent moins long et moins coûteux, et de regarder le journal télévisé pendant la semaine.

K Si on supprimait les journaux, ça sauverait beaucoup d'arbres, mais tous les employés des journaux perdraient leur travail. Quels sont les plus importants, les arbres ou les familles?

Activité 4

La presse, c'est mon travail (2)
Mme Jeanne Dumeunier –
conseillère d'orientation professionnelle.

Ecoutez le discours d'une conseillère d'orientation professionnelle. Choisissez les six phrases qui font le meilleur résumé de son discours:

A Le photojournalisme est un métier de nos jours et de l'avenir.

B C'est surtout un métier pour les hommes.

C Souvent les photojournalistes se servent d'un caméscope, au lieu d'une caméra ou d'un appareil-photo traditionnel.

D Donc, les photojournalistes doivent être compétents, non seulement dans le journalisme, mais aussi dans le domaine technique.

E Pour devenir photojournaliste il faut d'abord obtenir le Bac en technologie.

F La personne idéale pour ce métier est quelqu'un qui possède une bonne éducation générale, qui aime le contact avec les gens, qui est intuitive et curieuse et qui est capable de prendre des décisions.

G Si vous vous intéressez à cette profession, écrivez au CUEJ (Centre Universitaire d'Enseignement du Journalisme) ou au CFJ (Centre de Formation des Journalistes) qui offre une formation d'un an et demi avec un placement dans une rédaction de télé ou dans une agence.

H Si possible, essayez d'entrer dans une école privée de journalisme.

I Un débutant ou un apprenti ne gagne pas trop, mais plus tard c'est une profession bien payée, surtout pour les photos exclusives.

Activité 5

C'est utile, le dictionnaire!

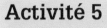

Regardez l'article sur Le Monde (**Portrait d'un quotidien**) *à la page 37. Trouvez dans cet article les expressions suivantes. Si vous avez des problèmes, cherchez dans le dictionnaire!*

A *Les mots français pour:*

1 the front page (of a newspaper)
2 a shorthand typist
3 a designer or illustrator
4 a phone call (informal language)
5 against-the-clock
6 standing up
7 a dispatch or an article sent in by telegram
8 they start to write

B *Des synonymes pour:*

1 fini(e)
2 petit à petit
3 le jour après
4 des coups de téléphone
5 on commence
6 un journal qui sort tous les jours
7 le jour avant
8 la tranquillité

C *Des antonymes (des mots qui veulent dire presque le contraire) pour:*

1 assis
2 premier(s)
3 on commence
4 de droite
5 l'achat
6 national
7 vieux
8 les bureaux se vident

Activité 6

C'est pour un renseignement, s'il vous plaît

Travaillez avec un(e) partenaire. L'un(e) de vous regarde cette page et pose des questions. L'autre personne regarde les pages 38 et 39 et répond aux questions. Changez de rôle de temps en temps.

Voici les renseignements que vous cherchez:

1 S'il y a des restaurants au centre SEGA.
2 A quelle heure commence *Destination demain* à Bercy, le 20 juin.
3 Si on peut jouer au golf à l'Aquaboulevard.
4 L'heure du concert de Puccini et de Beethoven et le nom de l'orchestre.
5 Combien de groupes de musiciens participent au concert de musique africaine.
6 La date du concert de *Tonton David*.
7 Si on peut assister à une pièce de Shakespeare le 9 mai, et, si oui, le titre de la pièce.
8 S'il reste des billets pour le concert de *Tonton David*, et, si oui, s'il est possible d'en réserver trois pour demain (mais seulement s'ils coûtent moins de 100 francs).

*Pour vous aider, regardez **Des questions à poser** à la page 39.*

Activité 7

Faites de la publicité!

Un groupe de jeunes Français va visiter votre ville, mais ils ne comprennent pas très bien l'anglais. A vous de faire de la publicité pour eux.

Choisissez entre deux et six événements et faites une affiche ou un dépliant publicitaire. On va peut-être s'en servir – qui sait!

Si vous préférez, écrivez des renseignements publicitaires et enregistrez-les sur un répondeur téléphonique.

Activité 8

A   Complétez les conversations

1 – Qui veut aller en ville avec … ?
   – … , je veux bien.
   – Alors, dépêche-… . Je pars tout de suite.
2 – Tu as l'adresse de Marcel sur … ?
   – Ah zut! J'ai dû la laisser chez … .
3 – C'est à … , ce journal, monsieur?
   – Oui, c'est à … .
4 – C'est à Magalie, ce sac?
   – Oui, c'est à … .
5 – Et … , que voulez-vous faire ce soir?
   – … , nous serons contentes de rester à la maison.
   – Et les garçons?
   – … , ils veulent aller au stade.
6 – Bonjour Christine, entre donc. Tout le monde est là, sauf … et Pierre. Pierre n'est pas avec … ?
   – Non, je ne sais pas où il est. Je ne sors plus avec … !

B   Utilisez ce slogan!

Inventez une affiche ou de la publicité qui contient un de ces 'slogans'.

C'est bon pour lui, c'est bon pour elle!

Nous, on préfère ça!

Vous – c'est votre tour!

C'est toi qui as gagné?

Activité 9

Au téléphone

1 *Imaginez ce que dit Sophie.*

– Allô. Sophie? C'est Jean-Luc à l'appareil. Tu es libre ce soir? Tu veux venir chez moi? Je viens d'acheter le dernier album de *Téléphone*. C'est formidable. Il faut l'écouter.
– ……
– Bon … après l'émission sur la Guadeloupe, si tu veux.
– ……
– Tu dois te laver les cheveux?
– ……
– Et demain? Tu peux venir demain?
– ……
– Ah bon. Demain tu sors avec Alain. Bon, à un de ces jours, alors.
– ……
– Au revoir, Sophie.

2 *Jouez le rôle de Pierre.*

– Allô. C'est toi Pierre? Ici Monique.
– ……
– Tu te souviens, on s'est rencontrés chez Alain, samedi dernier?
– ……
– Oui, c'était vraiment bien comme soirée. Il y avait de la bonne musique et tout. Et on a beaucoup dansé, n'est-ce pas? Moi, j'aime beaucoup danser. J'adore aller dans des discothèques. Et toi?
– ……
– Ah bon. Tu as beaucoup de travail.
– ……
– Oui, les examens bien sûr. Et tu sais, Pierre, le groupe *Téléphone* vient ici en tournée. Je le trouve extra. Pas toi?
– ……
– Ah bon. Tu n'aimes pas leur musique. Allez, au revoir.
– ……
– Oui, au revoir.

Activité 10

Qu'est-ce que tu as mis?

*Travaillez à deux. Regardez **Enquête-cinéma** à la page 44 et essayez de deviner ce que votre partenaire a mis sur la 'fiche réponse'. Posez des questions, tour à tour. Ecrivez les titres des films en anglais si vous ne les savez pas en français.*

Exemple

A – Comme meilleur film tu as mis *Pulp Fiction*?
B – Oui, c'est ça. Et toi, tu as mis *Quatre Mariages et un Enterrement*?
A – Non! J'ai mis *Le Roi Lion*.
B – Zut alors! Un point pour toi alors.
A – Alors, comme meilleure vedette homme tu as mis John Travolta?
B – Non, non et non. J'ai mis Arnold Schwarzenegger. Et toi, comme meilleur homme, tu as mis Tom Cruise?
A – Oui, c'est correct. Alors, un point chacun.

Si on allait au cinéma?

Une personne (A) regarde la page 45 et pose des questions. L'autre (B) regarde cette page et répond aux questions.

Exemple

à l'Odéon?   **A:** Qu'y a-t-il comme film à l'Odéon?
              B: C'est *Alerte!*, un film à suspense.

?   **A:** C'est un film francais?
              B: Non, c'est un film américain.

v.o.?   **A:** C'est en version originale?
              B: Oui, mais c'est sous-titré.

dernière séance? **A:** La dernière séance commence à quelle heure?
                  B: A 22h05.

dure?   **A:** Et le film dure combien de temps?
              B: Le film dure 128 minutes.

Maintenant faites les conversations suivantes.
Puis changez de rôle pour les refaire.

ODÉON *(pl. 50F)*
Alerte! film américain, couleur, durée 128 mn.
Un film à suspense.
v.o. (sous-titré) Son numérique.
Séances: 13h30, 16h25, 19h15, 22h05

GAUMONT-PARNASSE
(pl. 48F)
**Les Misérables (1994)
film français de Claude Lelouch avec J.P. Belmondo
couleur, durée:170 mn. v.o. Dolby

Une histoire émouvante et dynamique.
Séances: 13h05, 16.05, 19h05, 22h10.

PATHÉ CHAMPS-ÉLYSÉES
**Les 101 Dalmatiens
américain, couleur, durée 80mn.
v.f. Dolby
Un classique du dessin animé.
Séances: 14h15, 19.45, 21h50; Dim. 14h15, 17h, 19h, 21h.
Pl. 45F   Tarif réduit 35F salles accessibles aux handicapés

Activité 11

Un très bon film, c'est quoi, pour vous?

Voilà une question qu'un magazin a posée à ses lecteurs et voici une des plus belles réponses:

Un très bon film,
c'est un film avec de l'aventure,
de l'humour sans en abuser,
de l'action et de l'amour.
Et même un peu de science-fiction.
Une musique qui aille bien avec le film,
pas trop de violence. Beaucoup de suspense,
des cascades et un tout petit peu de bagarre.
Il faudrait aussi une touche de découverte,
de tradition, des animaux et autres bestioles.
Quelques effets spéciaux.
Un peu d'horreur, ce qui ne fait pas de mal.
Et surtout du fantastique.

Michel

Activité 12

On regarde la télé ce soir?

Travaillez à deux en regardant les programmes français aux pages 48-49.
Choisissez deux émissions que vous voulez voir. Puis, essayez de vous mettre d'accord sur ce que vous allez regarder ensemble ce soir.

Exemple

– Il y a quelque chose que tu veux voir à la télé ce soir?
– Oui, je voudrais voir ......
– Qu'est-ce que c'est comme émission?
– ......
– Ah bon. Ça commence à quelle heure?
– ......
– Et c'est sur quelle chaîne?
– ......
– Tu n'aimerais pas mieux regarder ...... ?
– Moi, j'ai envie de voir ...... , pas toi?

Activité 13

Ces personnes ont écrit à Boris

Voici des descriptions des auteurs des lettres envoyées à Boris (à la page 50). Chaque fois, lisez la description et essayez d'identifier l'auteur.

1 Cette personne est calme et contente et aime réfléchir.
2 Cette personne n'aime pas tellement la radio.
3 Cette personne a découvert la radio assez récemment et l'aime beaucoup.
4 Cette personne s'intéresse à la communication.
5 Pour cette personne la musique est d'une importance énorme.
6 Cette personne est pour la modération, même en musique.

Activité 14

Des titres encore

Pouvez-vous reconnaître le livre puis choisir, dans la case, la description correcte du genre et le nom de l'auteur.

Exemple

1 C'est une bande dessinée d'Hergé.

1 **LES BIJOUX DE LA CASTAFIORE – UNE AVENTURE DE TINTIN**
2 **Le Seigneur des Anneaux**
3 **La Guerre des Mondes**
4 **Orgueil et Préjugé**
5 **Songe d'une Nuit d'Eté**
6 **Le Vilain Petit Canard**
7 **Charlie et la Chocolaterie**
8 **Alice au Pays des Merveilles**

Les genres:	**Les auteurs:**
une pièce	Roald Dahl
un livre de science-fiction	J. R. R. Tolkien
un livre de fantaisie	Lewis Carroll
une bande dessinée	H. G. Wells
une histoire pour les enfants	Hans Christian Andersen
un conte de fée	Jane Austen
un roman	Shakespeare
un roman d'amour	Hergé

👀 Je ne me sens pas bien

Travaillez à deux. Une personne regarde cette page.
L'autre regarde la page 55.
Vous n'allez pas bien. Vous vous êtes fait piquer par un
insecte ou vous avez un coup de chaleur. A vous de
décider! Décrivez vos symptômes à votre partenaire.
Il/Elle va vous donner des conseils.

Pour vous aider:

J'ai mal à la tête et j'ai envie de vomir.
Je me suis fait piquer par une guêpe.
J'ai soif.
Je me sens fatigué(e).
Ça me fait mal.

Exemple

– Ça va?
– Non, je ne me sens pas bien.
– Qu'est-ce qu'il y a?
– …

Activité 1

De quoi s'agit-il?

A *Ecrivez une phrase au lieu de deux et décidez chaque*
fois de quoi il s'agit.

Exemple

C'est une boisson chaude qu'on boit souvent avec du lait
mais quelquefois avec du citron. (le thé)

1 C'est une boisson chaude. On la boit souvent avec du
   lait mais quelquefois avec du citron.
2 C'est un sport individuel. On le pratique à la montagne
   en hiver.
3 C'est un grand animal gris avec de grandes oreilles. On
   le voit souvent dans un zoo.
4 C'est un sandwich grillé au fromage et au jambon. On le
   vend dans les cafés.

B *Ecrivez une définition pour ces objets:*

livre – consulter pour la
traduction ou le sens
d'un mot

fruit – manger en salade

moyen de transport –
prendre pour arriver vite à
sa destination

appareil – écouter pour
entendre des émissions
et de la musique

Activité 2

Qui ou que?

A vous de décider s'il faut mettre 'qui' ou 'que (qu')' pour
compléter ces phrases.

1 Nous avons trouvé un petit hôtel … n'est pas très cher.
2 Le sport … j'aime le plus est le cyclisme.
3 C'est mon oncle … a inventé cette 'potion magique' …
   est très efficace contre le rhumatisme.
4 C'est une maladie … je n'ai jamais vue avant.
5 As-tu lu le livre … je t'ai prêté?
6 Tu as mal aux dents? C'est tous les bonbons …
   tu as mangés!
7 J'ai déjà vu le film … on passe à la télévision ce soir.
8 Ça y est! J'ai trouvé le livre … je cherchais!

👀 Répondez pour eux

Travaillez à deux. Une personne regarde cette page et pose
des questions. L'autre regarde **Ça s'est passé comment?**
(à la page 63) et répond pour chaque personne.

Exemple

1 – Paul, tu t'es fait mal?
   – Oui, je me suis fait mal au genou en jouant au rugby.

1 Paul, tu t'es fait mal?

2 Mais Nicole, qu'est-ce qui s'est passé?

3 M. Perrec, vous n'allez pas bien?

4 Mme Denis, qu'avez-vous fait?

5 Marc, qu'est-ce qui est arrivé?

6 Sylvie, tu es malade?

7 Jean, qu'est-ce que tu as fait?

Activité 3

Une journée catastrophique

Complétez les phrases

Exemple

En arrivant à Calais, nous avons eu un petit accident.

1 … (traverser) la Manche, j'ai été très malade.
2 … (aller) au camping, nous nous sommes perdus.
3 … (acheter) des provisions, ma mère a perdu son porte-
   monnaie.
4 … (faire) la cuisine, je me suis brûlé la main.
5 … (manger) un sandwich, mon père s'est cassé une dent.
6 … (faire) du bateau, ma sœur est tombée dans l'eau.
7 … (réparer) mon vélo, je me suis coupé le doigt.
8 … (rentrer) chez nous, nous sommes tombés en panne.

Activité 4

Vacances à Paris
Donnez une solution à chaque fois.
Exemple
1 En écrivant à l'office du tourisme.

1 Comment peut-on recevoir des renseignements touristiques sur Paris?
2 Comment peut-on être sûr d'avoir une chambre dans un hôtel?
3 Comment peut-on vérifier l'heure du départ d'un train?
4 Comment peut-on obtenir le numéro de téléphone d'un restaurant?
5 Comment peut-on voyager pas cher dans Paris?

🗣 Il y a eu un accident

Travaillez à deux. Une personne est témoin d'un accident et regarde cette page. L'autre travaille pour le service des secours et regarde la page 64.
Puis changez de rôle.
Choisissez un des accidents et téléphonez au service des secours.
Exemple
– Service des secours, bonjour.
– Bonjour. Je vous téléphone parce qu'il y a eu un accident.
– Oui, vous téléphonez d'où?
– Le numéro de téléphone est … .
– Où est-ce que l'accident a eu lieu?
– Au camping municipal.
– Et qu'est-ce qui s'est passé?
– Un garçon jouait au tennis, puis il est tombé et il a très mal au genou.
– Bon, on vient le plus tôt possible.

A

83 74 91 92

Lieu de l'accident: L'accident: Le/la blessé(e):

B

83 33 44 71

Lieu de l'accident: L'accident: Le/la blessé(e):

C

34 29 77 81

Lieu de l'accident: L'accident: Le/la blessé(e):

D

94 31 49 77

Lieu de l'accident: L'accident: Le/la blessé(e):
(n'a pas pu regagner
sa planche à voile)

Activité 5

Comment a-t-il fait ça?
Répondez aux questions.
Exemple
1 En nettoyant la salle à manger.

1 Comment a-t-elle trouvé le bracelet?
2 Comment a-t-elle perdu la balle?
3 Comment a-t-il découvert la nouvelle?
4 Comment as-tu cassé ces assiettes?
5 Comment a-t-elle trouvé son numéro de téléphone?
6 Comment est-il tombé?

🗣 On prend un rendez-vous

Travaillez à deux. Une personne regarde cette page, l'autre regarde la page 66.
Aujourd'hui, c'est lundi. Vous travaillez dans le cabinet d'un médecin et dans un cabinet dentaire. Voici les détails:

Docteur Duval (médecin généraliste)	**Docteur Marie Perrec** (*chirurgien-dentiste*)
Consultations de 13h à 16h30 t.l.j. sauf le mardi et le dimanche Rayons X sur rendez-vous	Consultations de 9h à 12h, 14h à 18h t.l.j. sauf le mercredi et le dimanche

La dentiste n'est pas là ce matin (lundi). Elle revient à 14 heures mais elle a des clients jusqu'à 18 heures. Quelquefois elle accepte de voir des cas urgents après 18 heures.

Votre partenaire veut prendre un rendez-vous. Il/Elle va commencer. A chaque fois, notez le jour et l'heure du rendez-vous. Après deux conversations, changez de rôle.
Exemple
– Je voudrais prendre un rendez-vous avec le docteur.
– Oui, mercredi à 14 heures, ça vous va?
– Ce n'est pas possible mardi?
– Non, je regrette, il n'y a pas de consultation le mardi.
– Ah bon.
– Alors, mercredi à 14 heures, ça vous va?
– Oui, très bien.

▣▣ Chez le médecin

Ecoutez la cassette et suivez le texte.

Dimanche dernier, Jean-Luc s'est fait mal au genou en jouant au tennis.
Il va chez le médecin.

Jean-Luc: Bonjour docteur.
Médecin: Bonjour, Monsieur. Alors, qu'est-ce qui ne va pas?
Jean-Luc: J'ai mal au genou, docteur.
Médecin: Laissez-moi voir … ah oui, il est assez enflé, votre genou. Ça s'est passé comment?
Jean-Luc: En jouant au tennis; je courais après la balle et … je suis tombé. Je croyais que ce n'était rien, mais le genou me fait toujours mal. Est-ce que c'est grave?
Médecin: Non, ce n'est pas grave. C'est sans doute une légère entorse. On va vous mettre un pansement et un bandage sur le genou.
Jean-Luc: Est-ce que je dois rester à la maison?
Médecin: Oui, il faut rester trois ou quatre jours à la maison. Vous devez marcher le moins possible, et surtout évitez de mettre votre poids sur cette jambe-là. Est-ce que le genou vous fait mal la nuit?
Jean-Luc: Oui, c'est assez douloureux la nuit.
Médecin: Est-ce que vous dormez bien?
Jean-Luc: Non, je ne dors pas bien.
Médecin: Bon, je vais vous donner une ordonnance pour des comprimés pour vous aider à dormir. Vous devez prendre un comprimé le soir avant de vous coucher.
Jean-Luc: Très bien, docteur.
Médecin: Au revoir, Monsieur.
Jean-Luc: Au revoir et merci.

Qu'est-ce que le docteur a dit?

Maintenant lisez la conversation à deux.

Quand il est sorti du cabinet, sa femme Suzanne lui a posé beaucoup de questions.

– Alors, qu'est-ce que le docteur a dit?
– Il a dit que le genou était assez enflé et que c'était probablement une légère entorse.
– Est-ce qu'il a dit que tu devais rester à la maison?
– Oui, il m'a dit qu'il fallait rester trois ou quatre jours à la maison et que je devais marcher le moins possible.
– Qu'est-ce qu'il t'a dit ensuite?
– Il m'a demandé si le genou me faisait mal la nuit et si je dormais bien.
– Et alors?
– Il m'a donné une ordonnance pour des comprimés et il m'a dit que je devais prendre un comprimé le soir avant de me coucher.
– Bon, alors allons à la pharmacie.

Dossier-langue

Reported or indirect speech

When you want to say what someone has said or asked, you have to change 'direct' speech into 'indirect' speech. This is what Jean-Luc did when he told his wife what the doctor had said.
Look at these examples:

Direct speech	**Indirect speech**
Il est assez enflé, votre genou.	*Il a dit que le genou était assez enflé.*
Your knee is quite swollen.	He said my knee was quite swollen.

1 Which tense is used for direct speech and what does it change to in indirect speech?

Vous devez marcher le moins possible.	*Il m'a dit que je devais marcher le moins possible.*
You must walk as little as possible.	He said I had to walk as little as possible.

2 How has the person of the verb changed from direct speech to indirect speech?

Est-ce que le genou vous fait mal la nuit?	*Il m'a demandé si le genou me faisait mal la nuit.*
Does your knee trouble you at night?	He asked me if my knee troubled me at night.

3 What happens to *Est-ce que … ?*

Qu'est-ce qui ne va pas?	*Il m'a demandé ce qui n'allait pas.*
What's wrong?	He asked me what was wrong?

4 What happens to questions beginning with *Qu'est-ce qui … ?*

Quand peut-il rentrer à l'école?	*Elle a demandé quand il pouvait rentrer à l'école.*
When can he go back to school?	She asked me when he could go back to school.

5 What other change, apart from the change in tense, has been made?

Summary

Direct speech	**Indirect speech**
present tense	imperfect tense
vous/tu	je
Est-ce que … ?	si
Qu'est-ce qui … ?	ce qui
Qu'est-ce que … ?	ce que
inversion	no inversion

Activité 6

Qu'est-ce qu'ils ont dit?

Ces deux personnes parlent de leur métier. Racontez ce qu'ils ont dit.

Exemple

Il a dit qu'il travaillait dans une banque. Elle a dit …

1 (Je travaille dans une banque.)

2 (Je travaille à la poste.)

3 (Je suis employé de bureau.)

4 (Je suis comptable.)

5 (Je m'occupe du courrier.)

6 (Je prépare les comptes.)

7 (Je m'ennuie ici.)

8 (Je cherche un autre poste.)

9 (Je veux quitter Paris.)

10 (Moi aussi!)

Activité 7

Interview avec un nouvel auteur

▲ Félicitations, Julien Masson. Vous venez de gagner le prix pour le meilleur roman par un nouvel auteur.
Je peux vous poser quelques questions?

▼ *Oui, bien sûr.*

▲ Quel est votre auteur préféré?

▼ *Mon auteur préféré est Dostoïevski.*

▲ Est-ce que vous lisez un roman de lui en ce moment?

▼ *Oui, je relis Crime et Châtiment.*

▲ Est-ce que vous écrivez un nouveau roman?

▼ *Oui, je suis en train d'écrire un roman d'espionnage.*

▲ Un roman d'espionnage? C'est intéressant. Et ça va être publié quand?

▼ *Ça va être publié l'année prochaine.*

▲ Qu'est-ce que vous faites quand vous n'écrivez pas?

▼ *Je joue au football de temps en temps, je fais du ski, j'écoute de la musique.*

▲ Qu'est-ce que vous aimez comme musique?

▼ *Oh, j'écoute un peu de tout.*

▲ Est-ce que vous voyagez beaucoup?

▼ *Oui, je voyage beaucoup, surtout aux Etats-Unis.*

▲ Bon, merci, Julien Masson.

A

Vous racontez cette interview à un(e) ami(e). Répondez à ses questions en commençant par: Il a dit que …

Exemple

Quel est son auteur préféré?

Il a dit que son auteur préféré était Dostoïevski.

1 Est-ce qu'il lit quelque chose en ce moment?
2 Qu'est-il en train d'écrire en ce moment?
3 Ça va être publié quand?
4 Est-ce qu'il fait du sport?
5 Qu'est-ce qu'il écoute comme musique?
6 Est-ce qu'il voyage beaucoup?

B

Un ami de Julien Masson lui demande quelles questions lui ont été posées. Complétez ses réponses.

1 D'abord on m'a demandé …
2 Puis on m'a demandé …
3 On m'a demandé …
4 Et on m'a demandé quand …
5 Ensuite on m'a demandé …
6 Et on m'a demandé …
7 Et enfin on m'a demandé …

Activité 1

C'est quoi?

1 C'est un examen français très important.
2 C'est un examen, mais pas 'le vrai'.
3 C'est une série de cours qu'on suit après avoir quitté l'école.
4 Ça fait partie d'un examen.
5 C'est un mot qui veut dire 'ne pas réussir'.
6 C'est un mot qui veut dire 'réussir à un examen'.
7 C'est le contraire d'un examen écrit.
8 C'est le contraire de 'mauvaises notes'.

Activité 3

On cherche des renseignements

1 *Lisez d'abord cette lettre, puis complétez le lexique. Essayez d'apprendre ces expressions par cœur.*
2 *Regardez la page 90 et écrivez une lettre identique à une des autres entreprises.*

```
                              3, rue du Château
                                     Versailles

                                 le 18 juin

Vitrage Europa

Monsieur/Madame,
   Suite à votre annonce parue le lundi
17 juin, dans France Soir, je vous écris
pour vous demander des renseignements
supplémentaires sur le poste.
   Pourriez-vous m'indiquer les
conditions exactes de ce poste et en
quoi consiste le travail?
   Pourriez-vous être assez aimable pour
m'envoyer aussi les documents
nécessaires pour poser ma candidature.
   Veuillez agréer, Monsieur/Madame,
l'expression de mes sentiments
distingués.

Mathieu Chauban
```

Trouvez dans la lettre les mots et phrases pour compléter le lexique.

Un lexique à faire

Une lettre	**A letter**
...	in response to .../with reference to ...
...	I am writing to you
...	could you ... ?
...	would you be kind enough to send me some information
...	of what does ... consist?
...	to apply (for a job)
...	Yours sincerely (write the full official formula for ending this type of letter in French)

Activité 2

Le service 'militaire'

En France le service obligatoire existe toujours pour les jeunes hommes de plus de 18 ans (mais pas pour les jeunes filles). Au lieu du service 'militaire' il s'appelle maintenant le service 'national'.

Les jeunes Français reçoivent normalement leur lettre d'incorporation à la fin de leurs années au lycée, mais, si on veut, on peut faire son service après avoir terminé ses études à l'université.

Si on ne veut pas faire son service dans l'armée ou dans la marine, on peut être sapeur-pompier ou on peut choisir de faire du service civil, par exemple, on pourrait travailler sans rémunération dans une école. Cependant, le service civil dure deux fois plus longtemps que le service militaire.

Seulement quatre de ces phrases sont vraies. Lesquelles?

1 Le service civil est obligatoire en France pour toutes les jeunes personnes, garçons ou filles.
2 Tous les garçons français âgés de plus de18 ans doivent faire une période de service national.
3 Ces jeunes Français reçoivent une lettre officielle au sujet du service national.
4 On peut choisir de faire son service avant ou après les études universitaires.
5 Le service militaire dure plus longtemps que le service civil.
6 Les jeunes Françaises ne sont pas obligées de faire le service national.

👀 Vous pourriez m'aider?

Travaillez à deux. Une personne regarde cette page, l'autre regarde la page 93.

A *Votre partenaire va vous demander la permission de faire cinq choses différentes. Répondez selon ces détails:*
1 Non, le télécopieur est en panne.
2 Oui, s'il/si elle paie le coût de l'appel?
3 Il faut noter le message et le donner à la réceptionniste.
4 Ça va s'il/si elle apporte son propre papier.
5 Vous êtes désolé(e), mais il n'en reste plus.

B *Votre partenaire va vous demander de faire cinq choses. Répondez selon ces détails:*
6 C'est impossible; vous avez trop de travail à faire.
7 S'il y en a, ils sont dans le tiroir, sous l'imprimante, mais vous croyez qu'il n'en reste plus.
8 C'est très facile. Il faut ...
   • allumer la machine;
   • placer le document sur la machine;
   • composer le numéro;
   • appuyer sur la touche verte.
9 Vous lui montrerez comment le faire marcher plus tard.
10 Vous ne les avez pas – il faut chercher sur le Minitel!

🎞 On compte sur vous!

*Travaillez à deux. Une personne regarde cette page,
l'autre regarde la page 93.*

*A vous de jouer le rôle des clients et de donner les coups
de téléphone suivants au bureau. Votre partenaire, qui
travaille à présent pour la Société Eurovente, vous répond
au téléphone.*

*Pour vous aider regardez d'abord le **Lexique** à la page 93
et écoutez l'exemple sur la cassette.*

Exemple

🎞 **Le téléphone sonne**

*Vous êtes Mme Pascal, une cliente de M. Richaut.
Vous voulez un rendez-vous avec lui demain aussi tôt
que possible.*

A: Société Eurovente. Comment pourrais-je vous aider?
B: Bonjour. Est-ce que je peux parler à M. Richaut?
A: Je suis désolé, mais il n'est pas là pour le moment. Je
peux lui laisser un message?
B: Est-ce que je peux prendre un rendez-vous avec lui
pour demain matin?
A: Oui Madame, à quelle heure?
B: A neuf heures?
A: Ah non, il ne sera pas ici à neuf heures. A dix heures et
demie, ça va?
B: Oui, oui, ça va.
A: C'est de la part de qui?
B: C'est Mme Pascal.
A: Et quelle est votre numéro de téléphone, s'il vous
plaît, Madame?
B: C'est le 76 30 41 27.
A: Merci. Au revoir Madame.
B: Au revoir Monsieur.

1
Vous êtes M./Mme Gérardeau. Vous voulez parler à Mlle
Noirier. Si elle n'est pas là, vous pouvez rappeler demain
après-midi. Votre numéro de téléphone est 76 85 33 12.

2
Vous êtes Mme Charles. Vous voulez parler à M. Richaut.
S'il n'est pas là, essayez de prendre un rendez-vous avec
lui. Vous êtes libre jeudi, mais pas après 16h00. Votre
numéro de téléphone est 76 65 38 05.

3
Vous êtes M. Duroc. Vous téléphonez de Montréal et vous
voulez parler à M. Richaut. On vous donne son numéro de
téléphone chez lui et vous dites que vous allez lui
téléphoner tout de suite.

4
Vous êtes Anton, l'ami de Mlle Noirier et vous voulez lui
parler. Comme elle n'est pas là, vous demandez où elle
est et quand elle reviendra. Vous lui laissez un message
d'appeler le 76 67 43 18 avant cinq heures.

5
Vous êtes employé(e) de la banque (au Crédit Agricole).
Vous voulez parler à M. Richaut. Comme il n'est pas là,
vous décidez de l'appeler demain, mais vous expliquez
que c'est très urgent.

🎞 Activité 4

Interview avec un conseiller d'orientation

*Ecoutez l'interview sur la cassette. Pour chacune des phrases
suivantes écrivez 'oui', 'non' ou '?' (impossible à savoir).*

1 André Lefèvre donne des conseils seulement
aux adolescents.
2 Il fait ce travail depuis cinq ans.
3 Il a un bureau au Centre d'Information et d'Orientation.
4 Il propose à ses clients toutes les possibilités de travail.
5 Comme il a beaucoup de dossiers et de
documentation dans son bureau, ça lui permet de
mieux conseiller ses clients.
6 Il passe les trois quarts de son temps à visiter les
collèges et les lycées.
7 Tous les lundis il doit visiter les autres centres, par
exemple, l'ANPE.
8 Son travail est souvent décourageant à cause
du chômage.
9 Cependant, on lui a promis d'augmenter son salaire
l'an prochain.
10 En plus, ce métier lui permet de temps en temps de
faire du travail positif.

Activité 5

On vous demande des conseils

*Votre correspondant(e) vous a envoyé cette lettre pour
vous demander de l'aider.*

> Orléans,
> le 19 mai
>
> Salut!
> Merci beaucoup pour ta lettre. Je t'écris pour te
> demander de m'aider, si possible. Pour perfectionner
> mon anglais, je voudrais trouver du travail en
> Angleterre pendant les vacances d'été cette année.
> Est-ce que tu pourrais m'aider à trouver du boulot
> pas trop loin de chez toi – du travail à la ferme peut-
> être ou dans un camp de vacances pour enfants. Si
> possible quelque chose où je serai logé(e) et nourri(e).
> Ce serait fantastique si tu pouvais m'aider
> comme ça.
> Ton ami(e) français(e)
> Paul(ine)

1 *Ecrivez une réponse en lui disant que vous allez …*
 • *demander à vos copains de chercher quelque chose;*
 • *demander à vos parents de l'aider;*
 • *mettre un petit mot dans la boutique du village (de
 votre quartier).*
2 *Conseillez-lui …*
 • *de préparer un cv;*
 • *d'écrire une lettre au 'Tourist Information Office' de
 votre ville (village);*
 • *de demander des renseignements aux agences
 chez lui au sujet des visites-échanges avec la
 Grande Bretagne.*

Activité 6

Si …

Faites des phrases. Voici des idées pour vous aider, mais essayez d'en introduire d'autres vous-même.

Si j'étais le directeur (la directrice) de cette école, …
Si j'étais le patron d'une grosse entreprise, …
Si j'étais le premier ministre, …

j'abolirais	les devoirs
	le chômage
	les impôts
j'améliorerais	l'uniforme
	les examens
je réduirais	les horaires de travail
	le salaire des employés
j'augmenterais	les vacances
	les repas dans la cantine

Activité 7

Que feriez-vous?

Complétez les phrases.
Exemple: 1 J'appellerais un mécanicien.
Que feriez-vous …
1 … si votre voiture tombait en panne?
  (Je …)
2 … si vous voyiez des voleurs entrer dans votre maison?
  (Nous …)
3 … s'il y avait un incendie dans votre lycée?
  (On …)
4 … si vous étiez très malade?
  (Mes parents …)
5 … si la télévision ne marchait plus?
  (On …)
6 … s'il y avait une fuite d'eau dans la maison?
  (Ma mère …)

Où iriez-vous?

Exemple: 1 J'irais à la pharmacie.
Où iriez-vous …
1 … si vous vouliez acheter des médicaments?
  (Je …)
2 … si vous vouliez acheter du pâté et du jambon pour un pique-nique?
  (Nous …)
3 … si vous vouliez acheter du pain?
  (Je …)
4 … si vous vouliez faire le plein d'essence?
  (Nous …)
5 … si vos copains et vous vouliez acheter les provisions pour une boum?
  (On …)
6 … si vous vouliez acheter des timbres?
  (Je …)

Activité 8

Travaillez à deux

Regardez d'abord la publicité. Chaque personne choisit un des jobs de la page 103. A tour de rôle, on se pose des questions pour le deviner. On doit répondre uniquement avec 'oui', 'non' ou 'je ne sais pas'.

Essayez d'être la première personne à découvrir le choix de l'autre!

Voici des questions possibles:

Vous serez logé(e) et nourri(e)?	
Vous serez bien payé(e)?	
C'est un travail	avec les enfants?
	en plein air?
Est-ce qu'il faut	avoir 18 ans?
	parler français?
	suivre une formation?
	se lever de bonne heure?

Activité 9

L'été dernier

Décrivez ce que ces jeunes ont fait comme travail l'été dernier.

1 Muriel – au mois de juillet – travailler comme caissière dans un supermarché – de 9h à 12h et de 14h à 19h30, tous les jours sauf le jeudi
2 Patrick – août – travailler comme pompiste dans la station-service de son oncle – de 9h à 12h30 et de 14h à 18h, tous les jours sauf le mardi
3 Hélène – juillet et août – travailler comme vendeuse dans un grand magasin à Paris – de 9h à 12h et de 14h à 19h, tous les jours sauf le lundi
4 Marc – fin-septembre – faire les vendanges en Provence – travail fatigant – logé et nourri, mais pas bien payé
5 Dorothée – août – travailler comme animatrice dans une colonie de vacances – logée, nourrie et argent de poche – un jour de congé par semaine – travail intéressant, mais fatigant
6 Vincent – juillet – travailler dans un hôtel – faire la plonge – de 12h à 15h et de 19h à 22h30 – logé, nourri, mais mal payé
7 Natasha – août – travailler dans le bureau de son père – travailler sur l'ordinateur, répondre au téléphone, envoyer des prospectus etc.
8 Frank – septembre – travailler dans un restaurant – mettre la table, servir les gens, débarrasser les assiettes etc.

On part demain!

La veille du départ à un stage pour devenir animateurs et animatrices, ces jeunes discutent les préparatifs. Claire raconte tous ses messages téléphoniques à son frère, mais elle n'est plus sûre de ce qu'on a dit.

Ecoutez les conversations sur la cassette et, à chaque fois, choisissez le message correct.

1 Laura a dit …
   a que si elle n'était pas là à neuf heures, on devrait l'attendre.
   b que si elle n'était pas là à neuf heures, on devrait partir sans elle.
   c qu'on se verrait après la première réunion.
   d qu'elle arriverait avant le commencement du stage.

2 Fabien a dit …
   a qu'on irait au stage en camionnette.
   b qu'on irait au stage en vélo.
   c qu'ils ne pourraient pas mettre leur tente dans la camionnette.
   d qu'ils pourraient mettre leur tente dans la camionnette.

3 Sophie a dit …
   a qu'elle apporterait son nouvel appareil-photo.
   b qu'elle n'apporterait pas son appareil-photo.
   c qu'elle filmerait tout le monde avec la caméra-vidéo de son frère.
   d que son frère filmerait tout le monde avec sa caméra-vidéo.

4 Nicolas a dit …
   a qu'il mettrait des provisions dans son sac à dos.
   b qu'il cacherait des provisions dans son sac de couchage.
   c qu'il ne voulait pas avoir faim, quand il arriverait au stage.
   d qu'il achèterait des provisions, quand il arriverait au stage.

Nathalie raconte son interview

Nathalie vient d'obtenir un job comme animatrice. Complétez cette lettre qu'elle écrit à une amie.
Exemple: 1 voulais

L'interviewer m'a demandé pourquoi je (**1** *vouloir*) faire le job d'animateur. J'ai dit que c'(**2** *être*) parce que j'(**3** *aimer*) les enfants et que, plus tard, je (**4** *vouloir*) travailler avec eux.

Après, elle m'a demandé si j'(**5** *avoir*) un petit job – j'ai expliqué que je (**6** *travailler*) dans un supermarché. Elle m'a posé des questions sur mon temps libre et le sport et j'ai dit que j'(**7** *aimer*) le cinéma et que je (**8** *faire*) de la voile et du ski.

Finalement elle m'a offert un job et elle a dit que je (**9** *pouvoir*) commencer le 28 juin. Naturellement j'ai répondu que ce (**10** *être*) idéal! Elle a dit qu'on me (**11** *donner*) les détails du stage de formation et qu'elle m'(**12** *envoyer*) tous les documents nécessaires.

Dossier-langue

The conditional tense (3)
Reported or indirect speech
In the messages above which tense was used to **report** what someone said?
For example:
Laura a dit qu'on devrait partir sans elle.
Laura said **they would have to** leave without **her**.
Nicolas a dit qu'il achèterait des provisions.
Nicolas said that **he would buy** some provisions.
Look at what they actually said:
Laura *a dit:*   'Vous **devrez** partir sans **moi**.'
                     '**You will have to** leave without **me**.'
Nicolas *a dit:* '**J'achèterai** des provisions.'
                     '**I shall buy** some provisions.'
Which tense did they use then?
When you want to **report** what someone has said or asked, you have to change **direct** speech into **indirect** or **reported** speech.
When you are reporting what someone says in the **future** tense, you do it by using the **conditional** tense.
Notice too how the **person** of the verb changed from direct speech to indirect speech.
Here are some more of the things that these young people actually said (direct speech), using the **future tense** and the **first person** of the verb (*je* or *nous*).
Find the right version of their words in **reported** or **indirect** speech, using the **conditional** and the **third person**.

Exemple
   *Laura a dit: '**J'arriverai** avant le commencement du stage.'*
   *Laura a dit qu'**elle arriverait** avant le commencement du stage.*

1 *Sophie a dit: '**Je n'apporterai** pas **mon** appareil-photo.'*
   *Sophie a dit qu'**elle** …*

2 *Sophie a dit: '**Je filmerai** avec la caméra de **mon** frère.'*
   *Sophie a dit qu'**elle** …*

3 *Nicolas a dit: '**Je cacherai** des provisions dans **mon** sac.'*
   Nicolas a dit qu'…

4 *Nicolas a dit: 'Je ne veux pas avoir faim quand **j'arriverai** au stage.'*
   Nicolas a dit qu'il ne voulait pas avoir faim quand il …

Look back to the summary about reporting speech on page 140. Copy the summary into your notebook and add to it this new rule about changing the **future tense** to the **conditional tense** in indirect speech.

L'interview d'Alain

Alain a eu une interview pour un job d'été dans un fast-food. Il raconte l'interview à un ami. Ecoutez la cassette et complétez ce qu'il dit.

L'interviewer m'a dit qu'elle était sûre que j'……… travailler chez **Burger-frites**. Elle a dit que je ……… la connaissance de beaucoup d'autres jeunes personnes et que j'……… des horaires variés. En plus, on me ……… un uniforme très chic et je ……… nourrie par **Burger-frites**.

C'est combien?

Travaillez à deux. Une personne regarde la page 112 et demande le prix de chaque souvenir. L'autre regarde cette page pour trouver la réponse. Changez de rôle après quelques minutes.

Exemple

–C'est combien, la boîte de petits gâteaux?
–C'est 50 francs.
–Et le livre sur la Normandie? Il fait combien?
–Il est très cher, il est à 340 francs.

Au rayon mode

Travaillez à deux. Une personne regarde cette page. L'autre regarde la page 115. Faites trois conversations, puis changez de rôle.
Vous êtes vendeur/vendeuse dans une boutique de mode jeune. Voilà les détails de votre stock.

jean
couleurs: noir, bleu marine, gris
tailles: 38, 40, 42, 44

T-shirt
couleurs: blanc, rose, bleu, jaune,
tailles: petit, moyen, grand, très grand

short
couleurs: beige, vert, bleu marine, marron
tailles: 38, 40, 42, 44, 46

sweat-shirt
couleurs: noir, rouge, vert foncé, blanc
tailles: petit, moyen, grand

chaussures
couleurs: marron, noir, gris, bleu marine
tailles: 38, 40, 42, 44, 46

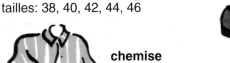

chemise
couleurs: vert rayé en blanc, bleu rayé en blanc
tailles: 40, 42, 44, 46

Exemple

– Avez-vous ce jean dans d'autres couleurs?
– Nous l'avons en noir, bleu marine et gris.
– Je peux l'essayer en gris, s'il vous plaît?
– Oui, vous faites quelle taille?
– 42.
– Voilà. La cabine d'essayage est là-bas.
  …
– Ça va?
– Non, ça ne me va pas. Merci quand même.

des Calissons d'Aix	40 F
une petite tour Eiffel	30 F
une boîte de petits gâteaux de Bretagne	50 F
un T-shirt de Paris	50 F
un drapeau	35 F
un petit bateau de pêche	65 F
un petit TGV	70 F
une bande dessinée	45 F
un livre sur la France	110 F
un livre sur la Normandie	340 F
le Monopoly	180 F
une cassette de musique française	100 F
un CD de musique française	150 F
un pot de confiture	20 F
une poupée en costume régional	200 F
un bol	50 F
un jeu de boules	80 F
une peluche	60 F

Activité 1

Celui ou celle?

Simon adore les couleurs vives et les vêtements originaux. Lesquels de ces vêtements va-t-il choisir?
Exemple: 1a Il va choisir celle qui est rayée.

1 a une chemise rayée **b** une chemise unie

2 a une cravate à pois **b** une cravate unie

3 a un pantalon gris foncé **b** un pantalon à carreaux

4 a des chaussures noires **b** des chaussures vertes

5 a un pull tricolore **b** un pull marron

6 a des gants rouges **b** des gants gris

Activité 2

Les circonstances de l'accident

Complétez ces phrases pour décrire les circonstances des accidents différents.

Exemple: 1 La voiture sortait d'un garage.

1 La voiture … d'un garage. (sortir)
2 Le camion … à droite. (virer)
3 La moto … . (reculer)
4 La voiture … demi-tour. (faire)
5 Un piéton … la rue. (traverser)
6 La voiture … de file. (changer)
7 La camionnette … dans le même sens. (rouler)
8 Le vélo … de la droite. (venir)
9 Le camion … d'un parking. (sortir)
10 La voiture … . (doubler)

Déclarations de perte

Travaillez à deux. Une personne regarde cette page; l'autre regarde la page 126. Vous êtes un(e) touriste à Paris et vous donnez des détails d'un objet perdu à l'employé(e) (votre partenaire).
Après chaque conversation, changez de rôle.

1 *Vous parlez pour vous-même.*
Quoi?
Quand? Hier vers 10h
Où?  42

2 *Vous parlez pour vous-même.*
Quoi?
Contenu?
Quand? Lundi dernier vers 20h
Où? TAXI

3 *Vous parlez pour votre mère.*
Quoi?
Contenu?
Quand? Aujourd'hui 9h30
Où? M LIGNE 5

4 *Vous parlez pour votre père.*
Quoi?
Quand? Samedi vers 14h
Où? Café Bastille, rue de la gare

5 *Vous parlez pour votre sœur.*
Quoi?
Quand? Dimanche après-midi entre 13h et 15h
Où? Piscine, rue de la Tour

6 *Vous parlez pour votre frère.*
Quoi? valeur 500F
Quand? vendredi vers 19h
Où? 14

Activité 3

On regarde des photos

Choisissez les mots corrects pour compléter la conversation.

– Voilà une photo de (mon, ma, mes) famille et de moi. Regarde, (mon, ma, mes) sœur porte (son, sa, ses) nouveau jean.
– Oui, et Julien porte (son, sa, ses) nouvelles tennis, non? Et ce bâtiment, c'est (votre, vos) maison?
– Oui, ça, c'est (notre, nos) maison. Et toi, tu as apporté (ton, ta, tes) photos de vacances, aussi?
– Oui, voilà (mon, ma, mes) correspondant avec (son, sa, ses) parents. Et ça, c'est (leur, leurs) chien, Moustache avec (son, sa, ses) ballon.
– C'est dans le jardin de (ton, ta, tes) correspondant?
– Oui, (leur, leurs) jardin était très grand. Tiens, voilà (leur, leurs) maison.
– Tu as pris ces photos avec (ton, ta, tes) nouvel appareil?
– Oui, (mon, ma, mes) nouvel appareil marche beaucoup mieux que celui que j'avais avant.

Jules Verne *(1828-1905)*

Un homme qui avait pensé à tout

Reconnu comme le premier écrivain de science-fiction, Jules Verne n'était pas en effet un homme de science. Avant d'être écrivain, il avait fait des études de droit pour être avocat. Mais il s'intéressait beaucoup à la science, et avant d'écrire un livre il avait beaucoup lu et beaucoup pensé aux aspects scientifiques.

Il avait imaginé la radio, la télévision et la voiture, choses inconnues à son époque. Bien avant l'invention des sous-marins, il avait décrit des voyages en vaisseaux sous la mer.

Et, plus d'un siècle avant le voyage d'Apollo 11, il avait raconté en détail le premier voyage des hommes sur la lune. La fusée spatiale de Jules Verne avait les mêmes dimensions qu'Apollo 11, allait à la même vitesse et était partie d'un endroit près de Cap Kennedy. Incroyable, non?

Un de ses livres le plus célèbre est «Le tour du monde en 80 jours». Ce livre a inspiré beaucoup de «tour-mondistes»; parmi eux, un journaliste qui a pris la même route et les mêmes moyens de transport que Phileas Fogg avait pris dans le livre.

Mais il y a un voyage qui n'a pas encore été réalisé: personne, jusqu'à présent, n'a pénétré au centre de la terre!

Vrai ou faux?

1 Jules Verne avait fait des études de médecine avant d'être écrivain.
2 Il avait pensé à la radio bien avant son invention.
3 Il avait décrit un ordinateur, chose inconnue à l'époque.
4 Il avait aussi imaginé les voyages en sous-marin.
5 Il avait décrit le voyage des hommes sur la lune – plus de 100 ans avant le vrai voyage.
6 Beaucoup de personnes ont fait le même voyage que Jules Verne avait décrit dans son livre *Voyage au centre de la Terre*.
7 Il avait compris beaucoup de choses qui, à son époque, paraissaient impossibles.

Dossier-langue

Pluperfect tense

When you want to describe something that happened in the past, you normally use the perfect tense, but if you want to describe something that **had happened** before then, or before a fixed point in time, i.e. further back in the past, then you need to use the **pluperfect tense**.

In English, it is translated as 'had done', 'had opened' etc.

Look at these examples. How is the pluperfect tense similar to the perfect tense? How is it different?

*Elle **était** déjà **partie** quand je suis arrivé.*
She **had** already **left**, when I arrived.

*Il m'**avait téléphoné** avant de quitter Paris.*
He **had phoned** me before leaving Paris.

*Je lui **avais dit** que ce n'était pas un bon film, mais il est quand même allé le voir.*
I **had told** him that it wasn't a good film, but he went to see it anyway.

The pluperfect tense is formed in a similar way to the perfect tense, with two parts: an **auxiliary** verb and a **past participle**. The same rules about which verbs take *avoir* and which take *être* and about agreement of the past participle apply to both tenses.

The only difference is that in the pluperfect tense, the auxiliary verb (*avoir* or *être*) is in the imperfect tense. Can you find some examples in the article about Jules Verne?

dire			arriver		
j'	avais		j'	étais	arrivé(e)
tu	avais		tu	étais	arrivé(e)
il]			il]		arrivé
elle]	avait		elle]	était	arrivée
on]		dit	on]		arrivé(e)(s)
nous	avions		nous	étions	arrivé(e)s
vous	aviez		vous	étiez	arrivé(e)(s)
ils]			ils]		arrivés
elles]	avaient		elles]	étaient	arrivées

Complétez les phrases

1 Il est tombé en sortant du magasin …
2 Ils ont été trempés jusqu'aux os …
3 Elle n'a pas pu trouver son porte-monnaie …
4 Il est arrivé en retard au bureau …
5 Elle a dû entrer par la fenêtre …
6 Ils n'ont pas pu manger au restaurant …

A … parce qu'il n'avait pas entendu son réveil.

B … parce qu'ils avaient oublié leur parapluie.

C … parce qu'il n'avait pas vu la marche.

D … parce qu'elle avait oublié sa clef.

E … parce qu'il était déjà fermé.

F … parce qu'elle avait perdu ses lunettes.

Pas de chance

Pierre a voulu faire beaucoup de choses à Paris, mais il n'a pas eu de chance. Complétez ses phrases.

Voici les verbes qui manquent:

annuler	recevoir
commencer	sortir
oublier	tomber
prendre	

1 J'ai téléphoné à Sophie, mais elle … déjà … .
2 Je n'ai pas envoyé de cartes postales, parce que j'… … d'acheter des timbres.
3 Je n'ai pas vu le film, parce que je suis arrivé trop tard au cinéma et le film … déjà … .
4 Je ne suis pas monté à la Tour Eiffel, parce que l'ascenseur … … en panne.
5 Daniel ne m'a pas téléphoné parce qu'il n' … pas … ma lettre.
6 Je n'ai pas pu aller au concert, parce que je n'… pas … assez d'argent avec moi.
7 Quand je voulais rentrer chez moi, on … … tous les trains à cause de la grève.

Qu'est-ce qu'on a dit?

Expliquez ce que ces personnes ont dit.
Exemple: Elle a dit que Jean était allé en Grèce.

Jean est allé en Grèce cet été.

Il a pris l'avion à Athènes.

Ensuite il a fait une croisière.

Il est parti pendant trois semaines.

Nicole est allée au Canada.

Elle est rentrée début septembre.

Elle s'est bien amusée.

Elle a pris l'avion à Montréal.

Elle a fait du rafting.

Dossier-langue

Reported or indirect speech

When you want to report what someone said, you have to change direct speech into indirect or reported speech.

Look again at the telephone conversation.

*'Jean **est allé** en Grèce cet été. Il **a pris** l'avion à Athènes.'*

Jean **has gone** to Greece this summer. He **has flown** to Athens.

Which tense is used?

When you report what someone says in the **perfect tense**, you need to use the **pluperfect tense**.

*Elle a dit que Jean **était allé** en Grèce.*
She said that Jean **had gone** to Greece.

*Elle a dit qu'il **avait pris** l'avion à Athènes.*
She said (that) he **had flown** to Athens.

Look back to pages 140 and 145 for more information about using indirect or reported speech.

Sur les traces de Tintin

Vous connaissez sans doute le héros de bande dessinée, Tintin, et son chien,
Milou. Alors, lisez cet article et faites l'activité 'vrai ou faux'.

SUR LES TRACES DE TINTIN

En mars 1993 (dix ans après la mort d'Hergé, le créateur de Tintin), deux étudiants parisiens, Jean-Fabien de Selve et Laurent Crinier, ont décidé de suivre l'itinéraire de Tintin dans ses 23 albums. Ils sont partis de la Tour Eiffel en direction de l'Ecosse, où se trouve le château de «L'Ile Noire». Ensuite ils se sont rendus à Chicago, où Tintin avait rencontré Al Capone, le célèbre gangster américain. Après avoir visité une réserve indienne dans l'Iowa, les deux étudiants sont allés à Cap Canaveral en Floride. Là, ils ont visité une navette spatiale. Ensuite ils ont suivi Tintin à la recherche du trésor de Rackham le Rouge sur l'île de Saint Domingue. Puis ils sont partis pour l'Afrique. Après être arrivés au Kenya, ils se sont trouvés (comme Tintin) dans une salle de classe avec 90 élèves. Heureusement cette fois, aucun léopard n'est venu déranger le cours. Ils sont ensuite remontés vers les «Pays de l'Or Noir», des «Cigares du Pharaon» et du «Crabe aux Pinces d'Or»: Ethiopie, Jordanie, Egypte et Maroc, avant de s'envoler pour le Pérou. Jean-Fabien et Laurent ont prévu de parcourir 71 pays en trois ans. Mais une chose est certaine – ils ne marcheront pas sur la lune!

Si cette idée vous intéresse, vous pouvez toujours visiter le fameux «Château de Moulinsart», qui n'est autre que le château de Cheverny dans le Val de Loire.

Vrai ou faux?

*Lisez l'article **Sur les traces de Tintin**, puis décidez si ces phrases sont vraies*
ou fausses.

1 Après être partis de Paris, les deux étudiants sont allés en Ecosse.
2 Après avoir acheté le château de l'Ile Noire, ils sont allés aux Etats Unis.
3 Après être allés à Chicago, ils ont visité une réserve indienne.
4 Après être arrivés à Cap Canaveral, ils ont pris une navette spatiale pour aller sur la lune.
5 Après avoir quitté la Floride, ils sont allés sur l'île de Saint Domingue.
6 Après avoir trouvé le trésor de Rackham le Rouge, ils ont pris l'avion pour l'Afrique.
7 Après être arrivés en Afrique, ils ont visité le Kenya, l'Ethiopie, la Jordanie, l'Egypte et le Maroc.
8 Après avoir quitté l'Afrique, ils sont rentrés en France.

Un résumé

Pouvez-vous corriger les phrases qui sont fausses pour faire un résumé
de l'article?

Dossier-langue

The past infinitive

1 From the sentences in the *vrai ou faux* task, can you work out how to say the following phrases?
   a after leaving
   b after buying
   c after going
   d after finding
   e after arriving
   This form is called the past infinitive.

2 In the sentences, *après* is followed by one of two verbs. What are these two verbs?

3 What do you notice about the form of the verb which comes next?

4 What similarities are there between the past infinitive and the perfect tense?

Solution

1 a *après être parti* or *après avoir quitté*
   b *après avoir acheté*
   c *après être allé*
   d *après avoir trouvé*
   e *après être arrivé*

2 *avoir* or *être*

3 It's the same as the past participle in the perfect tense.

4 The same auxiliary verbs (*avoir* or *être*) are used, the past participle is formed in the same way, the same rules about agreement of the past participle apply (i.e. add an *-e* if it's feminine, an *-s* if it's plural).

Après avoir acheté la voiture, j'ai fait quelques petites modifications.

Après être arrivés à l'hôtel, nous avons pris une douche.

Le voyage de retour

Complétez les phrases.
Exemple
1 Après avoir dit 'au revoir' à son correspondant, Luc est monté dans le train.

1 Après (dire) 'au revoir' à son correspondant, Luc est monté dans le train.

2 Après (arriver) à Calais, il est monté sur le bateau.

3 Après (débarquer) à Douvres, il a pris le train pour Londres.

4 Après (acheter) un billet, il a pris le métro.

5 Après (rentrer) à la maison, il a découvert qu'il n'avait plus ses clefs.

Vacances en Provence

Des deux phrases pouvez-vous en faire une?
Exemple
1 Après avoir quitté Paris, nous avons pris l'autoroute du sud.

1 Nous avons quitté Paris. Nous avons pris l'autoroute du sud.
2 Nous sommes arrivés à Nîmes. Nous avons trouvé un terrain de camping.
3 J'ai aidé à installer la tente. Je suis allé à la piscine.
4 Nous avons acheté des provisions au supermarché. Nous avons fait la cuisine.
5 Nous sommes allés à l'office du tourisme. Nous avons fait le tour de la ville.
6 Ma sœur a écrit des cartes postales. Ma sœur a acheté des timbres.
7 Ils ont mangé. Ils sont allés au cinéma.
8 J'ai joué au tennis avec des amis. J'ai fait un pique-nique.
9 Nous sommes restés quinze jours en Provence. Nous sommes rentrés à Paris.

👀 Un stage multi-activités

Travaillez à deux. Combien d'activités avez-vous faites? Ajoutez à la liste tour à tour.

Stage multi-activités
Ce qu'on peut faire:

Exemple
– Après avoir fait de l'équitation, on a fait de la voile.
– Après avoir fait de la voile, on a joué au volley.
– …

Examination practice

1 Strategies and study skills

Some hints to help you learn and use French, to make the most of what you have learnt and to cope with unfamiliar language.

- **Get organised!**

Acquiring a good vocabulary is very important. As you come across new words and expressions, don't just **hope** you will remember them. Organise some sort of filing system **in advance** and enter the new words straight away, listing them either alphabetically or by topic. You could start with words from the topic *Lexiques* in each unit. Using a loose-leaf binder is a good idea so you can add extra pages when necessary.

- **Learn as you go**

Once you have stored this vocabulary learn as much of it as possible by heart and check it over and practise it regularly.

- **What to do when you come across a word you're not sure of**

Decide if the word is crucial for completing the task or understanding the text that you are listening to or reading. If it isn't important, don't waste time looking it up now. Move on and come back to it later if you need to.

Even if it is a word you do need to understand, don't just reach for your dictionary; get in the habit of trying to work out the meaning first. Here's a quick checklist:

1 Is the word similar to other French or English words? (See the list of common patterns on pages 156-157.)

2 Can the rest of the text help you to understand the word? Often what is important is repeated in a different way, so listen or read further ahead.

3 Is it like another word you know, but with a letter or two added to the beginning or end? e.g. *re*venir (to come **back**), *légèrement* (light**ly**)

4 Is it very similar to an English word, apart from a few letters? Think about the sound and look at the spelling for clues, e.g.
squelette (skeleton), *douzaine* (dozen), *automne* (autumn), *estomac* (stomach).

   An accent in French can often be changed to an 's' in an English word, e.g.
échapper (escape), *écureuil* (squirrel), *écossais* (Scottish), *forêt* (forest).

- **Looking up words**

If you do need to look up a word, write down the meaning straight away and learn it as soon as you can – it is a waste of time to keep looking up the same words again and again!

Check to see you have looked up or guessed the right **kind** of word, e.g.

- a noun usually has *un/le/du* etc. before it in the text and *m.* or *f.* after it in the dictionary;
- words agreeing with nouns are adjectives;
- the endings should help you to spot which words are verbs (For more about verbs, see the note on page 156: **Verbs are special.**)

- **Get the tense right!**

Whether you are speaking or writing in French, or just trying to understand the meaning of what you are reading or hearing, it is especially important to get the tense right: past, present or future.

There are two main things to watch out for:

a Verbs

Pay particular attention to verbs. Check carefully the tense and the endings, as they often provide vital information, e.g. about whether something **has happened** or **is going to happen** or how many people or things are being talked about.

b Time clues

Make sure you can recognise and use words which tell you **when** something is happening, e.g.
après-demain, bientôt (future)
aujourd'hui, en ce moment (present)
hier soir, la semaine dernière (past)

Watch out for time clues like the ones below and list them with their meanings under the following headings:

Future time   Present time   Past time

(Use a dictionary for any expressions you aren't sure of.)

après-demain	*aujourd'hui*
en ce temps-là	*ce soir*
à présent	*dans dix ans*
dans le temps	*pour l'instant*
bientôt	*demain*
avant-hier	*hier*
la semaine dernière	*la semaine prochaine*
samedi dernier	*l'année prochaine*
en ce moment	*hier soir*

2 Exam strategies

Some hints to help you to prepare for and cope with your French exams.

- **Be prepared!**

Make sure that you know in advance exactly what form your exam will take and how long each paper will last. Check that you are clear about the procedure for the listening and speaking sections, when and for what you can use dictionaries etc.

- **Coursework**

If your school has chosen a 'coursework option' to replace one section of the exam make sure you are quite clear about which pieces of work form part of that option, how and when you have to present them, and give yourself time for checking, don't leave it all to the last minute!

- **Listening and reading**

Read the rubric and look at the example before you begin to answer. Read the question carefully to see exactly what kind of information you are being asked for – is it who? what? where? when? why? how long? how much? how many?

It may not always be just facts you are asked to find out – sometimes you have to find out about attitudes or feelings as well.

- **Note the context**

a Listening and reading

Knowing the **context**, i.e. where or when a conversation or event is taking place, gives you an idea in advance of what you might be going to hear or read.

In the listening exam sound effects or background noises might also give you a clue to the context or situation.

You will sometimes be given a short description to set the background to a scene or there may be a picture or photo to give some clues. Most items have a title; read it – it's there to help you.

b Speaking and writing

In speaking and writing situations pay careful attention to the context and think what its implications are. For example, if you are speaking or writing to a friend, you will need to use *tu*; if it is an interview, a conversation with a stranger or a letter to someone you do not know well, you must use *vous*. In both cases you will then need to choose appropriate forms of the verb, possessive adjectives etc.

3 Using a dictionary

Your dictionary is one of your most useful language learning aids. Used in conjunction with your brain (i.e. not as a replacement for thinking!), it can be a great help to you. Read through the introductory pages of your dictionary and ask your teacher if you're not sure what the abbreviations mean.

Make sure you know your way around your dictionary. Besides a French into English section and an English into French section, it may contain verb tables, common abbreviations, separate lists of numbers, times and dates etc., even some grammar notes. Get accustomed to where these things are so that you can find them quickly.

Get used to consulting your dictionary

– to find out meanings and the French words you need,
– to check on genders, spellings and the way in which words are used,
– to widen your range of vocabulary, by looking at the examples or phrases linked with the words you look up.

• **Looking up words: French into English**

This is usually the first half of a bi-lingual dictionary.

How words are listed

Nouns are listed by the singular form, e.g.
chien nm (= noun, masculine)
Sometimes feminine (f) or plural (pl) forms are printed afterwards, e.g.
chien nm (f *chienne*) or just *chien* nm, *chienne*

Adjectives are listed by the masculine singular form, usually with the feminine form following, and other forms too if they are irregular, e.g.
grand, (e)
beau (bel), belle, belles, beaux

Verbs are listed by the infinitive. (See **Verbs are special** below.)

Which word should you look up?

Many words are listed in groups starting with the basic word or **headword**. These groups often contain words formed from the headword, such as adverbs from adjectives, adjectives from nouns, e.g.
you would find *lentement* under *lent*.

Here is the dictionary entry:

lent, (e) (lã, lãt) slow; **lentement** *ad* slowly; **lenteur** *nf* slowness.
(headword) ↑   (adverb)   (feminine noun)
(phonetic symbols to show how a word is pronounced)

If you want to know the meaning of an expression, containing several words, look up what seems to be the key word, but if you don't find out the meaning, try one of the other words. For example to find the meaning of *à toute vitesse*, look up *vitesse* and you will probably find:
vitesse (vitɛs)*nf* speed; **à toute ~** at full speed

A toi!

Look up these words and expressions and note down the headword as well as the meaning:

premièrement	*une lampe de chevet*
malheureusement	*faire un signe de tête*
vous avez raison	*passer une nuit blanche*
ça ne fait rien	*par écrit*
les yeux fermés	*faute de temps*
j'ai mal au cœur	*sortie de secours*
en plein air	*un œuf à la coque*

Which meaning?

When you look up a French word, you often find that there are several possible meanings. Don't just use the first meaning listed.

If one meaning doesn't make sense, try another, e.g.

ancien can mean 'ancient' or 'former'

encore can mean 'still' or 'again'

toujours can mean 'always' or 'still'

même has different meanings, according to its position in relation to other words:

Même *le garçon a reçu un cadeau.*
Even the boy received a present.

Le même *garçon qu'hier a reçu un cadeau.*
The same boy as yesterday received a present.

C'est le garçon **lui-même** *qui a reçu un cadeau.*
It was the boy **himself** who received a present.

A toi!

1 Try to write a pair of sentences to illustrate the different meanings of *ancien* or *encore* or *toujours*.

2 Write another sentence including *même*.

• **Looking up words: English into French**

When you look up the French for an English word, you will again find that there is often a choice of words, so how do you know which to use?

First read through the possibilities and look at any examples there are showing the word in use. If you're still not sure, pick the word you think is most likely to be correct and look it up in the part of the dictionary which translates French words into English.

For example, you want to say that you have a new tennis racket so you look up 'racket' and find something like:

1 *n (noun)* **raquette** *(f)*

2 *n* **tapage** *(m)*

You aren't sure which to use, so look up both words in the French-English section and you will probably find something like this:

raquette *nf* (games) racket

tapage *nm* din, *F* racket

You could also look the word up in a dictionary, like *Le Petit Larousse* which is intended for French people and so gives explanations of words in French. The examples and definitions in this kind of dictionary should help you, and widen your vocabulary.

- **Verbs are special**
- They are the most vital part of the language; you can't make a sentence without one.
- They have a lot of different forms and most of these are not listed separately by each verb in the dictionary.

If you look up a verb, the dictionary will give you the **infinitive** (**to** sing, **to** work etc.). Don't just copy this down. Remember that you have to work out the right tense and person of the verb from what you have learnt or from a verb table or grammar notes.

Some dictionaries list the main parts of a verb with each entry, e.g.

faire *(prp)* **faisant**; *(pp)* **fait**; *(pr ind)* **je fais**, **n faisons**, **v faites**, **ils font**; *(fu)* **je ferai**.

prp = present participle (e.g. do**ing**, mak**ing**)
pp = past participle (e.g. **made**)
pr ind = present indicative (i.e. the present tense)
fu = future (e.g. **will** do)

If you are using a verb in the perfect tense, don't forget that you have to use the correct auxiliary verb, *avoir* or *être*. (Use the verb tables in this book to check how well you know your verbs.)

- **Using a dictionary in the exam**

You may be allowed to use a glossary or dictionary in the exam. To make sure that a dictionary is a help to you:

- Be quite clear in advance exactly when and for what you are allowed to use your dictionary. (Not every exam board has the same rules – make sure of yours!)
- Get plenty of practice in using a dictionary beforehand, with your classwork and homework, so that you know your way around it easily.
- Try to work out your own 'strategy' for use of the dictionary in an exam, e.g.
  - answer the questions as well as you can first and only use the dictionary if you are really stuck; or
  - allow time after each section to use your dictionary and don't exceed it.
- In the exam don't take up too much time looking things up, this could prevent you from finishing the test. Just as an experiment, work out how long it takes you to look up a word, multiply that by ten and you'll begin to see how much exam time you could lose if you look up too much!

  However, if you do have a few minutes left at the end of an exam, don't waste them – this is the ideal time to use your dictionary to check any genders or spellings you aren't sure of, but do check carefully and don't make any illegible or 'panic' alterations if you are in a rush.

(See also pages 158, 162, 166 and 170.)

4 Attention aux mots!

- **Common word patterns**

Recognising common patterns in words can help you to make sensible guesses at their meanings. For example:

Beginnings and endings of words

Often a letter or two at the beginning (a prefix) or at the end of a word (a suffix) makes a difference to its meaning.

A toi!

Here are some of the most common prefixes and suffixes.

1 Work out what the words mean, looking up any you are not sure of.

2 Using a dictionary if necessary, try to find one or two more words with the same beginning or ending as these and list them with their meanings.

Beginnings

para-/pare- against/for protection against, e.g.
un parachute, un parapluie, un parasol,
un pare-chocs, un pare-brise

re- 'again', 'back', e.g.
retourner, revenir, retrouver, repartir, refaire, rentrer

dé- 'dis-/de-/un-', e.g.
décourager, désespoir, disparaître, débrouiller, débarquer

Endings

-able '-able/-ible', e.g.	*-ée* '-ful', e.g.
lavable, mangeable, potable	*une bouchée, une cuillerée*
-aine 'about', e.g.	*-ette* 'little', e.g.
une vingtaine, une centaine	*une fillette, une camionnette*

Words which sound alike, or nearly alike, but look different

Usually your common sense will tell you which one must be correct in the context.

A toi!

1 Complete the list below, looking up any words you can't remember.

2 Choose three or four of the words and make up a short sentence for each to show the meaning, e.g.
Je voudrais acheter cela, mais je n'ai pas assez d'argent.

Put more than one in a sentence if you can, e.g.
Le ver vert va vers la rose rose dans le verre vert.

l'argent	....
l'agent	....
une chaîne	....
un chêne	....
dans	....
dont	of which, of whom, whose
un livre	....
une livre	....
....	shop
un magazine	....
le Midi	the South of France
midi	....
la peau	....
....	pot, jug, jar
une pêche	....
aller à la pêche	....

---

prêt	....
près	....
une rose	....
....	pink
vert	....
un ver	a worm
....	a glass
un vers	a line (of verse etc.)
vers	....

Words which look alike but sound different

There are a lot of words which are spelt the same in English and French and which also have more or less the same meaning, e.g. justice, football, fruit. These words are called **cognates** and they are a big help in reading and understanding printed texts.

However, they may **look** and **mean** the same in both languages, but they often do not **sound** the same. Be on the lookout for words like this in listening items. You should be able to spot them fairly easily and work out their meanings.

A toi!

Here are some more (some are spelt slightly differently, e.g. they have accents):

1 Try to find out how they are pronounced in French. The meaning should be obvious.

station, garage, innocent, création, orange, tennis, biscuit, train, collège, court, théâtre

2 See if you can find three or four more!

Faux amis ('False friends')

These are French words which look the same as English ones but have different meanings. (Make sure you know them as you will find a few in most exams.)

A toi!

Here are some of the most common *faux amis*.

1 Complete the list below, looking the words up if you need to.

2 List and learn each pair.

assister à   to attend, be present at; (assist = ...)

une caméra   .... ; (camera = ...)

un car (autocar)   ....; (car = ...)

la cave   ....; (cave = ...)

le couvert   cover charge, place set at table; (a cover/bedcover = ...)

large   .... ; (large = ...)

la librairie   .... ; (library = ...)

le pétrole   oil, paraffin ; (petrol = ...)

une pièce   room, coin, play, per item; (piece = ...)

un photographe   .... ; (photograph = ...)

sensible   .... ; (sensible = ...)

More clues

Watch out for these spelling patterns from French to English and vice-versa. Look up any meanings you are not sure of.

A toi!

Using your dictionary if necessary, try to find at least one more example of each pattern.

French	English	Examples
-aire	-ary (or -ar)	*militaire, solitaire, populaire*
-ant	-ing	*dégoûtant, chantant, commençant*
-ê-	-es-	*honnête, fête, intérêt*
-if	-ive	*actif, adjectif*
-ment	-ly	*lentement, malheureusement*
-oire	-ory	*histoire, laboratoire, gloire*
-té	-y*	*liberté, charité*

*Not always: sometimes changes an adjective into a noun, e.g. *bon – bonté, fier – fierté, beau – beauté.*

• Negatives

It is easy to hear or read *ne* and assume that the meaning is 'not', but there are several negative constructions with different meanings.

Don't forget:

ne … que means 'only';

ne … plus que means 'now only', e.g.

Il n'y a plus que deux filles dans la pièce.

There are now only two girls in the room.

Watch out for *personne*, *jamais* and *rien* used alone to mean 'nobody', 'never' and 'nothing'.

Qui a répondu? Personne (n'a répondu).

Who replied? Nobody/Not one person (replied).

(For more about the negative, see **La grammaire**.)

Expressions which may be misleading

Watch out for words or expressions which mean one thing, but look or sound as if they might mean something else. Three very common ones are:

a venir de + infinitive
to have just done something (See also **La grammaire**.)
Elle vient de visiter Paris.
She has just been visiting Paris.
(**not** She is coming to visit Paris.)

b être en train de + infinitive
to be in the process of doing something
Il était en train de lire un magazine.
He was reading a magazine.
(**not** He was reading a magazine on the train.)

c Ce n'est pas/Ça ne vaut pas la peine de + infinitive
It's not worth doing something.
Ce n'est pas la peine d'aller chez le médecin.
It's not worth going to the doctor's.
(**not** It's not painful going to the doctor's.)

A toi!

Make up a sentence for each of the above expressions to remind you of their meaning.

Listening

Practise!

Tune in to a French radio station whenever you can and listen for a few minutes, to help you to get used to French voices. If you can, record a few items and listen to them several times. First listen for the gist, picking up clues from the words you do understand and the tone of voice of the speakers.

Then try to find out more of the details. If you are using individual equipment, try to jot down a few more bits of information each time you hear the tape.

The listening exam

1 Listen calmly – don't expect to understand every word.

2 Find out beforehand exactly what you are supposed to do and whether and when you are allowed to use a dictionary or make notes.

3 Read carefully through the title, rubric and introductory remarks.

4 The recording is usually repeated, but try to get the main points at the first hearing. Look quickly at the questions and see which you can't answer yet, then listen carefully for this information the next time round.

5 Read the questions carefully; some of them may give clues to the answers.

6 Don't expect all items to be of the same length – some may be very short, others much longer. Also, some items may have more than one speaker, others may be recordings from radio or TV – so be prepared for variety and just listen calmly – you'll hear it all again and probably understand it much better the second time round.

7 Taking notes: even if you are allowed to take notes in the exam be careful about this, because while you are writing something down, you could be missing some other piece of vital information. Just jot down a key word or two, or perhaps a number or date.

Using a dictionary in the listening exam

Some exam boards may allow you to look things up in a dictionary for a few minutes just before and just after the main part of the listening exam. In this case use the first few minutes to check what the introductory part means, perhaps finding some clues in it about what you can expect to hear.

As you listen, if there is a key word you don't understand, make a sensible guess but also try to remember the word and look it up at the end. (Write down what the word sounds like, if you are allowed to make notes.)

For example, in an item about housework you hear something that sounds like 'so'. At the end you think of the ways that sound might be written in French (*sot/sau/sô/seau*). You look them up and find it must be *seau* = bucket.

Practice items: Listening

Listening and responding
Foundation Tier

1-4 Au café
Qu'est-ce qu'ils prennent? Choisissez la bonne image.

Exemple: C

1 ☐ 2 ☐ 3 ☐ 4 ☐

(4 marks)

5-7 On cherche une correspondante

5 *De quelle nationalité est Anne-Marie?*
Ecrivez la bonne lettre.

GB

F

C

S

(1 mark)

6 *Où habite-t-elle? Ecrivez la bonne lettre.*

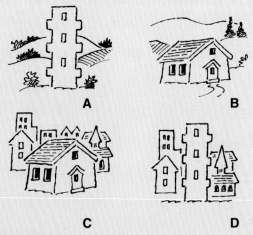

A   **B**

C   **D**

(1 mark)

7 *Elle parle de sa famille. Quelle image correspond à la description? Ecrivez la bonne lettre.*

A   **B**

C   **D**

(1 mark)

8-11 Une visite à La Rochelle

Ce matin M. Garnier visite La Rochelle. Il visite cinq endroits, mais dans quel ordre?

Après chaque conversation, écrivez la bonne lettre. Ecoutez l'exemple, d'abord.

Exemple: D

8 ☐
9 ☐
10 ☐
11 ☐

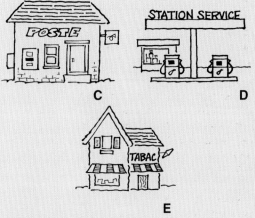

A   **B**

C   **D**

E

(4 marks)

12   La Météo

Quel temps va-t-il faire ce weekend? Pour chaque jour écrivez deux lettres.

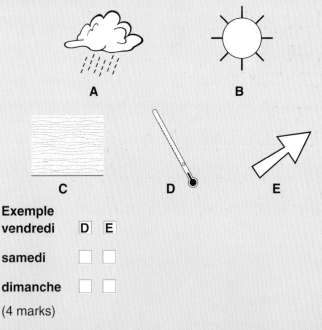

A   **B**

C   **D**   **E**

Exemple
vendredi   D   E

samedi   ☐   ☐

dimanche   ☐   ☐

(4 marks)

Listening and responding
Overlap (Foundation and Higher Tier)

1 On va au concert

Comment iront-ils au concert?
Complétez les détails en français.
Regardez l'exemple d'abord.

Exemple

Francine	ira en bus
Christophe	ira …
Pierre	ira …
Annette	ira …
Lucie	ira …

(4 marks)

2-5 On cherche des correspondants

Vrai ou faux? Ecrivez V (vrai) ou F (faux).
Ecoutez l'exemple d'abord.

Exemple

Sophie Dumas a 16 ans. V

2 Abdoul a 20 ans.

3 Sophie s'intéresse beaucoup à 📺 et au 🏃.

4 Tous les deux aiment 🏃, mais c'est Sophie qui est la plus enthousiaste.

5 Abdoul aime beaucoup 🏃, mais il préfère 🏊.

(4 marks)

6-7 Deux filles parlent d'une nouvelle boutique

6 *Elles parlent de quelle sorte de magasin?*
Ecrivez la bonne lettre.

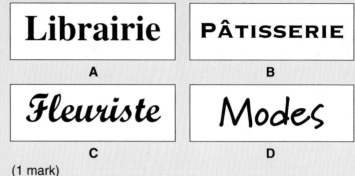

(1 mark)

7 *Où est le magasin? Choisissez la lettre correcte.*

(1 mark)

8 On parle du cinéma

Vous allez entendre trois jeunes Français qui parlent de leur film favori. Complétez les détails en français. Ecoutez l'exemple d'abord. Pour la colonne 'descriptions' écrivez deux expressions pour chaque film.

	genre de film	nationalité	descriptions
Exemple Maxime	dessin animé	français	**1** super **2** drôle
Camille (4 marks)	…	…	**1** … **2** …
Daniel (4 marks)	…	…	**1** … **2** …

Listening and responding
Higher Tier

1   Mon stage en entreprise
You will hear some French teenagers giving reports about their work experiences. In each case make some notes **in English** about what they say. Use the headings below.
First listen to the example.
Exemple
Nathalie
- What the job entailed (type of job and what they actually had to do)
  Worked in bank, did filing, used computer, occasionally accompanied manager on visits.
- Impressions
  Very interesting, would like to do this later.
- Any disadvantages or problems.
  She is not very good at maths.

Kevin
- What the job entailed (type of job and what they actually had to do)   (2 marks)
- Impressions   (1 mark)
- Any disadvantages or problems.   (1 mark)

Loïc
- What the job entailed (type of job and what they actually had to do)   (2 marks)
- Impressions   (1 mark)
- Any disadvantages or problems.   (1 mark)

2   Un message enregistré
Jean-Marc a téléphoné à son ami Patrick pour lui laisser un message. Remplissez les blancs (en français) pour donner le message à Patrick.

La voiture est tombée en panne à …**(a)**…km de Poitiers. Patrick doit partir tout seul à la fête de …**(b)**… et lui expliquer que Jean-Marc et Linda seront …**(c)**… . Ils vont aller directement au …**(d)**… et ils espèrent y arriver vers …**(e)**… . Jean-Marc n'a pas parlé à Richard lui-même parce qu'il n'a pas son …**(f)**… .
(6 marks)

3-6   La fête au lycée
Elisabeth a organisé un défilé de mode pour la fête du lycée. Le soir elle en parle à son amie Manon.

Ecrivez la bonne lettre.
3 Manon …
  a a beaucoup aimé le défilé.
  b n'a pas aimé le défilé.
  c n'a pas vu le défilé.
  d a organisé le défilé.
(1 mark)
4 Cinq minutes avant le défilé, Elisabeth était …
  a très excitée
  b faible
  c heureuse
  d inquiète
(1 mark)
5 Claire pleurait parce que …
  a les mannequins n'étaient pas arrivés.
  b Robert était sorti.
  c tout le monde était furieux.
  d elle ne voulait pas aller à la fête.
(1 mark)
6 On a l'impression qu'Elisabeth est …
  a un peu déçue.
  b assez contente.
  c furieuse.
  d un peu triste.
(1 mark)

7-11   De quoi avez-vous peur?
As part of your class investigation about what people are afraid of, you listen to this discussion.
Note down, **in English**, the following information:

7 The girl who is not frightened of spiders is afraid of something else – what is it?
(1 mark)

8 It is revealed that the most common phobia is fear of … what?
(1 mark)

9 a Which do people seem more afraid of – nuclear war or terrorism?
  b What reason is given for this?
(2 marks)

10 What other world-wide fear is mentioned?
(1 mark)

11 What is described, by the last speaker in this discussion, as the biggest fear of young people today?
(1 mark)

Speaking

Practise!

Use every opportunity you get to talk to French people – visitors to your school or town as well as the people you meet on visits abroad. Try to record some tapes to exchange with French schools.

To practise role-playing, with a friend record some of the key role-playing dialogues in the book and practise them regularly.

In advance – preparing for the oral exam

• Find out exactly what you will be expected to do and which topics you need to prepare. Check with your teacher how much preparation time you will have before your oral exam and whether you will be able to take any notes into the exam with you.

The most common parts of an oral exam are role-plays and general conversation, though you might also be asked to describe some events illustrated on a 'cue-card' or to prepare a 'presentation' of a topic which interests you and discuss this with the examiner. Find out which of these are set by your exam board.

• Make sure you can answer all the general questions which are almost always asked, e.g. your name and age, something about your home, family and pets, your school life, your hobbies and interests, the weather, what you like to eat and drink, whether you've been to France etc.

• Think up questions you would probably want to ask a French teenager you might meet on holiday or on a school exchange. Think also what answers you would give if asked these questions yourself.

• Then try to go beyond the most everyday topics and work out how you would say what you think about something, or explain your views, e.g. why you are a vegetarian or dislike sport but love music etc.

• When you are preparing, always make a note of anything you wanted to say, but weren't able to, then look it up or ask your teacher about it.

Make notes as you go through a topic: not full sentences, just key words and phrases, e.g.

Ma maison: grande/petite, en ville/à la campagne, deux étages, jardin à l'arrière

Ma chambre: grande/petite, partagée avec mon frère

Les meubles: un lit, une armoire, un bureau, une bibliothèque, un ordinateur

In the exam – points to remember

1 If your exam includes a presentation or prepared conversation topic, make sure you find out exactly what you have to do and prepare it properly – you should be able to get a high mark for this part. Remember – it is not supposed to be a monologue that you have learnt by heart, but a **conversation**! You will probably be able to have a 'cue-card' with you and may be allowed to use some illustrations, e.g. photos, maps, programmes, publicity material etc. Try to include different tenses in your talk as this will gain extra marks.

2 Listen carefully to the examiner's questions to find out exactly what you are being asked, and what tense is being used. You nearly always use the same tense in the answer as in the question.

3 Reply simply and in fairly short sentences, but not just *oui* or *non*. The more correct French you use, the more marks you are likely to get. If you can, take the initiative and try to ask the examiner a question from time to time (but keep to the subject, of course).

4 If you don't understand the question, ask (in French) for further explanation.

5 It's advisable to tell the truth if you can, but it's better to make something up than not say anything at all. If you can't think of the French for somebody's job or your friend's favourite hobbies, make up something else for which you do know the French (but remember what you have said – don't contradict yourself later!).

6 Remember to call the examiner *vous* in general conversation. In role-plays, however, this will depend on what role the examiner is supposed to be playing; if it is your pen-friend or someone fairly young, you will need to use *tu*.

7 Don't introduce a topic unless you are confident that you can talk about it without getting into difficulties.

8 Try to use different tenses in your exam. Expect to be asked about **what you will do** on holiday or in the future, and reply using the future tense (*J'irai en Espagne*) or the correct part of *aller* + infinitive (*Je vais aller en Espagne*). If you are asked about **what you did** last weekend, in the Easter holidays etc., use the perfect tense (*Je suis allé(e) au bord de la mer*). If you are describing something in the past, the place or the weather perhaps, use the imperfect tense (*Il faisait très beau* or *C'était une ville très intéressante*). **You will definitely get extra marks for correct use of tenses.**

9 You will probably be expected to express a few opinions, so learn some phrases like:

A mon avis, …	In my opinion, …
Je pense que …	I think that …
Je suis/Je ne suis pas d'accord.	I agree/I don't agree.
Je trouve cela amusant/étonnant/intéressant.	
	I think it's enjoyable/astonishing/interesting etc.

10 In conversation, and especially in role-playing, don't be taken by surprise by an unexpected reply, e.g. you are buying something, but they haven't got exactly what you want, so you have to make a choice or ask for something different. Most exam boards state that there will certainly be at least one unpredictable element in the role-play exams.

Role-playing – using a dictionary

You will have some time beforehand to prepare for this part of the test. Study the task carefully. You will probably be allowed to refer to a bi-lingual dictionary, for preparation only, and some boards will allow you to make notes which you can take into the exam. Find out beforehand if this applies to you!

Think of the **key** words and phrases which might come into the conversation. Jot down those you know, look up the others and write them down clearly, so that you can see them at a glance.

If there is something you don't know how to say, try to think of a way round it.

If, during the actual exam, you can't think of an essential word, ask the examiner, in French, e.g.

Monsieur/Madame, je ne sais pas le mot en français pour 'wallet'

or

Comment dit-on en français 'wallet', s'il vous plaît?

It's a good idea to be equipped with a set of emergency questions and remarks to help you out if you get stuck, though don't over-use them!

Some useful phrases

Voulez-vous répéter la question, s'il vous plaît?
Will you repeat the question please?

Parlez un peu plus lentement, s'il vous plaît.
Please speak a little more slowly.

Que veut dire le mot … ?
What does the word … mean?

Qu'est-ce que cela veut dire?
What does that mean?

Je n'ai pas compris, Monsieur/Madame.
I didn't understand.

J'ai oublié le mot pour …
I have forgotten the word for …

Comment ça se dit en français?
What's the French for that?

Je ne sais pas.
I don't know.

Practice items: Speaking

Role-playing
Foundation Tier

A   Au marché
Situation

You are buying some provisions for a picnic, in a French market. Your teacher will play the part of the stall-holder and will start the conversation.

Préparez les cinq tâches suivantes en français.

(10 marks)

B   Au café
Situation

You are in a French café and are ordering drinks and snacks for yourself and a friend. Your teacher will play the part of the waiter and will start the conversation.

(10 marks)

163

C Dans une boutique de souvenirs

Situation

You are in a gift shop in Paris and want to buy two presents. Remember to begin and end the conversation politely.

(10 marks)

D Chez une famille française

Situation

You are having a meal in the home of a French family. Your teacher will play the part of the mother of the family and will start the conversation.

1 On vous offre quelque chose à manger – vous l'acceptez.

2 Dites ce que vous voulez.

3 Choisissez quelque chose à boire.

4 Répondez à la question.
5 Choisissez un dessert.

(10 marks)

Rôle-playing
Overlap (Foundation and Higher Tier)

A Au rayon des vêtements

Situation

While on holiday in France you have seen a T-shirt you like and decide to buy it for yourself. You also want to get something for a child's birthday.

Your teacher will play the part of the shop assistant and will begin the conversation.

Préparez les cinq tâches suivantes en français.

1 Saluez le vendeur/la vendeuse et expliquez quel T-shirt vous voulez acheter.
2 Répondez à la question de l'employé(e).
3 Expliquez que vous cherchez un cadeau pour un(e) enfant. Donnez des détails de son âge et sa taille.
4 Répondez aux suggestions de l'employé(e) et demandez le prix.
5 Expliquez comment vous voulez payer. (Chèque de voyage?)

(10 marks)

B A l'office du tourisme

Situation

You are touring in France with your family and decide to spend the night in an attractive small town, so you go to the Tourist Office for information.

Your teacher will play the part of the assistant in the tourist office and will begin the conversation.

Préparez les cinq tâches suivantes en français.

1 Saluez l'employé(e) et demandez des renseignements sur la ville et des conseils pour trouver un hôtel …
2 Répondez à la question de l'employé(e).
3 Dites quelles chambres vous voulez et pour combien de nuits.
4 Demandez le prix d'une chambre et posez une autre question sur l'hôtel, par exemple: ?
5 Décidez si vous allez prendre les chambres ou pas et remerciez l'employé(e).

(10 marks)

C A Montréal

You are staying with your pen-friend in Montreal, when a holiday job as *animateur/animatrice* at a camp for children becomes vacant. Your friend is already going to work there and you would like the job, so s/he arranges an interview.

Your teacher will play the part of the organiser of the camp and will begin the conversation.

Préparez les cinq tâches suivantes en français.

1 Présentez-vous et dites pourquoi vous êtes là.
2 Donnez votre âge et votre nationalité.
3 Donnez des détails de votre expérience de travail avec les enfants. (Où? Quand? A faire quoi?)
4 Répondez à la question de l'interviewer.
5 Dites jusqu'à quand vous pourrez rester au Québec.

(10 marks)

Role-playing
Higher Tier

A   On va faire du camping

Your neighbours ask you to ring up this camp site in France for them.

Cheverny
Camping caravanage

Les Hirondelles ★★★★

⚑ 140   ☎ 54 78 25 10

This is what they want you to find out:

1 if there is a vacancy for a caravan and two small tents from August 14th-21st (their first choice) or, failing that, from 22nd-29th;

2 a   whether activities for children are organised on the site and, if so, for which age group;

   b   if you have to pay a deposit and whether credit cards are accepted.

Your teacher will pay the part of the receptionist at the camp-site and will begin the conversation

(10 marks)

B   Chez le médecin

Conduct this role-play with your teacher.

Your teacher will play the part of the doctor and will start the conversation.

While you are on a caravan site in France a child is taken ill and you accompany the family to the doctor's.

Explain the details to the doctor and answer his questions for the family.

The child, James Burkett, aged 7, has a headache, very sore throat, has been sick several times.

In answer to the doctor's questions, say that he has spent a lot of time in the sun.

Find out where the nearest chemist is.

(10 marks)

C   Un job pour l'été

You have read this advert for 'green' holiday jobs in France and decide to ring up to find out about them and give details of yourself.

The examiner will speak first.

Cet été – le Travail au Vert

On cherche 1 000 jeunes personnes
(à partir de 16 ans)
vendanges – cueillette de fruits – travail à la ferme
Téléphonez au CDIR (49 81 08 72)

* la raison de ton appel
* des détails personnels
* une liste des jobs possibles?
(10 marks)

D   La fête du 14 juillet

Your school French club has organised this celebration in honour of the French exchange visitors. One of them is asking you all about it. Your teacher will play the part of the French visitor and will speak first.

❋ *Invitation* ❋

Cercle français
Fête du 14 juillet
Buffet français – Jeux
Venez déguisé si possible

* les raisons de la fête
* buffet français
* déguisé comment?
(10 marks)

Reading

Practise!

Read as much French as you can. Have a look at any French magazines or books you come across. Don't worry if you can't understand very much at first. Just find something that looks interesting and you'll probably be surprised at how much of it you can work out.

Get in the habit of looking up the meaning of just a few key words or phrases, then write down the ones which seem useful and learn them.

The reading exam

1 Find out beforehand exactly what you are supposed to do, check whether you are allowed to use a dictionary or make notes.

2 Read carefully through the title, rubric and introductory remarks, and see exactly what you are asked to do.

3 Take a good look at the visuals if there are any – they're usually put there to give you some help.

In the exam you will be reading several different kinds of texts:

a Short items

Information from signs and notices, advertisements and instructions, programmes and posters. Tasks might include finding out the time and place of an event, what's on television or at the cinema, what facilities are offered etc. To complete tasks based on this kind of reading you need to pay careful attention to **all** the words and notice details of times, standard abbreviations etc. (For example *t.l.j.= tous les jours, h = heure(s), ad = adulte(s), enf. = enfants*)

b Longer extracts

These include extracts from letters, newspapers and magazines, publicity material and simple short stories. You will be asked to spot the main points and perhaps some specific details. There will probably be references to the future or the past as well as the present, so watch out for time clues!

c Longer texts

These include imaginative material and narrative. Besides being able to follow the gist or storyline you will often need to find out people's opinions, feelings and attitudes. But remember – watch for the time clues!

Read the item really thoroughly before attempting the task.

Study the task carefully to see exactly what you have to do – this may also provide some clues to the answers.

Make sure you have included everything required to complete the task.

Using a dictionary in the reading exam

In most reading items you are not expected to understand everything, so don't waste time looking up every unfamiliar word. Only look up a word you don't recognise if it is essential to understand it in order to complete the task. It might be best to answer first all the questions you can do without the dictionary, then look up what you need to know to answer the others.

Practice items: Reading

1-3 A la gare

Choisissez la bonne lettre pour chaque image.

Exemple

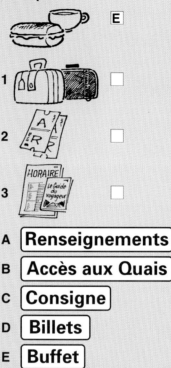

A **Renseignements**

B **Accès aux Quais**

C **Consigne**

D **Billets**

E **Buffet**

(3 marks)

4-6 En ville

Choisissez la bonne lettre pour chaque image.

Exemple

(3 marks)

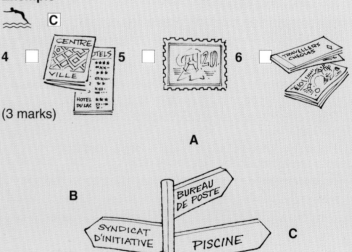

7-9 Qu'est-ce que vous prenez?

Nos Casse-Croûtes

A	Pizza	9F 50
B	Sandwich au jambon	12F
C	au fromage	
D	Crêpes (sucre)	8F
E	(confiture)	12F
F	(fraises)	14F
G	Glaces vanille	10F
H	fraise	

Qu'est-ce que vous prenez? Choisissez la bonne lettre.

Exemple

Vous aimez les crêpes; vous avez seulement 10 francs sur vous. Vous prenez **D**.

7 Vous adorez les sandwichs, mais vous êtes végétarien(ne). Vous prenez ☐.

8 Vous avez faim. Vous n'aimez ni les choses sucrées, ni les sandwichs. Vous prenez ☐.

9 Il fait très chaud. Vous n'aimez pas les glaces aux fruits. Vous prenez ☐.

(3 marks)

10 Qu'est-ce qu'il faut prendre?

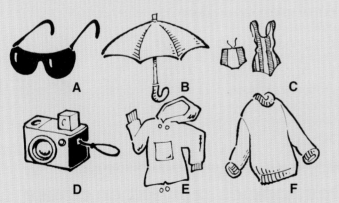

Qu'est-ce qu'il faut prendre? Ecrivez les bonnes lettres.

Exemple: **A** ☐ ☐ ☐

Il va faire très chaud, donc apporte des lunettes de soleil et surtout n'oublie pas ton maillot de bain et ton appareil-photo. Tu n'auras pas besoin d'un anorak, mais un pull sera peut-être utile le soir.

(3 marks)

1-4 On peut visiter l'exposition?

Expo de l'été – Musée d'Histoire Naturelle

du 15 juin au 15 septembre

La Nature en Photos

Ouvert tous les jours (sauf le lundi et jours fériés)
de 10h00 à 12h00
et de 14h00 à 18h00 en juillet-août
et de 14h à 17h00 en juin et septembre
ouvert le dimanche de 14h30 à 18h00

Entrée gratuite

On peut visiter l'exposition – oui ou non?

Exemple: le jour de Noël – non

1 mardi à 15 heures

2 dimanche à 11 heures du matin

3 samedi, 10 septembre à 16 heures

4 le 14 juillet (la Fête Nationale) à 14h30

(4 marks)

5-14 Les vacances

Lisez cette lettre de Claire à sa correspondante, Lucy.

> Je suis très contente que tu puisses venir chez nous au mois d'août – on s'est tellement bien amusées ensemble pendant mes vacances chez toi à Pâques. Tu feras la connaissance de mon frère Patrick et je pourrai te présenter à mes amis, surtout à Fabien, bien sûr (je sors toujours avec lui, mais le weekend seulement – on a tellement de devoirs pendant la semaine!).
>
> J'espère que les vacances d'été réussiront mieux que celles de l'année dernière, qui étaient un vrai désastre! On faisait du camping en Bretagne et la première semaine il a plu presque tout le temps. Le lendemain de notre arrivée, notre voiture est tombée en panne et donc on ne pouvait pas quitter le camping pendant trois jours.
>
> La deuxième semaine a commencé un peu mieux et il faisait du soleil, donc on a pu se baigner. Cependant, Patrick s'est blessé à la tête en faisant le saut à l'élastique, donc nous avons passé une grande partie de notre dernier weekend à l'hôpital. J'étais très contente de rentrer à la maison!
>
> Zut il est déjà neuf heures et j'ai tous mes devoirs à faire! Ecris-moi bientôt,
>
> Bisous, Claire

Vrai ou faux? Ecrivez V (vrai) ou F (faux).

Exemple: Le petit ami de Claire s'appelle Patrick. (F)

5 Claire est déjà venue en vacances chez Lucy.

6 Lucy a déjà passé des vacances chez Claire.

7 Cette année Lucy ira chez Claire pour la première fois.

8 D'habitude Claire fait tous ses devoirs le weekend.

9 L'an dernier Claire a fait du camping pendant ses vacances d'été.

10 Selon Claire c'étaient des vacances très réussies.

11 La famille de Claire a dû rester trois jours au camping à cause du mauvais temps.

12 L'été dernier, Claire ne s'est pas baignée pendant les vacances.

13 Patrick s'est fait mal à la tête en pratiquant un sport dangereux.

14 Cet été Claire espère retourner en Bretagne.

(10 marks)

15-22   La Vienne

Lisez ce dépliant sur La Vienne.

La Vienne
Spécial Tourisme

A Visitez Poitiers

Ville d'art et d'histoire, Poitiers est un musée à ciel ouvert avec une rare concentration de monuments exceptionnels: l'église Notre Dame la Grande, joyau de l'art roman, le Palais de Justice, la cathédrale Saint-Pierre.

Poitiers et sa région peuvent s'enorgueillir d'un passé immensément riche mais aussi du Futuroscope, Parc européen de l'image.

B Visitez **L'Ile aux Serpents** à La Trimouille

Le spectacle fascinant des serpents.

L'Ile aux Serpents vous fait découvrir le monde secret et étonnant des serpents en toute sécurité.

C Pas trop loin de la vieille cité de Châtellerault

s'étend **le Pinail**, une réserve naturelle au paysage lunaire. La richesse de la faune (oiseaux, cerfs, sangliers …) et de la flore (plantes carnivores, orchidées, gentianes …) est la preuve d'un environnement préservé.

D 100 ans de Cinéma au Futuroscope

Le Parc du Futuroscope accueillera cette année trois millions de visiteurs.

Ils pourront découvrir le nouveau pavillon 'Images Studio' qui célèbre le centenaire du cinéma.

La Vienne Numéro spécial tourisme juin 1995

Choisissez une visite (A, B, C ou D) pour chaque touriste. Vous pouvez utiliser chaque lettre plus d'une fois

Exemple: Moi, j'adore le cinéma. **Réponse**: Visite D.

15 Moi, c'est surtout les monuments que j'aime.

16 Je m'intéresse beaucoup aux reptiles.

17 J'aime beaucoup le monde naturelle, mais j'ai peur des serpents.

18 Je m'intéresse à l'histoire et j'adore visiter les vieux bâtiments.

19 Toutes ces vieilles églises m'ennuient beaucoup – je préférerais aller au cinéma!

20 Pour moi, l'important, c'est de protéger l'environnement, mais je n'aime pas les animaux en captivité.

21 J'aimerais visiter une ville où on a le choix entre des endroits historiques et modernes.

22 Pour mon dossier d'histoire je voudrais faire des photos de vieilles églises.   (8 marks)

1-6   Jeunes et grands-parents – comment ça va?

Regardez ces statistiques, extraites d'un sondage du magazine Phosphore.

Grands-parents, quels dangers craignez-vous le plus pour l'avenir de vos petits-enfants actuellement adolescents?

Le chômage	66%
La drogue	55%
Le sida	31%
Une nouvelle guerre mondiale	14%
La pollution écologique	8%
La faim dans le monde	3%

Adolescents, parmi les dangers suivants, lesquels craignez-vous le plus pour votre avenir?

Le chômage	58%
Le sida	41%
Une nouvelle guerre mondiale	31%
La pollution écologique	27%
La drogue	17%
La faim dans le monde	11%

Lisez ces conclusions, tirées de ces statistiques. A chaque fois écrivez V (vrai) ou F (faux).

1 Pour toutes générations, le chômage est l'ennemi numéro 1.

2 Pour les grands-parents, le sida est plus effrayant que le chômage.

3 Pour les 15 à 19 ans, le sida est plus effrayant que la drogue.

4 Les jeunes s'intéressent plus que leurs grands-parents aux problèmes écologiques.

5 Les grands-parents s'inquiètent beaucoup au sujet des problèmes de la famine au tiers monde.

6 Les jeunes craignent moins les dangers de la drogue que la possibilité d'une nouvelle guerre mondiale.

(6 marks)

7-9 Nouveauté pour une rentrée discrète

Des appelés rentrent en classe

Il y a quelques mois, il terminait ses études commerciales à Saint-Malo. Aujourd'hui, après un mois de 'classes', il se trouve affecté dans un collège à Rennes. Stéphane Dehayes est l'un des deux milles jeunes appelés du contingent qui, d'ici la fin d'année, pourront accomplir leur service national dans un établissement scolaire. Pour sa première journée, il s'est fait applaudir par tous les enseignants et surveillants du collège. De mémoire de lycéen, puis d'étudiant, cela ne lui était jamais arrivé …

Ouest France 11.9 1992

7 Stéphane Dehayes est …

   a en train de faire des études commerciales à Saint-Malo.

   b en train de faire son service national dans une école.

   c un acteur populaire qui se fait toujours applaudir.

   d un lycéen dans une école à Rennes.

8 Quand il a commencé son nouveau travail les professeurs l'ont reçu …

   a avec appréhension.

   b avec hostilité.

   c avec enthousiasme.

   d avec indifférence.

9 Face à cet accueil, Stéphane était surtout …

   a étonné.

   b triste.

   c furieux.

   d inquiet.

(3 marks)

10-18 Les voitures, j'en ai marre!

> # Cher éditeur!
>
> *Les voitures, j'en ai marre! Les weekends d'été on ne peut pas bouger dans les rues de ma petite ville et ce ne sont certes pas les habitants qui font ces embouteillages et polluent l'air de notre région. Non, non – ce sont les touristes en route pour le Midi ou les Parisiens qui veulent passer leur dimanche à pique-niquer à la campagne. Nos jolies maisons blanches deviennent vite grises, nos enfants développent des maladies de poitrine et nos cyclistes sont en danger perpétuel de se faire écraser.*
>
> *Mais quoi faire? Construire encore des autoroutes? Il y en a déjà trop, mais de plus en plus, les touristes les quittent pour éviter les péages et pour pique-niquer ou pour apprécier le paysage.*
>
> *Les boulevards périphériques, les passages souterrains, les zones piétonnières? Peut-être, mais pas pour les petites villes comme la mienne – ce n'est pas pratique et ça coûte très cher. Une amélioration des transports publics – certainement, ça je suis pour! Mais ça aussi, c'est cher et à la campagne – pas réaliste. Franchement, il n'y a pas de solution globale.*
>
> *Alors, moi, j'ai dû trouver une solution personnelle. Les weekends d'été je prends ma voiture, je quitte ma ville comblée de voitures parisiennes, et je m'en vais à Paris!*

10 What can you tell from this letter about the location of the writer's home?

   a busy suburb of Paris

   b small country town in South of France

   c small country town not too far from Paris

   d town through which a motorway passes (1 mark)

11 What exactly is he complaining about? (2 marks)

12 Which two groups of people are mainly responsible for this problem? (2 marks)

13 Which three examples does he quote of the bad effects of this state of affairs? (3 marks)

14 Why, in the writer's opinion, is the construction of more motorways not the solution? (Give at least two reasons.) (2 marks)

15 What are two of the other possible solutions mentioned by the writer? Give one reason why he opposes these solutions? (3 marks)

16 What, if anything, does he see as the overall solution to the problem? (1 mark)

17 What personal solution has he arrived at? (1 mark)

18 Which of the following do you think most accurately describes the writer of this letter?

   a very angry and frustrated

   b environmentally aware but completely unimaginative

   c genuinely annoyed but has a sense of humour

   d unrealistic and lacking in humour (1 mark)

(Total 16 marks)

19-24 Les camions de l'espoir

Read this extract from a magazine for postal workers, *Publireportage*.

> Avril 1991, 17 camions franchissent la frontière turque en direction des camps de réfugiés kurdes. A leur bord: 150 tonnes de vêtements chauds et 42 chauffeurs de la Poste, très motivés par leur mission. Et motivé il faut l'être, pour parcourir 4 000 kilomètres sur des routes dangereuses, avec toute l'attention qu'exige la conduite en convoi et de nuit, sans compter les attentes aux frontières.
>
> Mais tout le monde se sent concerné par la vocation humanitaire de la Poste. Comme Michel, qui a répondu présent sans hésiter: 'On porte secours à de pauvres gens, et en plus, ces voyages nous sortent du train-train quotidien.'
>
> En janvier 1990, la Poste avait choisi d'aider le peuple roumain. 24 camions avaient quitté la France avec, à leur bord, des produits alimentaires, des vêtements, des médicaments et du matériel médical.
>
> Tous les ans la Poste s'engage dans une action humanitaire aux côtés d'associations telles que Médecins sans Frontières ou France Libertés. Collecte, centralisation et distribution des colis, elle apporte son savoir-faire mais aussi son matériel et ses hommes.

Now summarise, in note form, the main points of the article according to the guidance given below:

The Post Office's humanitarian missions

19 Typical destinations (2 marks)

20 Description of typical convoys (men and lorries) (2 marks)

21 What they transport (mention any two things) (2 marks)

22 Problems encountered on the journeys. (2 marks)

23 Why do they do it? (2 marks)

24 What particular expertise does the Post Office bring to these missions? (2 marks)

(Total 12 marks)

Writing

Before your exam

Make sure you have learnt by heart beforehand the things which are almost certain to be needed, such as expressions for beginning or ending formal letters and phrases for giving your opinions.

Different kinds of writing

Short notes, messages, lists, form-filling, labelling, a poster etc.

Keep the contents short and to the point, but they should be grammatically correct, i.e. you must still put *le/la/un/une* etc. in front of nouns and make adjectives agree, e.g. in a shopping list, write *du* pain, **des** *pommes, une* **grande** *bouteille d'eau* etc. (not just 'bread, apples, water', as you might write in English).

Postcards and diaries

Again, keep the contents short but this time you will need to write in sentences, so be careful with the verbs. You can often use past, present and future tenses on a postcard, e.g.

Je **suis** *en vacances à Paris* (present). *Hier nous* **avons vu** *la Tour Eiffel* (past) *et demain nous* **irons** *à la Défense* (future).

Letters

There are two distinctly different types of letter:

Informal letters, e.g. to a penfriend or another young person, with some choice about what you want to say – rather like conversation written down.

Formal letters, e.g. to book accommodation, to make enquiries about a holiday or something you have lost or to make a complaint. In formal letters you have to follow a pattern and stick to the correct ways to begin and end the letter and the sort of expressions you must use.

Other types of writing

You might be asked to write an article for the school magazine or make up a brochure about your school, town or an event. For this sort of item it is a good idea to make a short plan before you start and jot down, under headings, some words and expressions which seem appropriate to the subject. This kind of item gives you the opportunity to show a bit of imagination, but don't get carried away! It is still important to get the tenses and agreements right! Try to allow some checking time at the end.

In the exam

1 You are usually told about how many words the letter has to contain. Try to make yours the correct length, but this is not so important as making sure that you complete the task correctly.

2 Find out beforehand whether you are to write a full address or just the name of your town, and whether the date has to be in words. Find out also if the address and date count as part of the total number of words.

3 Always read carefully through the rubric and the letter you have to answer, or the outline plan, before you begin to write your own letter.

Using a dictionary in the writing exam

In this part of the exam the dictionary can either be very useful – or rather dangerous. It can be useful because if you forget an important word or want to check a gender, you can look it up straight away without wasting time trying to find a way round it!

The danger is that, because you know you are allowed to use the dictionary, you might start trying to say all sorts of complicated new things – and end up making mistakes or wasting a lot of time. The best policy is to write what you know, keep it simple and just look up the odd word that you really need.

Plan your letter

An informal letter

Write short notes **in French**, before beginning to write your letter. Jot down any key words or phrases under the headings:
Beginning, Middle, Ending.

When you write the letter, comment on the information given to you to prove that you have read it and make sure that you answer the questions. If there is a letter to answer, use it to help you with ideas but don't copy out whole chunks of it in your reply. Work out roughly how many words you expect to allocate to each section, and leave enough for the ending.

Link your letter together and set it out properly in paragraphs.

A formal letter

Plan the letter **in French** under headings. Use the correct phrases for the beginning and the ending and check that you have answered all the questions fully and given all the information required. Don't be chatty in a formal letter, and stick to the point.

Points to remember

1 Decide which tense or tenses are required and make sure you use them: perfect for what you did, imperfect for descriptions or things you used to do.

2 Decide at the beginning if you should be using *tu* or *vous*, and then stick to it.

3 If you have re-used any of the words from the original letter, double check that you have spelt them correctly.

4 Keep to the subject.

5 Check thoroughly what you have written. Check the verbs and make sure the nouns and adjectives agree, then start at the end and check back each paragraph at a time. (You'll get a fresh look at it that way.) Then read it right through and see if it sounds like a real letter.

Writing informal letters: useful phrases

There is a fuller list in *Vocabulaire par thèmes*. Consult this list or your dictionary if you are not sure what some of these expressions mean, or if you want more choice of things to write.

Opening

(Mon) cher …/(Ma) chère …/
(Mes) chers amis/(Mes) chères amies

Expressing thanks

Merci (beaucoup) de ta/votre lettre
J'ai bien reçu ta/votre lettre, qui m'a fait très plaisir.

Signing off

(Unemotional)

(Meilleures) amitiés

Ton ami(e)

Ton/Ta correspondant(e)

(More affectionate)

Je t'embrasse

(Bien) affectueusement

Bises

Writing formal letters: useful phrases

Opening

Monsieur/Madame/Mademoiselle

Expressing thanks

Je vous remercie de votre lettre du 5 avril
J'ai bien reçu votre lettre du 5 avril

Requesting something

Veuillez m'envoyer …
Je vous prie de …

Signing off

Je vous prie d'agréer, Monsieur/Madame/
Mademoiselle, l'expression de mes sentiments les
meilleurs. (= Yours sincerely!)

Writing about events

Decide which tenses you will need. Usually, if you are saying what happened, you will need the perfect tense, but don't forget to use the imperfect tense for descriptions in the past.

Link the sentences together so that it sounds more realistic and interesting. Here are some words and phrases to help you.

Setting the scene

Time

Ce jour-là	That day
L'année dernière	Last year
Pendant les vacances	During the holidays
Un jour d'hiver	One winter's day
Hier matin	Yesterday morning

Place

à la campagne	in the country
à la montagne	in the mountains
en ville	in town
chez moi	at home

Linking phrases

à ce moment même	at that very moment
à la fin	in the end
à ma grande surprise	to my great surprise
ainsi	thus
alors	in that case, then, so
car	for, because
cependant	however
c'est-à-dire	that is to say
d'abord	(at) first
d'ailleurs	moreover, besides
déjà	already
de toute façon	in any case
donc	therefore, so
du moins	at any rate
en effet	indeed, as a matter of fact
en fait	in fact
en général	in general
enfin	at last, finally
ensuite	then, next
et … et	both .. and
finalement	finally
heureusement	fortunately
lorsque	when
mais	but
malgré	in spite of
malheureusement	unfortunately
naturellement	of course
parce que	because
par conséquent	as a result, consequently
peut-être	perhaps
pourtant	however
puis	then, next
quand	when
quand même	all the same
soudain	suddenly
surtout	above all
tandis que	while, whereas
tout à coup	suddenly
tout de suite après	immediately afterwards

Practice items: Writing

Writing
Foundation Tier

1   Un échange scolaire

*Vous allez faire un échange scolaire en France. Il faut
remplir ce formulaire en français avant votre visite.*

Nom	....
Garçon ou fille	.... (1 mark)
Nationalité	.... (1 mark)
Sport préféré	.... (1 mark)
Un sport ou une activité que vous n'aimez pas faire	.... (1 mark)
Deux passe-temps ou activités qui vous intéressent	.... (2 marks)
Une chose que vous aimez manger	.... (1 mark)
Une chose que vous n'aimez pas manger	.... (1 mark)

(Total 8 marks)

2   Inventez un menu

*Vous aurez des invités français pour le déjeuner ce weekend;
choisissez les plats et écrivez un menu complet en français.*

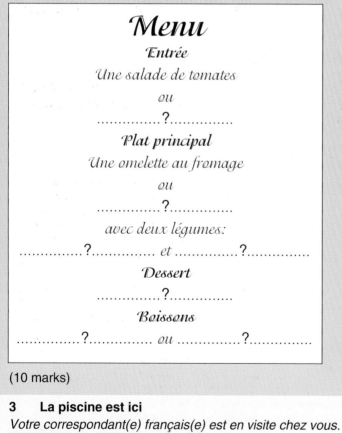

Menu

Entrée

Une salade de tomates

ou

.............?.............

Plat principal

Une omelette au fromage

ou

.............?.............

avec deux légumes:

.............?............. *et* ....?.............

Dessert

.............?.............

Boissons

.............?............. *ou* ....?.............

(10 marks)

3   La piscine est ici

*Votre correspondant(e) français(e) est en visite chez vous.
Ecrivez-lui des directions pour aller à la piscine.*

Exemple: En quittant la maison, tourne à …

(10 marks)

1   Vous êtes en vacances

*Ecrivez une carte postale à votre correspondant(e)
français(e).*

Dites-lui …

a *où vous êtes;*

b *le temps qu' il fait;*

c *une chose que vous faites tous les jours;*

d *quelque chose ou quelqu'un que vous avez vu;*

e *quand vous rentrerez chez vous.*

(12 marks)

2   Un message

Votre correspondant(e) est en vacances chez vous.

Laissez un message pour lui dire …

a *où vous allez*

b *ce que vous allez acheter*

c *à quelle heure vous allez rentrer*

d *ce qu'il y a à manger s'il (si elle) a faim*

e *ce qu'on va faire ce soir*

Exemple: Je vais …

(10 marks)

3   Une lettre à un hôtel

*Tu espères passer quelques nuits dans un hôtel, en route
pour tes vacances dans un camping dans le Midi.*

*Ecris à l'Hôtel de Bourgogne à Dijon pour faire les
choses suivantes:*

a *Réserve des chambres pour ta propre famille (ou pour
un groupe d'amis). Donne tous les détails nécessaires.*

b *Demande les renseignements suivants:*

   🅿 ?

   🏊 ?

   ✗ ?

   ⬍ ?

Writing
Higher Tier

1 Une lettre à votre correspondant(e)

Répondez à cette lettre de votre correspondant(e) français(e). N'oubliez pas de répondre à toutes ses questions et ajoutez deux ou trois questions vous-même. Ecrivez entre 120 et 150 mots.

Poitiers, le 15 juin

Cher Paul/Chère Pauline,

Merci bien de ta lettre — tout ce que tu as dit au sujet de ton collège m'a beaucoup intéressé(e). Mais tu as dit que tu portes un uniforme au collège — je trouve ça extraordinaire — nous on ne fait pas ça! Moi, pour l'école je mets un pantalon et un pull ou un T-shirt. S'il te plaît, fais-moi une description de ton uniforme scolaire dans ta prochaine lettre.

Samedi dernier j'ai visité le Futuroscope avec une bande de copains. On s'est très bien amusés. Qu'est-ce que tu as fait le weekend dernier? Est-ce que tu vas quelquefois dans un parc d'attractions avec tes amis?

Si tu veux on ira à Futuroscope quand tu viendras ici en été — c'est vraiment génial!

Ecris-moi aussitôt que possible,

Ton Ta corres,

Alex

(24 marks)

2 Un portefeuille perdu

En rentrant de tes récentes vacances dans un camping en France tu découvres que tu as perdu ton portefeuille. Ecris tout de suite au Camping du Château.

Ecris entre 120 et 150 mots.

N'oublie pas les renseignements suivants:

a Ton nom, ton adresse et les dates de ton séjour.

b La position de ton emplacement.

c Une description de ton portefeuille et de son contenu.

d Si possible, l'endroit et l'heure de la dernière fois que tu avais le portefeuille sur toi.

(20 marks)

3 Un dépliant sur votre ville

*Pendant votre stage en entreprise à l'Office du Tourisme de votre ville on vous propose d'aider à préparer un petit dépliant sur la ville (ou sur la région) pour les visiteurs français – surtout les jeunes. Ecrivez un paragraphe d'entre 40 et 60 mots pour **chacune** de ces sections.*

Exemple

a On fait du shopping

Mode

Pour acheter les vêtements à la dernière mode, allez au Centre Commercial, rue de la Gare; mais si vous voulez quelque chose d'amusant et beaucoup moins cher, il y a une très bonne sélection sur le marché, le dimanche, près du stade.

Nouveautés …

a On fait du shopping.

(Des idées pour les jeunes.)

(5 marks)

b Il ne faut pas manquer ça!

(Les choses qu'il faut voir, les endroits qu'il faut visiter.)

(5 marks)

c Que faites-vous ce soir?

(Les bons cafés, les cinémas, les discothèques les plus fréquentées.)

(5 marks)

d Visitez la région

(Des idées pour des excursions aux monuments intéressants, aux parcs d'attraction etc. qui ne sont pas trop loins.)

(5 marks)

(Total 20 marks)

4 Que faites-<u>vous</u> pour protéger l'environnement?

Vous avez lu, dans un magazine français, cette lettre au sujet de la pollution.

Cher éditeur!

On ne cesse pas de lire dans les journaux et d'écouter à la radio des protestations contre la pollution; tout le monde semble prendre le problème au sérieux, tous les jeunes sont écolos, mais tout le temps la situation s'aggrave. Que faites-vous pour protéger l'environnement? Qu'est-ce que nous pourrions faire de plus?

Dépêchez-vous d'envoyer vos idées car il faut faire vite!

J-P G (Grenoble)

Vous voudriez exprimer vos propres idées à ce sujet, donc vous écrivez une lettre à ce magazine pour donner votre point de vue. Ecrivez entre 100 et 150 mots.

(20 marks)

La grammaire

Introduction

If you understand the grammatical rules or patterns of a language, it's a real short cut towards learning the language. It will save you having to learn each word or phrase separately.

You have already learnt a lot of French grammar and used it in speaking and writing French. In this summary it is set out so that you can refer to anything you might have forgotten. Some technical terms are used in this section and these are explained below.

• article

The definite article is the word for 'the' which appears before a noun, e.g. *le, la, l', les*.

The indefinite article is the word for 'a' or 'an' which appears before a noun, e.g. *un, une* (plural: *des* = 'some').

In English, we often leave out the article, but it must not be left out in French (except in a very few cases).

• noun

A noun is the name of someone or something or the word for a thing (e.g. a box, a pencil, laughter). All nouns in French are either masculine or feminine. (This is called their **gender**.) The article (the word for 'a' or 'the') will usually tell you the gender of a noun.

• singular and plural

A singular noun means that there is only one thing or person. In English, 'cat', 'teacher', 'idea' and 'school' are all nouns in the singular. Similarly in French, *le chat, le professeur, l'idée* and *le collège* are all singular nouns.

A plural noun means that there is more than one thing or person. For example, 'students', 'books', 'shops' are all plural nouns in English, just as *les étudiants, les livres* and *les magasins* are all plural nouns in French.

• pronoun

A pronoun (e.g. 'he', 'she', 'it', 'them') is used in place of a noun, e.g.

Le garçon arrive.	*Il arrive.*
La fille arrive.	*Elle arrive.*
Les enfants arrivent.	*Ils arrivent.*

• adjective

Adjectives are words which tell you more about a noun and they are often called 'describing words'.

In the sentence 'Leeds is a large industrial town' *(Leeds est une grande ville industrielle)*, 'large' *(grande)* and 'industrial' *(industrielle)* are adjectives. In French, adjectives agree with the noun. That is, they are masculine, feminine, singular or plural to match the noun they describe.

• verb

Every sentence contains at least one verb. Most verbs describe what things or people are doing, but the verb 'to be' also counts as a verb, e.g. he buys *(il achète)*, I am *(je suis)*, she played *(elle a joué)*.

Sometimes verbs describe the state of things, e.g.

Il fait beau.	It is fine.
J'ai deux frères.	I have two brothers.

Verbs in French have different endings and forms depending on the person ('I', 'you', 'he', 'she' etc.) and the tense.

• regular and irregular verbs

Regular verbs follow a set pattern. There are three main groups: those whose infinitives end in *-er, -re* or *-ir*.

Irregular verbs follow different patterns. Some of the most commonly used verbs are irregular.

• auxiliary verb and past participle

The perfect tense contains two parts to the verb: an auxiliary verb and a past participle. The auxiliary (or helping) verb is part of *avoir* or *être*. The past participle is usually formed from the infinitive and ends in *-é, -u* or *-i*.

• infinitive

This is the form of the verb which you would find in a dictionary. It means 'to ... ', e.g. 'to speak', 'to have'. Regular verbs in French have an infinitive which ends in *-er, -re* or *-ir*, e.g. *parler, vendre* or *finir*. The infinitive never changes its form.

• tense

The tense of the verb tells you when something happened, is happening or is going to happen. Each verb has several tenses. You have learnt several tenses, such as the present tense, the perfect tense, the future tense and the imperfect tense.

• adverb

An adverb tells you more about a verb, often explaining how, when or where something happens. Many adverbs in English end in -ly and in French in *-ment*, e.g.

Il danse lentement.   He dances slowly.

• subject

The subject of a verb is the person or thing performing the action or being described. In the sentence *Jean regarde la télé*, the subject is Jean because it is Jean who is watching television.

• direct object

The object of a verb is the person or thing which has whatever is being talked about done to it, e.g.

Elle mange un sandwich.

In the above example *un sandwich* is the object, because the sandwich is having what is being talked about (being eaten!) done to it.

The object of a sentence can be a noun or a pronoun. If it is a noun it usually comes after the verb. If it is a pronoun it usually goes between the subject and the verb:

On a acheté des pommes. On les mangera à midi.

Des pommes and *les* are the objects of the above sentences. They are also examples of the direct object.

• indirect object

In French, the indirect object (if it is a noun) usually has *à, au* or *aux* in front of it. In English you can usually put 'to' or 'for' in front of it, e.g.

J'ai déjà écrit à mes parents, mais je leur parlerai ce soir au téléphone.
I have already written to my parents but I will speak to them tonight on the phone.

Mes parents and *leur* are the indirect objects of the above sentences.

• preposition

A preposition is a word like 'to', 'at', 'from', 'in' (*à, de, dans*). It often tells you something about where a thing or a person is.

Index to the grammar section

Nouns

Masculine and feminine

All nouns in French are either masculine or feminine.

masculine singular	feminine singular
le garçon	*la fille*
un village	*une ville*
l'appartement	*l'épicerie*

Nouns which refer to people often have a special feminine form. Most follow one of these patterns:

1 For the feminine form, you add an *-e*:

un ami	*une amie*
un client	*une cliente*
un employé de bureau	*une employée de bureau*

2 If the masculine form ends in *-er*, you change this to *-ère*:

un ouvrier	*une ouvrière*
un infirmier	*une infirmière*

3 Many masculine forms which end in *-eur* have a feminine form ending in *-euse*:

un coiffeur	*une coiffeuse*
un vendeur	*une vendeuse*

However, a few have a feminine form ending in *-rice*:

un moniteur de ski	*une monitrice de ski*
un instituteur	*une institutrice*

4 To convert some masculine nouns (especially ones ending in *-n*) to feminine forms, you double the last letter and add an *-e*.

un lycéen	*une lycéenne*
un Parisien	*une Parisienne*

5 The feminine forms of some masculine nouns don't follow any clear pattern. You just have to try and remember these.

un copain	*une copine*
un roi	*une reine*

Remember, not all nouns referring to people have different masculine and feminine forms:

un touriste	*une touriste*
un élève	*une élève*
un enfant	*une enfant*

Singular and plural

Nouns can also be singular (referring to just one thing or person) or plural (referring to more than one thing or person):

une chambre	*des chambres*

In many cases, it is easy to use and recognise plural nouns because the last letter is an *-s*. (Remember that an *-s* on the end of a French word is often silent.)

un ouvrier	*des ouvriers*

Again, there are a few exceptions:

1 Most nouns which end in *-eau*, *-eu* or *-ou* in the singular add an *-x* for the plural. This is not sounded either.

un château	*des châteaux*
un jeu	*des jeux*
un chou	*des choux*

2 Most nouns which end in *-al* change this to *-aux* in the plural:

un animal	*des animaux*
un journal	*des journaux*

3 Nouns which already end in *-s*, *-x* or *-z* don't change in the plural:

un repas	*des repas*
le prix	*les prix*

4 A few nouns don't follow any clear pattern:

un œil	*des yeux*

Articles

le, la, les (definite article)

The word for 'the' in French is masculine or feminine, singular or plural according to the word which follows:

masculine	singular feminine	before a vowel	plural (all forms)
le village	*la* ville	*l'* épicerie	*les* touristes

The main uses are as follows:

*   to refer to a particular thing or person, in the same way as we use 'the' in English:

    Voici l'hôtel où nous sommes descendus.
    There's the hotel where we stayed.

*   to make general statements about likes and dislikes:

    J'aime les pommes mais je n'aime pas les prunes.
    I like apples but I don't like plums.

*   and about things as a whole, e.g. all dogs:

    Les chiens me font peur.   I'm afraid of dogs.

*   with titles:

    le Président de la France   President of France
    la Reine Elizabeth   Queen Elizabeth

*   with parts of the body

    Il s'est brossé les dents.   He brushed his teeth.
    Elle a mal à la tête.   She has a headache.

*   with days of the week to give the idea of 'every':

    Je joue au tennis le samedi matin.
    I play tennis on Saturday morings.

*   with different times of the day to mean 'in' or 'during':

    Le matin, j'ai cours de 9 heures jusqu'à midi et demi.
    In the morning, I have lessons from 9 o'clock until 12.30.

*   with prices, to refer to a specific quantity:

    C'est 5 francs la pièce.   They're 5 francs each.

un, une, des (indefinite article)

The word for 'a', 'an' or 'some' in French is masculine or feminine, singular or plural according to the word which follows:

singular masculine	feminine	plural (all forms)
un appartement	*une* maison	*des* appartements *des* maisons

Un and *une* are used when you aren't referring to a specific item, in the same way as we use 'a' or 'an' in English:

Passe-moi une cuillère, s'il te plaît.
Pass me a spoon please.

No article is used in French when describing a person's occupation:

Elle est dentiste.   She's a dentist.
Il est employé de bureau.   He's an office worker.

Some or any (partitive article)

The word for 'some' or 'any' changes according to the noun it is used with:

masculine	singular feminine	before a vowel	plural (all forms)
du pain	*de la* viande	*de l'* eau	*des* poires

Sometimes you do not use *du/de la/de l'/des* but just *de* or *d'*. This happens in the following cases:

*   after a negative (*ne ... pas, ne ... plus, ne ... jamais* etc.)

    Je n'ai pas d'argent   I haven't any money
    Il n'y a plus de légumes   There are no vegetables left

*   after expressions of quantity:

    un kilo de poires   a kilo of pears
    un morceau de fromage   a piece of cheese
    une portion de frites   a portion of chips
    beaucoup de bananes   a lot of bananas

Note: this does not happen with the verb être or after *ne ... que*, e.g.

Ce n'est pas du sucre, c'est du sel.   It's not sugar, it's salt.
Il ne reste que du café.   There's only coffee left.

This, that, these, those

ce, cet, cette, ces

The different forms of *ce* are used instead of *le, l', la, les* when you want to point out a particular thing or person:

masculine	singular before a vowel (masculine only)	feminine	plural (all forms)
ce chapeau	*cet* anorak	*cette* jupe	*ces* chaussures

Ce can mean either 'this' or 'that'. *Ces* can mean either 'these' or 'those'. To make it clearer which you mean, you can also add *-ci* and *-là*:

Est-ce que tu préfères ce pull-ci ou ce pull-là?
Do you prefer this pullover or that pullover?
Je vais acheter cette robe-là.
I'm going to buy that dress.

celui, celle, ceux, celles

When 'this' or 'that' is not followed by a noun, use *celui, celle, ceux* or *celles* meaning 'the one(s)'. Add *-ci* or *-là* to distinguish between 'this one' and 'that one'.

singular masculine	feminine	plural masculine	feminine
celui-ci	*celle-ci*	*ceux-ci*	*celles-ci*
this one		these	
celui-là	*celle-là*	*ceux-là*	*celles-là*
that one		those	

Nous avons deux pulls dans cette taille; celui-ci est en laine, celui-là est en acrylique.
We have two jumpers in that size; this one is in wool, that one is in acrylic.

Celui, celle, ceux and *celles* can also be used to mean 'the one' or 'the ones':

Tu reconnais cette chanson? C'est celle que j'ai chantée dans le concert.
Do you recognise this song? It's the one I sang in the concert.

Cela (ça)

If there is no noun or you want to talk about a general idea, *cela (ça)* can be used to mean 'that':

Ça, c'est une bonne idée.   That's a good idea.
Cela me fait mal.   That hurts.

Adjectives

Agreement of adjectives

In French, adjectives agree with the noun, which means that they are masculine or feminine, singular or plural to match the noun. Look at the patterns in the tables below to see how adjectives agree.

1 Regular adjectives

singular		plural	
masculine	feminine	masculine	feminine
grand	grande	grands	grandes
intelligent	intelligente	intelligents	intelligentes
fort	forte	forts	fortes
allemand	allemande	allemands	allemandes

A lot of adjectives follow the above pattern.

Adjectives which end in -u, -i or -é follow this pattern, but although the spelling changes, they don't sound any different when you say them:

bleu	bleue	bleus	bleues
joli	jolie	jolis	jolies
fatigué	fatiguée	fatigués	fatiguées
âgé	âgée	âgés	âgées

Adjectives which already end in -e (with no accent) have no different feminine form:

jaune	jaune	jaunes	jaunes
mince	mince	minces	minces
jeune	jeune	jeunes	jeunes

Adjectives which already end in -s have no different masculine plural form:

français	française	français	françaises

Adjectives which end in -er follow this pattern

cher	chère	chers	chères
premier	première	premiers	premières

Adjectives which end in -eux follow this pattern:

délicieux	délicieuse	délicieux	délicieuses
merveilleux	merveilleuse	merveilleux	merveilleuses

Some adjectives double the last letter before adding an -e for the feminine form:

gentil	gentille	gentils	gentilles
mignon	mignonne	mignons	mignonnes
gros	grosse	gros	grosses
bon	bonne	bons	bonnes

2 Irregular adjectives

Many common adjectives are irregular, and you need to learn each one separately. Here are some you have already met:

blanc	blanche	blancs	blanches
long	longue	longs	longues
vieux (vieil)	vieille	vieux	vieilles
nouveau (nouvel)	nouvelle	nouveaux	nouvelles
beau (bel)	belle	beaux	belles

Vieil, nouvel and *bel* are used before masculine nouns which begin with a vowel.

A few adjectives do not change at all:

marron	marron	marron	marron

In a dictionary these are followed by *inv.* (= invariable).

Position of adjectives

Adjectives normally follow the noun:

> J'ai vu un film très intéressant à la télé.
> Regarde cette jupe noire.

Some common adjectives go before the noun. The most common ones are *grand, petit, bon, mauvais, beau, jeune, vieux, joli, gros, premier, court, long, haut.*

> C'est un petit garçon.
> Il prend le premier train pour Paris.

All colours, and adjectives describing nationality, follow the noun.

Comparisons

To compare one person or thing with another, you use *plus* (more), *moins* (less) or *aussi* (as) before the adjective:

	plus		richer than
Il est	moins	riche que mon père	not as rich as
	aussi		as rich as

Remember to make the adjective agree in the usual way:

> Jean-Luc est plus âgé que Nicole.
> Nicole est plus âgée que Robert.
> Jean-Luc et Nicole sont plus âgés que Robert.

Notice these special forms:

bon	meilleur (better)
mauvais	plus mauvais or pire (worse)

> Ce livre est meilleur que l'autre.
> Cette maison est meilleure que l'autre.
> Cet article est pire que l'autre.

The superlative

You use the superlative when you want to say that something is the best, the greatest, the fastest, the biggest, the most expensive etc.

> La Tour Eiffel est le plus haut monument de Paris.
> The Eiffel Tower is the highest monument in Paris.

> Paris est la plus belle ville du monde.
> Paris is the most beautiful city in the world.

> Les TGV sont les trains français les plus rapides.
> The TGV are the fastest French trains.

Notice that
- you use *le plus, la plus, les plus* and the correct form of the adjective, depending on whether you are describing something which is masculine, feminine, singular or plural.
- if the adjective normally goes after the noun, then the superlative also follows the noun:
  > C'est le monument le plus moderne de Paris.
  > It's the most modern monument in Paris.
- if the adjective normally goes before the noun, then the superlative can go before the noun:
  > C'est le plus haut monument de Paris.
  > It's the tallest monument in Paris.
- you usually use *le/la/les plus* (meaning 'the most') but you can also use *le/la/les moins* (meaning 'the least'):
  > J'ai acheté ce pantalon parce que c'était le moins cher.
  > I bought this pair of trousers because it was the least expensive.

Here are some useful expressions:

le moins cher	the least expensive
le plus cher	the most expensive
le plus petit	the smallest
le plus grand	the biggest
le meilleur	the best
le pire	the worst

177

tout

singular		plural	
masculine	feminine	masculine	feminine
tout	*toute*	*tous*	*toutes*

Tout meaning 'all', 'the whole' or 'every' is usually used as an adjective and agrees with the noun that follows:

> *On a mangé tout le pain.*   We've eaten all the bread.
> *On va en France tous les ans.* We go to France every year.

Tout meaning 'all' or 'everything' can sometimes be used as a pronoun and it then doesn't change form:

> *On a tout vu.*   We've seen everything.
> *Tout est bien qui finit bien.*   All's well that ends well.

Adverbs

Adverbs are words which add some meaning to the verb. They usually tell you how, when or where something happened, or how often something is done.

Many adverbs in English end in -ly, e.g. generally, happily, quietly. Similarly, many adverbs in French end in *-ment*, e.g. *généralement, heureusement, doucement*.

To form an adverb in French you can often add *-ment* to the feminine singular of the adjective:

masculine singular	feminine singular		adverb
malheureux	*malheureuse*	+ ment	*malheureusement* unfortunately
lent	*lente*	+ ment	*lentement* slowly

If a masculine singular adjective ends in a vowel, just add *-ment*:

> *vrai*   + ment   *vraiment* (= really, truly)
> *simple*   + ment   *simplement* (= simply)

If a masculine singular adjective ends in *-ent*, change to *-emment*:

> *évident*   *évidemment* (= obviously)
> *fréquent*   *fréquemment* (= frequently)
> *patient*   *patiemment* (= patiently)

Comparative and superlative

As with adjectives, you can use the comparative or superlative to say that something goes more quickly, more slowly, fastest or slowest etc.

> *Marc skie plus vite que Chantal.*
> Marc skis faster than Chantal.

> *Mais c'est moi qui skie le plus vite du groupe.*
> But I ski the fastest in the group.

> *Nous sommes en retard. Allez à la gare le plus vite possible.*
> We're late. Go to the station as quickly as possible.

Notice these special forms:

> *bien*   *mieux*   well   better
> *mal*   *pire*   badly   worse
> *Ça va mieux aujourd'hui?*   Are you feeling better today?
> *Non, je me sens encore pire*   No, I feel even worse

Expressing possession
My, your, his, her, its, our, their

	singular			plural
	masculine	feminine	before a vowel	(all forms)
my	*mon*	*ma*	*mon*	*mes*
your	*ton*	*ta*	*ton*	*tes*
his/her/its	*son*	*sa*	*son*	*ses*
our	*notre*	*notre*	*notre*	*nos*
your	*votre*	*votre*	*votre*	*vos*
their	*leur*	*leur*	*leur*	*leurs*

These words show who something or somebody belongs to. They agree with the noun that follows them, NOT the person. *Son, sa, ses* can mean 'his', 'her' or 'its'. The meaning is usually clear from the context.

> *Paul mange son déjeuner.*   Paul eats his lunch.
> *Marie mange son déjeuner.*   Marie eats her lunch.
> *Le chien mange son déjeuner.*   The dog eats its lunch.

Before a feminine noun beginning with a vowel, you use *mon, ton* or *son*:

> *Mon amie s'appelle Nicole.*
> *Où habite ton amie, Françoise?*
> *Son école est fermée aujourd'hui.*

à moi, à toi etc.

mine	*à moi*	ours	*à nous*
yours	*à toi*	yours	*à vous*
his	*à lui*	theirs	*à eux*
hers	*à elle*	theirs	*à elles*

> – *C'est à qui, ce stylo?*   Whose pen is this?
> – *C'est à moi.*   It's mine.
> – *Les cartes postales sont à toi aussi?*
>   Are the postcards yours as well?

This way of expressing possession is common in conversational French.

le mien, le tien etc.

In more formal French, you may come across these possessive pronouns:

	singular			plural
	masculine	feminine	before a vowel	(all forms)
mine	*le mien*	*la mienne*	*les miens*	*les miennes*
yours	*le tien*	*la tienne*	*les tiens*	*les tiennes*
his, her, its	*le sien*	*la sienne*	*les siens*	*les siennes*
ours	*le nôtre*	*la nôtre*	*les nôtres*	*les nôtres*
yours	*le vôtre*	*la vôtre*	*les vôtres*	*les vôtres*
theirs	*le leur*	*la leur*	*les leurs*	*les leurs*

> – *C'est ta valise?*
> – *Non c'est celle de Charlotte. La mienne est là-bas.*
> – Is that your case?
> – No, it's Charlotte's. Mine is over there.
> *Leur ordinateur est plus sophistiqué que le nôtre.*
> Their computer is more sophisticated than ours.

de + noun

There is no use of apostrophe -s in French, so to translate 'Marie's house' or 'Olivier's skis' you have to use *de* followed by the name of the owner:

> *C'est la maison de Marie.*   It's Marie's house.
> *Ce sont les skis d'Olivier.*   They are Olivier's skis.

If you don't actually name the person, you have to use the appropriate form of de (du, de la, de l' or des):

> C'est la tente de la famille anglaise.
> It's the English family's tent.

> – C'est votre journal?   Is it your newspaper?
> – Non, c'est celui du monsieur qui vient de sortir.
>   No, it belongs to the man who has just gone out.

le, la, l', les + parts of the body
In French, the definite article (le, la, l', les) is normally used with parts of the body:

> Elle s'est lavé les mains.   She washed her hands.
> Il s'est coupé le doigt.   He cut his finger.

Pronouns

Subject pronouns
These replace a noun which is the subject of the verb:

> Jeanne regarde le film.   **Elle** regarde le film.
> Son père est coiffeur.   **Il** est coiffeur.

Object pronouns
These pronouns replace a noun, or a phrase containing a noun which is not the subject of the verb. They are used a lot in conversation and save you having to repeat a noun or phrase. The pronoun goes immediately before the verb, even when the sentence is a question or in the negative:

> Tu le vois? Non, je ne **le** vois pas.

If a verb is used with an infinitive, the pronoun goes before the infinitive:

> Quand est-ce que vous allez **les** voir?
> Elle veut **l'**acheter tout de suite.

In the perfect tense, the object pronoun goes before the auxiliary verb (avoir or être):

> C'est un bon film. Tu **l'**as vu?

Le, la, les (direct object pronouns)

> Tu prends ton vélo?   Oui, je **le** prends.
> Vous prenez votre écharpe?   Oui, je **la** prends.
> N'oubliez pas vos gants!   Ça va, je **les** porte.
> Tu as vu Philippe en ville?   Oui, je **l'**ai vu au café.
> Tu verras Monique ce soir?   Non, je ne **la** verrai pas.

Le, la (or l') can mean 'it', 'him' or 'her'. Les means 'them'.
These pronouns can also be used with voici and voilà:

> Tu as ta carte?   **La** voilà.   Here it is.
> Vous avez votre billet?   **Le** voilà.   Here it is.
> Où sont Philippe et Monique?   **Les** voilà.   Here they are.

Lui and leur (indirect object pronouns)

> – Qu'est-ce que tu vas offrir à ta sœur?
> – Je vais **lui** offrir une cassette.
> – Et à ton frère?
> – Je vais **lui** offrir un livre.

Lui is used to replace masculine or feminine singular nouns, often in a phrase beginning with à. It usually means 'to him' or 'for him' or 'to her' or 'for her'.
In the same way, leur is used to replace masculine or feminine plural nouns, often in a phrase beginning with à or aux. It usually means 'to them' or 'for them'.

> – Tu as déjà téléphoné à tes parents?
> – Non, mais je vais **leur** téléphoner ce soir.

Me, te, nous, vous
These pronouns are used as both direct and indirect object pronouns.
Me (or m') means 'me', 'to me' or 'for me':

> Zut! Elle **m'**a vu!
> – Est-ce que tu peux **m'**acheter un timbre?
> – Oui, si tu **me** donnes de l'argent.

Te (or t') means 'you', 'to you' or 'for you':

> Henri ... Henri, je **te** parle. Qui **t'**a donné cet argent?

Nous means 'us', 'to us' or 'for us':

> Jean-Pierre vient **nous** chercher à la maison.
> Les autres **nous** attendent au café.

Vous means 'you', 'to you' or 'for you':

> Je **vous** dois combien?
> Je **vous** rendrai les skis la semaine prochaine.

Direct object pronouns in the perfect tense
When le, la, l' or les are used in the perfect tense with verbs which take avoir, the past participle agrees with the pronoun:

> – Où as tu acheté ta robe?   Where did you buy your dress?
> – Je **l'**ai acheté**e** à Promod.   I bought it at Promod.
> – As-tu acheté les chaussures de ski?
> – Non je **les** ai essayé**es** mais elles étaient trop petites.
>   Did you buy the ski boots?
>   No, I tried them on but they were too small.

The same rule applies to me, te, nous, vous when they are used as the direct object.

> Vous **nous** avez vu**s** au concert?
> Did you see us at the concert?

Emphatic pronouns
Emphatic pronouns (also known as disjunctive or stressed pronouns) are sometimes used with a verb, but can also be used on their own:

moi	me	nous	us
toi	you	vous	you
lui	him	eux	them (masc)
elle	her	elles	them (fem)

The main uses are:
- for emphasis:
  > **Moi**, j'adore l'opéra, mais **lui**, il déteste ça.
  > I love opera, but **he** hates it.
- after c'est or ce sont:
  > Qui est-ce?   Who is it?
  > C'est **nous**.   It's us.
- on their own or after pas:
  > Qui a fait ça?   Who did that?
  > Pas **moi**.   Not me.
- after some prepositions, e.g. 'with', 'without', 'before', 'after':
  > Je joue au golf avec **elle**, samedi.
  > I'm playing golf with her on Saturday.
  > après **vous** – after you
- in comparisons:
  > Elle joue mieux que **lui**.
  > She plays better than him.
- after à to show who something belongs to:
  > Cette cassette est à **moi**, l'autre est à **lui**.
  > This tape is mine, the other is his.

Y

Y usually means 'there' and is used instead of repeating the name of a place.

> *Allons à New York. On peut **y** voir la Statue de la liberté.*

> – *Quand est-ce que tu vas au Musée d'Orsay?*
> – *J'**y** vais dimanche.*

It is also used to replace *à* or *dans* + a noun or phrase which does not refer to a person.

> *Tu as vu ce film? Je pensais à aller le voir*
> Have you seen this film? I was thinking of going to see it.
> *J'**y** pensais aussi*   I was thinking of it too.

It is also used in certain expressions, where it has no specific meaning.

il y a	there is, there are
il y a deux ans	two years ago
On y va?	Shall we go? Let's go
J'y suis	I've got it
J'y vais	I'll go
Ça y est	It's done, that's it
Vas-y!/Allez-y!	Go on! Come on!
Je n'y peux rien	I can't do anything about it

En

En can mean 'of it', 'of them', 'some' or 'any'.

> *J'aime le pain/les légumes, j'**en** mange beaucoup.*
> I like bread/vegetables, I eat a lot of it/of them.

> *Il y a un gâteau: tu **en** veux?*
> There is a cake: do you want some (of it)?

> *Non merci, je n'**en** mange jamais.*
> No thank you, I never eat any (of it).

In French it is essential to include *en*, whereas in English the pronoun is often left out.

En is also used to replace an expression beginning with *de, d', du, de la, de l'* or *des*:

> *Quand es-tu revenu de Paris?*
> When did you get back from Paris?

> *J'**en** suis revenu samedi dernier.*
> I got back (from there) last Saturday.

> *Est-ce que j'aurai besoin d'argent?*   Will I need any money?
> *Oui, tu **en** auras besoin.*   Yes, you will need some.
> *Est-ce qu'il a peur de voler?*   Is he afraid of flying?
> *Oui, il **en** a très peur.*   Yes, he is very much afraid of it.

En is also used in the following expressions:

J'en ai assez	I have enough
J'en ai marre	I'm fed up with it
Je n'en peux plus	I can't take any more
On s'en va?	Shall we go?
Il n'en reste plus	There's none (of it) left
Il n'y en a pas	There isn't/aren't any
Je n'en sais rien	I don't know anything about it

Two pronouns together

Occasionally two pronouns are used together in a sentence. When this happens, the rule is

me							
te	come	le (l')	come	lui	come		y or en
nous	before	la (l')	before	leur	before		
vous		les					

> *Est-ce que je t'ai déjà dit ça?*   Have I already told you that?
> *Oui, tu **me l'**as souvent dit!*   Yes, you've often told me it!

> – *Avez-vous montré ces photos à Jean?*
> – *Oui, je **les lui** ai montrées* dimanche.*
> Have you shown these photos to Jean?
> Yes, I showed them to him on Sunday.

> – *Il est bon, ce chocolat. Tu en veux?*
> – *Merci, tu **m'en** as déjà donné.*
> This chocolate is nice. Do you want some?
> No thank you, you've already given me some.

*When a direct object (such as *le, la* or *les*) comes before the past participle in the perfect tense with *avoir*, then the past participle has to agree. For more examples, see **Avoir as the auxiliary verb** (page 183).

Pronouns in commands

When the command is to do something, the pronoun comes after the verb and is joined to it by a hyphen:

> *Donne-**le-lui**.*   Give it to him.
> *Montrez-**lui** votre passeport.*   Show him your passport.

When the command is not to do something (i.e. in the negative), the pronoun comes before the verb:

> *Surtout ne **le lui** dites pas!*   Be sure not to tell him.
> *Ne **lui** dites rien.*   Don't say anything to her.

Note that in commands, *moi* and *toi* are used instead of *me* and *te*, except when the command is in the negative.

> *Donnez-**moi** un kilo de tomates, s'il vous plaît.*
> Give me a kilo of tomatoes please.
> *Ne **me** regarde pas comme ça!*   Don't look at me like that!

Relative pronouns

Qui and que

Qui

When talking about people, *qui* means 'who':

> *Voici l'infirmière **qui** travaille à la clinique à La Rochelle.*
> There's the nurse who works in the hospital in La Rochelle.

When talking about things or places, *qui* means 'which' or 'that':

> *C'est un vent froid du nord **qui** souffle en Provence.*
> It's a cold north wind that blows in Provence.

> *C'est une ville française **qui** est très célèbre.*
> It's a French town which is very famous.

It links two parts of a sentence together, or joins two short sentences into a longer one. It is never shortened before a vowel.

Qui relates back to a noun or phrase in the first part of the sentence.

In its own part of the sentence, *qui* is used instead of repeating the noun or phrase, and is the subject of the verb.

Que

Que in the middle of a sentence means 'that' or 'which':

> *C'est le cadeau **que** Christine a acheté pour son amie.*
> It's the present that Christine bought for her friend.

> *C'est un plat célèbre **qu'**on sert en Provence.*
> It's a famous dish which is served in Provence.

Que can also refer to people:

> *C'est le garçon **que** j'ai vu à Paris.*
> It's/He's the boy (that) I saw in Paris.

Sometimes you would miss 'that' out in English, but you can never leave *que* out in French.

Like *qui*, it links two parts of a sentence together or joins two short sentences into a longer one. But *que* is shortened to *qu'* before a vowel.

The word or phrase which *que* replaces is the object of the verb, and not the subject:

– *Qu'est-ce que c'est comme livre?*
– *C'est le livre que Paul m'a offert à Noël.*

(In this example *que* refers to *le livre*. It (the book) didn't give itself to me, Paul gave it to me.)

dont

Dont is used quite a lot in French to refer back to what or whom you were talking about.

Voici le livre dont je te parlais.
Here's the book I was telling you about. (= about which)
C'est une maladie dont on peut mourir.
It's an illness that you can die from. (= from which)

Dont is used instead of *qui* or *que* with verbs which must be followed by *de*:

C'est quelque chose dont on se sert pour ouvrir les boîtes.
It's something that you use for opening tins.

Dont never changes its form and can refer to people or things.

Ce qui, ce que, ce dont

These expressions are used when there is no noun or phrase to refer back to. They mean 'what', 'which' or 'that which':

Ce qui est important, c'est de ne pas oublier votre passeport.
What's important is not to forget your passport.
Dites-moi ce que vous avez fait à Paris.
Tell me what you did in Paris.
C'est exactement ce dont j'ai besoin.
It's exactly what I need.

Sometimes *tout* is used with *ce qui* and *ce que* to mean 'all that' or 'everything that':

Tout ce qui brille n'est pas or.   All that glitters is not gold.
Mangez tout ce que vous voulez.   Eat as much as you like.

lequel, laquelle etc.

singular		plural	
masculine	feminine	masculine	feminine
lequel	laquelle	lesquels	lesquelles

These words mean 'which' and are used after prepositions to refer to things but not people. They often come after a noun and must agree with it:

C'est le film pour lequel il a gagné un Oscar.
It's the film for which he won an Oscar.
C'est la voiture avec laquelle j'ai parcouru le désert.
It's the car with which I crossed the desert.

After the prepositions *à* and *de*, the following forms are used:

singular		plural	
masculine	feminine	masculine	feminine
auquel	à laquelle	auxquels	auxquelles
duquel	de laquelle	desquels	desquelles

C'est une machine grâce à laquelle on peut faire des calculs très rapidement.
It's a machine thanks to which you can do calculations very quickly.
C'est le magasin près duquel il y a un grand café.
It's the shop near which there's a large café.

Prepositions

à (to, at)

singular			plural
masculine	feminine	before a vowel	(all forms)
au parc	à la piscine	à l'épicerie à l'hôtel	aux magasins

The word *à* can be used on its own with nouns which do not have an article (*le, la, les*):

Il va à Paris.   He's going to Paris.

de (of, from)

singular			plural
masculine	feminine	before a vowel	(all forms)
du centre-ville	de la gare	de l'hôtel	des magasins

Cet autobus part du centre-ville.
This bus leaves from the town centre.
Je vais de la gare à la maison en taxi.
I go home from the station by taxi.
Elle téléphone de l'hôtel.
She is phoning from the hotel.
Elle est rentrée des magasins avec beaucoup d'achats.
She's come back from the shops with a lot of shopping.

De can be used on its own with nouns which do not have an article (*le, la, les*):

Elle vient de Boulogne.   She's come from Boulogne.

en (in, by, to, made of)

En is often used with the names of countries and regions:

Arles se trouve en Provence.   Arles is in Provence.
Nous passons nos vacances en Italie.
We are spending our holidays in Italy.

You use *en* with most means of transport:

en autobus   by bus
en voiture   by car

You use *en* with dates, months and the seasons (except *le printemps*):

en 1900   in 1900
en janvier   in January
en hiver   in winter
(but *au printemps*)

You use *en* to say what something is made of:

Ce sac est en plastique.   This bag is made of plastic.
Le train est en métal.   The train is made of metal.

Prepositions with countries and towns

You use *à* (or *au*) with names of towns:

Je vais à Paris   I go to Paris.
Je passe mes vacances au Havre.
I spend the holidays at Le Havre

You use *en* (or *au* or *aux*) with names of countries:

Elle va en France. (la France)
Il passe ses vacances au Canada. (le Canada)
Je prends l'avion aux Etats-Unis. (les Etats-Unis)

To say where someone or something comes from, you use *de* (or *du* or *des*):

Je viens de Belgique. (la Belgique)
Ils viennent du Canada. (le Canada)
Elle vient des Etats-Unis. (les Etats-Unis)

The negative

To say what is not happening or didn't happen (in other words to make a sentence negative), you put *ne* and *pas* round the verb.

Je **ne** joue **pas** au badminton.   I don't play badminton.

In the perfect tense, *ne* and *pas* go round the auxiliary verb.

Elle **n'a pas** vu le film.   She didn't see the film.

In reflexive verbs, the *ne* goes before the reflexive pronoun.

Il **ne** se lève **pas**.   He's not getting up.

To tell someone not to do something, put *ne* and *pas* round the command.

N'oublie pas ton argent.   Don't forget your money.
Ne regardez **pas**!   Don't look!
N'allons pas en ville!   Let's not go to town.

If two verbs are used together, the *ne ... pas* usually goes around the first verb:

Je **ne** veux **pas** faire ça.   I don't want to do that.
On **ne** peut **pas** rester là.   We cannot stay there.

If there is an extra pronoun before the verb, *ne* goes before it:

Je n'en ai pas. I haven't any.
Il ne lui a pas téléphoné.   He didn't phone her.
Elle ne se lève pas tôt.   She doesn't get up early.

Sometimes *pas* is used on its own:

Pas encore   Not yet
Pas tout à fait   Not quite
Pas du tout   Not at all

Remember to use *de* after the negative instead of *du, de la, des, un* or *une* (except with the verb *être* and after *ne ... que*):

– Avez-vous du lait?   Have you any milk?
– Non, je ne vends pas de lait.   No, I don't sell milk.

Other negative expressions

Here are some other negative expressions which work in the same way as *ne ... pas*:

- *ne ... plus*   no more, no longer, none left
- *ne ... rien*   nothing, not anything
- *ne ... jamais*   never

Je **n'**habite **plus** en France.   I no longer live in France.
Il **n'**y a **rien** à la télé.   There's nothing on TV.
Je **ne** suis **jamais** allé à Paris.   I've never been to Paris.

The following expressions work like *ne ... pas* in the present tense:

- *ne ... personne*   nobody, not anybody
- *ne ... que*   only
- *ne ... nulle part*   nowhere, not anywhere

However, they differ in the perfect tense: the second part (*que, personne* or *nulle part*) goes after the past participle:

Elle **n'**a vu **personne** ce matin.
She didn't see anyone this morning.

Je **n'**ai passé **qu'**un après-midi à Marseille.
I only spent an afternoon in Marseilles.

On **ne** l'a vu **nulle part**.
We didn't see it anywhere.

Note: *rien, jamais* and *personne* can also be used on their own:

– Qu'est-ce que tu as fait ce matin?

– **Rien** de spécial.

What did you do this morning?
Nothing special.

– Qui est dans le garage?

– **Personne**.

Who is in the garage?
Nobody.

– Avez-vous déjà fait du ski?

– Non, **jamais**.

Have you ever been skiing?
No, never.

- *ne ... ni ... ni*   neither ... nor, not either ... or

Ne ... ni ... ni go before the words they refer to:

Je **n'**aime **ni** le tennis **ni** le badminton.
I like neither tennis nor badminton.

Je **ne** connais **ni** lui **ni** ses parents.
I don't know either him or his parents.

- *ne ... aucun*   no

Aucun is an adjective and agrees with the noun which follows it:

Il **n'**y a **aucun** restaurant dans le village.
There is no restaurant in the village.

Ça **n'**a **aucune** importance.   It's of no importance.

It can also be used on its own:

– Qu'est-ce que tu veux faire?   What do you want to do?
– **Aucune** idée.   No idea.

Useful expressions

Ne t'en fais pas.	Don't worry
Ne vous inquiétez pas.	Don't worry.
Je n'ai pas de chance.	I'm out of luck.
Il n'y a pas de quoi.	That's all right. Not at all. (used in response to *merci*)
Il n'y en a plus.	There's no more left.
Ça ne fait rien.	It doesn't matter.
Ça ne me dit rien.	That doesn't appeal to me.
Rien de plus facile.	Nothing could be simpler.
Il n'y a personne.	There's nobody there.
Personne ne le sait.	Nobody knows.
On ne sait jamais.	You never know.
Jamais de la vie.	Never in my life
Il ne reste que ça.	That's all that's left.
(ne ... plus que	now only)
Il ne reste plus qu'une pomme.	There's now only one apple left.
Je n'en ai aucune idée.	I've no idea.
Pas de problème.	No problem.
Ni l'un ni l'autre.	Neither one nor the other.
Ni moi non plus.	Nor me.

Asking questions

There are three ways of asking a question in French.
You can just raise your voice in a questioning way:

Tu viens? ↗   Are you coming?
Vous avez choisi? ↗   Have you decided?

You can add *Est-ce que* to the beginning of the sentence:

Est-ce que vous restez longtemps en France?
Are you staying long in France?

Est-ce que vous êtes allé à Paris?   Have you been to Paris?

You can turn the verb around:

Allez-vous à la piscine?
Are you going to the swimming pool?

Jouez-vous au badminton?   Do you play badminton?

Notice that if the verb ends in a vowel in the third person you have to add *-t-* when you turn it round:

Joue-t-il au football? — Does he play football?

Marie, a-t-elle ton adresse? — Has Marie got your address?

In the perfect tense you just turn the auxiliary verb round:

As-tu écrit à Paul? — Have you written to Paul?

Avez-vous vu le film au cinéma Rex?
Have you seen the film at the Rex cinema?

Robert et Pierre, sont-ils allés au match hier?
Did Robert and Pierre go to the match yesterday?

Monique, a-t-elle téléphoné à Chantal?
Did Monique phone Chantal?

Question words

Qui est-ce? — Who is it?

Quand arrivez-vous? — When are you arriving?

Combien l'avez-vous payé? — How much did you pay for it?

Combien de temps restez-vous en France?
How long are you staying in France?

Comment est-il? — What is it (he) like?

Comment allez-vous? — How are you?

Pourquoi avez-vous fait ça? — Why did you do that?

Qu'est-ce que c'est? — What is it?

Quel is an adjective and agrees with the noun that follows:

Quel âge avez-vous? — How old are you?

De quelle nationalité est-elle? — What nationality is she?

Quels sont vos horaires? — What hours do you work?

Quelles matières préférez-vous? — Which subjects do you prefer?

Lequel meaning 'which one' follows a similar pattern:

– *Je voudrais **du paté**.*
– *Lequel?*
– *Est-ce que vous avez **cette cravate** en d'autres couleurs?*
– *Laquelle?*
– *Où sont **mes gants**?*
– *Lesquels?*
– *Tu as vu **mes lunettes**?*
– *Lesquelles?*

Verbs

There are three main types of regular verbs in French. They are grouped according to the last two letters of the infinitive.

-er verbs e.g. *jouer* (to play)
-re verbs e.g. *vendre* (to sell)
-ir verbs e.g. *choisir* (to choose)

However many common French verbs are irregular. These are listed in **Les verbes**.

The present tense

The present tense describes what is happening now, at the present time or what happens regularly.

Je travaille ce matin. — I am working this morning.
Il vend des glaces aussi. — He sells ice cream as well.
Elle joue au tennis le samedi. — She plays tennis on Saturdays.

The expressions *depuis* and *ça fait … que* are used with the present tense when the action is still going on:

Je l'attends depuis deux heures.
I've been waiting for him for two hours (and still am!).

Ça fait trois mois que je travaille en France.
I've been working in France for three months.

Imperative

To tell someone to do something, you use the imperative or command form.

Attends! — Wait! (to someone you call *tu*)
Regardez ça! — Look at that! (to people you call *vous*)

It is often used in the negative.

Ne fais pas ça! — Don't do that!
N'effacez pas … ! — Don't rub out .... !

To suggest doing something, use the imperative form of *nous*.

Allons au cinéma! — Let's go to the cinema!

It is easy to form the imperative: in most cases you just leave out *tu*, *vous* or *nous* and use the verb by itself. With *-er* verbs, you take the final *-s* off the *tu* form of the verb (see **Les verbes**).

The perfect tense

The perfect tense is used to describe what happened in the past, an action which is completed and is not happening now.

It is made up of two parts: an auxiliary (helping) verb (either *avoir* or *être*) and a past participle.

Samedi dernier, j'ai chanté dans un concert.
Last Saturday, I sang in a concert.

Hier, ils sont allés à La Rochelle.
Yesterday, they went to La Rochelle.

Regular verbs form the past participle as follows:

-er verbs change to *-é*, e.g. *travailler* becomes *travaillé*
-re verbs change to *-u*, e.g. *attendre* becomes *attendu*
-ir verbs change to *-i*, e.g. *finir* becomes *fini*

Many verbs have irregular past participles. These are listed in **Les verbes**.

Avoir as the auxiliary verb

Most verbs form the perfect tense with *avoir*. This includes many common verbs which have irregular past participles, such as

avoir	eu	faire	fait
boire	bu	mettre	mis
comprendre	compris	pouvoir	pu
connaître	connu	prendre	pris
croire	cru	savoir	su
devoir	dû	venir	venu
dire	dit	voir	vu
être	été	vouloir	voulu

With *avoir*, the past participle doesn't change to agree with the subject. However, if there is a **direct object** which comes before the verb, then the past participle must agree with the direct object. This is most common with pronouns:

– *Tu as vu Marc en ville?*
– *Non, je ne **l**'ai pas vu.* (masculine singular)
Did you see Marc in town?
No, I didn't see him.

– *J'aime bien ta robe. Où **l**'as-tu achet**é**e?*
(feminine singular)
I like your dress. Where did you buy it?

– *Tu as perdu tes gants?*
– *Oui, je crois que je **les** ai perd**us** dans le restaurant.*
(masculine plural)
Have you lost your gloves?
Yes, I think I lost them in the restaurant.

– *Avez-vous acheté vos chaussures de ski?*
– *Non, je **les** ai lou**ées**.* (feminine plural)
Did you buy your ski boots?
No, I hired them.

It can also occur with nouns, especially after *que*, *combien* and *quel*:

> *Voilà **la maison que** M. et Mme Lebrun ont acheté**e**.*
> ***Combien de timbres** as-tu acheté**s**?*
> ***Quelles chaussettes** a-t-il mise**s**?*

Note: The agreement is rarely noticeable in spoken French, except in the case of *faire* (f**aite** etc.) and *mettre* (m**ise** etc.).

Etre as the auxiliary verb

About thirteen verbs, mostly verbs of movement like *aller* and *partir*, form the perfect tense with *être* as their auxiliary. Some compounds of these verbs (e.g. *revenir* and *rentrer*) and all reflexive verbs also form the perfect tense with *être*.

Here are three ways to help you remember which verbs use *être*.

1 If you have a visual memory, this picture may help you.

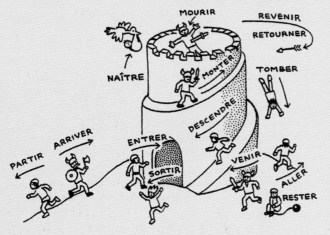

2 Learn them in pairs of opposites according to their meaning. Here are ten of them in pairs:

aller	to go	je suis allé
venir	to come	je suis venu
entrer	to go in	je suis entré
sortir	to go out	je suis sorti
arriver	to arrive	je suis arrivé
partir	to leave, to depart	je suis parti
descendre	to go down	je suis descendu
monter	to go up	je suis monté
rester	to stay, to remain	je suis resté
tomber	to fall	je suis tombé

and one odd one:

retourner	to return	je suis retourné*

Here is one more pair of opposites:

naître	to be born	il est né
mourir	to die	il est mort

revenir (like *venir*) and *rentrer* (like *entrer*) can often be used instead of this verb.

3 Each letter in the sentence 'Mr Vans tramped' stands for a different verb. Can you work them out?

When you form the perfect tense with *être*, the past participle agrees with the subject of the verb (the person doing the action). This means that you need to add an extra *-e* if the subject is feminine, and to add an extra *-s* if the subject is plural (more than one). Often the past participle doesn't actually sound any different when you hear it or say it.

je suis allé/allée	nous sommes allés/allées
tu es allé/allée	vous êtes allé/allée/allés/allées
il est allé	ils sont allés
elle est allée	elles sont allées
on est allé/allée/allés/allées	

The imperfect tense
Using the imperfect tense

The imperfect tense is another past tense.

It is used to describe something that used to happen frequently or regularly in the past:

> *Quand j'étais petit, j'allais chez mes grands-parents tous les week-ends.*
> When I was small, I used to go to my grandparents' every weekend.

It is also used for description in the past, particularly of weather:

> *Quand j'étais en vacances, il faisait beau tous les jours.*
> When I was on holiday the weather was fine every day.

L'homme, comment était-il?	What was the man like?
Est-ce qu'il portait des lunettes?	Did he wear glasses?

It describes how things used to be:

> *A cette époque, il y avait beacoup moins de circulation.*
> At that time, there was much less traffic.

It often translates 'was ... ing' and 'were ... ing':

> *Que faisiez-vous quand j'ai téléphoné?*
> What were you doing when I phoned?

It can be used to describe something you wanted to do, but didn't:

> *Nous voulions aller à Paris, mais il y avait une grève des transports.*
> We wanted to go to Paris but there was a transport strike.

It describes something that lasted for a long period of time:

> *En ce temps-là nous habitions à Marseille.*
> At that time we lived in Marseille.

> *Mon père travaillait comme pêcheur.*
> My father worked as a fisherman.

C'était + adjective can be used to say what you thought of something:

C'était magnifique.	It was great.
C'était affreux.	It was awful.

The imperfect tense can often be used for making excuses, for example in the following expressions:

Ce n'était pas de ma faute.	It wasn't my fault.
Je croyais/pensais que ...	I thought that ...
Je voulais seulement ...	I only wanted to ...
Je ne savais pas que....	I didn't know that ...

Forming the imperfect tense

The endings for the imperfect tense are the same for all verbs:

je	... **ais**	nous	... **ions**
tu	... **ais**	vous	... **iez**
il	... **ait**	ils	... **aient**
elle	... **ait**	elles	... **aient**
on	... **ait**		

To form the imperfect tense, you take the *nous* form of the present tense, e.g. *nous allons*. Take away the *nous* and the *-ons* ending. This leaves the imperfect stem *all-*. Then add the imperfect endings:

j'all**ais**	nous all**ions**
tu all**ais**	vous all**iez**
il all**ait**	ils all**aient**
elle all**ait**	elles all**aient**
on all**ait**	

Nearly all verbs form the imperfect tense in this way, but there are a few exceptions. A few verbs form the imperfect stem (the part before the endings) in a different way, but the endings are always the same.

The most important exception is *être*. The imperfect stem is *ét-*.

j'étais	*nous étions*
tu étais	*vous étiez*
il était	*ils étaient*
elle était	*elles étaient*
on était	

In the present tense, verbs like *manger, ranger* etc. take an extra *-e* in the *nous* form. This is to make the *g* sound soft (like a *j* sound). However, the extra *-e* is not needed before *-i*:

je mangeais	*nous mangions*
tu mangeais	*vous mangiez*
il mangeait	*ils mangeaient*
elle mangeait	*elles mangeaient*
on mangeait	

Similarly, with verbs like *commencer, lancer* etc. the final *c* becomes *ç* before *a* or *o* to make it sound soft. This gives *je commençais* but *nous commencions* etc.

Using the perfect and imperfect tenses

The imperfect tense and the perfect tense are often used together. One way to help you decide which tense to use is to imagine a river running along, with bridges crossing over it at intervals. The river represents something going on continuously, a state of affairs. The bridges cut across the river: they represent single actions, things that happened and are completed.
The imperfect tense is like the river: it describes the state of things, what was going on, e.g. *il faisait beau*. The perfect tense is like the bridges: it is used for the actions and events, for single things which happened and are completed, e.g. *Nous sommes allés à la plage.*

The future tense

The future tense is used to describe what will (or will not) happen at some future time:

L'année prochaine, je passerai mes vacances à Paris.
Next year I'll spend my holidays in Paris.

Qu'est-ce que tu feras quand tu quitteras l'école?
What will you do when you leave school?

The future tense must be used after *quand* if the idea of future tense is implied. (This differs from English.)

Je lui dirai de vous téléphoner quand il rentrera.
I'll ask him to phone you when he gets home.

The endings for the future tense are the same as the endings of the verb *avoir* in the present tense.

je	... **ai**	*nous*	... **ons**
tu	... **as**	*vous*	... **ez**
il	... **a**	*ils*	... **ont**
elle	... **a**	*elles*	... **ont**
on	... **a**		

Regular -er and -ir verbs

To form the future tense of these verbs, you just add the endings to the infinitive of the verb:

travailler	*je travaillerai*	*partir*	*nous partirons*
donner	*tu donneras*	*jouer*	*vous jouerez*
finir	*il finira*	*sortir*	*ils sortiront*

Regular -re verbs

To form the future tense, you take the final *-e* off the infinitive and add the endings:

prendre	*je prendrai*
attendre	*elles attendront*

Irregular verbs

Some common verbs don't form the first part of the verb (the future stem) in this way. But they still have the same endings:

acheter	*j'achèterai*	*faire*	*je ferai*
aller	*j'irai*	*pouvoir*	*je pourrai*
avoir	*j'aurai*	*recevoir*	*je recevrai*
courir	*je courrai*	*savoir*	*je saurai*
devoir	*je devrai*	*venir*	*je viendrai*
envoyer	*j'enverrai*	*voir*	*je verrai*
être	*je serai*	*vouloir*	*je voudrai*

You will notice that, in all cases, the endings are added to a stem which ends in *-r*. This means that you will hear an *r* sound whenever the future tense is used.

The conditional tense

The conditional is used where 'would' or 'should' are used in English. It is a polite and less abrupt way of asking for something.

*Je **voudrais** partir maintenant.*	I **should like** to leave now.
***Pourriez**-vous m'aider?*	**Could** you help me?
*J'en **serais** très reconnaissant.*	I **would be** very grateful.

It is used to say what would happen if a particular condition were fulfilled:

*Si j'avais beaucoup d'argent, je **ferais** le tour du monde.*
If I had a lot of money, I**'d travel** round the world.

It is also used to report what was said, when the future tense was used at the time of speaking.

*Mon père a téléphoné pour dire qu'il **prendrait** le train de 20h.*
My father phoned to say that he **would get** the 8 o'clock train.

The conditional tense is formed by adding the **imperfect endings** to the **future stem**. Verbs which are irregular in the future tense are also irregular in the conditional tense.
See also pages 92, 96 and 145.

The conditional perfect tense

This is occasionally used in 'if' sentences and in the following useful expressions:

*On **aurait dû** prendre le train.*
We **should have** taken the train.
*Je l'**aurais cru**.*   I **would have thought** so.
*On **aurait pu** rester plus longtemps.*
We **could have** stayed longer.

The pluperfect tense

See pages 148-149.

The past historic tense

See pages 152-153.

'If' sentences

Sentences which contain two parts, one of which is an 'if' clause, normally follow one of the following patterns:

si + present tense, + future tense
si + imperfect tense, + conditional tense
si + pluperfect tense, + conditional perfect tense

*S'il **pleut** demain, je **resterai** à la maison.*
If it rains tomorrow, I'll stay at home.

***Sauriez**-vous quoi faire si la voiture **tombait** en panne?*
Would you know what to do, if the car broke down?

*Si tu m'**avais téléphoné** plus tôt, j'**aurais pu** venir.*
If you had phoned me earlier, I could have come.

Reflexive verbs

Reflexive verbs are listed in a dictionary with the pronoun *se* (called the reflexive pronoun) in front of the infinitive, e.g. *se lever*. The *se* means 'self' or 'each other' or 'one another'.

Je me lave.　　　　　I get (myself) washed.
Ils se regardaient.　　They were looking at each other.

Quand est-ce qu'on va se revoir?
When shall we see one another again?

Some common reflexive verbs

s'amuser	to enjoy oneself
s'appeler	to be called
s'approcher (de)	to approach
s'arrêter	to stop
se baigner	to bathe
se brosser (les dents)	to clean (your teeth)
se coucher	to go to bed
se débrouiller	to sort things out, manage
se dépêcher	to be in a hurry
se demander	to ask oneself, to wonder
se déshabiller	to get undressed
se disputer (avec)	to have an argument (with)
s'échapper	to escape
s'entendre (avec)	to get on (with)
se fâcher	to get angry
se faire mal	to hurt oneself
s'habiller	to get dressed
s'intéresser (à)	to be interested in
se laver	to get washed
se lever	to get up
se marier	to get married
se mettre à	to start, to get down to
s'occuper (de)	to be concerned (with)
se promener	to go for a walk
se raser	to shave
se reposer	to rest
se réveiller	to wake up
se sauver	to run away
se sentir	to feel
se trouver	to be (situated)

The present tense

Many reflexive verbs are regular *-er* verbs:

Je me lave	I get washed
Tu te lèves?	Are you getting up?
Il se rase	He gets shaved
Elle s'habille	She gets dressed
On s'entend (bien)	We get on (well)
Nous nous débrouillons	We manage/We get by
Vous vous dépêchez?	Are you in a hurry?
Ils s'entendent (bien)	They get on (well)
Elles se disputent (toujours)	They are (always) arguing

Commands

To tell someone to do (or not to do) something, use the imperative or command form:

Lève-toi!	Get up!
Amusez-vous bien!	Have a good time!
Dépêchons-nous!	Let's hurry!
Ne te fâche pas!	Don't get angry!
Ne vous approchez pas!	Don't come near!
Ne nous disputons pas!	Don't let's argue!

The perfect tense

Reflexive verbs form the perfect tense with *être*. The past participle appears to agree with the subject: add an *-e* if the subject is feminine and an *-s* if it is plural. In fact the past participle is agreeing with the preceding direct object, which in reflexive verbs is usually the same as the subject.

se réveiller

je me suis réveillé(e)	*nous nous sommes réveillé(e)s*
tu t'es réveillé(e)	*vous vous êtes réveillé(e)(s)*
il s'est réveillé	*ils se sont réveillés*
elle s'est réveillée	*elles se sont réveillées*
on s'est réveillé(e)(s)	

Reflexive verbs and parts of the body

Reflexive verbs are often used when referring to a part of the body:

Je me suis coupé le pied.	I've cut my foot.
Il se brosse les dents.	He is cleaning his teeth.
Elle se lave la tête.	She is washing her hair.

Note: When a reflexive verb is used with a part of the body in the perfect tense, the past participle does not agree with the reflexive pronoun. This is because the reflexive pronoun acts as the indirect object in this instance and not the direct object:

Elle s'est lavé les mains avant de manger.
She washed her hands before eating.

– *Qu'est-ce qui ne va pas, Céline?*
– *Je me suis coupé le doigt.*
What's the matter, Céline?
I've cut my finger.

Verbs – some special uses

avoir

In French, *avoir* is used for certain expressions where the verb 'to be' is used in English:

J'ai ...	*... quatorze ans.*	I'm fourteen.
Tu as ...	*... quel âge?*	How old are you?
Il a ...	*... froid.*	He's cold.
Elle a ...	*... chaud.*	She's hot.
Nous avons ...	*... faim.*	We're hungry.
Vous avez ...	*... soif?*	Are you thirsty?
Ils ont ...	*... mal aux dents.*	They've got toothache.
Elles ont ...	*... peur.*	They're afraid.

Avoir is also used in *avoir besoin de*, meaning 'to need' (or 'to have need of').

J'ai besoin de l'argent pour aller à Paris.
I need the money to go to Paris.

As-tu besoin d'argent?	Do you need money?
Tout le monde en a besoin.	Everyone needs some.

devoir

The verb *devoir* has three different uses:

1 to owe
When it means 'to owe', *devoir* is not followed by an infinitive:
*Je te **dois** combien?*　　　How much do I **owe** you?

2 to have to, must
With this meaning, *devoir* is nearly always followed by a second verb in the infinitive:

*Je **dois** me dépêcher.*	I have to rush off.
*Elle **a dû** travailler tard.*	She had to work late.

3 ought to, should
When used in the conditional or conditional perfect, *devoir* means 'ought', 'should', 'ought to have' or 'should have'.

*Tu **devrais** venir me voir en été.*
You **should** come and see me in the summer.

*Il **aurait dû** rentrer avant minuit.*
He **should have** got home before midnight.

être sur le point de (to be about to do something)

L'avion était sur le point de décoller quand …
The plane was about to take off when …

être en train de (to be in the middle of doing something)

J'étais en train de lui écrire quand le téléphone a sonné.
I was in the process of writing to him when the phone rang.

faire

The verb *faire* is used with weather phrases:

Il fait beau.	The weather's fine.
Il fait froid.	It's cold.

It is also used to describe some activities and sports:

faire des courses	to go shopping
faire du vélo	to go cycling

falloir (to be necessary, must, need)

This is an unusual verb which is only used in the *il* form and can have different meanings according to the tense and context.

Il faut deux heures pour aller à Paris.
It takes two hours to get to Paris.

Il ne faut pas stationner ici.
You mustn't park here.

It can be used with an indirect object pronoun in the following way:

Avez-vous tout ce qu'il vous faut?
Do you have everything **you need**?

Il me faut une serviette s'il vous plaît.
I need a towel please.

It can also be used in different tenses:

Il fallait me le dire.
You should have told me.

Il vous faudra 200 francs pour y aller.
You will need 200 francs to go there.

savoir and connaître (to know)

Savoir is used when you want to talk about knowing specific facts or knowing how to do something.

Je ne savais pas que son père était mort.
I didn't know that his father was dead.

Tu sais faire du ski?   Do you know how to ski?

Connaître is used to say you know people or places. It has the sense of 'being acquainted with'.

Vous connaissez mon professeur de français?
Do you know my French teacher?

Il connaît bien Paris.   He knows Paris well.

aller + infinitive

You can use the present tense of the verb *aller* followed by an infinitive to talk about the future and what you are going to do:

Qu'est-ce que vous allez faire ce week-end?
What are you going to do this weekend?

Je vais passer le week-end à Paris.
I'm going to spend the weekend in Paris.

The imperfect tense of *aller* + infinitive is used to say what was about to happen when something else took place:

Il allait partir quand elle est arrivée
He was about to leave when she arrived.

venir de

To say something has just happened, you use the present tense of *venir* + *de* + the infinitive:

Je viens de déjeuner.	I've just had lunch.
Elle vient de téléphoner.	She's just phoned.
Vous venez d'arriver?	Have you just arrived?
Ils viennent de partir.	They've just left.

To say something had just happened, you use the imperfect tense of *venir de* + the infinitive:

Elle venait de partir quand il a téléphoné.
She had just left when he phoned.

verb + infinitive

Some verbs are nearly always used with the infinitive of another verb, e.g. *pouvoir, devoir, vouloir* and *savoir*:

Est-ce que je peux vous aider?   Can I help you?

Pour la Tour Eiffel, vous devez prendre le métro à Bir-Hakeim.
For the Eiffel Tower you have to take the metro to Bir-Hakeim.

Voulez-vous jouer au tennis?   Do you want to play tennis?

The verb *savoir* + infinitive is used to talk about something you can do:

Je sais nager.   I can swim.

Il sait faire marcher l'ordinateur.
He knows how to work the computer.

Verb constructions

It is common to find two verbs in sequence in a sentence: a **main verb** followed by an **infinitive**.
Sometimes the infinitive follows directly, sometimes you must use *à* or *de* before the infinitive.

Verbs followed directly by the infinitive

adorer	to love
aimer	to like, love
aller	to go
compter	to count on, intend
désirer	to want, wish
détester	to hate
devoir	to have to, must
entendre	to hear
espérer	to hope
faillir	to nearly do something
monter	to go up(stairs)
oser	to dare
penser	to think
pouvoir	to be able, can
préférer	to prefer
savoir	to know how
venir	to come
voir	to see
vouloir	to want, wish

Que pensez-vous faire l'année prochaine?
What are you thinking of doing next year?

Aimez-vous étudier?
Do you like studying?

Elle comptait voir ses amis.
She was counting on seeing her friends.

Verbs followed by à + infinitive

A small number of verbs are followed by à + infinitive:

aider qqn à	to help someone to
s'amuser à	to enjoy doing
apprendre à	to learn to
commencer à	to begin to
consentir à	to agree to
continuer à	to continue to
encourager à	to encourage to
hésiter à	to hesitate to
s'intéresser à	to be interested in
inviter qqn à	to invite someone to
se mettre à	to begin to
passer (du temps) à	to spend time in
réussir à	to succeed in

Je l'ai aidé à changer le pneu.
I helped him (to) change the tyre.

Il a commencé à pleuvoir.
It started to rain/It started raining.

J'ai passé tout le weekend à faire mes devoirs.
I spent all weekend doing my homework.

Verbs followed by de + infinitive

Many verbs are followed by *de* + infinitive. Here are some of the most common:

s'arrêter de	to stop
cesser de	to stop
décider de	to decide to
se dépêcher de	to hurry
empêcher de	to prevent
essayer de	to try to
éviter de	to avoid
menacer de	to threaten to
être obligé de	to be obliged to
oublier de	to forget to
refuser de	to refuse to

Il a cessé de neiger.
It's stopped snowing.

Nous étions obligés de rester jusqu'au matin.
We had to stay until the morning.

Many expressions with *avoir* are followed by *de* + infinitive:

avoir besoin de	to need to
avoir l'intention de	to intend to
avoir peur de	to be afraid of
avoir le droit de	to have the right to, be allowed to
avoir le temps	to have time to
avoir envie de	to wish, want to

Avez-vous besoin de regarder la carte?
Do you need to look at the map?

Elle avait peur de dire la vérité.
She was afraid of telling the truth.

Verbs followed by à + person + de + infinitive

commander	to order
conseiller	to advise
défendre	to forbid
demander	to ask
dire	to tell
ordonner	to order
permettre	to allow
promettre	to promise
proposer	to suggest

Elle a demandé à sa correspondante de lui envoyer une photo.
She asked her penfriend to send her a photo.

J'ai conseillé à ma sœur de ne pas aller à Paris.
I advised my sister not to go to Paris.

Sometimes à + person is replaced by an indirect object pronoun:

Il a permis à son fils de prendre sa voiture.
He allowed his son to take the car.

Il lui a permis de prendre sa voiture.
He allowed him to take the car.

Before and after

Avant de (**before**) is followed by the **infinitive** of the verb:

Elle m'a donné son adresse avant de partir.
She gave me her address before she left.

After doing something is expressed in French by *après avoir* or *après être* + **past participle**:

Après avoir téléphoné au bureau, je suis parti.
After phoning the office, I left.

Après être arrivée à Paris, elle est allée directement à son hôtel.
After arriving in Paris, she went directly to her hotel.

See pages 150-151.

En + present participle

See page 63

The passive

The passive form of the verb is used when the subject, instead of doing something (active form), has something done to it.

He **saw** the girl. (Active: he is doing the seeing.)
He **was seen** by the girl. (Passive: he is being seen.)

The passive is formed by using any tense of *être* with the past participle. The past participle is used like an adjective and agrees with the subject:

L'alpinisme est considéré comme un sport dangereux.
Rock-climbing **is considered** a dangerous sport.

Elle a été piquée par une guêpe.
She **was stung** by a wasp.

Le château a été construit au 16e siècle.
The castle **was built** in the 16th century.

Avoiding the passive

If there is no mention of the person or thing who has performed the action, it is common to avoid using the passive by using the pronoun *on*:

On dit que … It is said that …
On m'a averti que … I have been informed that …

Sometimes, a reflexive verb can be used:

Ça se comprend. That's understood
Ça ne se traduit pas facilement.
That can't be translated easily.

Dossier-langue

Other grammatical points are explained in the *Dossier-langue* sections of this book.

Les verbes

Regular verbs

The following verbs show the main patterns for regular verbs.
There are three main groups: those whose infinitives end in -er, -ir or -re.
Ones which do not follow these patterns are called irregular verbs.

infinitive	present	perfect	past historic	imperfect	future
jouer	je jou**e**	j'ai jou**é**	je jou**ai**	je jou**ais**	je jou**erai**
to play	tu jou**es**	tu as jou**é**	tu jou**as**	tu jou**ais**	tu jou**eras**
	il jou**e**	il a jou**é**	il jou**a**	il jou**ait**	il jou**era**
imperative	elle jou**e**	elle a jou**é**	elle jou**a**	elle jou**ait**	elle jou**era**
joue!	on jou**e**	on a jou**é**	on jou**a**	on jou**ait**	on jou**era**
jouons!	nous jou**ons**	nous avons jou**é**	nous jou**âmes**	nous jou**ions**	nous jou**erons**
jouez!	vous jou**ez**	vous avez jou**é**	vous jou**âtes**	vous jou**iez**	vous jou**erez**
	ils jou**ent**	ils ont jou**é**	ils jou**èrent**	ils jou**aient**	ils jou**eront**
	elles jou**ent**	elles ont jou**é**	elles jou**èrent**	elles jou**aient**	elles jou**eront**

infinitive	present	perfect	past historic	imperfect	future
choisir	je chois**is**	j'ai choisi	je chois**is**	je chois**issais**	je choisi**rai**
to choose	tu chois**is**	tu as choisi	tu chois**is**	tu chois**issais**	tu choisi**ras**
	il chois**it**	il a choisi	il chois**it**	il chois**issait**	il chosi**ra**
imperative	elle chois**it**	elle a choisi	elle chois**it**	elle chois**issait**	elle choisi**ra**
choisis!	on chois**it**	on a choisi	on chois**it**	on chois**issait**	on choisi**ra**
choisissons!	nous chois**issons**	nous avons choisi	nous chois**îmes**	nous chois**issions**	nous choisi**rons**
choisissez!	vous chois**issez**	vous avez choisi	vous chois**îtes**	vous chois**issiez**	vous choisi**rez**
	ils chois**issent**	ils ont choisi	ils chois**irent**	ils chois**issaient**	ils choisi**ront**
	elles chois**issent**	elles ont choisi	elles chois**irent**	elles chois**issaient**	elles choisi**ront**

infinitive	present	perfect	past historic	imperfect	future
vendre	je vend**s**	j'ai vend**u**	je vend**is**	je vend**ais**	je vend**rai**
to sell	tu vend**s**	tu as vend**u**	tu vend**is**	tu vend**ais**	tu vend**ras**
	il vend	il a vend**u**	il vend**it**	il vend**ait**	il vend**rait**
imperative	elle vend	elle a vend**u**	elle vend**it**	elle vend**ait**	elle vend**ra**
vends!	on vend	on a vend**u**	on vend**it**	on vend**ait**	on vend**ra**
vendons!	nous vend**ons**	nous avons vend**u**	nous vend**îmes**	nous vend**ions**	nous vend**rons**
vendez!	vous vend**ez**	vous avez vend**u**	vous vend**îtes**	vous vend**iez**	vous vend**rez**
	ils vend**ent**	ils ont vend**u**	ils vend**irent**	ils vend**aient**	ils vend**ront**
	elles vend**ent**	elles ont vend**u**	elles vend**irent**	elles vend**aient**	elles vend**ront**

Some verbs are only slightly irregular. Here are two which you have met.
The main difference is in the *je*, *tu*, *il/elle/on* and *ils/elles* forms of the present tense and in the stem for the future tense:

infinitive	present	perfect	past historic	imperfect	future
acheter	j'ach**è**te	j'ai acheté	j'achetai	j'achetais	j'ach**è**terai
to buy	tu ach**è**tes	tu as acheté	tu achetas	tu achetais	tu ach**è**teras
imperative	il ach**è**te	il a acheté	il acheta	il achetait	il ach**è**tera
achète!	nous achetons	nous avons acheté	nous achetâmes	nous achetions	nous ach**è**terons
achetons!	vous achetez	vous avez acheté	vous achetâtes	vous achetiez	vous ach**è**terez
achetez!	ils ach**è**tent	ils ont acheté	ils achetèrent	ils achetaient	ils ach**è**teront

infinitive	present	perfect	past historic	imperfect	future
jeter	je je**tt**e	j'ai jeté	je jetai	je jetais	je je**tt**erai
to throw	tu je**tt**es	tu as jeté	tu jetas	tu jetais	tu je**tt**eras
imperative	il je**tt**e	il a jeté	il jeta	il jetait	il je**tt**era
jette!	nous jetons	nous avons jeté	nous jetâmes	nous jetions	nous je**tt**erons
jetons!	vous jetez	vous avez jeté	vous jetâtes	vous jetiez	vous je**tt**erez
jetez!	ils je**tt**ent	ils ont jeté	ils jetèrent	ils jetaient	ils je**tt**eront

Reflexive verbs

Reflexive verbs are used with a reflexive pronoun (*me*, *te*, *se*, *nous*, *vous*).
Sometimes this means 'self' or 'each other'.
Many reflexive verbs are regular -er verbs and they all form the perfect tense with *être* as the auxiliary, so you must remember to make the past participle agree with the subject.

infinitive	present		perfect		imperative
se laver	je **me** lave	nous **nous** lavons	je **me** suis lavé(e)	nous **nous** sommes lavé(e)s	lave-**toi**!
to get washed,	tu **te** laves	vous **vous** lavez	tu **t'**es lavé(e)	vous **vous** êtes lavé(e)(s)	lavons-**nous**!
wash oneself	il **se** lave	ils **se** lavent	il **s'**est lavé	ils **se** sont lavés	lavez-**vous**!
	elle **se** lave	elles **se** lavent	elle **s'**est lavée	elles **se** sont lavées	
	on **se** lave		on **s'**est lavé		

Irregular verbs

In the following verbs the *il* form is given. The *elle* and *on* forms follow the same pattern unless shown separately. The same applies to *ils* and *elles*.

infinitive	present	perfect	past historic	imperfect	future
aller	je vais	je suis allé(e)	j'allai	j'allais	j'irai
to go	tu vas	tu es allé(e)	tu allas	tu allais	tu iras
	il va	il est allé	il alla	il allait	il ira
imperative		elle est allée			
va!	nous allons	nous sommes allé(e)s	nous allâmes	nous allions	nous irons
allons!	vous allez	vous êtes allé(e)(s)	vous allâtes	vous alliez	vous irez
allez!	ils vont	ils sont allés	ils allèrent	ils allaient	ils iront
		elles sont allées			
apprendre	see **prendre**				
to learn					
avoir	j'ai	j'ai eu	j'eus	j'avais	j'aurai
to have	tu as	tu as eu	tu eus	tu avais	tu auras
imperative	il a	il a eu	il eut	il avait	il aura
aie!	nous avons	nous avons eu	nous eûmes	nous avions	nous aurons
ayons!	vous avez	vous avez eu	vous eûtes	vous aviez	vous aurez
ayez!	ils ont	ils ont eu	ils eurent	ils avaient	ils auront
boire	je bois	j'ai bu	je bus	je buvais	je boirai
to drink	tu bois	tu as bu	tu bus	tu buvais	tu boiras
imperative	il boit	il a bu	il but	il buvait	il boira
bois!	nous buvons	nous avons bu	nous bûmes	nous buvions	nous boirons
buvons!	vous buvez	vous avez bu	vous bûtes	vous buviez	vous boirez
buvez!	ils boivent	ils ont bu	ils burent	ils buvaient	ils boiront
comprendre	see **prendre**				
to understand					
conduire	je conduis	j'ai conduit	je conduisis	je conduisais	je conduirai
to drive	tu conduis	tu as conduit	tu conduisis	tu conduisais	tu conduiras
imperative	il conduit	il a conduit	il conduisit	il conduisait	il conduira
conduis!	nous conduisons	nous avons conduit	nous conduisîmes	nous conduisions	nous conduirons
conduisons!	vous conduisez	vous avez conduit	vous conduisîtes	vous conduisiez	vous conduirez
conduisez!	ils conduisent	ils ont conduit	ils conduisirent	ils conduisaient	ils conduiront
connaître	je connais	j'ai connu	je connus	je connaissais	je connaîtrai
to know	tu connais	tu as connu	tu connus	tu connaissais	tu connaîtras
imperative	il connaît	il a connu	il connut	il connaissait	il connaîtra
connais!	nous connaissons	nous avons connu	nous connûmes	nous connaissions	nous connaîtrons
connaissons!	vous connaissez	vous avez connu	vous connûtes	vous connaissiez	vous connaîtrez
connaissez!	ils connaissent	ils ont connu	ils connurent	ils connaissaient	ils connaîtront
considérer	see **espérer**				
to consider					
courir	je cours	j'ai couru	je courus	je courais	je courrai
to run	tu cours	tu as couru	tu courus	tu courais	tu courras
imperative	il court	il a couru	il courut	il courait	il courrait
cours!	nous courons	nous avons couru	nous courûmes	nous courions	nous courrons
courons!	vous courez	vous avez couru	vous courûtes	vous couriez	vous courrez
courez!	ils courent	ils ont couru	ils coururent	ils couraient	ils courront
croire	je crois	j'ai cru	je crus	je croyais	je croirai
to believe,	tu crois	tu as cru	tu crus	tu croyais	tu croiras
to think	il croit	il a cru	il crut	il croyait	il croira
imperative	nous croyons	nous avons cru	nous crûmes	nous croyions	nous croirons
crois!	vous croyez	vous avez cru	vous crûtes	vous croyiez	vous croirez
croyons!	ils croient	ils ont cru	ils crurent	ils croyaient	ils croiraient
croyez!					

devoir	je dois	j'ai dû	je dus	je devais	je devrai
to have to	tu dois	tu as dû	tu dus	tu devais	tu devras
imperative	il doit	il a dû	il dut	il devait	il devra
dois!	nous devons	nous avons dû	nous dûmes	nous devions	nous devrons
devons!	vous devez	vous avez dû	vous dûtes	vous deviez	vous devrez
devez!	ils doivent	ils ont dû	ils durent	ils devaient	ils devront

dire	je dis	j'ai dit	je dis	je disais	je dirai
to say	tu dis	tu as dit	tu dis	tu disais	tu diras
imperative	il dit	il a dit	il dit	il disait	il dira
dis!	nous disons	nous avons dit	nous dîmes	nous disions	nous dirons
disons!	vous dites	vous avez dit	vous dîtes	vous disiez	vous direz
dites!	ils disent	ils ont dit	ils dirent	ils disaient	ils diront

dormir	je dors	j'ai dormi	je dormis	je dormais	je dormirai
to sleep	tu dors	tu as dormi	tu dormis	tu dormais	tu dormiras
imperative	il dort	il a dormi	il dormit	il dormait	il dormira
dors!	nous dormons	nous avons dormi	nous dormîmes	nous dormions	nous dormirons
dormons!	vous dormez	vous avez dormi	vous dormîtes	vous dormiez	vous dormirez
dormez!	ils dorment	ils ont dormi	ils dormirent	ils dormaient	ils dormiront

écrire	j'écris	j'ai écrit	j'écrivis	j'écrivais	j'écrirai
to write	tu écris	tu as écrit	tu écrivis	tu écrivais	tu écriras
imperative	il écrit	il a écrit	il écrivit	il écrivait	il écrira
écris!	nous écrivons	nous avons écrit	nous écrivîmes	nous écrivions	nous écrirons
écrivons!	vous écrivez	vous avez écrit	vous écrivites	vous écriviez	vous écrirez
écrivez!	ils écrivent	ils ont écrit	ils écrivirent	ils écrivent	ils écriront

envoyer	j'envoie	j'ai envoyé	j'envoyai	j'envoyais	j'enverrai
to send	tu envoies	tu as envoyé	tu envoyas	tu envoyais	tu enverras
imperative	il envoie	il a envoyé	il envoya	il envoyait	il enverra
envoie!	nous envoyons	nous avons envoyé	nous envoyâmes	nous envoyions	nous enverrons
envoyons!	vous envoyez	vous avez envoyé	vous envoyâtes	vous envoyiez	vous enverrez
envoyez!	ils envoient	ils ont envoyé	ils envoyèrent	ils envoyaient	ils enverront

espérer	j'espère	j'ai espéré	j'espérai	j'espérais	j'espérerai
to hope	tu espères	tu as espéré	tu espéras	tu espérais	tu espéreras
imperative	il espère	il a espéré	il espéra	il espérait	il espérera
espère!	nous espérons	nous avons espéré	nous espérâmes	nous espérions	nous espérerons
espérons!	vous espérez	vous avez espéré	vous espérâtes	vous espériez	vous espérerez
espérez!	ils espèrent	ils ont espéré	ils espérèrent	ils espéraient	ils espéreront

essayer	j'essaie	j'ai essayé	j'essayai	j'essayais	j'essayerai
to try	tu essaies	tu as essayé	tu essayas	tu essayais	tu essayeras
imperative	il essaie	il a essayé	il essaya	ils essayait	il essayera
essaie!	nous essayons	nous avons essayé	nous essayâmes	nous essayions	nous essayerons
essayons!	vous essayez	vous avez essayé	vous essayâtes	vous essayiez	vous essayerez
essayez!	ils essaient	ils ont essayé	ils essayèrent	ils essayaient	ils essayeront

être	je suis	j'ai été	je fus	j'étais	je serai
to be	tu es	tu as été	tu fus	tu étais	tu seras
imperative	il est	il a été	il fut	il était	il sera
sois!	nous sommes	nous avons été	nous fûmes	nous étions	nous serons
soyons!	vous êtes	vous avez été	vous fûtes	vous étiez	vous serez
soyez!	ils sont	ils ont été	ils furent	ils étaient	ils seront

faire	je fais	j'ai fait	je fis	je faisais	je ferai
to do, make	tu fais	tu as fait	tu fis	tu faisais	tu feras
imperative	il fait	il a fait	il fit	il faisait	il fera
fais!	nous faisons	nous avons fait	nous fîmes	nous faisions	nous ferons
faisons!	vous faites	vous avez fait	vous fîtes	vous faisiez	vous ferez
faites!	ils font	ils ont fait	ils firent	ils faisaient	ils feront

falloir	il faut	il a fallu	il fallut	il fallait	il faudra
must, is necessary					

se lever *to get up* **imperative** lève-toi! levons-nous! levez-vous!	je me lève tu te lèves il se lève nous nous levons vous vous levez ils se lèvent	je me suis levé(e) tu t'es levé(e) il s'est levé elle s'est levée nous nous sommes levé(e)s vous vous êtes levé(e)(s) ils se sont levés elles se sont levées	je me levai tu te levas il se leva nous nous levâmes vous vous levâtes ils se levèrent	je me levais tu te levais il se levait nous nous levions vous vous leviez ils se levaient	je me lèverai tu te lèveras il se lèvera nous nous lèverons vous vous lèverez ils se lèveront
lire *to read* **imperative** lis! lisons! lisez!	je lis tu lis il lit nous lisons vous lisez ils lisent	j'ai lu tu as lu il a lu nous avons lu vous avez lu ils ont lu	je lus tu lus il lut nous lûmes vous lûtes ils lurent	je lisais tu lisais il lisait nous lisions vous lisiez ils lisaient	je lirai tu liras il lira nous lirons vous lirez ils liront
mettre *to put, put on* **imperative** mets! mettons! mettez!	je mets tu mets il met nous mettons vous mettez ils mettent	j'ai mis tu as mis il a mis nous avons mis vous avez mis ils ont mis	je mis tu mis il mit nous mîmes vous mîtes ils mirent	je mettais tu mettais il mettait nous mettions vous mettiez ils mettaient	je mettrai tu mettras il mettra nous mettrons vous mettrez ils mettront
mourir *to die* **imperative** meurs! mourons! mourez!	je meurs tu meurs il meurt nous mourons vous mourez ils meurent	je suis mort(e) tu es mort(e) il est mort elle est morte nous sommes mort(e)s vous êtes mort(e)(s) ils sont morts elles sont mortes	je mourus tu mourus il mourut mous mourûmes vous mourûtes ils moururent	je mourais tu mourais il mourais nous mourions vous mouriez ils mouraient	je mourrai tu mourras il mourra nous mourrons vous mourrez ils mourront
naître *to be born*	je nais tu nais il naît nous naissons vous naissez ils naissent	je suis né(e) tu es né(e) il est né elle est née nous sommes né(e)s vous êtes né(e)(s) ils sont nés elles sont nées	je naquis tu naquis il naquit nous naquîmes vous naquîtes ils naquirent	je naissais tu naissais il naissait nous naissions vous naissiez ils naissaient	je naîtrai tu naîtras il naîtra nous naîtrons vous naîtrez ils naîtront
ouvrir *to open* **imperative** ouvre! ouvrons! ouvrez!	j'ouvre tu ouvres il ouvre nous ouvrons vous ouvrez ils ouvrent	j'ai ouvert tu as ouvert il a ouvert nous avons ouvert vous avez ouvert ils ont ouvert	j'ouvris tu ouvris il ouvrit nous ouvrîmes vous ouvrîtes ils ouvrirent	j'ouvrais tu ouvrais il ouvrait nous ouvrions vous ouvriez ils ouvraient	j'ouvrirai tu ouvriras il ouvrira nous ouvrirons vous ouvrirez ils ouvriront
partir *to leave, depart* **imperative** pars! partons! partez!	je pars tu pars il part nous partons vous partez ils partent	je suis parti(e) tu es parti(e) il est parti elle est partie nous sommes parti(e)s vous êtes parti(e)(s) ils sont partis elles sont parties	je partis tu partis il partit nous partîmes vous partîtes ils partirent	je partais tu partais il partait nous partions vous partiez ils partaient	je partirai tu partiras il partira nous partirons vous partirez ils partiront
pleuvoir *to rain*	il pleut	il a plu	il plut	il pleuvait	il pleuvra
pouvoir *to be able to* *(I can etc.)*	je peux tu peux il peut nous pouvons vous pouvez ils peuvent	j'ai pu tu as pu il a pu nous avons pu vous avez pu ils ont pu	je pus tu pus il put nous pûmes vous pûtes ils purent	je pouvais tu pouvais il pouvait nous pouvions vous pouviez ils pouvaient	je pourrai tu pourras il pourra nous pourrons vous pourrez ils pourront

prendre	je prends	j'ai pris	je pris	je prenais	je prendrai
to take	tu prends	tu as pris	tu pris	tu prenais	tu prendras
imperative	il prend	il a pris	il prit	il prenait	il prendra
prends!	nous prenons	nous avons pris	nous prîmes	nous prenions	nous prendrons
prenons!	vous prenez	vous avez pris	vous prîtes	vous preniez	vous prendrez
prenez!	ils prennent	ils ont pris	ils prirent	ils prenaient	ils prendront

préférer	see **espérer**
to prefer	

recevoir	je reçois	j'ai reçu	je reçus	je recevais	je recevrai
to receive	tu reçois	tu as reçu	tu reçus	tu recevais	tu recevras
imperative	il reçoit	il a reçu	il reçut	il recevait	il recevra
reçois!	nous recevons	nous avons reçu	nous reçûmes	nous recevions	nous recevrons
recevons!	vous recevez	vous avez reçu	vous reçûtes	vous receviez	vous recevrez
recevez!	ils reçoivent	ils ont reçu	ils reçurent	ils recevaient	ils recevront

rire	je ris	j'ai ri	je ris	je riais	je rirai
to laugh	tu ris	tu as ri	tu ris	tu riais	tu riras
imperative	il rit	il a ri	il rit	il riait	il rira
ris!	nous rions	nous avons ri	nous rîmes	nous riions	nous rirons
rions!	vous riez	vous avez ri	vous rîtes	vous riiez	vous rirez
riez!	il rient	ils ont ri	ils rirent	ils riaient	ils riront

savoir	je sais	j'ai su	je sus	je savais	je saurai
to know	tu sais	tu as su	tu sus	tu savais	tu sauras
imperative	il sait	il a su	il sut	il savait	il saura
sache!	nous savons	nous avons su	nous sûmes	nous savions	nous saurons
sachons!	vous savez	vous avez su	vous sûtes	vous saviez	vous saurez
sachez!	ils savent	ils ont su	ils surent	ils savaient	ils sauront

sortir	see **partir**
to go out	

tenir	see **venir**
to hold	

venir	je viens	je suis venu(e)	je vins	je venais	je viendrai
to come	tu viens	tu es venu(e)	tu vins	tu venais	tu viendras
imperative	il vient	il est venu	il vint	il venait	il viendra
viens!		elle est venue			
venons!	nous venons	nous sommes venu(e)s	nous vînmes	nous venions	nous viendrons
venez!	vous venez	vous êtes venu(e)(s)	vous vîntes	vous veniez	vous viendrez
	ils viennent	ils sont venus	ils vinrent	ils venaient	ils viendront
		elles sont venues			

vivre	je vis	j'ai vécu	je vécus	je vivais	je vivrai
to live	tu vis	tu as vécu	tu vécus	tu vivais	tu vivras
imperative	il vit	il a vécu	il vécut	il vivait	il vivra
vis!	nous vivons	nous avons vécu	nous vécûmes	nous vivions	nous vivrons
vivons!	vous vivez	vous avez vécu	vous vécûtes	vous viviez	vous vivrez
vivez!	ils vivent	ils ont vécu	ils vécurent	ils vivaient	ils vivront

voir	je vois	j'ai vu	je vis	je voyais	je verrai
to see	tu vois	tu as vu	tu vis	tu voyais	tu verras
imperative	il voit	il a vu	il vit	il voyait	il verra
vois!	nous voyons	nous avons vu	nous vîmes	nous voyions	nous verrons
voyons!	vous voyez	vous avez vu	vous vîtes	vous voyiez	vous verrez
voyez!	ils voient	ils ont vu	ils virent	ils voyaient	ils verront

vouloir	je veux	j'ai voulu	je voulus	je voulais	je voudrai
to want	tu veux	tu as voulu	tu voulus	tu voulais	tu voudras
imperative	il veut	il a voulu	il voulut	il voulait	il voudra
veuille!	nous voulons	nous avons voulu	nous voulûmes	nous voulions	nous voudrons
veuillons!	vous voulez	vous avez voulu	vous voulûtes	vous vouliez	vous voudrez
veuillez!	ils veulent	ils ont voulu	ils voulurent	ils voulaient	ils voudront

Vocabulaire par thèmes

- **Index of topics**

When you look up a noun in a dictionary, you will notice some letters after the word:

n.m. (or **s.m.**) tells you that it is a **noun** and it is **masculine** (*le* or *un*)

n.f. (or **s.f.**) tells you that it is a **noun** and it is **feminine** (*la* or *une*)

The nouns on these pages have **m** (masculine) or **f** (feminine) after them and **pl** if they are plural.

A Everyday activities

1 le matériel scolaire

baladeur (m)	personal stereo
bureau (m)	desk
cahier (m)	exercise book
calculatrice (f)	calculator
cartable (m)	school bag
cassette (vidéo) (f)	(video) cassette
chaise (f)	chair
classeur (m)	file
craie (f)	chalk
crayon (m)	pencil
feuille (f)	sheet of paper
feutre (m)	felt tip pen
gomme (f)	rubber
magnétophone à cassettes (m)	cassette recorder
magnétoscope (m)	video recorder
manuel (m)	textbook
(micro-)ordinateur (m)	computer
règle (f)	ruler, rule
stylo à bille (m)	ballpoint pen
table (f)	table
tableau (m)	board; picture
taille-crayon (m)	pencil sharpener
télévision (f)	television
trousse (f)	pencil case

2 les activités de classe

il s'agit de	it's about
aider	to help
allumer	to switch on
apprendre (par cœur)	to learn (by heart)
avoir raison	to be right
avoir tort	to be wrong
chercher dans le dictionnaire	to look up in a dictionary
choisir	to choose
commencer	to begin
comparer	to compare
compléter	to complete
comprendre	to understand
corriger	to correct
dessiner	to draw, design
deviner	to guess
distribuer	to give out
donner	to give
écouter	to listen
écrire	to write
effacer	to rub out
encore une fois	once more
entendre	to hear
essayer	to try

éteindre	to switch off
expliquer	to explain
fermer	to close
finir	to finish
gagner	to win
mettre dans le bon ordre	to put in the right order
montrer	to show
noter	to make a note of
oublier	to forget
ouvrir	to open
parler	to speak
penser	to think
perdre	to lose
poser une question	to ask a question
pouvoir	to be able
prêter	to borrow
ranger	to tidy up, clear up, put away
remplir	to fill in
répéter	to repeat
répondre	to reply
savoir	to know
souligner	to underline
tourner	to turn
travailler (en équipes)	to work (in teams)
trouver	to find
vérifier	to check

3 les matières scolaires

allemand (m)	German
anglais (m)	English
arts plastiques (m pl)	art and craft
biologie (f)	biology
chimie (f)	chemistry
dessin (m)	art
EMT (éducation manuelle et technique) (f)	technology
EPS (éducation physique et sportive) (f)	P.E.
espagnol (m)	Spanish
français (m)	French
géographie (f)	geography
gymnastique (f)	gymnastics
histoire (f)	history
informatique (f)	computing
instruction civique (f)	civics
instruction religieuse (f)	religious instruction
langues vivantes (f pl)	modern languages
latin (m)	latin
maths (f pl)	maths
musique (f)	music
physique (f)	physics
sciences économiques (f pl)	economics
sciences naturelles (f pl)	natural sciences
sciences physiques (f pl)	physical sciences
sport (m)	sport
technologie (f)	technology

4 l'organisation de la vie scolaire

apprendre	to learn
baccalauréat (bac) (m)	equivalent to A-level examination
bulletin (m)	report
classe (f)	class
club (m)	club

collège (m)	school for 11-16year-olds
contrôle (m)	test
cours (m)	lesson
demi-pensionnaire (m/f)	pupil who has lunch at school
devoirs (m pl)	homework
durer	to last
échouer à un examen	to fail an exam
école maternelle/primaire (f)	nursery/primary school
élève (m/f)	pupil
emploi du temps (m)	timetable
épreuve (écrite) (f)	(written) test
étude (f)	study period
examen (m)	exam
examen blanc (m)	mock exam
être reçu à un examen	to pass an exam
facultatif(-ive)	optional
faute (f)	mistake, error
heures de permanence (les permes) (f pl)	free period
interne (m/f)	boarder
leçon (f)	lesson
lycée (m)	school for 16-19 year-olds
note (f)	mark
niveau (m)	level
obligatoire	compulsory
passer un examen	to take an exam
pause de midi (f)	midday break
faire du progrès	to improve, make progress
récréation (f)	break
rentrée scolaire (f)	return to school
retenue (f)	detention
sonnerie (f)	bell
trimestre (m)	term
vacances scolaires (f pl)	school holidays

5 les locaux

bâtiment (m)	the building
atelier (m)	workshop
bibliothèque (f)	library
bureau (m)	office/study
cantine (f)	canteen
centre de documentation et d'information (m)	resources room/library
couloir (m)	corridor
cour (de récréation) (f)	school yard, playground
grande salle (f)	hall
gymnase (m)	gym(nasium)
hall (m)	entrance hall
laboratoire (de langues) (m)	(language) laboratory
salle de classe (f)	classroom
salle d'informatique (f)	computer room
salle des professeurs (f)	staffroom
toilettes/WC (f pl)	toilets
vestiaire (m)	cloakroom

6   le personnel

concierge (m/f) — caretaker
conseiller(-ère) d'orientation (m/f) — careers adviser
délégués de classe (m pl) — student representatives
directeur/directrice — headmaster/mistress (of nursery, primary or 11-16 secondary school)
documentaliste (m/f) — information officer, librarian
instituteur/institutrice — primary school teacher
intendant(e) — bursar (in charge of finance)
principal (m) — head of a secondary school
professeur (m) — teacher
proviseur (m) — head of a lycée
sécretaire (m/f) — secretary
surveillant(e) — student who supervises school pupils

7   l'informatique

base de données (f) — database
brancher — to plug in
cartouche (m) — cartridge
CD-ROM (m) — CD-Rom
charger — to load
clavier (m) — keyboard
couper-coller — to cut and paste
curseur (m) — cursor
disque dur (m) — hard disk
disquette (f) — floppy disk
écran (m) — screen
effacer — to delete
'envoi' — 'return'
fermer — to shut down
fichier (m) — file
imprimante (f) — printer
interrupteur marche-arrêt (m) — on/off switch
lecteur CD-ROM (m) — CD-ROM drive
marquer — to highlight
menu (m) — menu
moniteur (m) — monitor
mot de passe (m) — password
ordinateur (m) — computer
puce (f) — micro chip
sauver — to save
souris (f) — mouse
tableur (m) — spreadsheet
taper — to type
télémessagerie (f) — electronic mail
touche (f) — key
touche-espace (f) — space bar
traitement de texte (m) — word processing
visualiser — to display

8   à la maison

(tout) aménagé — (fully) furnished/equipped
ancien — old
appartement (m) — flat
bâtiment (m) — building
chambre (f) — room
gîte (m) — self-catering accommodation (usually in the country)

immeuble (m) — block of flats
jardin potager (m) — vegetable garden
logement (m) — accommodation
maison (f) — house
meublé — furnished
moderne — modern
pelouse (f) — lawn
résidence (de standing) (f) — block of (luxury) flats
studio (m) — bedsit
vide — unfurnished
villa (f) — detached house
au cinquième étage — on the fifth floor
au quatrième étage — on the fourth floor
au troisième étage — on the third floor
au deuxième étage — on the second floor
au premier étage — on the first floor
au rez-de-chaussée — on the ground floor
au sous-sol — in the basement

9   l'aménagement

ascenseur (m) — lift
baignoire (f) — bath
balcon (m) — balcony
cave (f) — cellar
chambre (f) — room
chauffage central (m) — central heating
chauffe-eau (m) — water heater
cheminée (f) — chimney
coin cuisine (m) — cooking area
cuisine (f) — kitchen
douche (f) — shower
entrée (f) — entrance hall, foyer
escalier (m) — staircase
fenêtre (f) — window
garage (m) — garage
grenier (m) — loft
mur (m) — wall
palier (m) — landing
pièce (f) — room
plafond (m) — ceiling
plancher (m) — floor
porte (f) — door
prise de courant (f) — socket
radiateur (m) — radiator
robinet (m) — tap
salle à manger (f) — dining-room
salle de bains (f) — bath-room
salle d'eau (f) — washroom, shower room
salle de séjour (f) — living-room
salon (m) — lounge
terrasse (f) — patio
toit (m) — roof
vestibule (m) — hall
volet (m) — shutter
W.C. (f pl) — toilet

10   les meubles

armoire (f) — cupboard
aspirateur (m) — vacuum cleaner
bibliothèque (f) — bookcase
bidet (m) — bidet
buffet (m) — sideboard
bureau (m) — desk

canapé (m) — sofa, settee
chaîne-stéréo (f) — stereo system
chaise (f) — chair
commode (f) — chest of drawers
congélateur (m) — deep freeze
cuisinière (f) (électrique/à gaz) — (electric/gas) cooker
étagère (f) — shelf
évier (m) — sink
fauteuil (m) — armchair
four à micro-ondes (m) — microwave oven
frigidaire (m) frigo (fam) — refrigerator
hi-fi (m) — hi fi system
lampe (f) — lamp
lavabo (m) — wash-basin
lave-linge (m) — washing-machine
lave-vaisselle (m) — dishwasher
lit (m) — bed
machine à laver (f) — washing machine
magnétoscope (m) — video recorder
meubles (m pl) — furniture
miroir (m) — mirror
moquette (f) — fitted carpet
placard (m) — cupboard
prise de courant (f) — electric point
réfrigérateur (m) — refrigerator
répondeur automatique (m) — answerphone
réveil (m) — alarm clock
rideau (m) — curtain
tapis (m) — carpet
tiroir (m) — drawer

11   les ustensiles de cuisine

assiette (f) — plate
bol (m) — bowl
cafetière (f) — coffee maker
carafe à eau (f) — water jug
casserole (f) — saucepan
ciseaux (m pl) — scissors
clé (clef) (f) — key
couteau (m) — knife
cuiller/cuillère (f) — spoon
fourchette (f) — fork
ouvre-boîte (m) — tin opener
ouvre-bouteille (m) — bottle opener
plateau (m) — tray
poêle (f) — frying-pan
soucoupe (f) — saucer
tasse (f) — cup
tire-bouchon (m) — corkscrew
verre (m) — glass

12   la literie

couette (f) — duvet
couverture (f) — blanket
draps (m pl) — sheets
gant de toilette (m) — flannel
housse (f) — duvet cover
oreiller (m) — pillow
serviette (f) — towel
torchon (m) — tea towel

13 le travail à la maison

aider à la maison	to help at home
débarrasser la table	to clear the table
essuyer	to wipe up
faire les courses	to go shopping
faire la cuisine	to cook
faire du jardinage	to do some gardening
faire la lessive	to do the washing
faire les lits	to make the beds
faire le ménage	to do the housework
faire le repassage	to do the ironing
faire la vaisselle	to do the washing up
faire les vitres/laver les carreaux	to clean the windows
laver la voiture	to wash the car
mettre la table	to lay the table
nettoyer	to clean
passer l'aspirateur	to vacuum
préparer les repas	to prepare the meals
ranger ses affaires	to tidy up
remplir le lave-vaisselle	to load the dishwasher
repasser	to iron
sortir les poubelles	to put the dustbins out
tâche ménagère (f)	household chore
travailler dans le jardin	to work in the garden
vider le lave-vaisselle	to unload the dishwasher

14 la routine

aller à l'école/au travail	to go to school/work
se coiffer	to do your hair
se coucher	to go to bed
déjeuner	to have lunch
se déshabiller	to get undressed
dormir	to sleep
goûter	to have afternoon tea
s'habiller	to get dressed
se laver	to get washed
se lever	to get up
prendre un bain/une douche	to take a bath/shower
prendre son petit déjeuner	to have breakfast
se raser	to get shaved
rentrer	to return home
se réveiller	to wake up

15 les repas

casse-croûte (f)	snack
déjeuner (m)	lunch
dessert (m)	dessert
goûter (m)	tea
dîner (m)	dinner
hors d'œuvre (m)	first course
petit déjeuner (m)	breakfast
plat principal (m)	main course
snack (m)	snack
souper (m)	supper

16 la nourriture

baguette (f)	French loaf
beurre (m)	butter
biscuits (m pl)	plain biscuits
bonbon (m)	sweet
café (m)	coffee
céréales (f pl)	cereal
chips (m pl)	crisps
chocolat (m)	chocolate
confiture (f)	jam
crème fraîche (f)	fresh cream
crêpe (f)	pancake
croissant (m)	croissant
eau minérale (f)	mineral water
farine (f)	flour
frites (f pl)	chips
fromage (m)	cheese
gâteau (m)	cake
glace (f)	ice cream
huile (d'olive) (f)	(olive) oil
lait (pasteurisé) (m)	(pasteurised) milk
miel (m)	honey
moutarde (f)	mustard
nouilles (f pl)	noodles
œuf (m)	egg
œuf à la coque (m)	boiled egg
pain (m)	bread
pâté (m)	paté
pâtes (f pl)	pasta
pâtisserie (f)	pastry
petits gâteaux (m pl)	sweet biscuits
poisson (m)	fish
poivre (m)	pepper
potage (m)	soup
riz (m)	rice
salade (f)	green salad, lettuce
sel (m)	salt
soupe (f)	soup
spaghettis (m pl)	spaghetti
sucre (m)	sugar
thé (m)	tea
toast (m)	toast
végétarien	vegetarian
vin (m)	wine
vinaigre (m)	vinegar
yaourt (m)	yoghurt

17 les légumes

ail (m)	garlic
artichaut (m)	artichoke
aubergine (f)	aubergine
betterave (f)	beetroot
carotte (f)	carrot
champignon (m)	mushroom
chou (m)	cabbage
chou de Bruxelles (m)	Brussels sprout
chou-fleur (m)	cauliflower
concombre (m)	cucumber
haricot vert (m)	green bean
laitue (f)	lettuce
oignon (m)	onion
petits pois (m pl)	peas
poireau (m)	leek

pomme de terre (f)	potato
radis (m)	radish
salade (f)	(green) salad

18 les fruits

abricot (m)	apricot
ananas (m)	pineapple
banane (f)	banana
cerise (f)	cherry
citron (m)	lemon
clémentine (f)	clementine
datte (f)	date
fraise (f)	strawberry
framboise (f)	raspberry
figue (f)	fig
melon (m)	melon
orange (f)	orange
pamplemousse (m)	grapefruit
pêche (f)	peach
poire (f)	pear
pomme (f)	apple
prune (f)	plum
raisin (m)	grape
tomate (f)	tomato

19 la viande, le poisson, la volaille

agneau (m)	lamb
bœuf (m)	beef
bifteck (m)	steak
canard (m)	duck
côtelette (f)	cutlet
dinde (f)	turkey
fruits de mer (m pl)	seafood
hamburger (m)	burger
jambon (m)	ham
merguez (m)	spicy arabic sausage
mouton (m)	mutton
porc (m)	pork
poulet (m)	chicken
salami (m)	salami
saucisse (f)	sausage (for cooking)
saucisson (sec) (m)	salami, continental sausage
saumon (m)	salmon
steak (m)	steak
thon (m)	tuna fish
truite (f)	trout
veau (m)	veal
volaille (f)	poultry

20 pour décrire la nourriture

C'est fait avec ...	It's made with...
C'est une sorte de ...	It's a kind of ...
C'est une spécialité de la région	It's a local speciality
C'est un peu comme ...	It's a bit like ...
C'est vraiment délicieux	It's really delicious
assaisonné	seasoned
battre	to beat
beau	beautiful
bon	good

197

chaud	hot
faire cuire	to cook
dur	hard
excellent	excellent
fade	tasteless
fort	strong
frais/fraîche	fresh
froid	cold
fumé	smoked
goût (m)	taste
goûter	to taste
griller	to grill
léger/légère	light
mauvais	bad
mûr	ripe
piquant	spicy
salé	salt(y)
sucré	sweet, sweetened
tendre	tender

21 les magasins d'alimentation

alimentation (f)	general food shop
boucherie (f)	butcher's
boulangerie (f)	baker's
boutique (f)	small shop
charcuterie (f)	
	delicatessen, pork butcher's
confiserie (f)	confectioner's, sweet shop
crémerie (f)	dairy (and grocer's)
épicerie (f)	grocer's
grand magasin (m)	department store
hypermarché (m)	hypermarket
magasin (m)	shop
marchand de fruits/légumes (m)	
	greengrocer's
marché (m)	market
pâtisserie (f)	cake shop
poissonnerie (f)	fishmonger's
supermarché (m)	supermarket
traiteur (m)	caterer, delicatessen

22 les quantités

boîte (f)	box, tin
bouteille (f)	bottle
demi	half
douzaine (f)	dozen
gramme (f)	gram
grand	large, big
kilo (m)	kilo
litre (m)	litre
livre (f)	pound
morceau (m)	piece
paquet (m)	packet
petit	small
un peu	a little
portion (f)	portion
pot (m)	pot
rondelle (f)	round slice
tranche (f)	slice

23 expressions utiles: le client

Je voudrais …	I would like …
Avez-vous … ?	Have you … ?
s'il vous plaît	please
Est-ce que vous vendez … ?	
	Do you sell … ?

Quel est le prix de … ?	
	How much is … ?
Avez-vous quelque chose de moins cher?	
	Have you anything cheaper?
Mettez-moi (aussi) …	
	Give me … (as well)
Qu'est-ce que vous avez comme … ?	
	What kind of … do you have?
Donnez-moi un morceau comme ça	
	Give me a piece like that
C'est combien?	How much is it?
Je prends/vais prendre ça	
	I'll take that
Ça fait combien?	
	How much does it come to?
C'est tout	That's all
Merci bien/beaucoup	
	Thank you very much
Avez-vous la monnaie de 100 francs?	
	Do you have change for 100 francs?

24 expressions utiles: le marchand

Vous désirez?	What would you like?
Et avec ceci?	Anything else?
Vous voulez autre chose?	
	Would you like anything else?
Vous en voulez combien?	
	How much do you want?
Nous avons un grand choix de …	
	We have a big selection of …
C'est tout?	Is that all?
C'est tout ce qu'il vous faut?	
	Is that all you need?
Payez à la caisse	Pay at the cash desk

25 au café: les boissons

boisson (non-)alcoolisée (f)	
	(non-)alcoholic drink
boisson gazeuse (f)	fizzy drink
bière (f)	beer
demi (m)	half a pint
café (m)	(black) coffee
(café) crème (m)	coffee with cream
café au lait (m)	coffee with milk
décaféiné (m)	decaffeinated coffee
express (m)	espresso coffee
grand café (m)	large cup of coffee
petit café (m)	small cup of coffee
chocolat chaud (m)	hot chocolate
cidre (m)	cider
citron pressé (m)	fresh lemon juice
coca (m)	cola
eau minérale (f)	mineral water
jus de fruit (m)	fruit juice
jus d'ananas (m)	pineapple juice
jus d'orange (m)	orange juice
jus de pamplemousse (m)	grapefruit juice
jus de tomate (m)	tomato juice
limonade (f)	lemonade
menthe à l'eau (f)	
	mint-flavoured drink (with water)
diabolo menthe (m)	
	mint-flavoured drink (with lemonade)

Orangina (f)	fizzy orange drink
thé	tea
thé au lait	tea with milk
vin blanc/rosé/rouge (m)	
	(white/rosé/red) wine

26 au café: les casse-croûtes

croque-monsieur (m)	
	toasted cheese and ham sandwich
frites (f pl)	chips
glace (f)	ice cream
hamburger (m)	burger
omelette (f)	omelette
parfum (m)	flavour
pizza (m)	pizza
poulet (m)	chicken
vanille (f)	vanilla

27 lieux pour manger

bistro (m)	small café
brasserie (f)	large café
relais-routier (m)	transport café
restaurant (m)	restaurant
salon de thé (m)	tea-room
self-service (m)	self-service restaurant

28 au restaurant: le menu

carte (f)	menu
dessert (m)	desert
entrée (f)	first course
hors d'œuvre (m)	first course
manger à la carte	
	to eat from the menu
menu à prix fixe (m)	
	set price menu (limited choice)
plat du jour (m)	dish of the day
plat principal (m)	main course
recommander	to recommend
spécialité (f)	speciality
table d'hôte (f)	set meal

29 au restaurant: les hors d'œuvres

assiette anglaise (f)	
	selection of ham and cold meats
charcuterie (f)	selection of cold meats
consommé (m)	thin soup
crudités (f pl)	raw vegetables
escargots (m pl)	snails
œuf mayonnaise (m)	
	hard-boiled egg in mayonnaise
pâté maison (m)	home-made paté
potage (m)	soup

30 au restaurant: les poissons

coquilles Saint-Jacques (f pl)	scallops
crabe (m)	crab
crevettes (f pl)	prawns
fruits de mer (m pl)	seafood
hareng (m)	herring
homard (m)	lobster
huîtres (m pl)	oysters
morue (f)	cod

moules marinières (f pl)
mussels in white wine
saumon (m)   salmon
truite (f)   trout

31 au restaurant: les viandes

bifteck (m)   beef steak
canard (m)   duck
cervelle (f)   brain
coq au vin (m)   chicken in red wine
côte d'agneau/de porc (f)
     lamb/pork chop
côtelette (f)   cutlet
escalope de veau (f)   fillet of veal
lapin (m)   rabbit
steak (m)   steak
~ à point   medium
~ bien cuit   well done
~ bleu   nearly raw
~ saignant   rare
steak tartare (m)   raw chopped steak
     mixed with egg yolk and capers

32 au restaurant: les desserts

crème caramel (f)   caramel custard
crème Chantilly (f)   whipped cream
fruits (m pl)   fruit
glaces (f pl)   ice cream
mousse au chocolat (f)
     chocolate mousse
pâtisserie (f)   cake
tarte aux pommes (f)   apple tart
yaourt (m)   yoghurt

33 au restaurant: vocabulaire général

addition (f)   bill
ça suffit   that's enough
combien   how much
compris   included
couvert (m)   cover charge
farci   stuffed
aux fines herbes   with herbs
garni   served with a vegetable or salad
au gratin   with cheese topping
haché   minced
hachis (m)   mince
inclus   included
maison   home made
moutarde (f)   mustard
nature   plain
poivre (m)   pepper
pommes (de terre) vapeur (f)
     steamed potatoes
pommes (de terre) sautées (f)
     sauté potatoes
pommes (de terre) provençale (f)
     potatoes with tomatoes, garlic etc.
ragoût (m)   stew
rôti   roast
de saison   seasonal
salade verte/composée (f)
     green/mixed salad

sauce vinaigrette (f)
     French dressing (salad)
sel (m)   salt
service (m)   service
vin doux (m)   sweet wine
vin sec (m)   dry wine
volaille (f)   poultry

34 le corps

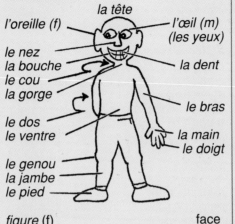

la tête
l'oreille (f)
l'œil (m) *(les yeux)*
le nez
la bouche
le cou
la gorge
la dent
le bras
le dos
le ventre
la main
le doigt
le genou
la jambe
le pied

figure (f)   face
visage (m)   face
voix (f)   voice
(voir aussi la page 60)

35 la santé

avoir le cafard   to feel depressed
avoir le moral à zéro   to be really down
brûlure (f)   burn
coupure (f)   cut
déprimé(e)   depressed
être bien dans sa peau/
être en pleine forme   to feel really well
être enrhumé(e)   to have a cold
être mal dans sa peau
   to feel out of sorts, uncomfortable, down
malade   ill
piqûre (f)   sting, (injection)
rhume (m)   cold
sain (m)   healthy, well
se blesser   to injure oneself
se brûler   to burn oneself
toux (f)   cough
vomir   to be sick

36 chez le médecin

avoir de la fièvre
     to have a temperature
cabinet du médecin (m)
     doctor's consulting room
docteur (m)   doctor
douleureux   painful
enflé   swollen
entorse (f)   sprain
examiner   to examine
grave   serious
grippe (f)   flu
heures de consultation (f pl)
     surgery hours
hôpital (m)   hospital
infirmière (f)   nurse
malade (m/f)   patient

maladie (f)   disease
médecin (m)   doctor
plâtre (m)   plaster
radio (f) *(les rayons X)* (m pl)   X-ray
se reposer   to rest
sévère   serious

37 chez le dentiste

brosse à dents (f)   toothbrush
se brosser les dents   to brush teeth
carie (f)   tooth decay
dent (f)   tooth
dentiste (m/f)   dentist
dentifrice (m)   toothpaste
gencive (f)   gum
piqûre (f)   injection
plombage (m)   filling
traitement (m)   treatment

38 chez le pharmacien

aspirine (f)   aspirin
comprimés (m pl)   tablets
constipation (f)   constipation
diarrhée (f)   diarrhoea
déodorant (m)   deodorant
médicament (m)   medication
ordonnance (f)   prescription
pansement (m)   dressing, bandage
du papier hygiénique (m)   toilet paper
pastilles (f pl) *pour la gorge*
     throat sweets
pharmacie (f)   chemist's shop
pharmacien(-enne) (m/f)   chemist
pilule (f)   pill
pommade (f)   cream, ointment
savon (m)   soap
serviettes hygiéniques (f pl)
     sanitary towels
shampooing (m)   shampoo
sirop (m)   cough linctus
sparadrap (m)   elastoplast
vignette (f)   special tax label on drugs
     bought on prescription

39 en cas d'urgence

accident (m)   accident
aider   to help
ambulance (f)   ambulance
attention!   look out!
police (f)   police
pompiers (m pl)   fire service
premiers secours (m pl)   first aid
SAMU (m)   emergency medical aid
au secours   help

B Personal and social life

1 les détails personnels

adresse (f)	address
âge (m)	age
anniversaire (m)	birthday
coordonnés (m pl)	address and telephone number
date de naissance (f)	date of birth
domicile habituel (m)	permanent address
lieu de naissance (m)	place of birth
nationalité (f)	nationality
né(e)	born
nom de famille (m)	surname
numéro de téléphone (m)	telephone number
prénom (m)	first name
retraité	retired

2 situation de famille

célibataire	single
divorcé(e)	divorced
marié(e)	married
séparé(e)	separated
veuf (veuve)	widowed

3 religion

catholique	catholic
chrétien(ne)	Christian
croyant	practising a religion
hindou	Hindu
juif (juive)	Jewish
musulman	Muslim
protestant	protestant
sans religion	agnostic
sikh	Sikh

4 la famille et les amis

ami(e) (m/f)	friend
beau-frère (m)	brother-in-law
beau-père (m)	stepfather, father-in-law
beaux-parents (m pl)	parents-in-law
bébé (m)	baby
belle-mère (f)	stepmother, mother-in-law
belle-sœur (f)	sister-in-law
camarade (m/f)	colleague, classmate
copain (copine) (m/f)	friend
correspondant(e) (m/f)	penfriend
cousin(e)	cousin
demi-frère (m)	half brother
demi-sœur (f)	half sister
enfant (m/f)	child
femme (f)	wife, woman
fiancé(e)	fiancé
fille (unique) (f)	(only) daughter, girl
fils (unique) (m)	(only) son
frère (m)	brother
garçon (m)	boy
grand-mère (f)	grandmother
grand-père (m)	grandfather
grands-parents (m pl)	grandparents
jumeaux/jumelles (m/f pl)	twins
mari (m)	husband
mère (f)	mother
neveu (m)	nephew
nièce (f)	niece
oncle (m)	uncle
parent (m)	parent, relation
père (m)	father
petits-enfants (m pl)	grandchildren
sœur (f)	sister
tante (f)	aunt
voisin(e)	neighbour

5 les animaux

chat (m)	cat
cheval (m)	horse
chien (m)	dog
cobaye, cochon d'Inde (m)	guinea pig
gerbille (f)	gerbil
hamster (m)	hamster
lapin (m)	rabbit
patte (f)	paw
oiseau (m)	bird
perroquet (m)	parrot
perruche (f)	budgerigar
poisson rouge (m)	goldfish
queue (f)	tail
serpent (m)	snake
souris (f)	mouse
tortue (f)	tortoise

6 décrire quelqu'un physiquement

avoir environ ... ans	to be aged about ...
barbe (f)	beard
chauve	bald
cheveux (m pl)	hair
fort	well built
grand	tall
lunettes (f pl)	glasses
mince	slim
moustache (f)	moustache
petit	small
yeux (m pl)	eyes

7 décrire le caractère de quelqu'un

avoir l'air	to seem
agréable	pleasant
agressif(-ive)	aggressive
aimable	kind, likeable
ambitieux(-euse)	ambitious
amusant	amusing, funny
calme	quiet
charmant	charming
content	happy, contented
courageux(-euse)	brave
dangereux(-euse)	dangerous
difficile	difficult
drôle	funny
dynamique	dynamic, energetic
égoïste	selfish
ennuyeux(-euse)	boring
équilibré	well-balanced
fier (fière)	proud
fort	strong
généreux(-euse)	generous
gentil(le)	nice, kind
heureux(-euse)	happy
honnête	honest
impatient	impatient
impulsif(-ive)	impulsive
indépendant	independent
inquiet (inquiète)	anxious, worried
intéressant	interesting
jaloux(-ouse)	jealous
loyal	loyal
méchant	naughty, bad, spiteful
mûr	mature
obstiné	obstinate, stubborn, persistent
optimiste	optimistic
paresseux(-euse)	lazy
patient	patient
pessimiste	pessimistic
positif(-ive)	positive
rebelle	rebellious
responsable	responsible
sensible	sensitive
sérieux(-euse)	serious
seul	alone, lonely
sociable	sociable
sportif(-ive)	sporty, athletic
sympathique	nice
timide	shy

8 les vêtements

anorak (m)	anorak
baskets (m pl)	trainers
blouson (m)	casual style jacket
bombe (f)	riding hat
bonnet (m)	woolly hat, ski hat
bottes (f pl)	boots
caleçon (m)	leggings, boxer shorts
casque (m)	helmet
ceinture (f)	belt
chapeau (m)	hat
chaussettes (f pl)	socks
chaussures (f pl)	shoes
chaussures de sport (f pl)	sports shoes, trainers
chemise (f)	shirt
chemise de nuit (f)	nightshirt
chemisier (m)	blouse
collant (m)	tights
cravate (f)	tie
gants (m pl)	gloves
habillé	smart, dressy
imper(méable) (m)	raincoat
jean (m)	jeans
jogging (m)	tracksuit
jupe (f)	skirt
lunettes (de soleil) (f pl)	(sun)glasses
maillot de bain (m)	swimming costume
manche (f)	sleeve
manteau (m)	coat
pantalon (m)	trousers
pull (m)	pullover
pyjama (m)	pyjamas
robe (f)	dress
sac (m)	handbag
sandales (f pl)	sandals

short (m)	shorts
slip (m)	briefs, pants
soutien-gorge (m)	bra
survêtement (m)	tracksuit
sweat-shirt (m)	sweatshirt
T-shirt (m)	T-shirt
tricot (m)	knitted top
veste (f)	jacket
vêtu de	dressed in

9 on décrit des vêtements

à carreaux	checked
acrylique (m)	acrylic
assorti	matching
coton	cotton
cuir	leather
laine (f)	wool
pointure (f)	shoe size
rayé	striped
s'accorder	to go with
taille (f)	size
uni	plain

10 les bijoux

(en) argent (f)	(in) silver
bague (f)	ring
boucle d'oreille (f)	earring
bracelet (m)	bracelet
collier (m)	necklace
montre (f)	watch
(en) or (m)	(in) gold

11 le maquillage

maquillage (m)	make up
se maquiller	to put on make up
mascara (m)	mascara
ombre à paupières (f)	eyeshadow
rouge à lèvres (m)	lipstick
vernis à ongles (m)	nail varnish

12 les couleurs

blanc (blanche)	white
bleu	blue
bleu marine (doesn't agree)	navy blue
blond	blond
brun	brown
gris	grey
jaune	yellow, tan
marron (doesn't agree)	brown
noir	black
orange	orange
pourpre	purple
rose	pink
rouge	red
roux	red (hair)
turquoise	turquoise
vert	green
violet(te)	violet
(bleu) clair	light (blue)
(vert) foncé	dark (green)

13 décrire quelque chose ou quelqu'un

affreux(-euse)	terrible
âgé(e)	old
assorti(e)	matching
bizarre	strange
bon(-ne)	good
carré(e)	square
célèbre	famous
court(e)	short
dangereux(-euse)	dangerous
dégoûtant(e)	disgusting
différent(e)	different
difficile	difficult
drôle	funny
étroit(e)	narrow
fâché(e)	angry
facile	easy
fantastique	fantastic
fatigant(e)	tiring
fatigué(e)	tired
fleuri(e)	floral
fort(e)	strong
fou (folle)	mad
grand(e)	tall
gros(-se)	big
haut(e)	high
intéressant(e)	interesting
important(e)	important
jeune	young
joli(e)	pretty
laid(e)	ugly
long(-ue)	long
lourd(e)	heavy
maigre	thin
mauvais(e)	bad
mince	slim
nouveau (nouvel, nouvelle)	new
pauvre	poor
petit(e)	small
rayé(e)	striped
riche	rich
triste	sad
uni(e)	plain, of one colour
vide	empty
vieux (vieille)	old

14 on rencontre des gens

A ce soir/demain/samedi/bientôt	See you this evening/tomorrow/ on Saturday/soon
A tout à l'heure!	See you later!
Au revoir	Goodbye.
Bonjour!	Hello/Good morning
Bonne nuit!	Good night!
Bonsoir!	Good evening!
(Comment) ça va?	How are you?
Bien, merci	Fine, thanks.
Et toi/vous?	How about you?
Salut!	Hello!/Hi!

15 présentations

Tu connais ... ?	Do you know ... ?
Voici ...	This is ...
Vous connaissez ... ?	Do you know ... ?
Je vous/te présente ...	I'd like to introduce ...
Enchanté(e)	Delighted to meet you!

(Je suis) heureux(-euse) de faire votre/ta connaissance	Pleased to meet you
Sois/Soyez le/la bienvenu(e)	Welcome!

16 je ne comprends pas

Comment?	Sorry? Pardon?
Je ne comprends pas	I don't understand
Je n'ai pas compris	I didn't understand
Peux-tu/Pouvez-vous répéter ça, s.v.p.?	Can you repeat that please?
Peux-tu/Pouvez-vous parler plus lentement, s.v.p.?	Can you speak more slowly please?

17 expressions polies

De rien	It's nothing
Il n'y a pas de quoi	Don't mention it
Je vous en prie	It's a pleasure
Je vous/t'invite	Be my guest
Je m'excuse!	I'm sorry/I apologise
Ce n'est pas grave	It doesn't matter

18 meilleurs vœux

Bonne/Heureuse année!	Happy New Year!
Bon anniversaire!	Happy Birthday!
Bon appétit!	Enjoy your meal!
Bonne chance!	Good luck!
Bonne fête	Happy Saint's day!
Bonne fin de séjour!	Enjoy the rest of your stay!
Bon voyage!	Have a good journey!
Bon retour!	Have a good journey back!
Bon week-end!	Have a good weekend!
Bravo!	Well done!
Félicitations!	Congratulations!
(A votre) santé!	Good health!
Joyeux Noël!	Happy Christmas!

19 on veut se revoir

On pourrait peut-être se revoir	Perhaps we could see each other again
Tu es libre ce soir/demain/samedi soir?	Are you free this evening/tomorrow/ on Saturday evening?
Tu fais quelque chose samedi?	Are you doing anything on Saturday?
prendre rendez-vous	to make a date, appointment
se rencontrer	to meet up

20 on décide quoi faire

Est-ce qu tu aimerais ... ?	Would you like to ... ?
On pourrait peut-être ...	Perhaps we could ...
... prendre un verre au café	... have a drink at the café
... aller au cinéma	... go to the cinema
... faire un pique-nique	... go for a picnic
Si on allait au bal?	How about going to the dance?

21 on accepte

Bonne idée	good idea
Entendu	agreed
D'accord	okay
Oui, je veux bien	Yes, I'd like to
Oui, avec plaisir	Yes, I'd like to
Merci, c'est très gentil	Thank you, that's very nice of you

22 on décide

Ça dépend	It depends
Peut-être	Perhaps
Je ne sais pas	I don't know
C'est un peu difficile	It's a bit difficult
Je vais en parler à ...	I'll ask ...
Il faut que je demande à ...	I'll have to ask ...

23 on refuse

Ce n'est pas possible	It's not possible
Désolé(e), mais je ne suis pas libre	Sorry, I'm not free
Désolé(e), mais j'ai rendez-vous avec quelqu'un d'autre. Merci quand même	I'm sorry, but I've got a date with someone else. Thanks all the same.
Je m'excuse, mais ...	I'm sorry, but ...
Je te remercie, mais je ne peux pas	Thank you, but I can't make it
malheureusement	unfortunately

24 on échange des détails

Quel est ton nom, s'il te plaît?	What is your (sur-)name please?
Ton prénom, ça s'écrit comment?	How do you spell your first name?
Quelle est ton adresse au Royaume-Uni?	What is your address in the UK?
As-tu le téléphone?	Have you a phone?
Quelles sont tes coordonnées?	What's your address and telephone number?
Tu vas me passer un coup de fil? (fam)	Will you ring me?

25 on invite ... on remercie

avec plaisir	I'd like to
chez nous	at our house
gentil	kind
heureux	happy
hospitalité (f)	hospitality
invitation (f)	invitation
je te paie un verre	I'll buy you a drink
remercier	to thank
séjour (m)	stay

26 on fait ses excuses

pardon!	sorry!
je croyais que ...	I thought that ...
je pensais que ...	I thought that ...
je voulais seulement ...	I only wanted to ...
je ne savais pas que ...	I didn't know that ...
je m'excuse, mais ..	I'm sorry, but ...
je regrette, mais ...	I'm sorry, but ...
désolé(e), mais ...	I'm really sorry, but ...
c'est/c'était parce que ...	it's/it was because ...
ce n'était pas de ma faute	It wasn't my fault

27 les jours fériés, les jours de fête

s'amuser	to have fun, a good time
cadeau (m)	present
carte d'anniversaire (f)	birthday card
carte de vœux (f)	greetings card
religieux	religious
jour de l'an (m)	New Year's Day
Pâques	Easter
premier mai (m)	May day
Pentecôte (f)	Whitsun
fête Nationale (f)	Bastille day (14th July)
Assomption (f)	Feast of the Assumption (15th Aug.)
Toussaint (f)	All Saint's Day
Armistice (m)	Remembrance day
veille de Noël (f)	Christmas Eve
Noël (m)	Christmas
Saint-Sylvestre (f)	New Year's Eve

28 les sports

alpinisme (m)	mountaineering
arbitre (m)	referee
athlétisme (m)	athletics
badminton (m)	badminton
basket (m)	basketball
championnat (m)	championship
cyclisme (m)	cycling
danse (f)	dance
équipe (f)	team
équitation (f)	horse-riding
escalade (f)	climbing
escrime (f)	fencing
football (m)	football
golf (m)	golf
gymnastique (f)	gymnastics
handball (m)	handball
hockey (m)	hockey
joueur(-euse) (m/f)	player
judo (m)	judo
karaté (m)	karate
match (m)	match
natation (f)	swimming
patin à roulettes (m)	roller skating
patinage (m)	skating
pêche (f)	fishing
planche à voile (f)	windsurfing
rugby (m)	rugby
ski (m)	skiing
sports d'hiver (m pl)	winter sports
stade (m)	stadium
tennis (m)	tennis
terrain (m)	ground
tir à l'arc (m)	archery
voile (f)	sailing
volleyball (m)	volleyball
vol libre (m)	hang-gliding
yoga (m)	yoga

29 la musique

batterie (f)	drums
cassette (f)	cassette
chorale (f)	choir
clavier (m)	keyboard
compact disc (CD) (m)	compact disc
contrebasse (f)	double bass
flûte (f)	flute
guitare (f)	guitar
instrument de musique (m)	musical instrument
jazz (m)	jazz
musique classique (f)	classical music
musique folklorique (f)	folk music
musique pop (f)	pop music
orchestre (m)	orchestra
piano (m)	piano
rock (m)	rock music
trompette (f)	trumpet
violon (m)	violin
violoncelle (m)	cello

30 les loisirs

animation (f)	entertainment
astronomie (f)	astronomy
bricolage (m)	DIY
chorale (f)	choir
club (m)	club
couture (f)	sewing
faire une collection (de timbres)	to collect (stamps)
cuisine (f)	cooking
distraction (f)	entertainment
être fana de	to be a fanatic about
faire des promenades	to go for walks
faire partie de	to belong to
informatique (f)	computing
jeu électronique (m)	electronic game
jeu de société (m)	board game
jeu vidéo (m)	video game
jouer aux cartes/ aux échecs	to play cards/ chess
lecture (f)	reading
membre (m)	member
musique (f)	music
orchestre (m)	orchestra
ordinateur (m)	computer
passe-temps (m)	hobby
peinture (f)	painting
photo(graphie) (f)	photography
poterie (f)	pottery

31 on sort

avoir lieu	to take place
bal (m)	dance
boîte de nuit (f)	night club
boum (f)	party
café (m)	café
cinéma (m)	cinema
cirque (m)	circus
club de jeunes (m)	youth club
concert (m)	concert
discothèque (f)	disco
exposition (f)	exhibition
fête foraine (f)	funfair

feu d'artifice (m) — firework display
match (de football) (m) — (football) match
musée (m) — museum
parc de loisirs/d'attractions (m) — leisure park, theme park
spectacle (m) — show
surprise partie (f) — party
théâtre (m) — theatre

32 on achète des billets
acheter — to buy
adulte (m/f) — adult
balcon (m) — balcony, circle
C'est combien? — How much is it?
commencer — to begin
enfant (m/f) — child
entrée (f) — entrance ticket
groupe (m) — group, party
interdit — forbidden
orchestre (m) — stalls
à partir de — from
place (f) — place
prix (m) — price
programme (m) — programme
réduction (f) — reduction
réserver — reserve
séance (f) — performance
tarif réduit (m) — reduced price

33 la télévision et la radio
actualités (f pl) — news
allumer — to switch on
bande dessinée (f) — cartoon
chaîne (f) — TV channel
débat (m) — debate, discussion
dessin animé (m) — cartoon
diffusé — shown (repeat)
documentaire (m) — documentary
émission (f) — programme
en direct (de) — live (from)
éteindre — to switch off
fermer — to close down, switch off
feuilleton (m) — serial
film (m) — film
inédit — new, not previously shown
informations (f pl) — news
jeu (m) — game
journal télévisé (m) — news
poste (m) — set (radio or TV)
présentateur(-trice) (m/f) — presenter
publicité (f) — advertising
série (f) — series
station commerciale (f) — commercial radio station
télécommande (f) — remote control
télé-roman (m) — soap-opera
variétés (f pl) — variety programme
vedette (f) — star, personality
zapping (m) — channel hopping

34 le cinéma
au balcon (m) — in the circle
cinéma (m) — cinema
doublé — dubbed
durer — to last

écran (m) — screen
en version originale — with original soundtrack
entracte (m) — interval
entrée (f) — entrance, ticket
film (m) — film
~ comique — comedy film
~ d'amour — love story
~ d'aventures — adventure film
~ d'épouvante — thriller
~ de science fiction — science fiction film
~ fantastique — fantasy film
~ policier — crime film
jouer — to act
à l'orchestre (m) — in the stalls
ouvreuse (f) — usherette
passer — to show
place (f) — seat
séance (f) — performance
sous-titré — subtitled
vedette de cinéma (f) — film star

35 la presse
abonnement (m) — subscription
bi-mensuel (m) — fortnightly (2 per month)
hebdo(madaire) (m) — weekly (paper etc.)
journal (m) — newspaper
journal régional (m) — local paper
lecteur (lectrice) (m/f) — reader
livrer (un magazine) à domicile — to deliver (a magazine) to someone's home
magazine (m) — magazine
mensuel (m) — monthly (paper etc.)
quotidien (m) — daily (paper)
rédacteur(-trice) (m) — editor
rédaction (f) — editorial staff
revue (f) — magazine
tirage (m) — circulation (of magazine etc.)

36 la lecture
auteur (m) — author
bibliothèque (f) — library
conte (m) — (short) story
écrivain (m) — writer
emprunter — to borrow
histoire (f) — story
lire — to read
pièce (de théâtre) (f) — play
prêter — to lend
roman (m) — novel
titre (m) — title

C The world around us

1 le pays, la région
au bord de (la mer) — on the edge of, by (the sea)
côte (f) — coast
département (m) — administrative area
fleuve (m) — main river
frontière (f) — border
île (f) — island
lac (m) — lake
mer (f) — sea
montagne (f) — mountain
port (m) — port
rivière (f) — river
situé(e) — situated
se trouver — to be found, situated

2 les points du compas

nord
nord-ouest   nord-est
ouest   est
sud-ouest   sud-est
sud

3 en ville
auberge de jeunesse (f) — youth hostel
banlieue (f) — suburbs
bâtiment (m) — building
bibliothèque (f) — library
cathédrale (f) — cathedral
camping (m) — campsite
centre commercial (m) — shopping centre
centre de recyclage (m) — recycling centre
centre ville (m) — town centre
château (m) — castle, stately home
commissariat (m) — police station
complexe sportif (m) — sports centre
déchetterie (f) — recycling centre, rubbish dump
église (f) — church
fontaine (f), jet d'eau (m) — fountain
gare (routière) (f) — (bus) station
historique — historical
hôpital (m) — hospital
hôtel (m) — hotel
hôtel de ville (m) — town hall
immeuble (m) — block of flats
industriel — industrial
jardin public (m) — public gardens
mairie (f) — town hall
magasin (m) — shop
marché (m) — market
monument (m) — monument
municipal — owned by the local authority
musée (m) — museum
office du tourisme (m) — tourist office
palais (m) — palace
parc (m) (d'attractions) — (theme) park
parking (m) — car park

patinoire (f)	ice rink
piéton (m)	pedestrian
piscine (f)	swimming pool
piste de ski artificielle (f)	dry ski slope
poste (f)	post office
quartier (m)	district
restaurant (m)	restaurant
rue piétonne (f)	pedestrian street
stade (m)	stadium
station-service (f)	petrol station
théâtre (m)	theatre
université (f)	university
vue (f)	view

4 c'est où?

à côté de	next to
à droite	on the right
à gauche	on the left
tout droit	straight ahead
au bout de	at the end of
au centre de	at the centre of
au coin de	at the corner of
au milieu de	in the middle of
dans	in
derrière	behind
devant	in front of
en face de	opposite
entre	in between
ici	here
là	there
là-bas	over there
loin de	far from
près de	near
près d'ici	near here
proche	nearby, close
à ... kilomètres de	... kilometres from
à ... milles de	... miles from
continuer	to continue
descendre	to go down
monter	to go up
traverser	to cross
plan de la ville (m)	town plan

5 en route

arrêt d'autobus (m)	bus stop
autoroute (f)	motorway
carrefour (m)	crossroads
coin (m)	corner
colline (f)	hill
feu (pl les feux) (m)	traffic lights
passage à niveau (m)	level crossing
place (f)	square
pont (m)	bridge
quartier (m)	district
rond-point (m)	roundabout
route (f)	road
rue (f)	street
sens unique (m)	one way system
stationner	to park
trottoir (m)	pavement
toutes directions	all routes
zone/rue piétonnière (f)	
	pedestrian precinct/street

6 la campagne

arbre (m)	tree
bois (m)	wood
buisson (m)	bush
champ (m)	field
colline (f)	hill
cueillir	to pick
ferme (f)	farm
fermier (m)	farmer
fleur (f)	flower
forêt (f)	forest
fruit (m)	fruit
herbe (f)	grass
insecte (m)	insect
paysage (m)	countryside
plante (f)	plant
en plein air	in the open air
randonnée (f)	ramble, hike
rivière (f)	river
verger (m)	orchard
village (m)	village

7 au bord de la mer

baignade (f)	bathing
matelas pneumatique (m)	lilo
mer (f)	sea
onde (f)	wave
plage (f)	beach
rocher (m)	rock
sable (m)	sand
vague (f)	wave

8 les animaux et les oiseaux

agneau (m)	lamb
canard (m)	duck
cheval (m)	horse
chèvre (f)	goat
cochon (m)	pig
mouton (m)	sheep
oiseau (m)	bird
oie (f)	goose
poney (m)	pony
poule (f)	hen
taureau (m)	bull
vache (f)	cow

9 la météo

agréable	pleasant
averse (f)	rain shower
beau	fine
brouillard (m)	fog
brume (f)	mist
brumeux	misty
chaud	hot
chute de neige (f)	a snowfall
ciel (m)	sky
couvert	overcast
climat (m)	climate
degré (m)	degree
éclaircie (f)	sunny period
ensoleillé	sunny
fort	strong
foudre (f)	lightning, thunderbolt
froid	cold

geler	to freeze
léger	light
mauvais	bad weather
météo (f)	weather forecast/service
neiger	to snow
nuage (m)	cloud
nuageux	cloudy
orage (m)	storm
orageux	stormy
pleuvoir (il pleut)	to rain (it's raining)
pluie (f)	rain
pluvieux	rainy
prévisions (f pl)	forecast
soleil (m)	sun
température (f)	temperature
temps (m)	weather
variable	variable
vent (m)	wind
verglas (m)	black ice

10 aux magasins

(voir aussi **A 21 les magasins
d'alimentation** à la page 198)

bijouterie (f)	jeweller's
droguerie (f)	general household shop
grand magasin (m)	department store
grande surface (f)	large store
hypermarché (m)	hypermarket
librairie (f)	bookshop
kiosque à journaux (m)	
	newspaper kiosk
magasin de cadeaux (m)	gift shop
magasin de chaussures (m)	shoe shop
magasin de jouets (m)	toy shop
magasin de mode (m)	
	fashion/clothing shop
magasin de sports (m)	sports shop
papeterie (f)	stationer's
parfumerie (f)	perfume shop
pharmacie (f)	chemist's

11 on fait des achats

bon rapport qualité-prix (m)	
	good value for money
braderie (f)	clearance sale, jumble sale
cabine d'essayage (f)	fitting room
chute (f)	fall
échantillon gratuit (m)	free sample
marque (f)	brand name
rabais (m)	discount
rayon (m)	department
remise (f)	discount
en promotion	on special offer
en vitrine	in the window
solde (m)	sale bargain

12 les souvenirs et les cadeaux

affiche (f)	poster
bande dessinée (f)	comic strip book
bol (m)	(breakfast) bowl
boîte de petits gâteaux (f)	
	tin/box of biscuits
cadeau (m)	present
carte de vœux (f)	greetings card
cassette (f)	cassette

drapeau (m)	flag
des fleurs (f pl)	flowers
jeu de boules (m)	game of French bowls
jeu de cartes (m)	pack of cards
jeu de société comme 'Monopoly' (m)	game, such as 'Monopoly'
livre pour enfants (m)	children's book
maquette (f)	model
ours (m)	teddy bear
petite Tour Eiffel (f)	model Eiffel Tower
peluche (f)	soft toy
porte-clés (m)	keyring
pot de confiture (m)	jar of jam
poupée en costume régional (f)	doll in traditional costume
T-shirt (m)	T shirt
faire un paquet-cadeau	to gift wrap
C'est pour offrir?	Is it for a present?

13 au bureau de poste

à l'étranger	abroad
boîte aux lettres (f)	letter box
bureau de poste (m)	post office
cabine téléphonique (f)	phone booth
code postal (m)	post code
courrier (m)	mail, post
enveloppe (f)	envelope
envoyer	to post
imprimés (m pl)	printed material
lettre (f)	letter
paquet (m)	parcel
par avion	by air
tabac (m)	tobacconist's
télécarte (f)	phone card
timbre (m)	stamp

14 le crime

attentat à la bombe (m)	bomb attack
cambriolage (m)	burglary
cambrioleur (m)	burglar
meurtre (m)	murder
récompense (f)	reward
soupçonner	to suspect
tuer	to kill
victime (f)	victim
voler	to steal
voleur (-euse) (m/f)	thief
voyou	hooligan

15 les problèmes

accident (m)	accident
avoir lieu	to take place
blessé(e)	wounded
disparu	disappeared
explosion (f)	explosion
grave	serious
incendie (m)	fire
inondation (f)	flood

16 les moyens de transport

à pied (m)	on foot
(en) aéroglisseur (m)	(by) hovercraft
(en) autobus (m)	(by) bus
(en) autocar (m)	(by) coach
(en) avion (m)	(by) plane

(en) bateau (m)	(by) boat
(en) camion (m)	(by) lorry
(en) camionnette (f)	(by) van
(en) cyclomoteur (m)	(by) moped
(en) ferry (m)	(by) ferry
(en) moto (f)	(by) motorbike
(en) mètro (m)	(by) metro
(en) poids lourd (m)	(by) lorry (HGV)
(en) taxi (m)	(by) taxi
(en) train (m)	(by) train
(en) tramway (m)	(by) tram
(en) RER (m)	(by) RER
(en) vélo (m)	(by) bike
(en) voiture (f)	(by) car
transports en commun (m pl)	public transport

17 sur les routes

à péage	toll
aire de repos (f)	rest or service area
amende (f)	fine
assurance (f)	insurance
automobiliste (m/f)	motorist
autoroute (f)	motorway
bouchon (m)	traffic jam
carte routière (f)	road map
conduire	to drive
déviation (f)	diversion
embouteillage (m)	bottleneck, traffic jam
se garer	to park a car
limite de vitesse (f)	speed limit
panneau (m)	sign
permis de conduire (m)	driving licence
ralentir	to slow down
rouler	to drive, move
route (f)	road
sens interdit (m)	no entry
sens unique (m)	one way system
stationner	to park
vitesse (f)	speed

18 à la station-service

air (m)	air
batterie (f)	car battery
eau (f)	water
essence (f)	petrol
faire le plein	to fill up with petrol
gazole/gasoil (m)	diesel
gonfler	to pump up
huile (f)	oil
lavage (m)	car wash
litre (m)	litre
pompiste (m/f)	petrol attendant
pression des pneus (f)	tyre pressures
sans plomb (m)	unleaded
super (m)	four-star petrol
super sans plomb (m)	super unleaded
vérifier	to check

19 la voiture

airbag (m)	airbag
ceinture de sécurité (f)	seat belt
convertisseur catalique (m)	catalytic converter

couper le moteur	to switch the engine off
démarrer	to start the engine
dépanner	to repair
essuie-glaces (m pl)	windscreen wipers
feux (m pl)	lights
freins (m pl)	brakes
marque (f)	make
mécanicien(ne)	mechanic
moteur (m)	engine
numéro d'immatriculation (m)	registration number
en panne	broken-down
pare-brise (m)	windscreen
phares (m pl)	headlights
pneu (crevé) (m)	(burst) tyre
portière (f)	car door
réparations (f pl)	repairs
roue (de secours) (f)	(spare) wheel
volant (m)	steering-wheel

20 le vélo

anti-vol (m)	padlock
casque (m)	helmet
crevaison (f)	puncture
freins (m pl)	brakes
guidon (m)	handlebars
pédales (f pl)	pedals
piste cyclable (f)	cycle track
pneu (m)	tyre
pompe (f)	pump
roue (f)	wheel
selle (f)	saddle, seat
trousse de réparations (f)	repair kit
VTT (vélo tout terrain) (m)	mountain bike

21 le transport urbain

s'arrêter	to stop
arrêt d'autobus (m)	bus-stop
arrière (f)	rear, back
autobus (m)	bus
carnet (m)	book of metro tickets
correspondance (f)	connection
descendre	to get off
direct	direct
direction (f)	direction
guichet (m)	ticket office
heures de pointe (f pl)	rush-hour
horaire (m)	timetable
ligne (f)	line
manquer	to miss
métro (m)	underground
monter	to get on
numéro (m)	number
prochain	next
sortie (f)	exit
station de métro (f)	metro station
tarif unique (m)	flat-rate fare
taxi (m)	taxi
ticket (m)	ticket
trajet (m)	journey
traverser	to cross
valable	valid
voie (f)	platform

22 on prend le train

aller et retour (m)	return ticket
aller simple (m)	single ticket
billet (m)	ticket
buffet (m)	buffet
bureau de renseignements (m)	
	information office
changer	to change
compartiment (m)	compartment
composter	to date-stamp/validate a ticket
consigne (automatique) (f)	
	left luggage (lockers)
contrôler	to check
côté couloir (m)	(seat) by the aisle
côté fenêtre (m)	(seat) by the window
correspondance (f)	connection
départ (m)	departure
(en) deuxième classe	(by) second class
direct	direct
gare SNCF (f)	railway station
guichet (m)	booking-office
horaire (m)	timetable
montrer	to show
non-fumeurs	non-smoking
premier	first
prochain	next
quai (m)	platform
salle d'attente (f)	waiting room
SNCF (f)	French Railways
supplément (m)	supplement
train (m)	train
voie (f)	platform
wagon-lit (m)	sleeping-car
wagon-restaurant (m)	dining-car

23 on prend l'avion

aérogare (f)	air terminal
aéroport (m)	airport
annulé	cancelled
à l'arrière	at the rear
atterrir	to land
à l'avant	at the front
avion (m)	plane
chariot (m)	trolley
commandant de bord (m)	captain
compagnie aérienne (f)	airline
contrôle des passeports (m)	
	passport control/check
contrôle de sécurité (m)	
	security control/check
décoller	to take off
douane (f)	customs
équipage (m)	plane crew
hôtesse de l'air (f)	air hostess
navette (f)	shuttle
pilote (m)	pilot
porte (f)	gate
retard (m)	delay
steward (m)	steward
vol (m)	flight

D The world of work

1 au travail

agence (f)	agency
apprenti(e) (m/f)	apprentice
bien payé	well paid
bureau (m)	office
commerce (m)	commerce, business
employé(e) (m/f)	employee
employeur (m)	employer
entreprise (f)	company, business
expérimenté	experienced
faire du classement	to do filing
gagner	to earn
horaires de travail (m pl)	hours of work
industrie (f)	industry
informatique (f)	computing
jour de congé (m)	day off
jour férié (m)	public holiday
mal payé	badly paid
marketing (m)	marketing
par heure	by hour
par jour	by day
patron(ne) (m/f)	boss, owner
publicité (f)	advertising
réunion (f)	meeting
salaire (m)	salary
se relayer	to work shifts
SMIC (m)	minimum wage
stage (m)	course, work placement
travail à mi-temps (m)	part-time job
travailler à son propre compte	
	to work for oneself, be self-employed

2 le chômage

ANPE (f)	unemployment office
chômage (m)	unemployment
chômeur(-euse)	
	unemployed (person)
demande d'emploi (f)	situation wanted
emploi (m)	job
être au chômage	to be unemployed
licenciement (m)	redundancy
offre d'emploi (f)	job advert, vacancy
travail (m)	work

3 les métiers

agent de police	police officer
avocat	lawyer
boucher(-ère)	butcher
boulanger(-ère)	baker
caissier(-ère)	cashier
chanteur(-euse)	singer
chauffeur(-euse) de taxi	taxi driver
coiffeur(-euse)	hairdresser
conducteur(-trice)	driver
cuisinier(-ère)	cook
dactylo	typist
dentiste	dentist
dessinateur(-trice)	designer
électricien(ne)	electrician
employé(e) de banque	bank employee
employé(e) de bureau	office worker
épicier(-ère)	grocer
facteur/factrice	postman/woman

fermier(-ère)	farmer
fonctionnaire	civil servant
garagiste	garage owner/mechanic
garçon de café (m)	waiter
hôtesse de l'air (f)	air stewardess
informaticien(ne)	computer specialist
ingénieur	engineer
infirmier(-ère)	nurse
journaliste	journalist
maçon	builder
mécanicien(ne)	mechanic
médecin	doctor
ouvrier(-ère)	factory worker
photographe	photographer
pilote	pilot
pompier	firefighter
professeur	teacher
programmeur(-euse)	programmer
représentant(e)	representative
secrétaire	secretary
serveur(-euse)	bar staff, waiter
technicien(ne)	technician
vendeur(-euse)	sales assistant
vétérinaire	vet

4 projets d'avenir

apprentissage (m)	apprenticeship
chance (f)	luck
choisir	to choose
conseiller(-ère) d'orientation (m/f)	
	careers adviser
diplôme (m)	diploma, qualification
espérer	to hope
étudiant(e) (m/f)	student
étudier	to study
examen (m)	exam
faire des études	to study
formation (f)	training
licence (f)	degree
profession (f)	occupation
résultats (m pl)	results
se spécialiser	to specialise
stage (m)	placement, course
stage en entreprise (m)	
	work experience
université (f)	university

5 les communications

(voir aussi C 13 au bureau de poste
à la page 205)

à l'étranger	abroad
fax (m)	fax
indicatif (m)	area code
lettre (f)	letter
Minitel (m)	Minitel
paquet (m)	parcel
photocopieur (m)	photocopy machine
répondeur automatique (m)	
	answering machine
télécopie (f)	a fax
télécopieur (m)	fax machine
télémessagerie (f)	electronic mail

6 au téléphone

âllo	hello
à l'appareil	speaking
c'est de la part de qui?	who's speaking?
indicatif (m)	area code
laisser un message	to leave a message
numéro (m)	number
occupé	engaged
poste (m)	extension
prendre un message	to take a message
rappeler	to call back
remercier	to thank
répéter	to repeat
répondeur automatique (m)	answering machine
zéro	zero

7 l'argent

argent de poche (m)	pocket money
banque (f)	bank
billet (de banque) (m)	bank note
bureau de change (m)	money changing office
carte de crédit (f)	credit card
centime (m)	centime
changer	to change
chèque de voyage (m)	traveller's cheque
chequier (m)	cheque book
compte en banque (f)	bank account
cours de change (m)	exchange rate
dépenser	to spend
devise (f)	currency
distributeur automatique (m)	cash machine
franc (m)	franc
frais de commission (m pl)	commission charges
gagner	to earn
livre sterling (f)	pound sterling
monnaie (f)	small change
pièce (f)	coin
pièce d'identité (f)	form of identification

E The international world

1 les voyages

annulé	cancelled
appareil photo (m)	camera
assurance de voyage (f)	travel insurance
bagages (m pl)	luggage
(se faire) bronzer	to get a suntan
caméscope (m)	video recorder
chantier (m)	work camp
circuit (m)	tour
contrôles de sécurité (m pl)	security control
débarquement (m)	landing, unloading
se dépayser	to get away from it all
destination (f)	destination
douane (f)	customs
embarquement (m)	boarding, loading
entrée (f)	entrance
gilet de sauvetage (m)	life jacket
hébergement (m)	accommodation
mal de mer (m)	sea sickness
passeport (m)	passport
port (m)	port
retard (m)	delay
station balnéaire (f)	seaside resort
station de ski (f)	ski resort
traversée (f)	crossing
traverser la Manche	to cross the Channel
trousse de toilette (f)	wash bag
tunnel (sous la Manche) (m)	(Channel) tunnel
valise (f)	suitcase
voyager	to travel

2 à l'auberge de jeunesse

auberge de jeunesse (f)	youth hostel
bureau d'accueil (m)	office, reception
carte d'adhérent (f)	membership card
drap-sac (m)	sheet sleeping bag
drap (m)	sheet
dortoir (m)	dormitory
douche (f)	shower
location (f) de ...	... for hire
louer	to hire
nuit (f)	night
réservation (f)	reservation, booking
réserver	to book
salle de jeux (f)	games room
séjour (m)	stay

3 à l'hôtel

à partir de	from
annuler	to cancel
arrhes (f pl)	deposit
ascenseur (m)	lift
balcon (m)	balcony
chambre (de libre) (f)	room (available)
chambre double	double room
chambre pour une/deux/trois personnes	room for 1/2/3 people
chambre de famille	family room
avec ...	with ...
salle de bains	bathroom
douche	shower
cabinet de toilette	washing facilities
chiens acceptés	dogs accepted
cintre (m)	coat hanger
clef (f)	key
complet	full
confirmer	to confirm
d'avance	in advance
demi-pension (f)	half board
escalier (m)	staircase
étage (m)	floor, storey
facilités pour handicapés (f pl)	facilities for physically handicapped
fermer	to close
jusqu'à	until
liste des hôtels (f)	list of hotels
(grand) lit (m)	(double) bed
moins cher	less expensive
note (f)	bill
nuit (f)	night
oreiller (m)	pillow
parking (m)	car park
pension complète (f)	full board
radiateur (m)	radiator
robinet (m)	tap
salle de réunion (f)	conference room
savon (m)	soap
serviette (f)	towel
toilettes (f pl)	toilet
vue sur mer (f)	sea view

4 au terrain de camping

allumettes (f pl)	matches
au bord de	on the edge of
bidon (m)	can (for oil etc.), tin
bloc sanitaire (m)	washing facilities
bureau d'accueil (m)	reception office
branchement électrique (m)	connection to electricity
camping-gaz (m)	calor gas, camping stove
caravane (f)	caravan
eau potable (f)	drinking water
emplacement (m)	site, place
lampe de poche (f)	torch
laverie (f)	launderette
location (f)	for hire
matelas pneumatique (m)	inflatable mattress, lilo
ombre (m)	shade
ouvre-boîtes (m)	tin opener
ouvre-bouteilles (m)	bottle opener
piles (f pl)	batteries
plats cuisinés (m pl)	takeaway meals
poubelles (f pl)	dustbins
sac à dos (m)	rucksack
sac de couchage (m)	sleeping bag
tente (f)	tent
terrain de jeux/sports (m)	sports ground

5 au gîte

allumer l'électricité/le gaz	to turn on the electricity/gas
en bon état	in good condition

207

fermer l'électricité/le gaz
to turn off the electricity/gas
fermer la porte à clef to lock the door
inventaire (f) inventory
locataire (m/f) tenant, lodger
prise de courant (f) socket, plug
propriétaire (m/f) owner
règle (f) rule
se servir de to use, make use of
utiliser to use

6 *les pays et les nationalités*

Afrique (f); *africain* Africa
Maroc (m); *marocain* Morocco
Tunisie (f); *tunisien* Tunisia

Amérique (f); *américain* America
Antilles (f pl); *antillais* West Indies
Canada (m); *canadien* Canada
Etats-Unis (m pl) United States

Asie (f); *asiatique* Asia
Chine (f); *chinois* China
Inde (f); *indien* India
Japon (m); *japonais* Japan
Pakistan (m); *pakistanais* Pakistan

Australie (f); *australien* Australia
Nouvelle-Zélande (f); *néo-zélandais*
New Zealand

Europe (f); *européen* Europe
Allemagne (f); *allemand* Germany
Angleterre (f); *anglais* England
Autriche (f); *autrichien* Austria
Belgique (f); *belge* Belgium
Danemark (m); *danois* Denmark
Ecosse (f); *écossais* Scotland
Espagne (f); *espagnol* Spain
France (f); *français* France
Grèce (f); *grec(que)* Greece
Islande (f); *islandais* Iceland
Irlande (f); *irlandais* Ireland
Irlande du nord (f); *irlandais*
Northern Ireland
Italie (f); *italien* Italy
Luxembourg (m); *luxembourgeois*
Luxembourg
Malte (f); *maltais* Malta
Norvège (f); *norvégien* Norway
Pays-Bas (m pl); *néerlandais* Holland
Pays de Galles (m); *gallois* Wales
Pologne (f); *polonais* Poland
Portugal (m); *portugais* Portugal
Royaume-Uni (m) United Kingdom
Russie (f); *russe* Russia
Suède (f); *suédois* Sweden
Suisse (f); *suisse* Switzerland
Turquie (f); *turc (turque)* Turkey

7 *la France*
les fleuves rivers
la Garonne
la Loire
le Rhône
la Seine
les montagnes mountain ranges
les Alpes Alps
le Massif Central Central massif
les Pyrénées Pyrenees
les Vosges Vosges
les mers seas
la mer Méditerranée
Mediterranean Sea
la mer du Nord North Sea
la Manche Channel
l'océan Atlantique (m) Atlantic Ocean
des régions regions
la Bretagne Brittany
la Côte d'Azur Côte d'Azur
le Midi South of France
la Normandie Normandy
la région parisienne Paris area

8 *l'environnement*

bruit (m) noise
CFC (m pl) CFC gases
conserver to preserve
couche d'ozone (f) ozone layer
déchets (m pl) rubbish
déchetterie (f) recycling centre
énergie (f) energy
effet de serre (m) greenhouse effect
gaspiller to waste
jeter to throw (away)
lessive (f) washing powder/liquid
planète (f) planet
pluies acides (f pl) acid rain
polluer to pollute
poubelle (f) dustbin
protéger to protect
recycler to recycle
réduire to reduce
réutiliser to reuse
sauver to save
terre (f) earth
toxique poisonous
trier to sort out
vert green, ecological

F General aspects

1 *difficultés de langue*
Tu comprends/Vous comprenez?
Do you understand?
Excusez-moi, mais je n'ai pas compris
Sorry, but I didn't understand
Je ne comprends pas (très bien)
I don't understand (very well).
*Pouvez-vous/Peux-tu répéter cela/parler
plus fort/plus lentement, s'il vous/te plaît?*
Could you repeat that/speak
louder/more slowly, please?
Qu'est-ce que ça veut dire (en anglais?)
What does that mean (in English?)
Comment dit-on en français 'computer'?
What's the French for computer?
Ça s'écrit comment? How is that spelt?
C'est pour ... It's for/to ...
C'est le contraire de ...
It's the opposite of ...
Comment? Pardon? What was that?
Pouvez-vous/peux-tu écrire cela?
Could you write that down?
machin (m) thing, gadget
truc trick, knack; thingummy,
what's-its-name

2 *les accents*
à *accent grave* (m)
é *accent aigu* (m)
ô *accent circonflexe* (m)
ç *cédille* (f)
ï *tréma* (m)

3 *la ponctuation*
. *point* (m)
, *virgule* (f)
: *deux points* (m)
; *point-virgule* (m)
? *point d'interrogation* (m)
- *tiret* (m)
! *point d'exclamation* (m)
" " *guillemets* (m pl)
(Ouvrez/Fermez les guillemets)
( ) *parenthèses* (f pl)
(Mettre entre parenthèses)

4 *les sigles et les abréviations*
*ANPE (Agence nationale
pour l'emploi)* unemployment office
le bac (Baccalauréat)
equivalent to A level
BNP (Banque nationale de Paris)
a French bank
BTS (Brevet de technicien supérieur)
professional qualification
*CIDJ (Centre d'information et de
documentation jeunesse)*
youth information centre
*CIDR (Centre d'information
et de documentation rurale)*
countryside information centre

DEUG (Diplôme d'études universitaires générales)
University diploma awarded after 2 years
EDF (Electricité de France)
French electricity board
FR3 (France régionale 3)   TV station
GDF (Gaz de France)
French gas board
MJC (Maison de la jeunesse et de la culture)   youth centre
S.A. (Société anonyme)
PLC (public limited company)
SAMU (Service d'aide médicale d'urgence)   emergency medical aid
SMIC (Salaire minimum interprofessionnel de croissance)
statutory minimum wage
SNCF (Syndicat nationale des chemins de fer)   French Railways
s.v.p. (s'il vous plaît)   please
TGV (train de grande vitesse)
high speed train
TVA (taxe sur la valeur ajoutée)
VAT (value added tax)
UE (Union européenne)
EU (European Union)

5 le français familier

bagnole (f)	car
bahut (m)	school
bosser	to work
bouffe (f)	food
boulot (m)	work
bouquin (m)	book
casse-pieds	boring
crevé	shattered
flic (m)	policeman
fric (m)	money, cash
fringues (f pl)	clothes
godasses (f pl)	shoes
J'en ai marre	I'm fed up of it
J'en ai ras-le-bol	
	I've really had enough of it
rasant	boring

6 l'heure

Il est une heure/deux heures/trois heures …

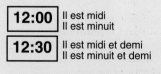

... moins cinq 11   12   1 ... cinq
... moins dix 10   2 ... dix
... moins le quart 9   Quelle heure est-il?   3 ... et quart
... moins vingt 8   4 ... vingt
... moins vingt-cinq 7   6   5 ... vingt-cinq
... et demie

12:00 Il est midi
Il est minuit

12:30 Il est midi et demi
Il est minuit et demi

7 les chiffres

0	zéro	21	vingt et un
1	un	22	vingt-deux
2	deux	23	vingt-trois
3	trois	30	trente
4	quatre	31	trente et un
5	cinq	40	quarante
6	six	41	quarante et un
7	sept	50	cinquante
8	huit	51	cinquante et un
9	neuf	60	soixante
10	dix	61	soixante et un
11	onze	70	soixante-dix
12	douze	71	soixante et onze
13	treize	72	soixante douze
14	quatorze	80	quatre-vingts
15	quinze	81	quatre-vingt-un
16	seize	82	quatre-vingt-deux
17	dix-sept	90	quatre-vingt-dix
18	dix-huit	91	quatre-vingt-onze
19	dix-neuf	100	cent
20	vingt	1000	mille

premier (première)	first
deuxième	second
troisième	third
quatrième	fourth
cinquième	fifth
vingtième	twentieth
vingt et unième	twenty-first
ajouter	to add
diviser	to divide
multiplier	to multiply
soustraire	to subtract
moins	less
plus	more

8 les jours de la semaine

lundi	Monday
mardi	Tuesday
mercredi	Wednesday
jeudi	Thursday
vendredi	Friday
samedi	Saturday
dimanche	Sunday

9 les mois de l'année

janvier	January
février	February
mars	March
avril	April
mai	May
juin	June
juillet	July
août	August
septembre	September
octobre	October
novembre	November
décembre	December

10 les saisons

en hiver (m)	in winter
au printemps (m)	in spring
en été (m)	in summer
en automne (m)	in autumn

11 on parle de quand? (futur)

après-demain	the day after tomorrow
bientôt	soon
ce soir	this evening (tonight)
cet été	this summer
dans cinq jours/semaines	in five days/weeks
dans dix ans	in ten years
dans dix minutes	in ten minutes
dans l'avenir	in the future
demain	tomorrow
demain après-midi	tomorrow afternoon
l'année prochaine	next year
la semaine prochaine	next week
plus tard	later
un de ces jours	one of these days
un jour dans l'avenir	one day in the future

12 on parle de quand? (présent)

à présent	at present
aujourd'hui	today
en ce moment	at the moment

13 on parle de quand? (passé)

à cette époque(-là)	at that time
auparavant	previously, beforehand
autrefois	formerly, in the past
avant-hier	the day before yesterday
dans le temps	in the past, in olden days
en ce temps-là	at that time
hier	yesterday
hier soir	yesterday evening
l'année dernière	last year
la semaine dernière	last week
samedi dernier	last Saturday

14 à ton avis

à mon avis   in my opinion
Quel est ton/votre avis?
What is your opinion?
Je n'ai vraiment pas d'opinion
I have no strong feelings about it
Ça, c'est très important
That's very important
Par contre   On the other hand
Il y a du pour et du contre
There are points for and against

15 si tu es d'accord

Je suis de votre avis
I'm of the same opinion
C'est exactement ce que je pense
That's exactly what I think
Je suis absolument/tout à fait d'accord   I quite agree
C'est bien mon avis
That's certainly my opinion
C'est ça   That's right
Voilà   That's it
Vous avez raison   You're right
Moi aussi, je pense ...   I also think ...

16 si tu es d'accord jusqu'à un certain point

Oui, mais ...	Yes, but ...
Ça dépend	It depends
C'est possible	It's possible
peut-être	perhaps
Je ne suis pas tout à fait d'accord	I don't entirely agree
Je n'en suis pas sûr(e)/certain(e)	I'm not sure

17 si tu n'es pas d'accord

Là, je ne suis pas d'accord	There I disagree
Je ne suis absolument pas/pas du tout d'accord	I disagree entirely
Il ne faut quand même pas exagérer	Don't go to extremes
Vous exagérez	You're exaggerating

18 on écrit des lettres aux amis
pour commencer

Salut!	Hallo! Hi!
(Mon) cher/(Ma) chère/ (Mes) chers	(My) Dear ...
Chers ami(e)s	Dear friends

pour dire merci

Merci (beaucoup) de ta/votre lettre	Thank you (very much) for your letter
J'ai bien reçu ta/votre lettre, qui m'a fait beaucoup de plaisir	I received your letter, which gave me a great deal of pleasure

pour donner des avis

Tu as/Vous avez dit que ...	You said that ...
C'est très bien/ excellent/chouette	That's very good/ excellent/great!
C'est bien triste	That's very sad
C'est vraiment affreux	That's really awful
C'est difficile	That's difficult
C'est (bien) dommage	That's a (real) pity
Félicitations!	Congratulations!
Tu as de la chance	You're lucky

pour terminer

Maintenant, je dois terminer ma lettre	I must stop now
Je dois faire mes devoirs	I've got to do my homework
Je dois sortir	I've got to go out
J'espère te/vous lire bientôt	I hope to hear from you soon
En attendant de tes/vos nouvelles	Waiting to hear from you
Ecris/Ecrivez-moi bientôt	Write soon

(unemotional ending)

(Meilleures) amitiés	
Ton ami(e)	
Ton/ta correspondant(e)	

(more affectionate ending)

Je t'embrasse	
(Bien) affectueusement	
Grosses bises	
Bisous	

19 on écrit des lettres formelles
pour commencer

Monsieur/Messieurs	Dear Sir(s)
Madame/Mademoiselle	Dear Madam

pour dire merci

Je vous remercie de votre lettre du 5 avril	Thank you for your letter of 5th April
J'ai bien reçu votre lettre du 5 avril	I acknowledge receipt of your letter of 5th April

pour demander quelque chose

Veuillez m'envoyer ...	Please send me ...
Je voudrais vous demander de ...	I would like to ask you to ...
Je vous prie de ...	Please ...
Je serais très reconnaissant(e) si vous pouviez ...	I would be very grateful if you could ...
Vous seriez très aimable de me faire savoir ...	Would you kindly let me know ...

pour s'excuser

J'ai le regret de vous faire savoir que ...	I am sorry to advise you that ...
Je vous prie d'accepter mes excuses	Please accept my apologies

pour terminer

Veuillez agréer, Monsieur/Madame/ Mademoiselle, l'expression de mes sentiments les plus distingués	Yours sincerely
Je vous prie d'agréer, Monsieur/ Madame/Mademoiselle, l'assurance de mes sentiments les meilleurs	Yours sincerely

20 pour raconter quelque chose
quand?

Ce jour-là	That day
L'année dernière	Last year
Pendant les vacances	During the holidays
Un jour d'hiver	One winter's day
Hier matin	Yesterday morning

où?

à la campagne	in the country
à la montagne	in the mountains
en ville	in town
chez moi	at home

expressions utiles

à ce moment même	at that very moment
à la fin	in the end
à ma grande surprise	to my great surprise
ainsi	thus
alors	in that case, then, so
car	for, because
cependant	however
c'est-à-dire	that is to say
d'abord	(at) first
d'ailleurs	moreover, besides
déjà	already
de toute façon	in any case
donc	therefore, so
du moins	at any rate
en effet	indeed, as a matter of fact
en fait	in fact
en général	in general
enfin	at last, finally
ensuite	then, next
et ... et	both ... and
finalement	finally
heureusement	fortunately
lorsque	when
mais	but
malgré	in spite of
malheureusement	unfortunately
naturellement	of course
parce que	because
par conséquent	as a result, consequently
peut-être	perhaps
pourtant	however
puis	then, next
quand	when
quand même	all the same
soudain	suddenly
surtout	above all
tandis que	while, whereas
tout à coup	suddenly
tout de suite après	immediately afterwards

Vocabulaire

Words followed by *p (le français populaire)* are colloquial French.

A

à (au, à la, à l', aux) in, at, to
abaisser to lower
abîmer to damage, ruin
abolir to abolish
un **abonnement** subscription
d' **abord** first, at first
un **abri** shelter
  ~-auto car port
un **abricot** apricot
  absolument absolutely
  accélérer to accelerate, speed up
l' **accès** *m* access
  accompagner to accompany
un **accord** agreement, chord
d' **accord** OK, all right, agreed
s' **accorder** to go with
un **accordéon** accordion
  accro *p* hooked
s' **accrocher à** to hang on to, hook on to, cling to
l' **accueil** *m* welcome, reception
  accueillant welcoming
  accueillir to welcome, greet
s' **acharner sur** to set upon
  achats (faire des ~) to go shopping
  acheter to buy
l' **acier** *m* steel
un **acte de terrorisme** act of terrorism
un(e) **acteur (-trice)** actor/actress
  actif (-ive) active
les **actualités** *f pl* news
une **addition** bill
  admis admitted
un **ado** *p* teenager
un(e) **adolescent(e)** teenager
  adopté adopted
  adorer to love
s' **adresser à** to report/speak/apply to
un(e) **adulte** adult
une **aérogare** air terminus
un **aéroglisseur** hovercraft
un **aéroport** *m* airport
les **affaires** *f pl* things, belongings; matters; business
  affectueusement yours affectionately
une **affiche** notice, poster
  affreux terrible, dreadful
l' **âge** *m* age
  âgé old
une **agence de voyages** travel agency
un(e) **agent de police** police officer
  aggressif (-ve) aggressive
  agité anxious, rough (sea)
un **agneau** lamb
  agréable pleasant
  agréé registered
l' **aide** *f* help, assistance
  aider (qqn à faire qch) to help (s.o. to do sthg.)
un **aigle** eagle
une **aiguière** water jug
une **aiguille** needle
l' **ail** *m* garlic
une **aile** wing
d' **ailleurs** moreover, besides
  aimable friendly, kind
  aimer to like
  aîné oldest
  ainsi que as well as
l' **air** *m* air
  avoir ~ to seem
une **aire** surface, area
  ~ de jeux play area
  ~ de repos motorway rest area
à l' **aise** at ease
  ajouter to add
l' **alcool** *m* alcohol
  alcoolisé alcoholic
l' **alcoolisme** *m* alcoholism

les **alentours** *m pl* surrounding area
une **alerte** alarm, warning
l' **alimentation** *f* food (industry), supply
une **~ générale** general food shop
l' **Allemagne** *f* Germany
  allemand(e) German
  aller to go
un **aller simple** single ticket
un **aller-retour** return ticket
  allergique allergic
  allonger to stretch out, extend
  allumer to switch on, light
des **allumettes** *f pl* matches
  alors so
une **alouette** lark
l' **alphabet Morse** *m* Morse Code
l' **alpinisme** *f* mountain climbing
une **amande** almond
une **ambiance** atmosphere
  ambitieux (-euse) ambitious
l' **ambition** *f* ambition
une **amélioration** improvement
  améliorer to improve, get better
  aménagé (fully) fitted, equipped
l' **aménagement** *m* fitting out, installation
une **amende** fine
  amener to take
  américain(e) American
un(e) **ami(e)** friend
  petit(e) ~ boy/girlfriend
l' **amitié** *f* friendship
  amitiés best wishes
l' **amour** *m* love
  amovible removeable
  amusant entertaining
s' **amuser** to enjoy yourself, have a good time
  ~ à faire qch to enjoy doing sthg.
un **an** year
un **ananas** pineapple
  ancien very old; former
les **anchois** *m pl* anchovy
un **ange** angel
  anglais(e) English
l' **Angleterre** *f* England
  anglophone English speaking
l' **angoisse** *f* anguish, agony
un **animal** (*pl* **animaux**) animal
un(e) **animateur (-trice)** organiser, leader
l' **animation** *f* entertainment
  animé lively
l' **anis** *m* aniseed
un **anneau** ring
une **année** year
un **anniversaire** birthday
  bon ~! happy birthday!
une **annonce** advert
un **annuaire** directory
une **annulation** cancellation
  annuler to cancel
un **anti-vol** padlock
les **Antilles** *f pl* West Indies
  août August
  apercevoir to notice
un **appareil** machine
  ~ à jet jet engine
  ~ électrique electrical appliance
  à l'~ on the phone, speaking
un **appareil-photo** camera
un **appartement** flat
  appartenir to belong to
un **appel** call
s' **appeler** to be called
  bon appétit! enjoy your meal
  applaudir to applaud
  apporter to bring
une **appréciation** comment
  apprécier to appreciate
  apprendre to learn
  ~ qch à qqn to teach sthg. to s.o.
un(e) **apprenti(e)** apprentice

un **apprentissage** apprenticeship
s' **approcher de** to approach
  appuyer to press
  après after
  après avoir (+ verb) after
  ~ quitté after leaving
  après-demain the day after tomorrow
un **après-midi** afternoon
un **aqueduc** aquaduct
  arabe arabic
un **arbitre** referee
un **arbre** tree
un **arbre généalogique** family tree
un **arc** bow
une **arène** arena, amphitheatre
l' **argent** *m* money
  ~ de poche pocket money
l' **argile** *f* clay
l' **argot** *m* slang
l' **armée** *f* army
l' **armistice** *f* armistice, truce
une **armoire** wardrobe
une **araignée** spider
un **arrêt d'autobus** bus-stop
une **arrête** ridge
  arrêter to stop; to arrest
s' **arrêter (de faire qch)** to stop (doing sthg.)
les **arrhes** *f pl* deposit
l' **arrière** *f* back, rear
l' **arrivée** *f* arrival
  arriver to arrive
  arrogant proud, conceited
un **arrondissement** district (in Paris)
  arroser to water
l' **art dramatique** *m* drama
un **artichaut** artichoke
les **arts graphiques** *m pl* graphic design
  ~ martiaux martial arts
  ~ plastiques art and craft
un **ascenseur** lift
  asiatique Asian
les **asperges** *f pl* asparagus
un **aspirateur** vacuum cleaner
l' **aspirine** *f* aspirin
  assaisonné seasoned
un **assassin** murderer
un **assassinat** murder
s' **asseoir** to sit down
  assez quite
une **assiette** plate
  ~ anglaise plate of cold cooked meats
être **assis** to be seated
  assister à to attend
  associer to associate, link
  assorti matching
une **assurance** insurance
l' **astronomie** *f* astronomy
une **astuce** trick
un **atelier** workshop, studio
un(e) **athlète** athlete
  atteint de suffering from
  attendre to wait (for)
  attendrissant moving, touching
dans l' **attente de** looking forward to
  attentif (-ive) attentive, observant
  attentivement carefully
  atterrir to land
l' **atterrissage** *m* landing (plane)
  attirer to attract
  attraper to catch
l' **aube** *f* dawn
une **auberge de jeunesse** youth hostel
  aucun(e) no, not any
une **audition** audition
un(e) **auditeur (-trice)** listener
une **augmentation** increase
  augmenter to increase, get larger
  aujourd'hui today
  auparavant before(hand), previously

  auquel (à laquelle, auxquels, auxquelles) to which, at which
il y **aurait** there would be
  aussi also, as well
  aussitôt straight away
l' **Australie** *f* Australia
  autant de as much
un(e) **auteur (-trice)** author
un **autobus** bus
un **autocar** coach
  autocollant self-adhesive
un **autocollant** sticker
un(e) **automobiliste** car driver
  autonome independent
l' **auto-stop** *m* hitchhiking
un(e) **autostoppeur(-euse)** hitchhiker
  autour de around
  autre other
  d'~ else
  d'~ part on the other hand
  autrefois formerly
l' **Autriche** *f* Austria
il y **avait** there was/were
  avaler to swallow
à l' **avance** in advance
l' **avant** *m* the front
  avant before
  avant-hier the day before yesterday
  avec with
l' **avenir** *m* future
une **aventure** adventure
une **averse** shower (of rain)
  avertir to warn, advise, inform
  aveugle blind
un **avion** plane
un **avis** opinion
  à ton ~ in your opinion
un **avocat** lawyer; avocado
  avoir to have
  avril April

B

le **Bac (Baccalauréat)** equivalent to A-level exam
le **babyfoot** table football
le **badminton** badminton
les **bagages** *m pl* luggage
une **bagarre** fight, quarrel
une **bagnole** *p* car
une **bague** ring
une **baguette** French loaf
le **bahut** *p* school
se **baigner** to go swimming
une **baignoire** bath
en **baisse** getting lower
  baisser to lower
un **bal** dance
une **balade** walk, stroll
se **balader** to wander around
un **balcon** balcony
une **baleine** whale
un **ballon de football** football
le **bambou** bamboo
une **banane** banana
une **~ verte** green banana
une **bande** tape
  ~ dessinée cartoon strip
  ~ sonore soundtrack
la **banlieue** suburbs, outskirts
  en ~ in the suburbs
une **banque** bank
la **banquette** bench
un **bar** bar
une **barbe** beard
une **barbecue** barbecue
une **barquette** punnet, pack
une **barre à appui** handrail
un **barreau** barrel; small bar, rail
une **barrière** barrier
en **bas** below
le **base-ball** baseball
  baser to base
le **basket** basketball
une **bataille** battle
un **bateau** boat
  ~ à avirons rowing boat
un **bateau-mouche** pleasure boat

un **bâtiment** building
un **bâton** stick, pole
un **bâtonnet** ice-lolly
une **batterie** car battery
la **batterie** drums
bavarder to chat, gossip
beau (bel, belle) beautiful
il fait ~ the weather is fine
beaucoup a lot of, many
~ de monde a lot of people
un **beau-frère** brother-in-law
un **beau-père** father-in-law;
stepfather
un **bébé** baby
belge Belgian
la **Belgique** Belgium
une **belle-mère** mother-in-law;
stepmother
une **belle-sœur** sister-in-law
bénéficier (de) to benefit (from)
bénévole voluntary, unpaid
un **besoin** need
avoir ~ de to need
une **bestiole** creepy-crawly, bug
une **bête** animal
petite ~ insect
une **bêtise** silly or stupid thing
le **béton** concrete
une **betterave** beetroot
le **beurre** butter
une **bibliothèque** library; bookcase
un **bidon** metal can for oil etc.
bien fine, well
~ arrivé arrived safely
~ sûr of course
bientôt soon
à ~ see you soon
bienvenu welcome
la **bière** beer
le **bifteck (haché)** (minced) steak
un **billard** billiard or snooker table
un **bijou** jewel
une **bijouterie** jeweller's
un **billet** ticket
~ de banque bank note
une **billeterie automatique** ticket
machine
la **biologie** biology
une **biscotte** rusk-like biscuit/
toasted bread slices eaten
mainly for breakfast
une **bise** kiss
bisous love (at end of letter)
bizarre strange, odd
blanc (blanche) white
un **blanc** blank space, gap
blessé injured, wounded
un(e) **blessé(e)** injured person
blesser to injure, wound
bleu blue
~ clair light blue
~ marine navy blue
le **bloc sanitaire** washing facilities
blond blonde
une **blouse** overall
un **blouson** jacket, overall
le **bœuf** beef
boire to drink
le **bois** wood
boisé wooded
une **boisson** drink
une **boîte** tin, box
~ à lettres postbox
~ de conserves tin of food
un **bol** bowl
une **bombe** bomb; riding hat;
dessert of ice cream covered
in chocolate
bon(ne) good
de bonne heure early
le **bon de garantie** guarantee
slip
un **bonbon** sweet
le **bonheur** happiness
un **bonhomme de neige**
snowman
bonjour hello, good morning
un **bonnet** woolly hat, ski hat
le **bord** edge, side
(au) ~ de la mer (at) the
seaside
à ~ on board

une **borne** terminal; post
bosser *p* to work
des **bottes** *f pl* boots
la **bouche** mouth
une ~ de métro metro
entrance
bouché blocked
une **boucherie** butcher's shop
un **bouchon** cork, bottleneck
une **boucle d'oreille** earring
bouddhiste Buddhist
le **boudin** black pudding
le **bœuf** beef
la **bouffe** *p* food
bouffer *p* to eat
bouger to move
une **bougie** candle
la **bouillabaisse** fish soup from
Provence
bouillant boiling
bouilli boiled
une **boulangerie** baker's
les **boules** *f pl* bowls
un **boulevard périphérique** ring
road
un **boulodrome** centre for
playing boules
le **boulot** *p* work, job
une **boum** party
un **bouquin** *p* book
bouquiner *p* to read a book
une **bourse** grant, scholarship
bousculer to jostle, knock into
le **bout** end
un **bouton** button; spot
une **bouteille** bottle
un **bowling** bowling alley
la **boxe** boxing
branché *p* tuned into, in the
know
le **branchement électrique**
connection to electricity
brancher to plug in, connect
le **bras** arm
la **Bretagne** Brittany
le **Brevet** school exam taken at
end of *collège*
un **brick** rectangular carton
le **bricolage** DIY
faire du ~ to do odd jobs
brillant shiny, bright
briller to shine
la **brioche** sweet type of bread
la **brocante** secondhand goods
une **brochure** brochure, pamphlet
le **bronzage** sun tan
bronzé suntanned
se **bronzer** to sunbathe
se faire **bronzer** to get a suntan
une **brosse à dents** toothbrush
se **brosser les cheveux** to
brush your hair
se **brosser les dents** to clean
your teeth
le **brouillard** fog
brouillé jumbled, scrambled
la **brousse** the bush, outback
la **bruine** drizzle, fine rain
un **bruit** noise
se **brûler** to burn oneself
brûlé burnt
la **brume** mist, fog
brun brown
brusquement abruptly, sharply
bruyant noisy
la **bûche de Noël** Christmas log
cake
un **buffet** snack bar
un **buffle** buffalo
un **buisson** bush
une **bulle** speech bubble
un **bulletin scolaire** school
report
un **bureau** office
~ d'accueil reception office
~ de change money
changing office
~ de location box office
~ de poste post office
~ de renseignements
information office

~ des objets trouvés lost
property office
le **but** aim, goal
une **buvette** refreshment bar

C

ça that
ça ne fait rien it doesn't
matter
ça va? OK? how are you?
ça y est! that's it!
une **cabine** booth; cubicle; cabin
~ d'essayage fitting room
~ téléphonique telephone
box/kiosk
le **cabinet** doctor/vet's surgery
~ de toilette washing
facilities
le **câble** cable TV
cacher to hide
le **cachet de la poste** postmark
un **cadeau** gift, present
le **cadet** youngest
un **cadre** executive; picture
frame; framework or setting
avoir le **cafard** to be depressed
un **café** café; coffee
un **café-crème** white coffee
une **cafetière** coffee maker
la **caisse** cash desk
un(e) **caissier (-ère)** cashier
une **calculatrice** calculator
un **caleçon** boxer shorts, leggings
un **calendrier** calendar
caler to wedge, prop up
calme quiet
un **cambriolage** burglary
cambrioler to burgle
un **Camembert** type of cheese;
pie chart
une **caméra** TV or film camera
un **caméscope** camcorder
une **camionnette** van
la **campagne** country(side)
un **camping (terrain de ~)**
campsite
faire du ~ to go camping
un **camping-gaz** camping stove
canadien(ne) Canadian
Canal + French TV channel
payable by subscription
un **canapé** sofa
un **canard** duck
un(e) **candidat(e)** candidate
une **canette** tin can
le **canoë** canoeing
le **canoë-kayak** kayak
un **canot** canoe
une **cantine** canteen, dining hall
le **caoutchouc** rubber
une **capitale** capital city
le **capot** bonnet (of a car)
la **capsule** capsule
~ du temps time capsule
un **car** coach
le **caractère** character
de bon ~ a good person
de mauvais ~ a bad
character
une **carafe d'eau** water jug
le **caramel** toffee
une **caravane** caravan
le **carburant** fuel
le **cargaison** cargo
un **carnet** notebook; book of ten
metro tickets
~ de correspondance
pupil's record book
~ de chèques cheque
book
une **carotte** carrot
un **carré** square
carré square-shaped
un **carreau** small square, tile
à carreaux checked
un **carrefour** crossroads
carresser to stroke
une **carrière** career
la **carrosserie** bodywork of car
une **carte** card; menu; map

~ d'adhérent membership
card
~ de crédit credit card
~ postale postcard
~ à puce smart card
le **carton** cardboard
une **cartouche** cartridge
en **cas de** in case of
en **cas d'accident** in case of an
accident
une **cascade** waterfall
un(e) **cascadeur(-euse)** stunt artist
une **case** box (in diagram); hut, cabin
un **casque** helmet
une **casquette** cap, baseball hat
la **casse** scrap, breaking up
bon pour la ~ fit for scrap,
a write-off
une **casse-croûte** snack
casse-pieds *p* boring
(se) **casser** to break (a part of the
body)
se ~ la tête to rack one's
brains
une **casserole** saucepan
une **cassette-vidéo** videotape
le **cassis** blackcurrant
un **castor** beaver
une **catastrophe** disaster
une **cathédrale** cathedral
un **cauchemar** nightmare
sans cause without reason
une **caution** deposit
une **cave** (wine) cellar
une **caverne** cave
un **CD** CD (compact disc)
un **CD-ROM** CD-ROM
c'est it is
c'est-à-dire that is (to say)
c'était it was *(from être)*
ce (cet, cette, ces) this, that
une **ceinture** belt
~ de sécurité seatbelt
célèbre famous
célibataire single, unmarried
celui-ci (celle-ci) this one
celui-là (celle-là) that one
une **cellule** cell
les **cendres** *f pl* ash(es)
un **cendrier** ashtray
cent hundred
un(e) **centenaire** hundred year-old
person; centenary
le **centre** centre
~ commercial shopping
centre
**~ de documentation et
d'information** resources
room
~ de recyclage recycling
centre
~ équestre riding centre
le **centre-ville** town centre
cependant however
les **céréales** *f pl* cereal(s)
une **cerise** cherry
le **cerveau** brain
ceux-ci (celles-ci) these
ceux-là (celles-là) those
chacun each
une **chaîne** TV channel; chain
~ de montagnes
mountain range
~ hi-fi stereo system
une **chaise** chair
la **chaleur** heat
une **chambre** bedroom
la ~ d'hôte bed and
breakfast
un **chameau** camel
un **champ** field
un **champignon** mushroom
un **championnat** championship
la **chance** luck
avoir de la ~ to be lucky
bonne ~ good luck
changer to change
une **chanson** song
chanter to sing
un **chantier** building site; work site
~ de travail workcamp

un **chapeau** hat
~ **melon** bowler hat
chaque each, every
un **char** float
une **charcuterie** pork butcher's, delicatessen
chargé heavy, busy
les **charges** f pl service charge
un **chariot** trolley
charmant charming
la **chasse d'eau** flushing (of toilet)
une **chasse au trésor** treasure hunt
un **chat** cat
une **châtaigne** chestnut
châtain brown-haired
un **château** castle
chaud warm, hot
avoir ~ to be hot
il fait ~ it's hot
le **chauffage** heating
un **chauffe-eau** water heater
chauffer to heat
un(e) **chauffeur (-euse) (de taxi)** (taxi) driver
une **chaussée déformée** uneven road surface
une **chaussette** sock
une **chaussure** shoe
le **chef** boss
~ **de cuisine** chef
~ **de produit** product manager
~ **de pub(licité)** advertising manager
~ **de service** head of department, section head
un **chemin** path, way
~ **de fer** railway
une **chemise** shirt
~ **de nuit** nightshirt, nightdress
un **chemisier** blouse
un **chêne** oak tree
un **chèque de voyage** traveller's cheque
cher (chère) dear, expensive
chercher to look for
chéri(e) darling
un **cheval** (pl **chevaux**) horse
les **cheveux** m pl hair
la **cheville** ankle
une **chèvre** goat
chez at, to (someone's house)
chic smart
un **chien** dog
un **chiffre** number
la **chimie** chemistry
chinois(e) Chinese
des **chips** m pl crisps
un **chocolat chaud** hot chocolate
une **chocolaterie** chocolate shop/factory
choisir to choose
un **choix** choice
le **chômage** unemployment
au ~ unemployed
une **chorale** choir
une **chose** thing
un **chou** cabbage
la **choucroute** sauerkraut
chouette! great!
une **chouette** owl
le **chou-fleur** cauliflower
les **choux de Bruxelles** m pl Brussels sprouts
chrétien(ne) Christian
une **chute** fall
~ **de neige** snowfall
une **cible** target
ci-contre opposite, in the margin
ci-dessous below
le **cidre** cider
le **ciel** sky; heaven
un **cigare** cigar
un **cimetière** cemetery
un **cinéaste** film director
un **cinéma** cinema
en **cinquième** in the second year of high school

un **cintre** coathanger
un **circuit** route, tour
la **circulation** traffic
circuler to move around
ciré waxed
un **cirque** circus
des **ciseaux** m pl scissors
citer to quote
un **citron** lemon
~ **pressé** lemon juice drink
clair clear, light
une **classe** class
le **classement** filing
un **classeur** file
la **claustrophobie** claustrophobia
une **clé** key
une **clef** key
un(e) **client(e)** customer
clignoter to indicate (car)
la **climatisation** air conditioning
une **cloche** bell; bell-shaped container
un **cloison** partition, screen
clos enclosed
un **coca** Coca-Cola
cocher to tick off, mark
un **cochon** pig
~ **d'Inde** guinea pig
le **code de la route** Highway Code
le **cœur** heart
avoir mal au ~ to feel sick
par ~ by heart
le **coffre** safe, deposit box
se **coiffer** to do your hair
un(e) **coiffeur (-euse)** hairdresser
la **coiffure** hairstyle
un **coin** corner, small area
le **col** collar
en **colère** furious
un **colis** parcel, package
collectionner to collect
un **collectionneur** collector
un **collège** secondary school (11-15 years)
coller to stick
un **collier** necklace
une **colline** hill
une **colombe** dove
une **colonie de vacances** children's holiday camp
une **colonne** column
coloré coloured
combattre to fight against
combien? how much?
comblé full of, overwhelmed
le **combustible** fuel
comique comic, funny
le **commandant à bord** flight captain
la **commande** control
commander to order
comme as, for
commémorer to commemorate
commencer (à faire qch) to begin, start (to do sthg.)
comment? how; what; pardon?
les **commerces** m pl shops, business
commettre to commit
le **commissariat de police** police station
une **commode** chest of drawers
une **commune** parish, district
une **communication** message
une **compagnie** company
~ **aérienne** airline company
un(e) **compagnon** companion
une **comparaison** comparison
un **compartiment** compartment
complet (complète) full
complexe complicated
un **complexe sportif** sports centre
le **comportement** behaviour
un **composant électronique** electronic component
composer un numéro to dial
un **compositeur** composer
composter to validate/date-stamp a ticket

comprendre to understand; to include
un **comprimé** pill, tablet
compris included; understood
tout ~ inclusive
compter to count
les **comptes** m pl accounts
un **comptoir** counter, desk
la **concentration** concentration
un(e) **concierge** caretaker
le **concombre** cucumber
un **concours** competition
un(e) **concurrent(e)** competitor
un(e) **conducteur (-trice)** driver
conduire to drive
la **conduite (en convoi)** driving (in convoy)
la **confiance** confidence
confier to entrust
une **confiserie** sweet shop; sweet factory
la **confiture** jam
~ **d'oranges** marmalade
le **confort** comfort
confortable comfortable
un **congé** holiday, leave
un **congélateur** freezer
une **connaissance** acquaintance
faire la ~ to get to know
connaître to know (a person or place)
connu well known
consacré à devoted to, allocated to
un **conseil** piece of advice
le **Conseil d'Europe** Council of Europe
conseiller (à qqn de faire qch) to advise (s.o. to do sthg.)
un(e) **conseiller(-ère) d'éducation** senior teacher responsible for discipline, absence from school etc.
un(e) **conseiller (-ère) d'orientation** careers adviser
une **conséquence** consequence
la **consigne** left luggage; deposit
~ **automatique** left luggage lockers
consommable consumable
un **consommateur** consumer
la **consommation** consumption; consumer advice; drink, snack
le **consommé** clear soup
consommer to use, consume
un **constat** statement
une **construction** structure, building
construire to build
construit constructed, built
une **consultation** consultation
un **conteneur** container
contenir to contain
content happy, pleased
le **contenu** contents
continuer (à faire qch) to continue (to do sthg.)
contraint restrained, restricted
contraire opposite
contre against
par ~ on the other hand
~~**-la-montre** against the clock
une **contrée** geographical region
un **contrôle** test
le ~ de sécurité security check
un **contrôleur** ticket inspector
convenable suitable
convenir to go with, to suit
les **coordonnées** f pl address and telephone number
un(e) **copain (copine)** friend
une **coquille d'œuf** egg shell
le **corail (-aux)** coral
une **corde** string, rope, cord
cordial cordial
un **corps** body
un **correcteur** proofreader

une **correspondance** change (of train), connection
un(e) **correspondant(e)** penfriend
faire correspondre to match up
un **costume (régional)** (regional) costume
la **côte** coast
~ **d'Azur** part of French Mediterranean coast
une **côte de porc** pork chop
un **côté** side
à ~ de next to
une **côtelette** cutlet
le **coton** cotton
du ~ (hydrophile) cotton wool
le **cou** neck
la **couche** layer
~ **d'ozone** ozone layer
se **coucher** to go to bed
le **coude** elbow
une **couette** duvet
couler to run (of water)
une **couleur** colour
un **couloir** corridor
un **coup** hit, blow
~ **de chaleur** heatstroke
~ **de fil** p phone call
~ **de foudre** love at first sight; bolt from the blue
~ **de soleil** sunstroke
coupable guilty
une **coupe** cup
la ~ du monde world cup
couper to cut
~ **le moteur** to switch off the engine
~ **les jambes** p to wear someone out
un **couple** couple
la **cour** school yard, grounds; royal court
courageux (-euse) brave
la **courbature** stiffness, aching
un **coureur** racing cyclist, runner
le **courrier** post; carriage, haul
le long ~ long haul
un **cours** lesson
~ **de conduite** driving lesson
le ~ du change exchange rate
en **cours de** in the course of
une **course** race
~ **cycliste** cycle race
~ **d'obstacles** obstacle race
courses (faire des ~) to go shopping
les **courses de chevaux** f pl horse racing
un(e) **coursier(-ière)** messenger
un **court de tennis** tennis court
court short
courtois courteous
le **couscous** Arab dish
un(e) **cousin(e)** cousin
un **couteau** knife
coûter to cost
~ **les yeux de la tête** to cost an arm and a leg
un(e) **couturier(-ière)** fashion designer
couvert overcast
coûteux(-euse) costly
la **couture** sewing
un **couvert** place setting; cover charge
une **couverture** blanket, cover
couvrir to cover
la **craie (bleue)** chalk (marl)
craindre to fear
cramoisi crimson
une **crampe** cramp
une **cravate** tie
un **crayon** pencil
créateur creative
une **crème** cream
la ~ anglaise custard
~ **solaire** sun-tan cream
une **crémerie** shop selling dairy products

une **crêpe** pancake
une **crêperie** pancake restaurant
creuser to hollow out, dig
une **crevaison** puncture
crevé p dead tired, worn out
crever to burst, split, have a puncture
les **crevettes** f pl prawns, shrimps
à la **criée** shouting your wares (e.g. beach vendor)
crier to shout
un **crime** crime
une **crique** creek, cove
critiquer to criticise
croire to think, believe
croiser to cross
une **croisière** cruise
une **croix** cross
croquer la vie to enjoy life
un **croque-monsieur** toasted ham and cheese sandwich
croustillant crusty
cru raw
les **crudités** raw vegetables
la **cueillette de fruits** fruit picking
cueillir to pick
une **cuiller** spoon
une **cuillère** spoon
en **cuir** made of leather
cuire (faire ~) to cook
la **cuisine** kitchen; cooking
faire la ~ to do the cooking
un(e) **cuisinier(-ière)** cook
une **cuisinière (à gaz/à électricité)** cooker
la **cuisse** thigh
les **cuisses** f pl **de grenouille** frog's legs
cuit cooked
cultiver to cultivate, grow
la **culture** culture
curieux (-euse) curious
une **curiosité** sight, item of interest
le **curry** curry
le **cyclisme** cycling
un **cyclomoteur** moped
un **cyclone** cyclone

D

avoir la **dalle** p to be starving
une **dame** lady
dangereux(-euse) dangerous
dans in
la **danse** dance
le **dard** sting
une **date** date
un **dauphin** dolphin
un **dé** dice
de of, from
un **débardeur** sleeveless top
le **débarquement** landing
débarquer to unload; to land; to get off (a boat)
débarrasser to clear away
un **débouché** opening, opportunity
débrouiller to sort out, untangle
se **débrouiller** to cope, manage
le **débroussaillement** clearing ground of undergrowth
le **début** beginning
un(e) **débutant(e)** beginner
décaféiné decaffeinated
décédé dead, deceased
décembre December
le **décès** death
décevant disappointing
déchaîné wild
se **déchausser** to take one's shoes off
les **déchets** f pl rubbish
une **déchetterie** recycling centre
déchirer to tear
décider (de faire qch) to decide (to do sthg.)
une **déclaration d'engagement** employment contract
un **décodeur** decoder
le **décollage** take off (plane)

décoller to take off
décorer to decorate
découper to cut out
se **décourager** to get depressed, to get discouraged
une **découverte** discovery
découvrir to discover
décrocher to unhook
décrire to describe
déçu disappointed
une **dédicace** dedication
un **défi** challenge
un **défaut** weakness, fault
un **défilé** procession
~ de mode fashion parade
se **déformer** to warp, distort
les **dégâts** m pl damage
dégoûtant disgusting
un **degré** degree
déguisé in fancy dress
le **déguisement** costume
se **déguiser** to disguise oneself; to dress up
déguster to taste, sample
dehors(!) (get) outside
en ~ de outside of
déjà already
le **déjeuner** lunch
petit ~ breakfast
déjeuner to have lunch
un(e) **délégué(e) de classe** student representative
délicieux (-euse) delicious
demain tomorrow
demander (à qqn de faire qch) to ask (s.o. to do sthg.)
démarrer to start up
se **déménager** to move house
une **demeure** residence
demeurer to live
un **demi** half a pint (beer etc.)
un **demi-frère** half-brother
une **demi-journée** half-day
la **demi-pension** half-board
un **demi-pensionnaire** pupil who has lunch at school
une **demi-sœur** half-sister
un **demi-tour** U-turn
démodé out of fashion
dense crowded; thick; heavy
une **dent** tooth
~ cariée decayed tooth
le **dentifrice** toothpaste
un **déodorant** deodorant
le **départ** departure
un **département** administrative area of France (like a county)
dépasser to exceed; overtake
dépaysé out of one's element
se **dépayser** to get away from it all
une **dépêche** despatch
se **dépêcher** to hurry
ça **dépend** it depends
dépenser to spend
les **dépenses** f pl expenses
le **déplacement** movement
se **déplacer** to move around
un **dépliant** leaflet
dépolluer to reduce pollution
déposer to leave, deposit
déprimé depressed
depuis since, for
un **député** MP
déranger to disturb
dernier (-ère) latest, last
dérober to take away
se **dérouler** to take place
derrière behind
dès as soon as, from
un **désastre** disaster
descendre to go down; to get off
la **désensibilisation** desensitivity
déséquilibrer to unbalance
un **désert** desert
se **déshabiller** to get undressed
un **désir** wish

désirer to want
désolé very sorry
un **dessert** sweet, dessert
desservir to serve
le **dessin** drawing; design; art
un **dessinateur** illustrator
dessiner to draw
au **dessous de** below
en **dessous** below
le **dessous de moquette** underfelt
le **dessus** the top
au **dessus de** above
une **destination** destination
destiné intended for
un **détail** detail
détendant relaxing
se **détendre** to relax
détendu relaxed
la **détente** relaxation
détenir (le record) be in possession of, to hold (the record)
détester to hate
détruire to destroy
le **deuil** mourning, bereavement
deuxième second
devant in front of
devenir to become
dévêtu undressed
deviner to guess
devoir to have to, 'must'
les **devoirs** m pl homework
dialoguer to converse
un **diamant** diamond
une **diapositive** colour slide
la **diarrhée** diarrhœa
dicter to dictate
un **dictionnaire** dictionary
un **dicton** saying
un(e) **diététicien(-ne)** dietician
Mon Dieu! Good heavens!
difficile difficult
dimanche Sunday
la **dinde** turkey
le **dîner** dinner
dîner to have dinner
un **dinosaure** dinosaur
dire to say
direct direct
directement directly
un(e) **directeur (-trice)** director; headteacher
diriger to direct
se **diriger vers** to go towards
une **discothèque** disco(theque)
discret quiet, discreet
un **discours** speech
discuter to discuss, argue
disparaître to disappear
disparu(e) who has disappeared
disponible available
à votre **disposition** for your use
se **disputer** to argue
un **disque** record
une **distraction** entertainment
distribuer give out, deliver
un **distributeur automatique** automatic ticket machine; cash machine
diviser to divide
divorcé divorced
un **document** document
un **documentaire** documentary
un(e) **documentaliste** information officer
la **documentation** information, publications
dodo bye-byes
dodu plump
un **doigt** finger
un **doigt de pied** toe
c'est **dommage** it's a pity
donc therefore
donner to give
dont of which, of whom
doré golden
dormir to sleep
~ comme une souche to sleep like a log
un **dortoir** dormitory

le **dos** back
un **dossier** file; project
la **douane** customs
le **double** copy
doublé dubbed
doubler to overtake
doucement quietly, gently
une **douche** shower
la **douleur** pain, sorrow
douloureux painful
doux gentle; quiet; mild; sweet
dramatique dramatic
un **drap** sheet
un **drapeau** flag
un **drap-sac** sheet sleeping bag
la **drogue** drugs
une **droguerie** hardware shop
le **droit** the right; law
avoir le ~ to have the right
(à) **droite** (on the) right
drôle funny
dur hard
la **durée** length of time, duration
durer to last
dynamique dynamic

E

l' **eau** f water
~ (non-) potable (not) drinking water
~ minérale mineral water
un **éboueur** dustman, refuse collector
écarté averted
un **échange** exchange
faire un ~ to do an exchange
échanger to exchange
un **échantillon** sample
s' **échapper** to escape
une **écharpe** scarf
les **échecs** m pl chess
une **échelle** ladder
échouer to fail
~ à un examen to fail an exam
l' **éclairage** m lighting
une **éclaircie** sunny period
éclairé illuminated
s' **éclater** to break out; sparkle
~ de rire to burst out laughing
une **école** school
~ maternelle nursery school
~ primaire primary school
l' **écologie** f ecology
des **économies** f pl savings
faire des ~ to save
écossais(e) Scottish
l' **Ecosse** f Scotland
écouter to listen to
des **écouteurs** m pl headphones
un **écran** screen
s' **écraser** to crash
se faire **écraser** to get run over
écrire to write
~ à la machine to type
écrite à la main handwritten
un **écriteau** sign
l' **écriture** f writing
~ pour les aveugles Braille
une **édifice** building
l' **éducation physique** f physical education
éduquer to educate
effacer to rub out, erase
un **effet** effect
en ~ in fact
l' **~ de serre** greenhouse effect
efficace effective
effrayant frightening
effroyable dreadful, appalling
ça m'est **égal** it's all the same to me
également equally
s' **égayer** to cheer oneself up, to be amused
une **église** church

égoïste selfish
les **égouts** *m pl* sewers
élargir to enlarge
un(e) **électricien(ne)** electrician
l' **électricité domestique** *f* electricity in the home
électrique electrical
un **électrophone** record player
un **éléphant** elephant
un(e) **élève** pupil
élever to breed, raise
elle she, it; her
elles they; them
s' **éloigner** to move away from
embêtant annoying
l' **emballage** *m* packaging
l' **embarquement** *m* boarding, loading
carte d' ~ boarding card
un **embouteillage** traffic jam
embrasser to kiss
une **émission** broadcast, programme
emmener to take
émouvant emotional, moving
empêcher (qqn de faire qch) to prevent (s.o. from doing sthg.)
un **emplacement** place (on a campsite)
un **emploi du temps** timetable
un(e) **employé(e)** employee
~ de bureau office worker
emporter to take/carry away
emprunter to borrow
en in; of it/them
l' **encadrement** *m* framework
enceinte pregnant
enchanter to delight
enchanté delighted to meet you
encombré congested, crowded
encore again; more; another
encourager (qqn à faire qch) to encourage (s.o. to do sthg.)
l' **encrage** *m* inking
l' **encre** *f* ink
une **encyclopédie** encyclopaedia
endommagé damaged
s' **endormir** to fall asleep
un **endroit** place
l' **énergie** *f* energy
s' **énerver** to get angry, on edge
l' **enfance** *f* childhood
un(e) **enfant** child
l' **enfer** *m* hell
enfermé shut in
enfin at last, finally
enflé swollen
enlever to take away/off
un **ennui** worry, concern
s' **ennuyer** to get bored
ennuyeux(-euse) boring
s' **enorgueillir de** to pride oneself on
énorme enormous
une **enquête** inquiry, survey, investigation
un **enregistrement** *m* registration, recording
enregistrer to record
être **enrhumé** to have a bad cold
une **enseigne** sign, board
l' **enseignement secondaire** *m* secondary education
enseigner to teach, instruct
ensemble together
un ~ a suit, outfit
un ~ de a set of
ensoleillé sunny
ensuite next
entendre to hear
s' **entendre (avec)** to get on (with)
entendu of course, agreed
enterré buried
l' **enthousiasme** *m* enthusiasm
entier (-ère) entire, whole
une **entorse** sprain
entourer to surround
entouré de surrounded by

l' **entraînement** *m* training
s' **entraîner** to train
entre between
une **entrecôte** entrecote or rib steak
une **entrée** entrance; entry fee; first course of meal
une **entreprise** company, business
entrer (dans) to go in, enter
entretenir to maintain
entretenu maintained
s' **entretuer** to kill themselves
à l' **envers** back to front
avoir **envie de** to wish, want
environ about, around
les **environs** surrounding area
s' **envoler** to fly away
envoyer to send
une **épaule** shoulder
épeler to spell
une **épicerie** grocer's
un(e) **épicier (-ère)** *m* grocer
les **épinards** *m pl* spinach
une **époque** time, period
épouvantable dreadful
une **épreuve** test
éprouver to experience
épuisé exhausted
s' **épuiser** to get exhausted
équilibré balanced
l' **équipage** *m* crew
une **équipe** team
l' **équitation** *f* horse riding
faire de ~ to go horse riding
l' **érable** *m* maple
l' **ère** *f* era
une **erreur** mistake
par ~ by mistake
l' **escalade** *f* climbing
faire de l'~ to go climbing
un **escalier** staircase
des **escargots** *m pl* snails
un(e) **esclave** slave
l' **escrime** *f* fencing
l' **espace** *f* space
l' **Espagne** *f* Spain
espagnol(e) Spanish
une **espèce** species
~ en voie de disparition endangered species
en **espèces** cash
l' **espérance de vie** *f* life expectancy
espérer to hope
l' **espionnage** *m* spying
l' **espoir** *m* hope
l' **esprit** *m* mind, attitude
~ de concurrence *m* competitive spirit
essayer (de faire qch) to try (to do sthg.)
l' **essence** *f* petrol
l' **essentiel** *m* the main points
s' **essouffler** to get out of breath
les **essuie-glaces** *m pl* windscreen wipers
essuyer to wipe up
(à) l' **est** *m* **(de)** (to the) east (of)
et and
un **étage** storey, tier
une **étagère** shelf
un **étalage** stall, display
un **étang** pond
une **étape** section, stage
un **état** state, condition
les **Etats-Unis** *m pl* United States
l' **été** *m* summer
éteindre to turn out/off
étendu far-reaching, extensive
étincelant sparkling
une **étiquette** label
une **étoile** star
étonné astonished
étouffer to smother
étrange strange
à l' **étranger** abroad
étranger foreign
un(e) **étranger(-ère)** foreigner
être to be
un **être vivant** living creature
étroit narrow

les **études** *f pl* studies
un(e) **étudiant(e)** student
étudier to study
l' **Eurotunnel** *m* Eurotunnel
eux them, themselves
s' **évacuer** to evacuate
s' **évanouir** to faint
éveillé awake, alert
un **événement** event
évidemment obviously
évident obvious
un **évier** sink
éviter (de faire qch) to avoid (doing sthg.)
un **examen** exam
~ blanc mock exam
excusez-moi! excuse me!
un **exemple** example
par ~ for example
un **exemplaire** copy
s' **exercer** to exercise
exigeant demanding
une **exigence** demand
une **expérience (scientifique)** (scientific) experiment
expérimenté experienced
une **explication** explanation
expliquer to explain
une **exposition** exhibition
exprès on purpose
exprimer to express
à l' **extérieur** on the outside
un **extrait** extract
extraordinaire amazing
l' **Extrême-Orient** *m* Far East
exubérant exuberant

F

un **fabricant** manufacturer
la **fabrication** manufacture, formation
une **fabrique** factory
fabriqué made out of
fabriquer to manufacture, make
en **face de** opposite
fâché angry
se **fâcher** to get angry
facile easy
facilement easily
une **façon** way
façonner to shape
un **facteur** postman
une **facture** bill, till receipt
facultatif (-ive) optional
fade tasteless, dull
faible weak
faim (avoir ~) to be hungry
faire to do; go; make
~ des achats to go shopping
~ accorder to make something agree
se **~ comprendre** to make yourself understood
~ la connaissance de to get to know
~ les courses to go shopping
~ la cuisine to cook
~ une demande to make an application
~ des économies to save
~ face to confront
~ la lessive to do the washing
~ mal to hurt
~ marcher to operate, make (something) work
~ le ménage to do the housework
~ part de to inform
~ partie de to take part in
~ le plein to fill up (petrol)
~ le repassage to do the ironing
~ signe à to gesture
~ la vaisselle to do the washing up
~ les valises to pack

~ visiter to show someone round
~ voir to show
Fais/Faites voir! Let me see
un **faisan** pheasant
en **fait** in fact
une **falaise** cliff
une **famille** family
un(e) **fana de** a fanatic about
fantastique fantastic
fantaisie novelty
un **fantôme** ghost
farci stuffed
la **farine** flour
un **fast-food** fast food restaurant
fatigant tiring
fatigué tired
il **faudrait que** it should happen that
il **faut** you need; it is necessary
faute de (temps) through lack of (time)
un **fauteuil** armchair
faux (fausse) false
favori favourite
Félicitations! Congratulations!
une **femme** woman
une **fenêtre** window
le **fer** iron
une **ferme** farm
fermer to close
la **fermeture annuelle** annual closing
un(e) **fermier (-ière)** farmer
un **ferry** ferry
une **fête** Saint's day; party
~ folklorique traditional festival
~ foraine fair
fêter to celebrate
un **feu** fire
~ d'artifice firework display
~ de camp camp-fire
~ (rouge/vert) (red/green) traffic light
une **feuille** leaf; sheet of paper; page
un **feuilleton** serial
les **feux** *m pl* traffic lights
février February
les **fiançailles** engagement
les **fibres** *m pl* fibre
une **ficelle** 'stick' loaf
une **fiche** note, slip of paper
une ~ d'autorisation permission slip
ficher le moral à zéro *p* to make you feel really down
s'en **ficher** *p* to not care
fier (-ère) proud
fièvre (avoir de la ~) to have a (high) temperature
un **fil** thread, wire
un coup de ~ *p* phone call
~ de fer wire
~ de soie dental floss
une **file** traffic lane
filer to go by
un **filet** net
un **film à suspense** thriller
un **fils** son
fin subtle, delicate
la **fin** end
en ~ de compte in the end, to sum up
finir to finish
fixe fixed
flâner to wander about, stroll
une **flèche** arrow
fléché marked by arrows
des **fléchettes** *f pl* darts
une **fleur** flower
fleuri floral
un **fleuve** river
le **flipper** pinball machine
une **flûte** flute
~ à bec recorder
le **foie** liver
une **foire** fair
une **fois** time

à la ~ at a time; at one and the same time

(bleu) foncé dark (blue)
foncer to forge ahead
un **fonctionnaire** civil servant
le **fonctionnement** working
fonctionner to function
le **fond** back, rear
fondre to melt
le **football** football
une **forêt** forest
la **formation** training
la **forme** fitness, shape
   être en ~ to be fit
formidable terrific
un **formulaire** form
fort strong, well-built, hard
fortifier to strengthen
fou (folle) mad
le **foudre** thunder
une **fougère** fern
un **foulard** scarf
une **foule** crowd
un **four** oven
   ~ à micro-ondes microwave oven
une **fourchette** fork
fournir to supply, provide
les **fournitures** f pl equipment, supplies
fourré filled
une **fracture** break
les **frais** m pl expenses, commission
frais (fraîche) fresh
une **fraise** strawberry
une **framboise** raspberry
les **Français** French people
français(e) French
la **France** France
franchement frankly
franchir to cross
francophone French-speaking
frapper to knock, strike, hit
freiner to break
les **freins** m pl brakes
fréquemment frequently
fréquenté popular, much visited
un **frère** brother
un **friand** sausage roll
le **fric** p money
un **frigidaire** fridge
les **fringues** f pl clothes
frisé curly
le **frisson** shiver; thrill
les **frites** f pl chips
froid cold
   avoir ~ to be cold
le **fromage** cheese
le **front** forehead
une **frontière** border, frontier
un **fruit** fruit
un **fruitier** fruit tree
les **fruits de mer** m pl seafood
fumé smoked
fumer to smoke
(non-) fumeurs (compartment for) (non-)smokers
un **funiculaire** cable car
furieux (-euse) furious
une **fusée spatiale** space rocket
futé smart, acute, crafty

G

un(e) **gagnant(e)** winner
gagner to earn, to win
une **galette** savoury pancake, flat cake
Galles, le Pays de ~ Wales
gallois Welsh
une **gamme** range
un **gant** glove
   ~ de toilette face flannel
un **garage** garage
un **garçon** boy
   ~ (de café) waiter
garder to look after, keep
une **garderie pour enfants** crèche
un **gardien** warden

~ du phare lighthouse keeper
une **gare** station
   ~ routière bus station
   ~ maritime harbour station
garer la voiture to park the car
le **gasoil** diesel
gaspiller to waste
le **gaspillage** waste
gâté spoilt
un **gâteau (au chocolat)** (chocolate) cake
(à) gauche (on the) left
une **gaufre** waffle
les **Gaulois** m pl the Gauls
le **gaz d'échappement** exhaust fumes
gazeux (-euse) fizzy, gassy
le **gazole** diesel
geler to freeze
gênant irritating
une **gencive** gum
un **gendarme** armed policeman
gêner to inconvenience, get in the way
généralement normally
généreux generous
génial brilliant
le **genou** knee
un **genre** kind, type
les **gens** m pl people
gentil(le) nice, kind
gentiment kindly
la **géographie** geography
une **gerbille** gerbil
gérer to manage
gigantesque gigantic
un **gilet** waistcoat
   ~ de sauvetage life jacket
une **girafe** giraffe
un **gîte** holiday house
la **glace** ice; ice cream; mirror
   en ~ made of ice
un **glaçon** ice cube
glissant slippery
glisser to slip, slide
les **godasses** p, f pl shoes
le **golf** golf
une **gomme** rubber
la **gorge** throat
le **goudron** tar
une **gourde** water bottle
un **goût** taste
le **goûter** tea
goûter to taste
grâce à thanks to
grand large; tall; great
la **grandeur** size
un **grand huit** roller coaster
une **grand-mère** grandmother
un **grand-parent** grandparent
un **grand-père** grandfather
la **Grande-Bretagne** Great Britain
faire la grasse matinée to have a lie in
au gratin with cheese
un **gratte-ciel** skyscraper
gratuit free of charge
grave serious
gravement seriously
les **Grecs** m pl the Greeks
une **grève** strike
   en ~ on strike
grignoter to nibble
grillé grilled, toasted
griller un feu p to jump the lights
grimper to climb
un **grimpeur** climber
la **grippe** flu
gris grey
gronder to tell someone off
gros(se) big
   en~ broadly speaking, in general
   en ~ plan in close up
grossir to gain weight, to get fat
une **guêpe** wasp
se **guérir** to get better

une **guerre** war
   la deuxième ~ mondiale the Second World War
un **guichet** ticket office
un **guide** guide book; guide
le **guidon** handlebars
un **guignol** puppet (show)
une **guirlande** garland, decoration
une **guitare** guitar
un **gymnase** gymnasium
la **gymnastique** gymnastics

H

s' **habiller** to get dressed
habillé smart, dressy
habiter to live in
une **habitude** habit, custom
   d'~ normally
habituellement usually, normally
s' **habituer** to get used to
le **hachis parmentier** shepherd's pie
le **hall** entrance hall
un **hamster** hamster
les **hanches** f pl hips
handicapé handicapped
les **haricots verts** m pl green beans
par hasard by (any) chance
à la hâte in haste
haut high
la **hauteur** height
l' **hébergement** m accommodation
hebdomadaire weekly
hélas! alas!
un **hélicoptère** helicopter
l' **herbe** f grass
   une mauvaise ~ weed
hériter to inherit
un(e) **héros (héroïne)** hero
hésiter (à faire qch) to hesitate (about doing sthg.)
l' **heure** f hour; the time
   de bonne ~ early
   ~ du déjeuner dinner hour
   ~ de pointe rush hour
   ~s supplémentaires overtime
heureusement fortunately
heureux (-euse) happy
heurter to hit
une **histoire** story
l' **histoire** f history
historique old, historic
l' **hiver** m winter
hocher la tête to nod the head
le **hockey** hockey
un **homme** man
   ~ d'état statesman
   ~-grenouille frogman
honnête honest
l' **honneur** m honour
un **hôpital** hospital
l' **horaire** m timetable
   une fiche ~ pocket timetable
horizontalement across
horrible awful, horrible
hors de outside of, away from
   ~ question out of the question
un **hors d'œuvre** first course
un(e) **hôte** host
un **hôtel** hotel
l' **hôtel de ville** m town hall
une **hôtesse de l'air** air hostess
une **housse** duvet cover
le **hovercraft** hovercraft
une **huée** boo, jeer
l' **huile** f oil
   ~ huile d'olive f olive oil
huit eight
les **huîtres** f pl oysters
humain human
l' **humeur** f mood, humour

en bonne ~ in a good mood
en mauvaise ~ in a bad mood
un **hypermarché** hypermarket

I

ici here
d' **ici** from here, between now and …
idéal ideal
une **idée** idea
il he, it
il y a there is, there are
il y a eu/il y avait there was, there were
ils they
une **igname** yam
une **île** island
une **image** picture
imaginaire imaginary
imbécile idiot
immédiatement immediately
immense huge
un **immeuble** block of flats
impair odd numbered
l' **imparfait** m imperfect tense
impatient impatient
un **imperméable** raincoat
n' **importe où** anywhere at all
l' **impôt** m tax
impressionnant impressive
l' **imprévu** m the unexpected
une **imprimante** printer (IT)
une **imprimerie** printing works
imprudemment unwisely
inattendu unexpected
un **incendie** fire
incliné sloping
inclure to include
inconnu unknown
un **inconvénient** disadvantage, inconvenience
incroyable unbelievable
indépendant independant
un **indicatif** telephone code
une **indice** clue
indiquer to show, indicate
indispensable necessary
indistinctement unclearly
individuellement individually
industriel(le) industrial
inédit new, original
une **infirmerie** sick room
une **infirmière** nurse
un(e) **informaticien (-ne)** computer specialist
l' **informatique** f computer studies
un **ingénieur** engineer
l' **initiation (à)** f introduction (to)
s' **initier** to learn something, get to know something
injustifié unjustified
une **innovation** innovation
inondable at risk of flooding
l' **inondation** f flood, flooding
inoubliable unforgettable
inquiet (inquiète) anxious, worried
s' **inquiéter** to be worried, anxious
une **inscription** enrolment fee
s' **installer** to settle in
un(e) **instituteur (-trice)** primary school teacher
l' **instruction civique** f civics, general studies, current affairs
l' **instruction religieuse** f religious education
un **instrument de musique** musical instrument
insuffisant insufficient
l' **intendant** m bursar
interdit forbidden
intéressant interesting
s' **intéresser à** to be interested in
l' **intérêt** m interest
à l' **intérieur** on the inside
un **internat** boarding school
un(e) **interne** boarder

interroger to question
interrompre to interrupt
interrompu interrupted
un **interrupteur** switch
interurbain long distance
interviewer to interview
inutile useless
inventer to invent
un(e) **inventeur (-trice)** inventor
une **invention** invention
un(e) **invité(e)** guest
inviter (qqn à faire qch) to invite (s.o. to do sthg.)
irlandais Irish
l' **Irlande** f Ireland
l' **isolement** m loneliness; insulation
isoler to insulate
l' **Italie** f Italy
italien(ne) Italian
un **itinéraire <bis>** alternative route recommended by Bison Futé

J

jaloux (-ouse) jealous
jamais never; ever
la **jambe** leg
le **jambon** ham
le **Japon** Japan
japonais Japanese
un **jardin** garden
le **jardinage** gardening
 faire du ~ to do some gardening
un(e) **jardinier (-ière)** gardener
jaune yellow, tan
je I
un **jean** pair of jeans
jeter to throw
un **jeton** counter
un **jeu** game, amusement
 ~ de boules set of boules
 ~ de cartes pack of cards
 ~ électronique electronic game
 ~ instantané scratch card
 ~ de société indoor (usually card or board) game
 ~ vidéo video game
les **Jeux Olympiques** Olympic Games
une **jeune fille** girl
les **jeunes** young people
la **jeunesse** youth
un **job** job
un **jogging** tracksuit
la **joie** joy
joli pretty
un **jongleur** juggler
la **joue** cheek
jouer to play
un **jouet** toy
un(e) **joueur (-euse)** player
un **jour** day
 ~ de congé day off
 ~ de fête holiday
 ~ férié public holiday
 les ~s de semaine on weekdays
 tous les ~s every day
un **journal** (pl **journaux**) newspaper
 ~ du soir evening paper
une **journée** day
un **joyau** jewel, gem
le **judo** judo
juger to judge
juif(-ive) Jewish
juillet July
juin June
un(e) **jumeau (jumelle)** twin
le **jumelage** town twinning
jumelé twinned
les **jumelles** f pl female twins; binoculars
une **jupe** skirt
un **jus de fruit** fruit juice
jusqu'à until, as far as
juste fair, correct

K

le **karaté** karate
le **ketchup** tomato ketchup
un **kidnapping** kidnapping
un **kiosque** kiosk
un **kiwi** kiwi fruit

L

là there
là-bas over there, there
un **laboratoire** laboratory
un **lac** lake
laid ugly
la **laine** wool
laisser to leave
 ~ tomber to drop, let fall
le **lait** milk
une **laitue** lettuce
une **lampe** lamp
 ~ de poche torch
 ~ de chevet bedside lamp
lancer to throw
une **langue (vivante)** (modern) language
un **lapin** rabbit
laquelle (lequel)? which one?
las tired, weary
le **latin** latin
un **lavabo** wash basin
le **lavage** car wash; laundry
la **lavande** lavender
un **lave-linge** washing machine
se **laver** to wash
 ~ les cheveux to wash your hair
une **laverie automatique** launderette
un **lave-vaisselle** dishwasher
le **lèche-vitrine** window shopping
une **leçon** lesson
un(e) **lecteur(-trice)** reader
 ~ de disques compacts/ de CD CD player
la **lecture** reading
léger(-ère) light
un **légume** vegetable
le **lendemain** the next day
lentement slowly
une **lentille de contact** contact lens
un **LEP (lycée d'enseignement professionnel)** technical college
lequel (laquelle, lesquels, lesquelles)? which one(s)?
la **lessive** washing powder
 faire la ~ to do the washing
une **lettre** letter
leur to them
leur(s) their
se **lever** to get up
 ~ du mauvais pied to get out of the wrong side of bed
une **librairie** bookshop
libre free
librement freely
lier l'amitié to strike up a friendship
un **lieu** place
 au ~ de instead of
 avoir ~ to take place
 il a ~ it takes place
une **ligne** line
limité limited
la **limite de vitesse** speed limit
la **limonade** lemonade
le **linge** linen; washing
un **lion** lion
en **liquide** with cash
lire to read
un **lit** bed
 des ~s superposés m pl bunk beds
la **littérature** literature
un **livre** book
une **livre** pound
livrer to deliver
un **livret** booklet

un(e) **locataire** tenant, person hiring something
la **location** hire charge, hire of
les **locaux** m pl premises, building
le **logement** accommodation
le **logiciel** computer software
loin far away
lointain distant, far away
les **loisirs** m pl leisure
Londres London
long(ue) long
longtemps a long time
la **longueur** length
lorsque when, while
un **losange** diamond shape
louer to hire
un **loup** wolf
lourd heavy
loyal loyal
le **loyer** rent
lui (to) him/(to) her
lui-même himself
la **lumière** light
lumineux illuminated
lundi Monday
la **lune** moon
des **lunettes** f pl glasses
le **Luxembourg** Luxembourg
luxueux (-euse) luxurious
un **lycée** senior school (15+)
un(e) **lycéen(ne)** student at a *lycée*

M

ma my
un **machin** thing, gadget
une **machine à laver** washing machine
un **maçon** builder
mademoiselle (pl **mesdemoiselles**) Miss
un **magasin** shop
 ~ de cadeaux gift shop
un **magnétophone** tape recorder
un **magnétoscope** video recorder
magnifique splendid
la **magnitude** greatness
maigrir to lose weight
un **maillot** top, vest
 ~ de bain swimming costume
la **main** hand
 à la ~ by hand
 ~ courante handrail
maintenant now
maintenir to maintain
le **maire** mayor
mais but
le **maïs** corn
une **maison des jeunes** Youth Centre
une **maison** house
en **majuscules** f pl in capital letters
mal badly
 avoir ~ to have a pain
 pas ~ not bad
le **mal de l'air** air sickness
le **mal de mer** sea sickness
malade ill
un(e) **malade** patient
une **maladie** disease
un **malaise** discomfort, ache, uneasiness
le **malfaiteur** wrongdoer
malgré in spite of
malheureusement unfortunately
malheureux (-euse) unhappy
une **mallette** small case
maman Mum
Mamie Granny
la **manche** handle
la **manche** sleeve
la **Manche** English Channel
une **mandarine** mandarin
manger to eat
une **manifestation** demonstration, event
un **mannequin** fashion model
un **manoir** manor, large house

manquer to miss, be lacking
un **manteau** coat
une **maquette** model
le **maquillage** make up
se **maquiller** to wear make up, put on make up
un(e) **maquilleur(-euse)** make-up artist
un(e) **marchand(e)** stallholder, shopkeeper
les **marchandises** f pl merchandise, goods
une **marche** step
un **marché** market
 ~ aux puces flea market
marcher to work (machine)
un **marcheur** walker
le **Mardi Gras** Shrove Tuesday
la **marée** tide
 ~ haute high tide
 ~ basse low tide
un **mari** husband
un **mariage** wedding
marié married
se **marier** to get married
la **marine** navy
une **marionnette** puppet
le **Maroc** Morocco
la **maroquinerie** leather goods (shop)
une **marque** brand name
marrant p funny, fun
marron brown
les **marrons** m pl chestnuts
une **mascotte** mascot
masser to massage
un **match** match
un **matelas pneumatique** lilo, inflatable mattress
les **mathématiques/maths** maths
une **matière** school subject; matter
 en ~ plastique made of synthetic material
 des ~s grasses f pl fats
un **matin** morning
être matinal to be an early riser
une **matinée** morning
mauvais p bad
 il fait (très) ~ the weather is (very) bad
la **mayonnaise** mayonnaise, salad cream
un(e) **mécanicien(ne)** mechanic; flight engineer; train driver
méchant naughty, fierce
une **médaille** medal
un **médecin** doctor
un **médicament** medication, drugs
meilleur better, best
un **mélange** mixture
mélanger to mix
un **melon** melon
même even; same
une **menace** threat
le **ménage** household
 faire le ~ to do the housework
mener to lead
les **méninges** f pl brain, mind
mensuel monthly
la **menthe** mint
 à la ~ with mint
 ~ à l'eau green, peppermint-flavoured drink
mentir to lie
le **menton** chin
menu small, slender, minor
le **menu à prix fixe/à 80 F** 80 franc/fixed price menu
la **mer** sea
 ~ Méditerranée Mediterranean sea
merci (no) thank you
mercredi Wednesday
 le ~ des cendres Ash Wednesday
une **mère** mother
les **merguez** m pl spicy sausages
mériter to deserve
merveilleux (-euse) marvellous
mes my

la **météo** weather forecast
un **métier** career, trade
un **mètre** metre
le **métro** the underground
un **metteur en scène** (film) director
mettre to put
~ **en marche** to make something work, start something off
~ **la table** to set the table
se ~ to sit
se ~ **à faire qch** to begin, start to do sthg.
se ~ **en marche** to set off
meublé furnished
les **meubles** *m pl* furniture
un **meurtre** murder
la **mi-journée** middle of the day
à **mi-temps** part time
un **micro-onde** microwave
un **micro-ordinateur** micro-computer
midi midday
le **miel** honey
mieux better, best
mignon(ne) sweet
mijoter to simmer
au **milieu de** in the middle of
mille thousand
un **milliard** a thousand million
des **milliers** thousands
minable *p* pathetic
mince slim, thin
les **minéraux** *m pl* minerals
minuscule minute, very small
en **minuscules** *f pl* in small letters
minuit midnight
une **minute** minute
un **miroir** mirror
la **misère** misery, worry
mixte mixed
une **mobylette** moped
moche *p* horrible
la **mode** fashion
le **mode de vie** way of life
modéré moderate
moderne modern
une **modification** slight change
moi I, myself
moi-même myself
la **moindre** the least
au **moins** at least
(le) **moins** less (least)
~ **cher** less expensive
~ **de** less than
un **mois** month
la **moitié** half
un **moment** moment
momentanément for the moment
mon my
le **monde** world
trop de **monde** too many people
mondial of the world
un(e) **moniteur (-trice)** instructor
la **monnaie** small change
un **monstre** monster
une **montagne** mountain
montagneux mountainous
le **montant** total amount
monter to go up, get on
un **monteur** film editor
une **montgolfière** hot air balloon
une **montre** watch
montrer to show
un **monument** sight, monument
la **moquette** fitted carpet
avoir le **moral à zéro** to be down in the dumps
un **morceau** piece
mordre to bite
mordu bitten, smitten
mort(e) dead
une **mosquée** mosque
un **mot** word
les **~s croisés** crossword
le **moteur** engine
une **moto** motorbike
une **motoneige** snowmobile

un **mouchoir (en papier)** (paper) handkerchief
le **mouillage** wetting
un **moulin** windmill
~ **à café** coffee grinder
mourir to die
la **mousse** foam
une **moustache** moustache
la **moutarde** mustard
un **mouton** sheep, mutton
un **moyen (de transport)** means (of transport)
moyen average
en **moyen** in medium (size)
le **Moyen Age** Middle Ages
multiplier to multiply
municipal belonging to the town or municipality
munir to equip, supply
se ~ **de** to equip oneself with
un **mur** wall
mûr ripe, mature
un **musée** museum
la **musique** music
musulman Moslem
un **mystère** mystery
mystérieux mysterious

N

une **nageoire** fin
nager to swim
nain dwarf
la **naissance** birth
naître to be born
une **nappe** tablecloth
la **natation** swimming
nature on its own
naturellement of course, naturally
nautique nautical, water
une **navette** shuttle
né(e) born *(from* **naître***)*
ne ... jamais never
ne ... pas not
ne ... plus de no more, none left
ne ... rien nothing
il **neige** it's snowing
la **neige** snow
n'est-ce pas? isn't that so? don't you think?
le **nettoyage à sec** dry cleaning
nettoyer to clean
neuf (neuve) new
un **neveu** nephew
le **nez** nose
une **nièce** niece
un **niveau** level
nocturne late-night opening; of the night
Noël *m* Christmas
noir black
le **noir** darkness
une **noisette** hazelnut
un **nom** name
nombreux (-euse) numerous
nommer to name
non no
non plus neither
le **nord** north
le **nord-ouest** north-west
normalement normally
un **notaire** solicitor
une **note** mark
notre our
des **nouilles** *f pl* noodles
une **nourrice** nanny, childminder
nourrir to feed, nourish
la **nourriture** food
nous we; us, to us
nouveau (nouvel, nouvelle) new
de **nouveau** again
une **nouveauté** novelty
une **nouvelle** piece of news
un **nuage** cloud
nuageux cloudy
une **nuit** night
bonne ~ goodnight
il fait ~ it's dark

la ~ by night
nul hopeless, nil
(ne ...) **nulle part** nowhere
un **numéro** number; copy (of a magazine etc.)
~ **d'immatriculation** car registration number
numéroté numbered
nutritive nutritious

O

obéir to obey
obligatoire obligatory, compulsory
obligé de obliged to, have to
obsédant obsessive
les **obsèques** *f pl* funeral
obstiné obstinate
obtenir to obtain
obtenu obtained
une **occasion** opportunity
occupé busy, occupied, taken
s' **occuper de** to be concerned/busy with
un **œil** (*pl* **yeux**) eye
mon ~! my foot!
un **œuf** egg
~ **à la coque** boiled egg
~ **dur** hard boiled egg
~ **sur le plat** fried egg
on m'a **offert** I was given (from **offrir***)*
l' **office de tourisme** *m* tourist office
des **offres d'emploi** *f pl* situations vacant (adverts)
offrir to offer
une **oie** goose
un **oignon** onion
un **oiseau** bird
un **olivier** olive tree
ombragé shady, shaded
une **ombre** shadow
une **omelette** omelette
on one, we, people (in general)
un **oncle** uncle
une **onde** wave
sur les **ondes** on the air
optimiste cheerful, optimistic
l' **or massif** *m* solid gold
un **orage** storm
orageux stormy
une **orange** orange
une **orangeade** orangeade drink
un **Orangina** fizzy orange
un **orchestre** orchestra, band
un **ordinateur** computer
une **ordonnance** prescription
les **ordures** *f pl* rubbish
l' **oreille** *f* ear
avoir la puce à l'~ to be on the alert
un **oreiller** pillow
un **organisme** organisation
~ **de charité**, ~ **humanitaire** charitable organisation
l' **orgueil** *m* pride
s' **orienter** to specialise
un **orteil** toe
l' **orthographe** *f* spelling
un **os** bone
ou or
où? where?
oublier (de faire qch) to forget (to do sthg.)
l' **ouest** *m* west
oui yes
un **ours** bear
outre beyond
ouvert open
une **ouverture** opening
un **ouvre-boîtes** tin opener
un **ouvre-bouteilles** bottle opener
un(e) **ouvrier(-ère)** worker
ouvrir to open
ovale oval
l' **oxygène** *m* oxygen
s' **oxygéner** to take a breath of fresh air, revitalise

P

le **pain** bread, loaf
~ **au chocolat** bread roll with chocolate inside
~ **grillé** toast
pair even numbered
la **paix** peace
un **palais** palace
pâle pale
une **pamplemousse** grapefruit
un **panda géant** giant panda
un **panier** basket
~ **à linge** linen basket
en **panne** out of order, broken down
un **panneau** (road) sign
un **pansement** dressing, bandage
un **pantalon** pair of trousers
une **papeterie** stationer's
le **papier** paper
~ **à lettres** writing paper
~ **kraft** brown wrapping paper
un **papillon** butterfly
Pâques *f pl* Easter
un **paquet** packet, parcel
faire un ~ cadeau to gift wrap
par by
un **paradis** paradise
un **paragraphe** paragraph
paraître to appear
le **parapente** paragliding
un **parapluie** umbrella
un **parc** park
~ **d'attractions** leisure park, theme park
parce que because
parcourir to cover, travel across
le **parcours** route, distance covered
un **pardessus** overcoat
pardon excuse me, I'm sorry
un **pare-boue** mudguard
le **pare-brise** windscreen
un **pare-choc** bumper
pareil the same
un **parent** parent
paresseux lazy
parfait perfect
parfois sometimes
le **parfum** perfume; flavour
parfumé flavoured
une **parfumerie** perfume shop, perfume factory
un **parking** car park
le **Parlement** Parliament
parler to talk, speak
parmi amongst
une **parole** word
nulle part nowhere
partager to share
en **partant de** starting from
un(e) **partenaire** partner
participer (à) to take part (in)
particulier private, private individual
une **partie** part
partiel partial
à **partir de** starting from
partir to leave
partout everywhere
les **parts de marché** *f pl* market share
pas not
~ **du tout** not at all
~ **grand-chose** not much
un **passage** crossing
~ **à niveau** level crossing
~ **souterrain** subway
un **passager** passenger
un **passant** passer by
le **passé** past
un **passeport** passport
passer to spend (time)
~ **l'aspirateur** to do the vacuuming
se **passer** to take place

~ de to do without (sthg.)
un passe-temps hobby, pastime
passionnant exciting
se passionner (pour) to be fascinated (with)/keen (on)
une patate douce sweet potato
la pâte d'amandes almond paste
le pâté meat paste, pâté
les pâtes f pl pasta
patiement patiently
patient patient
les patins à roulettes m pl roller skates
le patinage ice skating
une patinoire skating rink
une pâtisserie cake shop, confectioner's
le patron boss, owner
une patte paw (of an animal)
la paume de la main palm of the hand
la pause(-déjeuner) (lunch) break
pauvre poor
payer to pay (for)
un pays country
~ des Merveilles Wonderland
un paysage landscape, scenery
un(e) paysan (-ne) peasant, country person
en PCV reverse charges
un péage toll
la peau skin
une pêche peach
la pêche, aller à ~ to go fishing
un pêcheur fisherman
pectoral of the chest
une pédale pedal
pédaler to pedal
un pédalo pedal boat
pédestre on foot
un peigne comb
peindre to paint
la peine trouble
ce n'est pas la ~ it's not worth the trouble
ça vaut la ~ it's worth the effort
Peines d'Amour Perdues Love's Labours Lost
la peinture painting
une pellicule film
une pelouse lawn
une peluche soft toy
des pelures de légumes f pl vegetable peelings
penché leaning towards
se pencher to lean out
pendant during
pénible tiresome, tedious
penser to think
la pension boarding (house)
~ complète full board
demi-~ half board
la Pentecôte Whitsun
Pépé Grandad
une perceuse drill
perdre to lose
~ connaissance to become unconscious
se perdre to get lost
un perdreau partridge
un père father
le père Noël Father Christmas
se perfectionner to improve
perforer to damage, break into
en permanence continuously
permanent open all the year round
les permes (heures de permanence) f pl study periods
permettre to allow
un permis (de conduire) (driving) licence
un perroquet parrot
un personnage character
ne personne no-one, nobody
une personne person
par ~ per person
le personnel staff

une perte loss
~ de temps waste of time
peser to weigh
pessimiste pessimistic
la pétanque French bowls
le petit déjeuner breakfast
petit small, little
~ ami(e) boy/girlfriend
les petits-enfants grandchildren
les petits pois m pl peas
un peu a little, rather
peu de few
à peu près approximately, about
la peur fear
avoir ~ to be frightened
peut-être perhaps
un phare lighthouse; headlamp
une pharmacie chemist
un(e) pharmacien(ne) chemist
un phoque seal
une photo photo
un(e) photographe photographer
une phrase sentence
un piano piano
une pièce piece; room
20F la ~ 20F each
~ d'identité means of identification
~ de théâtre play
un pied foot
à ~ on foot
~ à ~ step by step
ça me casse les ~s it gets on my nerves
un coup de ~ kick
se lever du ~ gauche to get out of bed on the wrong side
un piège trap, pitfall
une pierre stone
un piéton pedestrian
une pile battery
pile ou face heads or tails
un pilote pilot
~ de courses racing driver
une pilule pill
un pin pine tree
un pin's badge
un pingouin penguin
le ping-pong table tennis
une pioche pile of cards; pickaxe
une pipe pipe
la piperade sort of spicy omelette with peppers and tomatoes
piquant spicy
un pique-nique picnic
une piqûre injection, sting
~ d'insecte insect bite
une pirogue dugout canoe
une piscine swimming pool
pistache pistachio
une piste track, ski run
~ cyclable cycle track
le piston p string pulling
pittoresque picturesque, pretty
une pizza pizza
un placard cupboard
une place seat; square
réservation des ~s seat reservation
une plage beach
une plaie wound
se plaindre de to complain about
plaire to please
plaisanter to joke
le plaisir pleasure
un plan map
~ des pistes ski map
la planche à voile windsurfing
faire de la ~ to go windsurfing
un plancher floor
une planète planet
une plante plant
une plaque plate, sheet (of metal)
plat flat
un plat dish; course
~ cuisiné ready-cooked meal
~ du jour dish of the day

~ principal main course
un plateau tray
une platine-laser CD player
plein full
faire le ~ to fill up
de plein air open air
en plein air in the open air
pleurer to cry
il pleut it's raining
pleuvoir to rain
plier to fold
le plomb lead
un plombage filling
plomber to fill a tooth
faire la plonge to do the washing up (in hotel or restaurant)
la plongée sous-marine underwater diving
plonger to dive
la pluie rain
les pluies acides acid rain
la plupart most
plus (de) more (than)
en ~ in addition
plusieurs several
plutôt rather
pluvieux rainy
un pneu (crevé) (flat) tyre
un pneumatique inflatable
la poche revolver hip pocket
un poêle stove
une poêle frying pan
un poème poem
la poésie poetry
le poids weight
un poids lourd lorry
le poignet wrist
un point point; full stop
être sur le ~ de faire qch to be about to do sthg.
une pointure shoe size
une poire pear
à pois with spots, spotted
un poisson fish
une poissonnerie fishmonger's
la poitrine chest
le poivre pepper
le poivron green pepper
poli polite
politique political
un homme/une femme ~ politician
polluant polluting
polluer to pollute
une pommade cream, ointment
une pomme apple
une pomme de terre potato
des pommes sautées sauté potatoes
~ vapeur boiled potatoes
une pompe pump
un pompier fireman
les pompiers m pl fire service, fire brigade
un poney pony
un pont bridge
un ponton landing stage
populaire popular
un port port
~ de pêche fishing port
une porte door, gate
un porte-clés key ring
un porte-monnaie purse
à la portée (de) within reach (of)
un portefeuille wallet
porter to wear
la portière train door
une portion portion
un portrait-robot identikit picture
poser sa candidature to apply for a job
poser une question to ask a question
positif (-ive) positive
la posologie dosage
posséder to possess
la poste post-office
un poste de radio radio
un pot jar
l'eau potable f drinking water
le potage soup

la poterie pottery
une poubelle dustbin
le pouce thumb
la poudre powder
une poule hen
le poulet chicken
le pouls pulse
les poumons m pl lungs
une poupée doll
pour for
un pourcentage percentage
pourpre purple
pourquoi? why?
on pourrait we could (from **pouvoir**)
poursuivant following from
pourtant however
pousser to push
~ un cri to let out a scream
une poussette pushchair
pouvoir can, to be able
une prairie meadow
pratique practical, convenient
pratiquement practically
pratiquer to practise
par précaution as a precaution
précédent preceding
précis exact
une prédiction prediction
préféré favourite
préférer to prefer
premier (-ière) first
prendre to take, put
~ un verre to have a drink
un prénom Christian/first name
près de near
tout près very near
présenter to present, introduce
se présenter to introduce oneself; to report to
presque nearly, almost
(être) pressé (to be) in a hurry
un pressing dry cleaner's
la pression des pneus tyre pressure
prêt ready
prétendre to claim
prêter to lend
prévenir to warn, advise
les prévisions météorologiques f pl weather forecast
prévoir to be prepared for, to foresee, forecast, predict
prévu planned
prier to request
une prière prayer
prière de ... you are requested to ...
principal main
le principal adjoint deputy head
le printemps spring
la priorité priority
une prise de courant electric socket
une prison prison
privé private
se priver de to go without
le prix price; prize
~ net inclusive price
~ d'entrée entry fee
probablement probably
prochain next
proche close
un producteur producer
se produire to take place
un produit product
~ laitier dairy product
un professeur teacher
profiter to benefit from
profond deep
profondément deeply, a great deal
une profondeur depth
un programmeur programmer
un projet plan
une promenade a walk, trip
faire une ~ to go for a walk
se promener to go for a walk
une promesse promise
promettre to promise
une promotion special offer
à propos by the way; about

proposer to suggest
une **proposition** proposal
propre own; clean
un(e) **propriétaire** owner
une **propriété** property
protecteur (-trice) protective
se **protéger** to protect yourself
une **province** province, region
les **provisions** *f pl* food, supplies
à **proximité** in the neighbourhood
la **prudence** care
prudent wise
une **prune** plum
un(e) **psychologue** psychologist
publicitaire to do with advertising
la **publicité** advertising
la **puce** flea; microchip
   avoir ~ **à l'oreille** to be alert
   une **carte à** ~ smart card
puis then
puissant powerful
un **pull** pullover, jumper
la **purée** fruit puree; mashed potato
la **pûreté** purity
un **pyjama** pyjamas

Q

un **quai** platform
quand when
   ~ **même** all the same, nevertheless
quant à as for
un **quartier** quarter, part (of a town)
en **quatrième** in the third year of secondary school
que than; as; what?
quel(le) which, what
Quelle chance! What luck!
quelque chose something
quelquefois sometimes
quelqu'un someone
   ~ **d'autre** someone else
Qu'est-ce que c'est? what is it?
Qu'est-ce qu'il (elle) fait dans la vie? What does s/he do for a living?
Qu'est-ce qui ne va pas? What's wrong?
une **question** question
une **queue** tail
   faire la ~ to queue
qui who, which
une **quincaillerie** ironmonger's, hardware shop
quinze jours a fortnight
une **quittance** receipt
quitter to leave
quoi? what?
quotidien daily, everyday

R

un **rabais** discount
raccorder to link up, connect
raccourcir to shorten
le **racisme** racism
raconter to talk about, describe
un **radiateur** radiator
(à) la **radio** (on the) radio
un **radis** radish
rafraîchissant refreshing
la **rage** rabies
un **ragoût** stew
raide straight
du **raisin** grapes
une **raison** reason
avoir **raison** to be right
raisonnable reasonable
rajeunir to rejuvenate
ralentir to slow down
ramasser to pick up, collect
une **rame de métro** metro carriage/train
ramener to bring back

une **randonnée** hike, long walk
ranger to tidy up
râpé grated
rapide quick, fast
rapidement quickly
rappeler to call back
par **rapport à** in comparison with
un **rapport** relationship
se **rapprocher** to be close to
une **raquette de tennis** tennis racket
rarement rarely
avoir **ras le bol** *p* to be fed up
rasant *p* boring
en **rase campagne** in the open country
se **raser** to shave
un **rassemblement** gathering
   ~ **des élèves** school assembly
rassurer to reassure
la **ratatouille** vegetable dish of aubergines, courgettes, tomatoes, onions and olive oil
rater *p* to fail, miss
la **RATP (Régie Autonome des Transports Parisiens)** Paris transport authority
ravi delighted
rayé striped
un **rayon** department
les **rayons solaires** *m pl* sun's rays
la **réalité virtuelle** virtual reality
le **réassortiment** restocking
rebelle rebellious
récemment recently
une **réception** party
une **recette** recipe
recevoir to receive; have someone to stay
le **réchauffement global** global warming
recherché sought after
rechercher to look for
les **recherches** *f pl* research
un **récit** account
réclamer to reclaim
la **récolte** harvest
recommander to recommend
une **récompense** reward
reconnu recognised
reconstituer to reconstruct
un **record** record
la **récréation** break
le **recrutement** recruitment
être **reçu** to pass, to succeed
un **reçu** receipt
reculer to go back, move back(wards), reverse
récupérer to get back, recover, pick up
recycler to recycle
un(e) **rédacteur(-rice)** editor
la **rédaction** editorial staff, editing
la **rediffusion** repeat transmission (on TV)
redoubler to repeat a year at school
réduire to reduce
réduit reduced
réel real
réflechir to think about
une **réflexion** comment
un **réfrigérateur** refrigerator
refroidir to get cold
un(e) **réfugié(e)** refugee
se **réfugier** to take refuge
un **regard** glance, look
regarder to watch, look at
un **régime** diet
une **région** region
régional regional
une **règle** ruler; rule
le **règlement** rules
régler to control
régulièrement regularly
une **reine** queen
un **relais routier** transport café
les **relations** *f pl* relationships

relier to link
un(e) **religieux(-euse)** monk, nun
remarquer to notice, observe
remboursable refundable
rembourser to reimburse
se **faire** ~ to get your money back
remercier to thank
une **remise** discount
la **remise en forme** fitness
un **remorqueur** tug boat
remplacer to replace
remplir to fill (in), to complete
la **rémunération** pay
un **renard** fox
rencontrer to meet
un **rendez-vous** appointment, date, meeting
rendre to make; to give back
se **rendre** to go to
renfermer to contain, hold
les **renseignements** *m pl* information
renseigner to inform
la **rentrée** return to school
rentrer to return
   ~ **dans** to crash into
renverser to knock over
la **réparation** repair
réparer to repair
un **repas** meal
le **repassage** ironing
repasser to iron
répéter to repeat; to rehearse
un **répondeur (automatique)** answering machine
répondre to reply
un **reportage** report, article
se **reposer** to rest
un(e) **représentant(e)** representative
le **réseau** network
une **réservation** reservation
réservé reserved
réserver to reserve
respectueux respectful
respirer to breathe
responsable responsible
resquiller dans les queues to jump the queue
se **ressembler** to look alike
ressentir to feel
ressortir to stand out, make evident
un **restaurant** restaurant
la **restauration** catering industry
restauré restored
rester to stay
restituer to restore
le **résultat** result
un **résumé** summary, résumé
en **retard** late
retardé delayed
retenir to hold
une **retenue** detention
retirer to take out
le **retour** return (journey)
retourner to return
se **retourner** to turn around
retraité retired
se **rétrécir** to shrink
un **rétroprojecteur** overhead projector
une **réunion** meeting
réunis together
réussi successful
réussir (à faire qch) to succeed (in doing sthg.)
réutilisable reuseable
réutiliser to re-use
un **rêve** dream
un **réveil** alarm clock
se **réveiller** to wake up
revenir to return, come back
le **revenu** income
au **revoir** good-bye
se **revoir** to see one another again
une **revue** magazine
le **rez-de-chaussée** ground floor

le **Rhin** Rhine (river)
le **rhume** cold
   ~ **des foins** hay fever
riche rich
rien nothing
ne **rien** nothing, not anything
rire to laugh
un **risque** risk
une **rive** river bank
une **rivière** river
le **riz** rice
une **robe** dress
   ~ **de chambre** dressing gown
un **robinet** tap
   ~ **à gaz** gas tap
un **robot ménager** food processor
une **roche** rock
un **rocher** rock
rôder to prowl around
un **roi** king
les **Romains** the Romans
un **roman** novel
   ~ **policier** crime story
   ~~**photo** photo story
romantique romantic
rond round
une **rondelle** round slice
un **rond-point** roundabout
du **rosbif** roast beef
rose pink
une **rotative** rotary press
rôti roast
une **roue** wheel
rouge red
la **rougeole** measles
rougir to blush
rouillé rusty
rouler to drive, move (vehicle)
rouspéter *p* to grumble
une **route** road
En **route!** Let's go!
un **routier** long distance lorry driver
routier(-ère) road
roux red (hair)
le **Royaume-Uni** United Kingdom
une **rubrique** heading
une **rue** street
le **rugby** rugby
les **ruines** *f pl* ruins

S

sa his, her, its
le **sable** sand
un **sac** handbag
   ~ **à dos** rucksack
   ~ **de couchage** sleeping bag
un **sachet de thé** tea bag
une **sacoche** small bag; saddle bag
sacré sacred, holy
la **sagesse** wisdom
saignant raw (of steak)
saigner to bleed
la **Saint-Sylvestre** New Year's Eve
saisir to seize
une **saison** season
saisonnier seasonal
la **salade** green salad; lettuce
   ~ **de fruits** fruit salad
   ~ **composée** mixed salad
un **salaire** salary
salé savoury, salty
une **salle** room
   ~ **d'attente** waiting room
   ~ **d'eau** washroom, shower room
   ~ **de bain(s)** bathroom
   ~ **de classe** classroom
   ~ **d'informatique** computer room
   ~ **des professeurs** staff room
   ~ **de remise en forme** fitness centre

~ de réunion conference room
un **salon** lounge; trade fair, convention
saluer to greet someone
Salut! Hello! Hi!
samedi Saturday
le **sang** blood
un **sanglier** boar
les **sanitaires** m pl washrooms
sans without
~ cesse without a break
~ doute doubtless
les **sans abri** homeless
le **sans plomb** unleaded petrol
la **santé** health
un **sapeur-pompier** fireman
un **sapin de Noël** Christmas tree
la **sauce vinaigrette** French dressing
une **saucisse** sausage
le **saucisson** continental spicy sausage
sauf except
le **saumon (fumé)** (smoked) salmon
le **saut en élastique** bungee jumping
sauter to jump
sauvage wild, natural
sauvegarder to save
sauver to save
savoir to know
le **savoir-faire** know-how
le **savoir-vivre** good manners, tact
le **savon** soap
une **saynète** sketch, short play
scellé sealed
un **scénariste** scriptwriter
les **sciences** f pl science
scolaire to do with school
la **scolarité** schooling
la **scripte** continuity girl (cinema)
une **séance** session, showing (of a film), performance
sécher to dry
la **sécheresse** drought
en **seconde** in the fifth year of high school
le **secours** help
une **secousse de terre** earth tremor
une **secrétaire** secretary
la **sécurité (routière)** (road) safety
un **séjour** stay
le **sel** salt
un **self-service** self-service restaurant
selon according to
une **semaine** week
sembler to seem
une **séminaire** conference, seminar
une **semelle** shoe sole
la **semoule** semolina
un **sens** meaning; direction
le **bon ~** the right direction
le **mauvais ~** the wrong direction
~ interdit No entry
~ unique one way system
sensationnel fantastic
sensible sensitive
un **sentiment** feeling
un **sentier** footpath, track
se **sentir** to feel
séparé separated
septembre September
une **série** series
sérieux (-euse) serious
un **serpent** snake
serré tight
se **serrer la main** to shake hands
une **serveuse** waitress
Servez-vous! Help yourself!
le **service** service; service charge

~ militaire military service
les **services d'urgence** emergency services
une **serviette** towel; briefcase
servir to serve
se **servir de** to use
ses his, her, its
seul alone
seulement only
sévère strict
le **shampooing** shampoo
un **short** pair of shorts
si if
si yes (insisting)
le **Sida** Aids
un **siècle** century
un **siège** seat
le **sien (la sienne, les siens, les siennes)** his, hers
faire la **sieste** to have a nap after lunch
un **sifflet** whistle
signaler to indicate
signer to sign
s'il te plaît/s'il vous plaît please
silencieusement silently
silencieux (-euse) silent
simple basic, simple
simplement simply
un **singe** monkey
sinon otherwise
une **sirène** siren
le **sirop** concentrated fruit juice; cough linctus
~ d'érable maple syrup
situé(e) situated
en **sixième** in the first year of high school
le **ski** skiing
faire du ~ to go skiing
~ alpin downhill skiing
~ de fond cross-country skiing
~hors piste off-piste skiing
~ nautique water skiing
un **snack** snack bar
une **société d'assurances** insurance company
une **sœur** sister
la **soie** silk
soif (avoir ~) to be thirsty
soigner to care for
le **soin** care
prendre ~ de to take care of
(le) **soir** (in the) evening(s)
tous les ~s every evening
soit (from **être**) might be
soit ... soit either ... or
le **soja** soya
le **sol** soil, ground
un **soldat** soldier
un **solde** sale bargain
le **soleil** sun
un coup de ~ sunstroke
sombre dark
le **sommeil** sleep
le **sommet** mountain peak, top
au ~ de on/at the top of
un **somnifère** sleeping tablet
son his, her, its
un **son** sound
un **sondage** survey
un **songe** dream
sonner to ring
la **sorcellerie** witchcraft
une **sortie** exit
~ de secours emergency exit
sortir to go out
un **sou** old coin worth 5 centimes
ne pas avoir un ~ to be penniless
une **souche** stump of a tree
un **souci** worry, concern
une **soucoupe** saucer
soudain suddenly
le **souffle** breath
souffler to blow
souffrir to suffer
souhaiter to wish

souligné underlined
soupçonner to suspect
la **soupe** soup
le **souper** supper
souple flexible, floppy
sourd deaf
le **sourcil** eyebrow
souriant smiling
sourire to smile
un **sourire** smile
une **souris** mouse
sous under
les **sous** p, m pl money
sous-marin underwater
le **sous-sol** basement
sous-titré subtitled
les **sous-vêtements** m pl underwear
souterrain underground
le **soutien** support
un **souvenir** souvenir; memory
se **souvenir de** to remember
souvent often
soyez assez aimable de be kind enough to
les **spaghettis** m pl spaghetti
le **sparadrap** sticking plaster
un **spectacle** show, display
un **sport** sport
sportif (-ive) sporty
un **stade** stadium
un **stage** course
~ en entreprise work experience (placement)
~ d'activités activity course
un(e) **stagiaire** course participant
le **standard** switchboard
une **station de métro** metro station
une **station (de ski)** (ski) resort
le **stationnement** parking
stationner to park
une **station-service** petrol station
une **statue** statue
le **steak** steak
~ tartare raw steak served with seasoning
un(e) **sténo** m pl shorthand typist
un **steward** cabin steward
un **store** blind
stupide stupid
un **stylo** pen
subir to undergo, sustain
un **substitut** substitute
le **succès** success
sucer to suck
le **sucre** sugar
sucré sweet, sugary
une **sucrerie** any sweet food eg sweets, biscuits etc
le **sud** south
au sud de to the south of
le sud-est south-east
en **sueur** sweating
suffisamment sufficiently
Ça suffit! That's enough!
la **Suisse** Switzerland
suisse Swiss
suite à further to
suivant following
suivre to follow
le **super** 4 star petrol
~ sans plomb super unleaded
superbe very fine
une **supérette** small supermarket
un **supermarché** supermarket
un **supplément** extra, supplement
en ~ extra charge
supprimer to suppress, remove
sur on
sûr certain, sure, safe
bien ~ of course
une **surdose** overdose
sûrement undoubtedly
les **surgelés** m pl frozen food
le **surnaturel** supernatural
surnommer to nickname
surtout above all

surveillé supervised
survenu passed away
un **survêtement** tracksuit
un **survivant** survivor
en **sus** on top
suspendu suspended
sympathique (sympa) kind, nice
le **syndicat d'initiative** tourist office
un **synonyme** word with the same meaning

T

ta your
un **tabac (bureau de ~)** tobacconist's
un **tableau** picture; table; diagram; board
~ de bord dashboard
une **tâche ménagère** household task
la **taille** size
en ~ moyenne in 'medium'
un **taille-crayon** pencil sharpener
le **talon** heel
la **Tamise** river Thames
tandis que whereas
tant so much
~ pis too bad
une **tante** aunt
le **tapage** p din, racket
taper à la machine to type
un **tapis** carpet
~ magique magic carpet
tard late
plus ~ later
un **tarif** charge; price list
une **tarte aux pommes** apple tart
une **tartine** bread and butter and/or jam
un **tas** heap, pile
une **tasse** cup
un **taureau** bull
une **taxe** tax
un **taxi** taxi
un(e) **technicien(ne)** technician
la **technologie** technology
un **teint** stain
tel such
un **télé-roman** soap opera
une **télécarte** phone card
le **téléchargement** downloading
une **télécommande** remote control
un **télécopieur** fax machine
une **téléphérique** cable car
le **téléphone** telephone
un **télescope** telescope
le **télétravail** teleworking, working from home for an employer
(à) la **télé(vision)** (on) TV/television
tellement so, so much
le **témoignage** evidence, account
un **témoin** witness
une **tempête** storm, hurricane
le **temps** weather; time
~ libre free time
de ~ en ~ from time to time
combien de ~? how long, how much time?
tendre tender
le **tennis** tennis
une **tentation** temptation
une **tentative** attempt
une **tente** tent
tenter to tempt
une **tenue** outfit
se **terminer** to end, finish
un **terrain** ground, pitch
une **terrasse** terrace outside a café
la **terre** earth; ground
par ~ on the ground
un **terrien** earth creature
terrestre earthly, on earth
la **tête** head
de la ~ aux pieds from head to foot**

un ~ à ~ private conversation
un **TGV (Train de Grande Vitesse)** high speed train
le **thé** tea
~ **citron** lemon tea
un **théâtre** theatre
une **théière** teapot
un **ticket** ticket for metro or bus
un **tiers** a third
le **tiers monde** the third world, the developing world
un **tigre** tiger
un **timbre** stamp
timide shy
le **tir** shooting
le **tirage** circulation (of newspapers)
un **tire-bouchon** corkscrew
tirer to pull
se ~ **de** to escape from, to get away with
un **tiroir** drawer
le **tissu** material
un **titre** title, heading
un **toboggan** slide, toboggan, water chute
toi you
la **toile** fabric
les **toilettes** f pl toilets
un **toit** roof
une **tomate** tomato
tomber to fall
~ **en panne** to break down
une **torche** torch
un **torchon** tea towel
tordu twisted
un **torrent** river, torrent, mountain stream
tortiller to twist, twirl
une **tortue** tortoise
tôt early
touchant touching
une **touche** key (on keyboard)
la **touche espace** space bar
toujours always
la **Tour Eiffel** Eiffel Tower
une **tour** tower
un **tour** trip, excursion, tour; turn
demi-~ U-turn
tour à tour in turn
un(e) **touriste** tourist
le **tournage** shooting of a film
une **tournée** tour
en **tournée** on tour
tourner to turn
~ **un film** to make a film
un **tournesol** sunflower
un **tournoi** tournament
une **tourte** round loaf; (meat) pie
la **Toussaint** All Saints' Day (1st Nov)
tout all, every, everything
en ~ **cas** in any case
C'est ~ ? Is that all?
~ **droit** straight ahead
À ~ à l'heure! See you later
~ **de suite** immediately
~ **le monde** everybody, everyone
~ **le temps** all the time
une **toux** cough
un(e) **toxicomane** drug addict
toxique poisonous
un **tracteur** tractor
la **traduction** translation
trahir to betray
un **train** train
~ **à vapeur** steam train
le **train-train quotidien** p everyday routine
un **traineau** sledge
le **traitement** treatment
~ **de texte** word processing
un **traiteur** delicatessen, caterer
les **traits physiques** m pl physical appearance
un **trajet** journey
le **trampoline** trampolining
un **tramway** tram
une **tranche** slice

tranquille quiet, calm
tranquillement quietly, peacefully
transpirer to perspire
le **transport routier** road transport
~ **en commun** public transport
transporter to transport, carry
traquer to hunt down
le **travail** work
travailler to work
~ **à son propre compte** to work for oneself
un **travailleur** worker
les **travaux** m pl works, labour
~ **manuels** woodwork, craft, sewing, cookery, etc.
la **traversée** crossing
traverser to cross
trébucher to trip up
un **tremblement de terre** earthquake
trembler to shake, tremble
trempé jusqu'aux os soaked to the skin
tremper to wet
très very
les **tribunes** grandstand
tricolore three-coloured
le **tricot** jumper; knitting
tricoter to knit
trier to sort out, classify
un **trimestre** term
triste sad, unhappy
le **troisième âge** retirement years
un **trombone** trombone; paper clip
se **tromper** to make a mistake
une **trompette** trumpet
trop too; too much
le **trottoir** pavement
un **trou** hole
une **trousse** pencil case
~ **de médicaments** first aid kit
~ **de toilette** wash bag, toilet bag
trouver to find
se **trouver** to be situated
un **truc** trick, tip, thingammy
une **truite** trout
un **T-shirt** T-shirt
tu you
tuer to kill
la **Tunisie** Tunisia
un **tunnel** tunnel
un **tunnelier** tunnel boring machine
tutoyer to call someone 'tu'
un **tuyau** water pipe

U

la **'une'** front page of a newspaper
uni one coloured, plain
un **uniforme** uniform
unique only
uniquement only, exclusively
l' **univers** m universe
urbain urban, of the city
une **usine** factory
un **ustensile** utensil
utile useful
utiliser to use
utilisé used

V

le **va-et-vient** comings and goings
les **vacances** f pl holiday(s)
les **grandes** ~ summer holidays
un(e) **vacancier (-ière)** holiday maker
une **vache** cow
vaguement vaguely
vaincre to overcome

un **vaisseau** ship, vessel
la **vaisselle** crockery
faire la **vaisselle** to do the washing up
le **val de Loire** Loire valley
valable valid
la **valeur** value
valider to stamp (a ticket)
une **valise** suitcase
une **vallée** valley
le **vapeur** steam
varié varied
le **veau** calf, veal
un(e) **vedette** star, TV personality
végétaliste vegan
végétarien(ne) vegetarian
un **véhicule** vehicle
~ **tout terrain** four wheel drive vehicle
veiller to watch over
un **vélo** bike
faire du ~ to go cycling
un **vélomoteur** moped
le **velours** velvet
un(e) **vendeur (-euse)** sales/shop assistant
vendre to sell
venir to come
venir de to have just
le **vent** wind
il y a du ~ it's windy
la **vente** sale
~ **aux enchères** auction sale
en vente ici on sale here
le **ventre** stomach
un **ver** worm
un **verger** orchard
vérifier to check
la **vérité** truth
le **verlan** code where words are pronounced backwards
un **verre** glass
vers towards; around
verser to pour
en **version originale** with the original soundtrack (film)
vert green
verticalement down
une **veste** jacket
le **vestiaire** cloakroom
un **vestibule** hall
les **vêtements** m pl clothes
un **vétérinaire** vet
vêtu dressed
un(e) **veuf (veuve)** widow(er)
veuillez ... kindly ...
la **viande** meat
une **vibration** vibration
une **victime** victim
une **victoire** victory
vide empty
un **vidéo** video
(se) **vider** to empty
une **vie** life
vieux (vieil, vieille) old
vif (vive) bright
une **vigne** vine
une **vignette** label, disc
un **village** village
une **ville** town
le **vin** wine
~ **mousseux** sparkling wine
le **vinaigre** vinegar
une **vingtaine** about twenty
un **violon** violin
un **virage** bend, curve
couper le ~ to cut the corner
virer to swerve
une **virgule** comma
un **visage** face
visiter to visit
un **visiteur** visitor
une **vitamine** vitamin
vite quickly
la **vitesse** speed
à toute ~ at top speed
en ~ quickly
la **vitrine** shop window
en ~ in the window
vivre to live
voici here is, here are
une **voie** track, platform

en ~ **de disparition** becoming extinct
la ~ **publique** public highway
une ~ **réservée** bus lane
voilà here is, here are
la **voile** sailing
faire de la ~ to go sailing
un **voilier** yacht
voir to see
voisin(e) close to
un(e) **voisin(e)** neighbour
une **voiture** car
la **voix** voice
à ~ **basse** in a whisper
à ~ **haute** aloud
le **vol** theft; flight
~ **libre** hang-gliding
la **volaille** poultry
le **volant** steering wheel
volant flying
un **volcan** volcano
voler to steal; to fly
un **volet** shutter
un(e) **voleur (voleuse)** thief, crook
le **volley** volleyball
un(e) **volontaire** voluntary worker
la **volonté** willingness
bonne ~ good willingness
volontiers willingly, gladly
vomir to be sick
vos your
votre your
je **voudrais** I would like (from vouloir)
vouloir to want, wish
vouloir dire to mean
vous you; to you
un **voyage** journey
voyager to travel
un(e) **voyageur(-euse)** traveller
voyant visible
vrai true
vraiment really
un **VTT (Vélo Tout Terrain)** mountain bike
une **vue** view
à ~ **de nez** roughly speaking

W

le **wagon-restaurant** buffet car
un **walkman** walkman, personal stereo
un **week-end** weekend

Y

y there
il ~ **a** there is, there are
un **yaourt** yoghurt
les **yeux** m pl eyes
le **yoga** yoga

Z

le **zapping** channel hopping
une **zone piétonnière** pedestrian area
la **zone urbaine** urban area
zut! blast!

222

Solutions

Jeu-test: êtes-vous fana de sport?

(à la page 32)
Résultats:

a Sportif(-ive), mais pas trop!

Vous êtes sportif(-ive), mais vous aimez le sport avec modération. Vous appréciez que c'est très bien de faire du sport pour se détendre et pour être en forme, mais vous n'êtes pas fanatique. Vous êtes, sans doute, une personne très équilibrée.

b Allergique au sport?

Vous n'êtes pas du tout sportif(-ive), mais, attention – il ne faut pas exagérer. Un peu de sport de temps en temps – ça vous ferait du bien. Essayez de trouver un sport qui vous plaît. Sinon allez en disco – la danse aussi est une forme d'exercice!

c Fana de sport!

Pour vous le sport est très important et vous êtes sans doute très en forme. Mais attention! Il faut décider si le sport est pour vous un plaisir ou une obsession. N'oubliez pas que les champions sont souvent des personnes assez solitaires.

Une machine magnifique

(à la page 61)

1b 206 (Le plus gros se trouve dans la jambe, le plus petit se trouve dans l'oreille.)

2c 32 (On a 20 dents de lait.)

3a Entre 4 et 5 litres

4a 660

5b 37°C

6b entre 13 et 17 fois (… quand on ne s'exerce pas. Quand on s'exerce on peut respirer jusqu'à 80 fois dans une minute.)

7c les dents (… ou plus exactement l'émail des dents.)

8c le cerveau

9a en prenant le pouls de quelqu'un

Premiers soins

(à la page 65)
Voici les points.

1 **a**1 **b**0 **c**5 **d**2
2 **a**5 **b**2 **c**0 **d**1
3 **a**0 **b**5 **c**0 **d**0
4 **a**0 **b**0 **c**0 **d**5
   Si l'on craint que le chien soit atteint de la rage, il faut nettoyer la blessure très scrupuleusement, même si ça fait mal et consulter un médecin de toute urgence.
5 **a**5 **b**0 **c**0 **d**0
   Il est conseillé de ne pas bouger quelqu'un qui s'est cassé la jambe, avant d'immobiliser la fracture. Evitez aussi de donner à boire à quelqu'un s'il va éventuellement être opéré.
6 **a**1 **b**5 **c**0 **d**0
7 **a**0 **b**0 **c**5 **d**0
8 **a**0 **b**0 **c**5 **d**0
9 **a**2 **b**0 **c**2 **d**5
10 **a**5 **b**3 **c**0 **d**3

Faites le total de vos points.

48-50   Bravo! Si vous assistez à un accident, vous saurez quoi faire.

20-48   Ce n'est pas mal, mais lisez bien les réponses correctes pour savoir ce qu'il faut faire dans toutes les situations.

0-19   Aïe! J'espère que vous ne serez pas la seule personne sur le lieu d'un accident! Mais si vous voulez apprendre ce qu'il faut faire, essayez de suivre des cours de premiers soins.

Jeu-test: souffrez-vous du stress?

(à la page 73)
Notez pour chaque réponse sa valeur en points et faites le total de vos points.
Rarement ou jamais   1 point
Quelquefois   5 points
Toujours   50 points

Souffrez-vous du stress?

Moins de 17 points.
Non, vous n'êtes pas stressé(e). Espérons que ça va durer.
Entre 18 et 106 points.
Vous souffrez du stress assez souvent.
Plus de 107 points.
Votre vie est très stressée. Essayez de vous relaxer et de simplifier un peu votre vie.

Résumé

1 Nouveaux horizons

2 Ça m'intéresse

3 A votre santé

4 Projets d'avenir

5 On se débrouille